SHINSEI LICENSE MANUAL

まるごと覚える

福祉住環境コーディネーター 2・3級

ポイントレッスン

新星出版社

福祉住環境コーディネーターとは？

福祉住環境コーディネーターの役割

① 高齢者や家族の身になって問題点を抽出し、高齢や障害による不便を補い、その人に最適な住環境整備の方針を提案します。
② 保健・医療・福祉・建築分野の専門家と連携し、すべての関係者の意見を調整し、生活者の状況に応じた住宅改修プランを提案します。問題発生時の対処、工事後の経過観察などフォローアップを行います。
③ 福祉用具や福祉サービス・補助金などの情報を提供しアドバイスします。

福祉住環境コーディネーターの目的

高齢化時代を迎え、高齢者や障害者ができるだけ自立して楽しく暮らせる社会基盤の整備が求められています。とくに、身体機能の低下により家の中で過ごす時間が長くなる高齢者や障害者にとって生活基盤である住まいの不都合は、両者の活動範囲を制限します。
福祉住環境コーディネーターは、既存の専門職の枠組みにとどまらず、広い視野をもって住環境に関わるアドバイスを行うことで、高齢者や障害者の自立支援を助けて生き生きと、安心して暮らせる環境を達成し、介護を担当する家族の負担を軽減することを目的としています。

住環境整備による主な自立支援

対象となる人の身体機能や要望に合わせて、住環境を整備することが高齢者・障害者の自立支援につながります。

- 住宅内部の段差を解消し、廊下や階段などを広くし、手すり設置等により、室内の移動を助けます。
- トイレや浴室など、高齢者・障害者にとって複雑な動作を行う場所を広くし、動作や操作がしやすい機器への交換等で生活行為を助けます。
- 屋外と室内の段差を解消することで屋外への移動を助け、街に出て社会と交流しやすくなります。
- 使用する人が操作しやすい扉、照明や設備などの機器を設置し、日常生活を助けます。

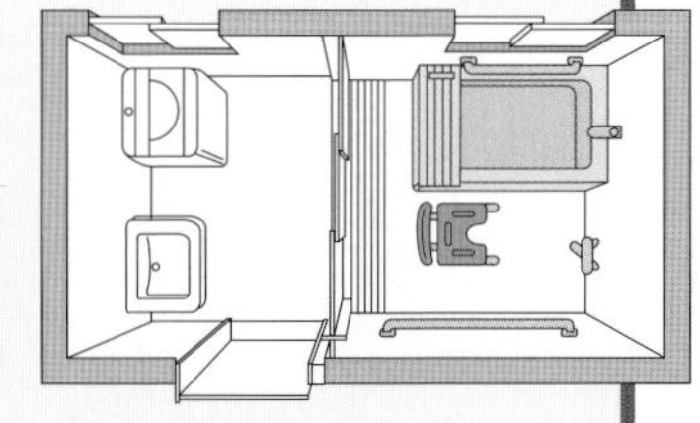

住環境整備に関わる人々

高齢者・障害者と家族の生活のしやすい住環境を整備するために、福祉住環境コーディネーターとともに医療関係、福祉関係、建築関係、福祉用具関係などの専門職が関わります。

医療関係

保健師
健康管理、在宅サービスの調整。

かかりつけ医師・看護師・准看護師
病状を治療・観察。

作業療法士・理学療法士・言語聴覚士
リハビリテーションの治療指導。

建築関係

設計事務所・設計者
改修プランを設計。

建設会社・工務店
改修工事を統括。

大工など
各工事を担当。

福祉住環境コーディネーター

福祉関係

介護支援専門員（ケアマネジャー）
ケアプランを作成。

介護福祉士
日常生活の介護と介護支援。

社会福祉士
福祉に関する相談や援助。

ホームヘルパー＊
身体介護、生活援助。

介護サービス相談員
介護サービスの相談や把握。

福祉用具関係

福祉用具プランナー
福祉用具プランの作成。

福祉用具製造・販売者
ケアプランに応じた福祉用具を提供。

義肢装具士
四肢体幹の装具の製作・調整。

福祉用具貸与事業所
ケアプランに基づき福祉用具を貸与。

福祉用具専門相談員
介護保険では指定福祉用具貸与事業所に必置。

＊訪問介護員養成研修、または、介護職員初任者研修修了者。

福祉住環境整備の流れ

内　容	福祉住環境コーディネーターの役割
1 問題点の抽出（ニーズの把握） ◇高齢者・障害者本人や家族からの相談 ◇介護支援専門員（ケアマネジャー）、保健師、看護師、准看護師、ホームヘルパーがニーズを把握	◆問題点を的確に把握し、対応方針を整理する。 ◆介護支援専門員（ケアマネジャー）、ソーシャルワーカー、理学療法士、作業療法士、設計者、工務店等のコーディネートを行う。
2 住環境整備方針の検討 ◇身体機能の評価、ADLの評価 ◇福祉サービスの活用範囲を検討 ◇高齢者・障害者の生活目標を把握 ◇住環境整備の範囲を検討（住宅改修、福祉用具の活用、その併用等）	◆関連専門職や関係者の意見交換の進行・調整を行い、方針の検討を進める。 ◆病院や役所等、必要機関との連絡・調整。 ◆状況により役所への手続きを代行する。 
3 設計の決定・施工の実施 ◇改修プランの設計を依頼し、方針に沿って検討、決定 ◇住環境整備の実施	◆本人・家族と相談の上、設計者に設計を、工務店に工事を依頼する。 ◆方針に沿って改修プラン設計を検討し決定する。 ◆施工が設計通りに進められているかチェックする。 ◆施工段階で発生した問題を関係者に連絡し、指示を調整。
4 工事完成後のチェック ◇住環境整備が方針どおりにできているか確認	◆方針決定に携わった関係職と完成後のチェックに立ち会い、問題があれば対策を検討する。 
5 フォローアップ ◇住環境整備が高齢者・障害者の生活に役立っているかどうか、新生活開始後も継続的に確認	◆定期的に使い勝手を尋ねる。 ◆身体機能や家族構成の変化によって、住環境に不都合が出たときに、関係職と共に対応、調整。

2015年に団塊の世代が高齢者になりきり、高齢者の居住を取り巻く問題が、全国各地で当たり前のように起こっています。前期高齢者には、比較的元気で可処分所得もあり、ゆとりある時間を楽しんでいる人も多く見られます。しかし、2025年には団塊世代も後期高齢者となり、介護の問題が今以上にクローズアップされることでしょう。認知症者の数も予想を上回る速さで増加しています。今後、独居高齢者の数は急速に増加し、消え去る集落や空き家の問題も深刻化していきます。特別養護老人ホーム待機者は50万人以上にのぼり、老後の安定した暮らしを確保することは多くの人の悩みごとになっています。

2000年に始まった公的介護保険制度には住宅改修と福祉用具が給付対象に組み込まれ、住宅改修が広く普及するきっかけとなりました。2011年に「高齢者住まい法」と「障害者基本法」が改正施行され、2014年には「介護保険法」が改正され、「障害者自立支援法」に代わるものとして「障害者総合支援法」が施行されました。国際的にも「障害者権利条約」が2014年1月に批准され、2016年4月に施行された「障害者差別解消法」は、2020年6月に改正され、3年以内には民間にも義務化されます。2019年には「認知症施策推進大綱」が閣議決定され、認知症に対する総合的な施策を推進させることになりました。このような法制度の変化に合わせて、2022年に福祉住環境コーディネータ検定試験公式テキストが再度改訂されましたので、本書も内容を改訂いたしました。

誰もが、いつまでも住み慣れた地域社会の中で生き生きと暮らすことを望んでいますが、これには住環境の整備が不可欠な要素であり、自宅だけでなく、福祉のまちづくりの推進が重要です。居住の安全・安心・安定はまさに喫緊の課題です。

福祉住環境コーディネータは、建築に関する知識に加えて、高齢者等の心身特性や障害に関する知識、社会保障制度に関する仕組みや法律の知識、福祉用具に関する知識など広範な知識をベースに、障害のある人や高齢者の生活環境の改善を推進していくという、今の時代に求められている人材です。資格取得のためだけでなく、経験を重ね、知識を深め、信頼される専門職として現場でご活躍いただきたいと思います。

本書は、机上にて活用しやすいようにコンパクトに項目別に読みやすく編集していますので、検定試験対策だけでなく日々の参考書としてご活用ください。

相良二朗

CONTENTS

◆協力者◆
執筆：九富真理子、中山良昭、橋本美佳、高遠遙
イラスト・目次・口絵デザイン：ひろせ森央
図表作成：二渡栄子、大橋伸子、大橋ケン
レイアウト：二渡栄子
編集：あとりえＰ　鶴田真秀子／筑紫企画
編集協力：高野美紀子（デザイン工房M2一級建築士事務所）、
榑林由紀子（バウムプランニング一級建築士事務所）
長友浩昭（アール・ツー）

合格の手引き

福祉住環境コーディネーターとは

福祉住環境コーディネーターは、高齢者や障害を持つ方の身体的特性や生活特性、医療・保健・福祉用具などの福祉と建築に関する幅広い知識をもち、住宅の改修や整備について助言・提案・情報提供を行う実践的な能力を備えた専門職です。

超高齢社会の到来に伴い、高齢者や障害者が、在宅で自立した生活を送るために、既存の段差の多い住宅の構造や狭い居住面積における不自由を解決する住環境の整備が必要となっています。

介護保険法が施行され住宅改修のニーズは、ますます高まりを見せています。まだ歴史は浅い資格ですが、平成12年末の厚生労働省から各都道府県、政令指定都市、中核市への通達によって、平成13年1月1日より「福祉住環境コーディネーター2級」合格者は、介護支援専門員（ケアマネジャー）・作業療法士（OT）と並んで、介護保険制度の居宅介護住宅改修費の支給申請に関わる理由書を作成することができる専門職と位置づけられました。また、より専門性が高く、幅広い活躍が期待されている1級の受験資格もあります。1級、2級、3級ともに、今後ますます活動の場が広がっていくことが予想されます。

福祉住環境コーディネーターは、東京商工会議所が検定試験を実施し、認定する民間資格です。

＊福祉住環境コーディネーター検定試験®は東京商工会議所の登録商標です。

●福祉住環境コーディネーターの役割

福祉住環境コーディネーターは、高齢者や障害者に対して住みやすい住環境を提案するアドバイザーです。医療・保健・福祉・建築について体系的で幅広い知識を身につけ、関係する各種の専門職と連携をとりながら、住み手に適切な住宅改修プランを提案します。また福祉用具の選択や設置環境、補助金等の情報についてアドバイスします。

●福祉住環境コーディネーターの主な仕事

- 介護保険制度における住宅改修に関わるケアマネジャーとの連携
- 福祉施策、福祉・保険サービスなどに関する情報提供
- 福祉用具、介護用品から家具までの選択と利用方法のアドバイス
- バリアフリー住宅への新築、建て替え、リフォームに関するアドバイス
- その他、自宅のリフォームやボランティア活動でも活躍

◆各級の基準

級	基準	内容	合格レベル
3級	福祉と住環境の関連分野の基礎的な知識についての理解度を確認いたします。	①超高齢社会が到来する中で、生活者として知っておくべき福祉一般の基本的知識を理解している。 ②子供から高齢者にわたる全世代を対象に、生活者の視点から、地域コミュニティ・まちづくりを含んだ「福祉住環境整備の基礎知識」を理解している。	マークシート方式 制限時間は90分 100点満点とし、70点以上をもって合格。
2級	3級レベルの知識に加え、福祉と住環境等の知識を実務に活かすために、幅広く確実な知識を身につけます。また、各専門職と連携して具体的な解決策を提案できる能力を求めます。	①介護、医療、福祉、建築、福祉用具に関する、専門の知識を身につけ、それらを適用できるまで深く理解している。 ②福祉住環境に関するさまざまな問題点を抽出でき、クライアントのニーズ、経済的状況、福祉制度、住宅環境、福祉用具による対応等を総合的に勘案し、各専門職と連携し最適な解決策を提案できるだけの知識・技能を有している。	マークシート方式 制限時間は90分 100点満点とし、70点以上をもって合格。
1級	2級で得た知識をもとに、新築や住宅改修の具体的なプランニングができ、さらに安全で快適なまちづくりへの参画など、幅広い活動ができる能力を求めます。	①個々の住まいにとどまらず、買い物や散歩などの出かける日常生活圏全般に、また住宅として位置づけるべき社会福祉施設（ケアハウスやグループホームなどの住関連施設）までも視野に入れた住環境整備に係わる知識・技能を有している。 ②地域社会におけるコーディネーターとしての能力、さらに福祉のまちづくりなどにも積極的に助言できるような技量と調整力を有している。	制限時間はマークシート方式（前半）90分、記述式（後半）90分。マークシート方式、記述式各100点満点とし、それぞれ各70点以上をもって合格。

試験の概要

受験資格

1、2、3級とも、学歴・年齢・性別・国籍に制限はありません。
他の級との併願受験も可能です。

●試験期日および時間、試験地（全国各地）など、詳細については試験実施機関で必ずご確認ください。

試験実施機関

東京商工会議所　福祉住環境コーディネーター検定試験
https://kentei.tokyo-cci.or.jp/fukushi/

受験案内

福祉住環境コーディネーター検定試験ウェブサイトからの申込みになります。
詳しくは、試験実施機関まで

受験手数料

3級	2級	1級
5,500円	7,700円	12,100円
（CBT利用の場合は別途2,200円）		（CBT利用料を含む）

（2022年）

IBT（Internet Based Testing）
自宅や会社のパソコンで試験を受ける方式。インターネット環境が必要になります。
CBT（Computer Based Testing）
全国各地にあるテストセンターの会場内に設置されたパソコンで試験を受ける方式。
＊2級と3級の試験はIBTとCBT（テストセンターでの受験）で行われ、1級の試験はCBTのみで行われます。

合格者発表

試験終了から10日後にデジタル合格証が発行されます。

主な就職先

住宅・住宅設備メーカー、福祉機器メーカー、建築設計事務所など建設関連、老人保健施設、病院などの保健・医療関連、特別養護老人ホームなどの福祉関連、行政・公共施設など

◆出題範囲

級	範　囲	内　容
3級	3級公式テキスト（改訂6版）の本編（第1章～第5章まで）の知識と、それを理解した上での応用力を問います。	①少子高齢社会と共生社会への道 ②福祉住環境整備の重要性・必要性 ③在宅生活の維持とケアサービス ④高齢者の健康と自立 ⑤障害者が生活の不自由を克服する道 ⑥バリアフリーとユニバーサルデザインを考える ⑦生活を支えるさまざまな用具 ⑧住まいの整備のための基本技術 ⑨生活行為別に見る安全・安心・快適な住まい ⑩ライフスタイルの多様化と住まい ⑪安心できる住生活 ⑫安心して暮らせるまちづくり
2級	2、3級公式テキスト（改訂6版）の本編（第1章～第6章まで）の知識と、それを理解した上での応用力を問います。	①高齢者・障害者を取り巻く社会状況と住環境 ②福祉住環境コーディネーターの役割と機能 ③障害のとらえ方 ④リハビリテーションと自立支援 ⑤高齢者・障害者の心身の特性 ⑥在宅介護での自立支援のあり方 ⑦高齢者に多い疾患別にみた福祉住環境整備 ⑧障害別にみた福祉住環境整備 ⑨福祉住環境整備とケアマネジメント ⑩福祉住環境整備の進め方 ⑪福祉住環境整備関連職への理解と連携 ⑫相談援助の実践的な進め方 ⑬福祉住環境整備の共通基本技術 ⑭生活行為別福祉住環境整備の手法 ⑮福祉住環境整備の実践に必要な基礎知識 ⑯福祉用具の意味と適用 ⑰生活行為別にみた福祉用具の活用
1級	マークシート方式試験：1、2、3級公式テキスト(改訂6版)に該当する知識とそれを理解した上での応用力を問います。 記述式試験：実務能力（課題に対する提案力）などの、実践力、応用力、総合的判断力を問います。	①これからの社会に求められる福祉住環境整備 ②福祉住環境コーディネーター1級の目標と役割 ③地域福祉の推進──福祉コミュニティづくり ④地域で支える高齢者ケア ⑤地域で支える障害者ケア ⑥ユニバーサルデザインの概念および沿革 ⑦ユニバーサル環境の整備手法 ⑧高齢者・要介護者向け住宅・施設の流れ ⑨高齢者住宅・施設の種類と機能 ⑩障害者向け住宅および施設の種類と機能 ⑪福祉住環境のコーディネートの実際 ＊なお、テキストは勉強するための教材であり、試験はテキストに準拠しますが、記述外からも出題されます。また、法令制度については受験年度の4月1日時点の状況の理解を前提として出題されます。

資格をものにする

本書の効率的な利用法

●「福祉住環境コーディネーター検定試験」では、介護、医療、保健、福祉、建築、福祉用具まで、幅広い関連分野について、法律や用語から医療処置、症状、建築実務までの基本的な知識が必要とされます。

3級では、関連分野の基礎的な知識をもっていることが求められます。2級では、3級で得た知識をベースに、実務を念頭に置いた、より詳細で確実な知識が求められます。それぞれ試験範囲を網羅して基本を理解していることが求められています。本書では、出題頻度の高いものを中心に、コンパクトにまとめ、さらに表やイラストを使ってわかりやすく解説してありますので、何度も通読することにより、重要なポイントをつかむことができます。

●出題範囲の項目を細分化して構成してあります。つぎのように学習していくと効果的です。

1 「出題ポイント」で大まかな内容を把握する ▶ 2 本文を何度も繰り返して読む ▶ 3 専門知識を「KEYWORD」や「ZOOM UP」で身につける ▶ 4 「ATTENTION」でさらに細かい内容を覚える

：出題内容を大まかにまとめたもの。本文を効果的に読むために、まず、ここで項目の内容を大づかみしておく。

ZOOM UP：本文では説明しきれない内容を詳細にまとめたもの。試験にもよく出題されるので、必ず読んで理解しておくこと。

KEY WORD：内容をより正確に理解するために、出題頻度の高い用語の意味を解説したもの。

ATTENTION：本文の内容をやさしい言葉で解説したり、本文と関係する内容を補足したもの。試験直前におさらいするのに役立つ。

●各PARTの最後には、過去に出題された問題と解答・解説を分野別に掲載してありますので、じっくり取り組んでみてください。各PARTごとからまんべんなく出題されていますが、いろいろな分野の複合問題も多いので、PART 5までの知識を身につけてからとりかかると効果的です。

●巻末には、関連する重要用語集と、全範囲にわたる1回分の試験問題を総合問題として掲載しました。各分野の知識をしっかり身につけてから、トライしてください。

PART 1

福祉住環境コーディネーターの基本

SECTION1　福祉住環境整備の意義と役割

SECTION2　関連専門職への理解と連携

SECTION3　福祉の考え方

SECTION 1　福祉住環境整備の意義と役割

高齢者・障害者の生活と住環境

●日本は少子化が進んで超高齢社会に向かいつつあり、高齢者の在宅での快適な生活や介護しやすい環境づくりが望まれています。
●木造の日本家屋は、段差が多い、幅員が狭い、夏向きなどの理由で、高齢者・障害者には住みやすいとはいえません。
●住宅に関わる事故による死者は交通事故による死者より多く、その多くは高齢者です。特に浴槽内での溺死が増えています。

少子高齢社会の進行

高齢者とは65歳以上の年齢の人を指し、75歳未満を**前期高齢者**、75歳以上を**後期高齢者**と呼び、区別しています。日本は2005年から人口減少局面に入り、2020年の合計特殊出生率は1.34％でした。少子高齢化の進展に伴い、15歳～64歳までの生産年齢人口と15歳未満の年少人口が減少傾向にある一方、総人口に占める65歳以上の割合を示す高齢化率は2021年には28.8％に達し、2025年には30%を、2035年には32％を超え、2050年には37.7％に達すると推測されています。

高齢者の増加にともない、身体に障害をもったり、認知症となったりして、介護を要する高齢者も増加傾向にあります。2025年には団塊の世代が後期高齢者になる「2025年問題」が到来し、75歳以上の一人暮らし高齢者数は290万人、後期高齢女性の4人に1人が一人暮らしになると見込まれています。とくに、2010年に約280万人の認知症高齢者が、2025年には675万～730万人（新オレンジプランでは約700万人）に増加する予測です。また、身体障害者のほとんど（98.3%）にあたる約436万人が在宅で生活をしています。

そのため、高齢者や障害者が安全に安心して自立生活を継続するために必要な住環境整備やまちづくりが求められています。

日本の住環境

いわゆる日本家屋は、高齢者・障害者の生活には不適当な面が多いため、介護を困難にし、高齢者・障害者の自立を妨げている部分があります。

●高齢者・障害者の立場から見た日本の住宅の特徴

①**段差が多い**：木構造が基本のため、玄関、廊下と和室、和室と洋室、脱衣室と浴室などに段差が多く、移動などに不便で転倒事故が起こりやすい。

②**伝統的な尺貫法によるモジュール**：3尺（約91cm）を基本寸法として、この間隔で柱が並ぶ住宅が多く、廊下、階段、開口部の寸法（幅員）が狭いので、車いすなどの使用に適していない。(218ページ参照)

③**住宅面積、室面積が狭い**：先進諸外国より室面積が極端に狭く、さらに生活の洋式化で室内に家具類が増え、室内移動や福祉用具の活用を困難にしている。

④**和式の生活様式**：床座（ゆかざ）、布団式就寝による床からの立ち座り、しゃがんで使う和式トイレ、またいで入る深い浴槽などの習慣が高齢者や障害者に身体的負担をかける。

⑤**防寒が不十分**：家屋が本来夏向きに作られており、局所暖房のため冬場の住居内の温度差が大きく、健康を害するおそれがある。

⑥**福祉用具が導入しにくい**：上記①～⑤の制約により、福祉用具が効果を発揮しにくい。

■モジュール
建築などで、基準とする長さなどの単位。

■住宅内（家庭内）事故
住宅内で起こる次のような事故。床や浴室での転倒、階段からの転倒・転落、建物からの墜落､浴槽での溺死､火災事故など。

■尺貫法
日本の伝統的な長さと面積の単位。通常は1尺が30.3cm、1間（けん）がその6倍、畳は1間×半間で、1坪は1間×1間。現在は公式にはメートル法が採用されているが、実質的には尺や間が住宅建築の基準単位（モジュール）となっている。

■床座
畳など床に直接座ったり眠ったりする生活様式。

●高齢者向け住環境整備の必要性

主に下記の理由から住環境整備が求められます。

①家庭内介護力の低下	女性の社会進出により、これまで高齢社会を支えてきた家庭内女性労働力（妻・嫁・娘）に期待できなくなり、女性をしばってきたことに対する反省を加えて検討する必要がある。
②在宅生活期間の延長	世界に誇る長寿に加え、福祉政策が「施設から在宅支援へ」と変わり、重度の障害があっても在宅での生活が重視されるようになった。
③家庭内事故の発生	家庭内での事故による65歳以上の高齢者の死亡者は、2020年には11,966人にのぼり、死因としては、2,199人の交通事故死の5倍以上に達している。中でも目立つのが入浴中の浴槽内での溺死で、家庭内事故で死亡した高齢者の約42.5％を占めている。
④寝たきり・認知症高齢者、おむつ使用者の増加	寝たきりの多くを占める「寝かせきり」やおむつの使用、認知症によって起こる徘徊などの問題行動も住環境整備によってある程度解決の道が開ける。
⑤住宅のストックの不足	住宅のバリアフリー化に対する官民の取り組みが端緒についたばかりで、整備された住宅のストックがほとんどない。

住環境を整備すると

高齢者・障害者の自立と意欲の拡大を促し、介護の負担を軽減化するため、家族を介護から解放し、家族関係の円滑化が可能になります。

SECTION 1 / 福祉住環境整備の意義と役割

福祉住環境コーディネーターとは

●福祉住環境コーディネーターは、高齢者・障害者の住環境の整備のために、医療・福祉・建築など多方面の専門家と連携するパイプ役です。
●住宅を生活の基盤ととらえ、住環境の整備により、高齢者や障害者の生活の質を高める重要な仕事です。
●本人、家族、医療・福祉関係の専門職と共に、生活ニーズの把握から、住環境の整備やその後のフォローまでが仕事の守備範囲です。

福祉住環境コーディネーターの役割

●福祉住環境コーディネーターの役割

住宅とは生活の基盤であるという基本的な考え方のもとに、

①**保健、医療、福祉、建築、介護、福祉用具、行政施策、福祉制度**などの知識を身につけ、**障害者や高齢者の住宅における問題点とニーズ**をくみとる

②そのうえで、**各専門職と連携**をとり、高齢者や障害者の**生活の質**（**QOL**）を高めるため、適切に対処する

ことが福祉住環境コーディネーターの役割です。

●福祉住環境コーディネーターの仕事

福祉住環境コーディネーターの仕事は、単なる住環境改善のアドバイザーにとどまらず、下記のように福祉全般にわたります。

①介護保険制度下でのケアプランを作成する介護支援専門員（ケアマネジャー）と連携して、住宅改修による住環境整備を図る。

②福祉施策、福祉・保険サービスなどの福祉に関する情報に精通し、利用客に情報を提供する。

③福祉用具、介護用品から家具までの選択と利用方法をアドバイスする。

④バリアフリー住宅への新築、建て替え、リフォームにおけるコーディネートを行う。

⑤施設や在宅での介護について住環境の面からアドバイスする。

⑥保健、医療、福祉、建築、行政、民間企業など多方面の専門職と連携し、相互の情報交換などをスムーズにする。

⑦福祉の観点から、まちづくりのプランナーやコーディネーターとなる。

幅広い活躍

●福祉住環境コーディネーターの活躍の場

建築分野だけでなく、医療や保健、福祉、住環境に関わる企業、行政、高齢者施設などで幅広くその資格を生かすことができます。

それぞれの分野の専門職と連携して業務を進めることになります。

1．医療・保健分野

老人保健施設・訪問看護ステーション・病院など

2．福祉・福祉用具分野

特別養護老人ホーム・ケアハウス・地域包括支援センター・居宅サービス事業所など

3．建築関係分野

建築設計事務所・工務店・リフォーム会社・都市計画設計事務所・住宅メーカー・住宅設備メーカー・建設会社など

4．行政・企業

自治体・教育機関・公共施設・ホテル・デパート・サービス業・一般企業・保険会社など

●福祉住環境コーディネーターの介護支援

福祉住環境コーディネーターは、居宅介護支援のために、

①要介護者の自立促進
②家族などの介護負担の軽減
③住宅の安全性の向上

という問題を解決することを目指します。

KEY WORD

■QOL

Quality of Life（生活の質、生命の質）の略。人生において個人が得られる満足感や幸福感のもとになるさまざまな要因の質を指す。人生観や自己実現といったその人の意識の中にある満足感と、経済など実際の生活場面での満足感の両方の条件がある。社会福祉や介護の場では、生活を整えてその質を高めるQOLの視点が欠かせない。

■バリアフリー

障壁や障害を取り除くという意味。住宅・公共施設などの設備や商品などから、障害のある人の利用の妨げとなるものを取り除いたものを指す。また、そこから発展して、制度や考え方からのバリアを取り除く必要性も指摘されている。

■福祉機器・福祉用具

寝たきり高齢者や心身障害者などの日常生活を便利にするための機器や用具。また、心身障害者や寝たきり高齢者などの治療・訓練を行う機器、喪失した機能を代替する機器、心身障害者の能力開発を行う機器などの総称で、福祉機器・福祉用具ともにほぼ同じ意味で使われている。

住環境整備の仕事の流れ

◆福祉住環境コーディネーターの役割

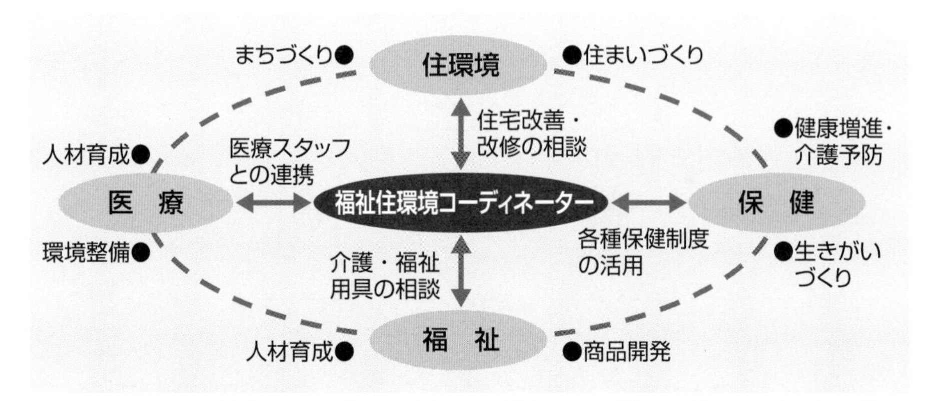

1 問題点の抽出

高齢者・障害者本人や家族からの訴え・相談から把握したニーズや、看護師、ケアマネジャー、ホームヘルパーなどが把握したニーズに対し、福祉住環境コーディネーターが対応方針を整理し、関連職種のコーディネートを行う。

2 住環境整備の方針の検討

福祉や医療の専門職とともに、対象者の身体機能やADLの評価をし、福祉サービス活用範囲の確認を行い、住環境整備の方策を練る。本人も気づかず、身体状況と住環境が適合していないために、生活上の不便と不自由が起きていることが多いので、第三者として当事者の生活上の利便性を得ることができると判断する能力が要求される。

＜工事を伴わないもの＞

①模様替え…介助スペース確保のための家具移動、畳にカーペットを敷くなど
②トイレの近くに寝室を移すなど住居内引越し
③バリアフリー住居への転居
④福祉用具・介護用品の活用…取り外し可能な簡易手すりの取り付け、車いす・杖の使用など

＜工事を伴うもの＞

①新築
②住宅改修…介助スペース確保のための柱・壁の移動、開口部の拡張、和式便器から洋式便器への交換など
③福祉用具の活用と住宅改修…床面の段差を解消して車いすを利用、天井走行式リフト（280ページ参照）の設置など

3 施工の実施

工事費用の見積りを検討し、工事内容と施工者を決定する。方針どおり施工が行われているかをチェックし、発生した問題は関係者に連絡して指示をもらい調整する。

4 工事完了後のチェック

本人や家族、施工者が立ち会って工事各部を確認する。本人に生活動作を行ってもらい、不具合があれば手直ししてもらう。

5 フォローアップ

定期的に使い勝手を確認する。身体機能の低下により使いにくくなった場合は、再度の調整や福祉用具の利用など、関係者と相談する。

職業倫理

●忘れてはならない職業倫理

福祉住環境コーディネーターには、心がけなければならない職業倫理があります。とくに以下の事項は重要です。(ZOOM UP参照)

①本人や家族の自己決定を最優先する。

②本人と家族の意見が異なる場合には、率直な話し合いを持ち、双方が納得してから進める。

③本人や家族のプライバシーには、十分な配慮をする。

KEY WORD

■ADL

Activities of Daily Livingの略で、日本語では「日常生活活動」あるいは「日常生活動作」と呼ばれる。食事、着替え、排泄、入浴、就寝、伝達などの日常生活を送るうえで必要な身のまわりの動作に加え、洗濯、買い物、掃除、調理、交通機関の利用などの生活関連動作を指す。ADLの自立度合いを知ることは、住環境整備に欠かせないポイントである。

ZOOM UP

■福祉住環境コーディネーターが遵守すべき項目

①人々の福祉の向上のために良心、知識、技術、経験を捧げる。すなわち、人々が地域社会において安全で安心した生活が送れるよう総合的に支援する。

②知識と技術に関して、つねに最高の水準を保つ。

③個人の人権と自己決定を尊重する。

④思想、信条、社会的地位等によって個人を差別しない。

⑤職業上知り得た個人の秘密を守る。

⑥他の職種の人々を尊敬し、協力しあう。

⑦相談・援助の内容について十分に説明し、同意のもとに仕事を進めていく。

⑧明確・簡潔に必要な報告を行い、記録を保持する。

⑨不当な報酬を求めない。

⑩専門職として常に研鑽を積み、また、人格の陶冶(とうや)をめざして相互に律しあう。

SECTION 2 関連専門職への理解と連携

地域包括ケアと多職種協働

- 包括的支援事業と介護予防支援を合わせた地域における総合的な介護予防マネジメントを担う中核機関として、地域包括支援センターがあります。
- 福祉住環境コーディネーターが、高齢者や障害者の日常生活上の障害を解決していくには、介護支援の専門家を中心として、医療、保健、福祉、建築の専門家との連携をとり、チームとして取り組むのが効果的です。

地域包括ケア

●地域包括ケアと地域支援事業

高齢者や障害者が、できるかぎり住み慣れた地域において、その人らしく質の高い日常生活を自立して送れるように、総合的に切れ目なく社会的な支援を続けることが地域包括ケアの目的です。

その一翼を担う介護保険制度の地域支援事業は、「介護」「医療」「予防」などの専門的サービスが連携し、要支援・要介護になるおそれのある被保険者を対象に予防するとともに、要介護状態になっても地域で生活を続けられるよう支援するための仕組みです。市区町村が実施主体となる新しい総合事業、包括支援事業などを通して、「住まいと住まい方」「生活支援・福祉サービス」を確保します（126ページ～参照）。2014年の改正で下記のように再整備されました。

1．新しい総合事業（介護予防・日常生活支援総合事業）

介護予防事業（一部の市区町村では「総合事業」）を、新しい総合事業として再編

①介護予防・生活支援サービス事業　②一般介護予防事業

2．包括的支援事業の充実

①地域ケア会議の充実　②在宅医療・介護連携、認知症施策の推進

③生活支援サービスの体制整備

3．円滑な移行のための猶予（準備）期間

①総合事業は2017年4月までの実施を目標

②包括的支援事業は2018年4月までの実施を目標

＊2015年4月から特別養護老人ホームの新規入居者を原則として、要介護3以上の中重度者に限定。

◆地域包括ケアシステムと「公助」「共助」「互助」「自助」の役割

自助	互助
■自分のことを自分でする ■自らの健康管理（セルフケア） ■市場サービスの購入	■ボランティア活動 ■住民組織の活動 ■当事者団体による取り組み ■高齢者によるボランティア、生きがい就労
共助	**公助**
■介護保険に代表される社会保険制度およびサービス	■一般財源による高齢者福祉事業など ■生活保護 ■人権擁護、虐待対策 ■ボランティアや住民組織の活動への公的支援

（厚生労働省「地域包括ケア研究会報告書」〈2013年〉および公式テキストを参考に作成）

●包括的なケアシステムと「公助」「共助」「互助」「自助」

包括的なケアシステムの持続には、「公助」「共助」「互助」「自助」がバランスよく役割を分担することが大切です。日本の社会保障システムは、「公助」に重点をおき国民が重い税負担を負う北欧型と、「自助」に重点をおき、所得格差が生活の質を左右する米国型との中間に位置づけられます。現在は、深刻な少子高齢化や景気の停滞から「共助」「互助」の重要性が注目されるとともに、ボランティアやコミュニティの活動への自治体の支援や、保険掛金負担への税制控除など、間接的な「公助」も期待されます。

都市部では十分な「互助」を期待しにくい反面、民間サービスの充実により「自助」でのサービスの導入（サービスの購入）がしやすく、民間サービスの限定的な地域では、「互助」の役割が大きくなっています。

KEY WORD

■「公助」「共助」「互助」「自助」

包括的なケアシステムは、国や自治体など公的機関による「公助」（税による公の負担）、社会保険制度やそのサービスなどによる「共助」、ボランティア活動や近隣住民相互による「互助」、そして、対象者自身や家族が負担する「自助」（市場サービスの導入を含む）、の4つの援助によって成り立つ（左図）。

介護保険制度には（50%の税負担が組み込まれているため）「公助」と「共助」の両方の面がある。

■地域ケア会議

各地の地域包括支援センターが主体となり、サービス提供者以外の第三者を含めて行う会議。①個別ケースの検討、②地域課題の検討を行う。

地域包括支援センター

●地域包括支援センターとは

地域包括支援センターは、地域の高齢者の心身の健康の維持、生活の保健・福祉・医療の向上と増進のため必要な援助、支援を包括的にサポートするための地域の中核機関として、各市区町村に設置されています（おおむね人口3万人に1カ所の割合で計画）。センターを中心に、保健師、社会福祉士、主任介護支援専門員（実務経験や研修などの条件を満たしたケアマネジャー）が相互に連携して、地域の高齢者を支えています。

◆地域包括ケアシステムと地域包括支援センター

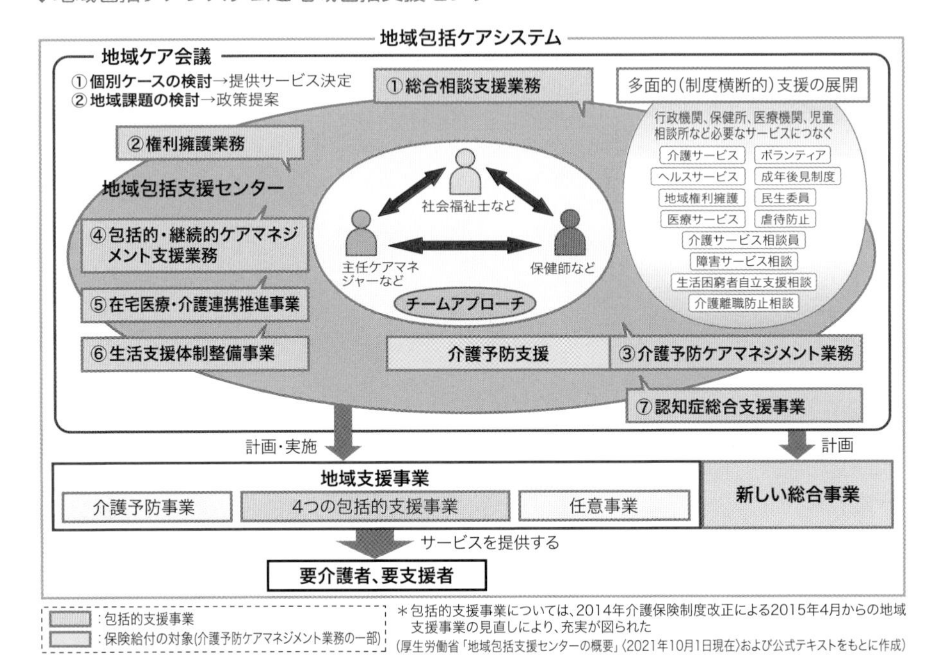

＊包括的支援事業については、2014年介護保険制度改正による2015年4月からの地域支援事業の見直しにより、充実が図られた
(厚生労働省「地域包括支援センターの概要」〈2021年10月1日現在〉および公式テキストをもとに作成)

●地域包括支援センターの機能

地域包括支援センターでは、要支援と非該当を行き来するような状態が安定しない高齢者への総合的で切れ目のないサービスの提供や、虚弱や引きこもりなどの介護保険利用の対象とならない高齢者に対する円滑なサービスの導入などを目的として、以下の包括的なケアマネジメントを行います。

①総合相談支援業務	社会福祉士を中心に対応	住民の各種相談に幅広く対応
②権利擁護業務	社会福祉士を中心に対応	成年後見制度の活用促進、高齢者に対する虐待の防止や早期発見、その他の権利擁護のための業務
③介護予防ケアマネジメント業務＊1	保健師などを中心に対応	予防給付サービスの利用者（要支援者）のケアプラン作成、要介護状態への悪化の予防＊2
④包括的・継続的マネジメントの支援業務	主任介護支援専門員（主任ケアマネジャー）を中心に対応	ケアマネジャーによる相談・助言、支援困難事例への指導・助言など
⑤在宅医療・介護連携推進事業	市区町村と地域の医療・介護の関係機関などを中心に対応	在宅医療と介護サービスを一体的に提供するため医療機関と介護サービス事業者などの関係者の連携を図る
⑥生活支援体制整備事業	市区町村と実情に即した人的資源などを中心に対応	日常生活支援や介護予防に関わる体制整備と、生活支援の担い手の養成と発掘などの地域資源開発、生活支援コーディネーターの配置や協議会の設置など
⑦認知症総合支援事業	市区町村などを中心に対応	早期対応と症状悪化防止のための総合的支援。保健・医療・福祉に関する専門知識をもつ者や認知症地域支援推進員の配置など

＊1：第一号介護予防支援事業　＊2：ケアマネ事務所への委託が可能。

●チームアプローチの重要性

地域包括ケアシステムの構築には「介護」「医療」「予防」などの専門職の連携をはじめ、行政のリーダーシップの下に地域住民の参画などによるチームアプローチがかかせません。どんなに優秀な専門職でも、視野・技術・情報・行動には限界があります。適切なサービスを提供するためには、異なる機関に属する各種の専門職が機関の垣根や自分の活動領域を越え、協働して支援することが必要です。

サービス担当者会議や地域ケア会議などで情報を補完し合い、的確に問題を把握・分析・判断することで、各利用者の生活状況に応じた問題、目標、期間などを共有、チームメンバーが互いに担う役割を認識できるので、効果的で合理的な支援が可能です。

住環境整備におけるチームアプローチ

●福祉住環境コーディネーターと多職種協働

個々の高齢者や障害者の心身の状態や生活環境などの悪化に応じて住環境整備を進めるには、介護支援専門員を中心に、保健、医療、福祉、建築の各専門職が連携して支援することが重要です。高齢者や障害者が在宅で自立した生活を営めるよう支援するには、単に介護者(介護する人)がいればいいわけではなく、住宅の改修や福祉用具の導入など、要介護者と介護者を支援する環境づくりや、「高齢者・障害者が暮らしやすいまちづくり」までを視野に入れた幅広い援助が必要です。また、身体機能面への直接的な援助以外に、要介護者や家族への心理面での援助、経済面への配慮なども不可欠です。

そのためには、さまざまな専門的知識や能力が総合的に要求され、医療、保健、福祉、建築など複数の領域の専門家がチームで取り組む必要があります。しかし、要介護者や家族がそれらの専門職と直接交渉し、自らプランをたてることは難しいので、そのチームを適切にコーディネートする存在が必要です。これが福祉住環境コーディネーターの役割です。

◆関連する主な専門職とは

<table>
<tr><td rowspan="2">保健・
医療系</td><td>医療専門職</td><td>リハビリテーション専門職</td></tr>
<tr><td>医師（専門医、かかりつけ医）、看護師、准看護師、保健師</td><td>理学療法士(PT)、作業療法士(OT)、言語聴覚士(ST)</td></tr>
<tr><td rowspan="2">福祉・
福祉用具系</td><td>福祉用具系専門職</td><td>福祉系専門職</td></tr>
<tr><td>義肢装具士（PO)、福祉用具専門相談員、福祉用具プランナー、福祉用具製造・販売者、リハビリテーション工学技師</td><td>社会福祉士、介護福祉士、精神保健福祉士、介護支援専門員（ケアマネジャー）</td></tr>
<tr><td>建築系</td><td colspan="2">建築士、インテリアコーディネーター、インテリアプランナー、工務店、大工</td></tr>
</table>

SECTION 2 関連専門職への理解と連携

医療・リハビリテーション専門職

- 福祉住環境コーディネーターと関わる医療系専門種には、医師、看護師、保健師があります。
- これらの職種と連携することで、医療・看護上の専門的な助言や、利用者の障害状態についての詳細な情報を得ることができます。
- 福祉住環境コーディネーターと関わるリハビリテーション系職種には、理学療法士、作業療法士、言語聴覚士があります。

医師（専門医、かかりつけ医）

仕事の内容：診療行為を行いながら、看護師、准看護師、薬剤師、理学療法士（PT）、作業療法士（OT）などの各医療関連職に指示や処方を出し、医療の中枢を担っています。

主な職場：病院、診療所など。

連携のポイント：住環境を整備するにあたり、専門医から専門領域に関する医療上の留意点について、また、かかりつけ医からは日常の診療により利用者の健康状態など生活全般の助言が得られます。

介護保険制度では、要介護認定の際に「主治医の意見書」が介護認定審査会の資料となるほか、居宅療養管理指導の訪問診療や訪問看護などへの指示を行います。

看護師・准看護師

仕事の内容：医師の指示のもとに、診療や治療の補助のほか、病気やけがなどで入院中の患者に療養上の世話を行う国家資格の看護師をはじめとする看護専門職。また、かかりつけ医とともに、利用者の健康管理などを行い、医療に関する相談や心理的援助を通して慢性疾患などを持ちながらでも在宅生活を継続できるよう支援しています。

主な職場：病院、診療所、介護保険施設、訪問看護ステーションなど。

連携のポイント：医療機器を使用している場合は、介護や看護の方法について助言を受けることができます。

保健師

仕事の内容：さまざまな健康診断や健康相談･指導を通じて、地域住民の病気の予防や健康の保持および増進に携わる国家資格の看護専門職。また地域包括支援センターでは、社会福祉士などの保健福祉・介護の専門職とともに、高齢者などの生活の安定、保健・医療・福祉・介護予防に必要な支援を行っています。

主な職場：保健所、市区町村の保健センター、市区町村役場など。

連携のポイント：要支援者などについては、基本的には地域包括支援センターの保健師などが予防給付のケアプランを作成するため、センターと連携をとる必要があります。

理学療法士（PT）・作業療法士（OT）

仕事の内容：理学療法士、作業療法士はともに、身体などに障害のある人のリハビリテーションについて中心的役割を担う国家資格の医療専門職です。

理学療法士は、医師の指示のもとに、身体に障害のある人に対し、関節、筋肉などの運動機能を向上させる運動療法のほか、マッサージ、温熱、電気などの物理療法により、立ち上がりや歩行などの基本的な生活動作の改善を図ります。

作業療法士は、医師の指示のもとに、身体や精神に障害がある人に対し、家事・手工芸・レクリエーションなど日常生活に必要な動作訓練や作業訓練を行い、主に応用的動作能力および社会適応能力の回復を図ります。

主な職場：病院、診療所、保健所、老人保健施設、障害者施設、リハビリテーションセンターなど。

連携のポイント：理学療法士、作業療法士は、利用者の運動機能など生活全般について把握しているため、福祉用具の選択や使用方法、どのような住環境整備が生活動作改善に役立つのかなどの助言を受けることができます。

言語聴覚士（ST）

仕事の内容：音声・言語機能や聴覚に障害のある人に対するリハビリテーションの中心的役割を担う国家資格の専門職です。難聴や脳血管障害などによる失語症などのコミュニケーション障害のある人の機能の維持向上に必要な言語訓練や検査、指導などを行います。そのほか、コミュニケーション機器の活用や手段の開発などに携わっています。

主な職場：病院、診療所、福祉施設、教育施設など。

連携のポイント：コミュニケーション障害の内容や程度、福祉用具の選択や使用方法などの助言を受けることができます。

福祉用具系専門職

●福祉住環境コーディネーターと関わる福祉用具系の専門職には、義肢装具士、福祉用具専門相談員、福祉用具プランナー、福祉用具製造・販売者、リハビリテーション工学技師があります。
●これらの職種と連携することで、義肢装具やリハビリテーション機器、福祉用具などに関する構造や機能の情報が得られ、住宅改修を的確に行うことが可能になります。

義肢装具士（PO）

仕事の内容：事故等で四肢の一部を欠いた場合は義手や義足が、四肢または体幹の機能が障害を受けた場合は固定・保持・補助などを目的に上肢装具や下肢装具、体幹装具などが必要になります。義肢装具士は義肢装具士法に定められた国家資格であり、医師の指示のもと、義肢や装具の装着部位の型や寸法を採り、設計・製作・身体への適合・調整を行います。

主な職場：義肢装具製作所など。

連携のポイント：義手や義足、装具は身体機能の一部を失った人の生活に不可欠のものですから、選択や活用方法、使用しているものの適合や修理について相談できるほか、リハビリテーション専門職や建築専門職とともに住環境整備や住宅改修の相談ができます。

福祉用具専門相談員

仕事の内容：個々の利用者にあった福祉用具の機能や選択、調整、使用方法など、利用者が適切に使用できるように助言・指導します。資格要件は、介護福祉士、義肢装具士、保健師、看護師、准看護師、PT、OT、社会福祉士などの一定の資格を有するか、所定の講習を修了した者です。

主な職場：介護保険制度では、福祉用具貸与事業所・福祉用具販売事業所には2名以上置くことが義務づけられています。

連携のポイント：福祉用具と住宅改修はともに物理的な条件を整える支援ですから、福祉用具を使いやすくする住宅改修、住宅の状況にあわせた福祉用具の選択という視点が必要となります。関連する多職種との連携と知識、情報の共有と協力が不可欠です。

福祉用具プランナー

仕事の内容：福祉用具に関する知識と適用に関する技術を有し、福祉用具プランニングを行う専門職。福祉用具を必要とする人に対し、個々にあった適切な選択と利用方法の援助、適応状況の評価などを行います。公益財団法人テクノエイド協会が指定する講習会を受講し、試験を受けることで資格が与えられます。

主な職場：個人自営または事業者として介護関連施設と連携。

連携のポイント：ケアプランの作成にも関わるので、介護支援専門員（ケアマネジャー）と連携をとりつつ、福祉用具サービスを提供する必要があります。福祉用具の種類や機能、使い方などの助言を住宅改修に活かすことも必要です。

KEY WORD

■義肢装具士

1987年に義肢装具士法が制定されて、これにより認定された国家資格。その養成と試験の実施は、（公財）テクノエイド協会が国から指定を受けて行っている。

■装具

骨折や変形などで痛みや運動麻痺が起こった場合に、その部位を固定したり、機能を代償するもののこと。

福祉用具製造・販売者

仕事の内容：福祉用具の製造・販売やレンタルを行うとともに、個々の利用者の身体状況、介護環境、住環境などを十分に把握して、選定や機能・使い方の助言、適合状況を確認します。

主な職場：福祉用具の製作・販売事業所など。

連携のポイント：福祉用具の研究・開発や海外から用具の輸入などをしているので、福祉用具について最新の知識や情報が得られます。

リハビリテーション工学技師

仕事の内容：機械工学、電気工学、建築学などの知識や技術を応用して、高齢者や障害者の自立支援や社会復帰に必要なリハビリテーション機器の開発・製作を行う専門職です。車いす、義肢・装具などの補装具、自助具、コミュニケーション機器など、さまざまな福祉用具の開発に携わっています。

主な職場：病院、福祉施設、地域のリハビリテーションセンターなど。

連携のポイント：福祉用具やコミュニケーション機器の構造や機能に精通しているので、さまざまな情報を得ることができ、住宅改修などで連携が不可欠です。

SECTION 2 関連専門職への理解と連携

福祉系専門職

- 福祉住環境コーディネーターと関わる福祉系専門職には、社会福祉士、介護福祉士、精神保健福祉士、介護支援専門員（ケアマネジャー）のほか、社会福祉・行政・医療分野等のソーシャルワーカー、公的制度の内容や手続きの方法などの情報が得られる市区町村の職員、ホームヘルパーがあります。
- これらの職種と連携することで、対象者の身体状況や介護状況、居住環境など、住環境整備に最も重要な情報が得られます。

社会福祉士

仕事の内容：専門的知識や技術をもって社会福祉に携わる国家資格の専門職。高齢者や身体上・精神上の障害により日常生活を営むのに支障がある人の福祉に関する相談に応じ、自立した生活の支援やその家族へのアドバイスなどの助言、指導その他の援助を行います。

主な職場：福祉事務所、社会福祉協議会、病院、児童相談所、身体障害者更生施設など。

連携のポイント：社会福祉士の有資格者の中には、介護支援専門員の資格を取得して活動している人も多く、介護保険制度においても重要な役割を担っています。相談者の社会的・経済的または環境に起因する生活の支障に対応しているので、福祉住環境整備にあたっては、福祉制度や社会資源の活用などについて多くの助言が得られます。

介護福祉士

仕事の内容：介護技術に関する国家資格の専門職。高齢者や身体上・精神上の障害により日常生活を営むのに支障のある人に、入浴、排泄、食事、喀痰吸引など生活上必要な介護を行うほか、家族などに介護に関する指導を行います。

主な職場：介護保険施設、一般病院、居宅サービス事業所・介護予防サービス事業所などのホームヘルパーなど。

連携のポイント：介護を必要とする高齢者や障害者にとって、最も身近な支援者なので、対象者の心身の状況、日常生活動作などについての情報を教えてもらえます。

精神保健福祉士（PSW）

仕事の内容：精神科領域のソーシャルワーク活動を担当する専門職で、国家資格。精神障害者の社会参加や、医療機関や社会復帰施設から退院・退所して社会復帰する際の相談に応じ、助言・指導するほか、日常生活に適応するために必要な訓練などの援助を行います。

主な職場：精神科医療機関、精神障害者社会復帰施設、精神保健福祉センター、保健所、グループホームなど。

連携のポイント：精神障害者が新たに在宅で生活を始めるにあたって、保健・福祉に関する給付や支援などの制度について相談することができます。

介護支援専門員（ケアマネジャー）

仕事の内容：介護保険制度において、適切な介護サービスの利用を図るため、一連の介護支援サービス機能（192ページ参照）を担当します。要介護者等の相談に応じて、その心身の状況などに適した介護サービス計画（ケアプラン）を立て、居宅・施設・地域密着型サービス、介護予防・地域密着型介護予防サービスを利用できるよう、市区町村やサービス提供事業者・施設等との連絡調整を行い、要介護者などが自立した日常生活を営むのに必要な援助に関する専門的な知識・技術を有する公的資格の専門職です。

　また、本人や家族に代わって、要介護認定の申請を行うほか、住宅改修費用の支給を受けるために必要な理由書を作成します。

主な職場：居宅介護支援事業所、介護保険施設（介護老人福祉施設・介護老人保健施設・介護療養型医療施設）では必置。その他、市区町村、地域包括支援センター、訪問看護ステーションなど。

連携のポイント：地域では、関係する事業所や福祉住環境コーディネーターを含む生活支援のための専門職とのネットワークを構築し、地域づくりの視点をもってケアマネジメントを行うことが求められています。

KEY WORD

■介護支援専門員（ケアマネジャー）

　都道府県知事が行う試験に合格し、実務研修の課程を修了した者は、都道府県へ登録することができる。登録者は、介護支援専門員証（有効期間5年）の交付を申請でき、有効期間は、申請により更新研修を受けて更新することができる。義務として、①公正・誠実な業務遂行義務、②基準遵守義務、③専門員証の不正使用の禁止、④名義貸しの禁止、⑤信用失墜行為の禁止、⑥秘密保持義務、が定められている。

＊一定以上の実務経験（都道府県により異なる）を経て、研修を受講すれば主任介護支援専門員になれる。居宅介護支援事業所の管理者は主任介護支援専門員でなければならない。すでに管理者である者は2027（令和9）年3月までは介護支援専門員でも可。

建築専門職

●福祉住環境コーディネーターとかかわる建築専門職には、建築士、インテリアコーディネーター、インテリアプランナーなどがあります。
●これらの職種と連携することで、住宅の新築や住宅の改修に付随した技術的な知識・情報を得ることができます。

建築士

仕事の内容：建築士は、建築士法に規定されている国家資格で、建築物の設計や工事監理を行います。建築士には、一級、二級、木造建築士の3種類があり、それぞれ扱うことができる建築物の種類や規模に制限があります。
主な職場：建築設計事務所、建設会社、住宅メーカー、工務店
連携のポイント：建築・住宅構造についての専門知識をもっているので、新築・住宅改修についての知識・情報を得られます。

◆建築士の資格と設計・工事監理の可能な範囲

木造建築士	①木造2階建てで延べ床面積300㎡まで
一級または二級建築士でなければできない	①構造、用途にかかわらず3階建て以上の場合 ②構造、用途にかかわらず延べ床面積100㎡以上の場合 ・木造以外の延べ床面積30㎡を超える場合 ＊ただし、下欄の「一級建築士でなければできないもの」は除く
一級建築士でなければできない	＊二級建築士の場合に以下のものが加わる ①延べ床面積500㎡を超える学校、病院、劇場、映画館、百貨店などの場合 ②木造で高さ13m、または軒の高さが9mを超える場合 ③木造以外では、延べ床面積300㎡、高さ13m、軒の高さが9mを超える場合 ④用途・構造に関係なく、延べ床面積1,000㎡を超え、2階建て以上の場合

＊木造2階建て以下で延べ床面積100㎡以下、木造以外で2階建て以下で延べ床面積30㎡以下なら、建築士の資格がなくても設計・工事監理ができます。

インテリアコーディネーター・プランナー

仕事の内容：インテリアコーディネーターは、インテリアに関する適切な商

品選択ができるよう、消費者に対する助言などを行います。
インテリアプランナーは、住宅をはじめ商業施設などを含めたさまざまな建築物において、インテリアの企画・設計と工事監理を行います。
台所に関する商品選択のアドバイス・見積りなどを行うキッチンスペシャリストという資格もあります。
主な職場：建築設計事務所、住宅メーカー、工務店、住宅設備機器メーカー、インテリア関連会社、小売店
連携のポイント：住宅内の家具や器具などの選択やその配置についての専門知識をもっているので、家具や器具の変更や設置、住宅改修についての知識・情報を得られます。

工務店・大工その他

●建築を請負うのは

住宅の新築や改修にあたっては、設計から施工、設備工事まで、一括して建設会社などに発注する方法と、設計は建築設計事務所に、工事は建設会社に分離して発注する方法があります。建設会社は大手の総合建設会社（ゼネコン）から小規模のものまであり、住宅については中・小規模で特定地域を営業地盤とする工務店と呼ばれる建設会社が請け負うのが一般的です。

●建築工事に携わるのは

実際の住宅建築の工事には、「職人」と呼ばれるさまざまな専門的職種の人々が数多く関わっています。代表的なのは大工ですが、その他に「左官工」「とび職」「鉄筋工」「溶接工」「配管工」「塗装工」「タイル工」「配線工」などがあり、またガス工事、電気工事にはそれぞれの専門資格を持った専門職がいます。これらの専門職はそれぞれ独立したり、建設会社に所属したり、専門会社に雇われたりしています。
工務店（建設会社）は、これら、多くの建設関連の専門職に仕事を振り分け、工事を管理します。

■増改築を支援する専門職
（公財）住宅リフォーム・紛争処理支援センターでは、増改築を支援するマンションリフォーム・マネジャーと増改築相談員の試験や研修、登録を行っている。マンションリフォーム・マネジャーは、マンション特有の制約条件に配慮してリフォーム内容の提案を行うとともに、工事の際、管理組合や近隣住戸、施工者、施主（依頼者）の連絡調整なども行う。増改築相談員は、一戸建て、マンションなどのリフォームの際に、工事の依頼先や費用の見積などの施主のニーズに応える。

福祉という考え方

●社会福祉は、社会的に不利な立場にある人を保護するという考え方から始まりました。
●しかし今では、所得・住宅・雇用の保障なども含め、だれもが幸せに暮らせるための理念や社会の仕組みという考え方になっています。

わが国の社会福祉の変化

●狭義の社会福祉から広義の社会福祉へ

「福」と「祉」はいずれも「幸福」や「さいわい」を意味し、人々が充足し、安定した生活を送ることを表しています。

わが国では1946年に制定された日本国憲法の第25条で「生存権」がうたわれ、社会福祉の考え方が明確化しました。しかし、当初は主に経済的困窮者を救済することに限定されていました。その後、欧米先進国で確立していた、**「国民全体の最低限の生活の保障」**という広義の社会福祉の考え方が定着し、さらに生存するだけでなく、誰もが自立し、自己実現のできる社会を目指しつつあります。

1 **1940年代（戦後復興期）**経済困窮者や障害者、児童、高齢者などの社会的弱者を救済する「狭義の福祉」

2 **1950～1970年代（高度成長期）**高度に発達した資本主義の中で、社会福祉関連の法整備（社会福祉関係8法など）、サービスの向上が行われた時期

3 **1980年代（少子高齢化時代）**社会全体で高齢者介護に取り組み、障害者、高齢者と共生できる地域や社会づくりが進められた時期

4 ウェルフェア（事後処理的な対応）からウェルビーイング（人権の尊重・自己実現）へ

80年代以降の動き

1983年　老人保健法施行。
1989年　ゴールドプラン（高齢者保健福祉推進10カ年戦略）策定。在宅福祉に重きを置いた公共サービスの整備を打ち出した。
1990年　社会福祉関係8法改正。従来の「貧窮救済」「弱者保護」から、福祉がすべての人を対象に。
1993年　心身障害者対策基本法を改正し、障害者基本法を制定。福祉用具法施行。
1994年　エンゼルプラン、新ゴールドプラン策定。ハートビル法制定（ホテルやデパートなど公共性の高い建築物のバリアフリー化開始）[2002年改正]。
1995年　障害者プラン・ノーマライゼーション7カ年戦略策定（障害者の安全な生活と自由な社会参加のためのあらゆる障壁の除去を掲げる）。
2000年　介護保険法施行（要介護者などが自ら有する能力に応じ自立した日常生活を営むことができるよう、必要な保健・医療・福祉サービスの給付が行われる）。交通バリアフリー法施行。
2002年　新「障害者基本計画」策定。新「障害者プラン」（重点施策実施5カ年計画）策定。
2003年　ハートビル法改正法施行（特定建築物は、学校、事務所、共同住宅、老人ホームなどに範囲が拡大）。
2004年　障害者基本法改正（権利の明確化）。
2005年　発達障害者支援法施行。
2006年　改正介護保険法施行。障害者自立支援法施行（障害種別を超えて一つの制度体系の中でサービスを提供）。バリアフリー新法制定・施行（ハートビル法と交通バリアフリー法を統合・拡充）。
2009年　高齢者の居住の安定確保に関する法律（高齢者住まい法改正）。
2011年　障害者基本法改正、高齢者住まい法改正。
2013年　障害者の日常生活及び社会生活を総合的に支援するための法律（障害者総合支援法）施行。
2014年　地域における医療及び介護の総合的な確保を推進するための関係法律の整備等に関する法律（医療介護総合確保推進法）施行。
2015年　介護保険法改正、老人福祉法改正。

ZOOM UP

■日本国憲法第25条
「すべて国民は、健康的で文化的な最低限度の生活を営む権利を有する。国はすべての生活場面について、社会福祉、社会保障及び公衆衛生の向上及び増進に努めなければならない」

■社会福祉関係8法
①老人福祉法　②身体障害者福祉法　③児童福祉法　④精神薄弱者福祉法　⑤母子及び寡婦福祉法　⑥社会福祉事業法　⑦老人保健法　⑧社会福祉・医療事業団法
(法律名称は1990年当時のもの)

SECTION 3　福祉の考え方

ノーマライゼーションとは

- ●ノーマライゼーションとは、デンマークのバンク・ミケルセンが第二次世界大戦後に提唱した考え方です。
- ●ノーマライゼーションとは、障害者が健常者と同じ条件で生活できるようにすること、という意味です。
- ●ノーマライゼーションを実現する考え方には、バリアフリーとユニバーサルデザインの２つがあります。

ノーマライゼーションの理念

●ノーマライゼーションの考え方

障害者を閉ざされた施設などに収容するのではなく、健常者とともに地域社会で生活することを目標として社会福祉を進めること。近年は対象を障害者に限定するのではなく、すべての人が基本的人権を尊重されながら、社会の中で自己選択と自己決定に基づいて暮らせること、という幅広い考え方がなされるようになっています。

●ノーマライゼーションによる変化

ノーマライゼーションという考え方は第二次大戦後の北欧で生まれました。それまで、障害者については「収容保護」を基本とした考え方に基づき、施設に集めることが最良のこととされていました。

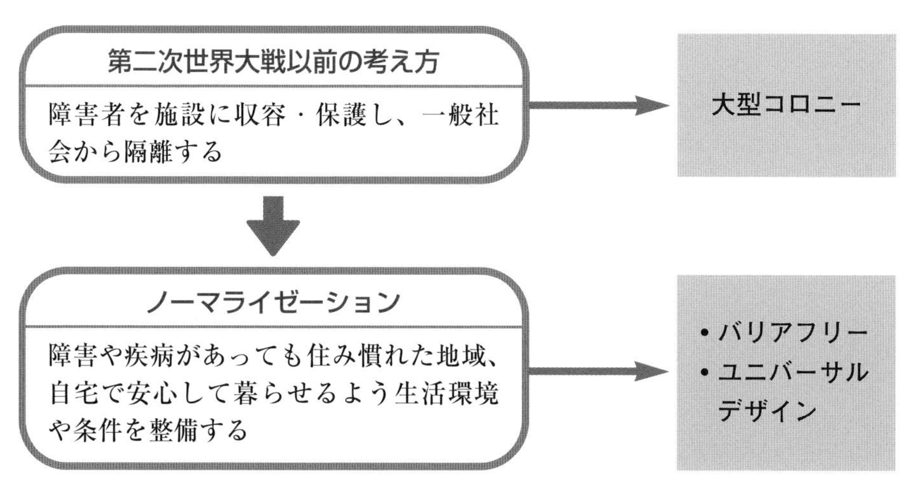

世界の動き

1945年　バンク・ミケルセンが「ノーマライゼーション」を提唱。
1948年　世界保健機関（WHO）発足。
世界人権宣言（国連）。日本は1979年に批准。
1949年　児童憲章制定（国連）。
1959年　児童権利宣言（国連）。
1960年代　北欧を中心にノーマライゼーションへの取組みが本格化。
1975年　障害者の権利宣言（国連）。
1981年　国際障害者年（国連）。これを契機に障害者の「完全参加と平等」の実現を目指す10年がスタート。日本の障害者福祉にも大きく影響。
1990年　アメリカは、障害をもつアメリカ人法（ADA）を制定。
1993年　障害者基本法制定（日本）。
1994年　ハートビル法制定（日本）。
1995年　障害者プラン・ノーマライゼーション7カ年戦略策定（日本）。
2000年　交通バリアフリー法施行（日本）。
2003年　障害者基本計画、新「障害者プラン」（重点施策実施5カ年計画）実施。
2004年　障害者基本法改正（権利の明確化）。
2006年　障害者自立支援法施行。バリアフリー新法制定・施行（ハートビル法廃止）。住生活基本法制定・施行。国連「障害者権利条約」採択。
2007年　日本政府「障害者権利条約」署名。
2008年　「障害者権利条約」発効。
2011年　障害者虐待防止法成立。
障害者基本法成立。
2014年　「障害者権利条約」批准。
2016年　障害者差別解消法施行。
2018年　「障害者基本計画（第4次）」実施（125ページ参照）。
2019年　高齢者住まい法改正・施行。
2020年　ユニバーサル社会実現推進法公布。バリアフリー法改正（2021年施行）
2021年　障害者差別解消法改正（3年以内に民間にも義務化）。住生活基本計画（令和3～12年度）制定。

ZOOM UP

■新「障害者プラン」
生活環境についてのみ抜粋
①ユニバーサルデザインによるまちづくり
②住宅・建築物のバリアフリー化の推進
・新設されるすべての公共賃貸住宅のバリアフリー化
・手すりの設置、広い廊下幅の確保、段差の解消などがなされた住宅ストックの形成
・ハートビル法の利用円滑化基準に適合する特別特定建築物の建築推進
③公共交通機関・歩行空間などのバリアフリー化などの推進
④交通安全の確保
⑤運転免許取得希望者などに対する利便の向上
⑥生活の安全の確保

KEY WORD

■バリアフリー
障壁を除去すること。

■ユニバーサルデザイン
障害の有無にとどまらず、年齢、性別、能力、体格などによる区別なく、誰もが使いやすいようにデザインしていこうとする考え方。すべての人が安全で快適な生活を送れる環境づくりを目指す。バリアフリーより一歩進んだノーマライゼーションを具体化する理念として、普及しつつある。アメリカのADAを機に広く普及した。

SECTION 3　福祉の考え方

障害のとらえ方

- 障害は心身機能の低下だけではなく、社会生活を送る上での不都合ととらえることもできます。
- 障害のとらえ方を理解し、自立支援の方法を考えましょう。

障害の定義ととらえ方の変遷

●障害者基本法の定義

1993年の障害者基本法の改正によって、「『障害者』とは、身体障害、知的障害または精神障害（以下「障害」と総称）があるため、長期にわたり日常生活または社会生活に相当な制限を受ける者をいう」とされました。

ICIDHからICFへ

●世界保健機関（WHO）の国際障害分類

1980年の国際障害分類（ICIDH=International Classification of Impairments, Disablities, and Handicaps）では障害を次のように分けていました。

機能障害（impairment）：病気や事故による疾病で後遺症が残り、身体的機能が低下した状態。

能力障害（disability）：機能障害の結果、日常生活や社会生活において、通常の動作や行為が果たせなくなること。

社会的不利（handicap）：障害があることに加え、周囲の環境との不適合から、一般的に保障されている生活水準や社会活動への参加、社会的評価などにおいて不利になっている状態。

ICIDHでは、社会的不利は環境や人的な因子がマイナス方向に働くことに起因しています。「病気や事故による機能障害のために能力障害が生じ、結果的に不利益を受ける」と、機能障害があることが不利益の原因で、機能障害がある人は弱者だとい

◆ICIDHの概念モデル

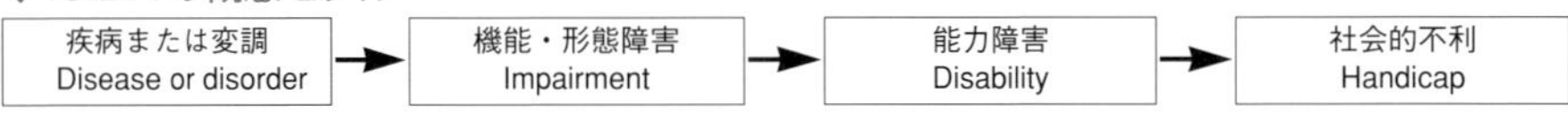

◆ICFの概念モデル

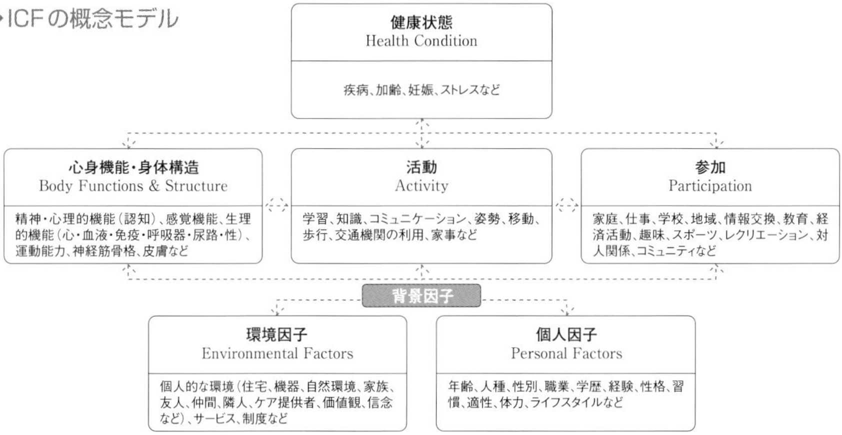

うように、因果関係として一方的にとらえがちでした。そこで、WHOは2001年に国際生活機能分類（ICF: International Classification of Functioning, Disability and Health）を承認し出版しました。

●国際生活機能分類（ICF）の考え方

ICFでは障害を生活機能の障害としてとらえ、機能障害を生命·生物次元である「心身機能·身体構造」、能力障害を個人的次元である「活動」、社会的不利を社会的次元である「参加」として位置付けています。「健康状態」は疾病だけではなく、加齢やストレスも含み、正常なものの一部が問題を抱えた状態としてより広範囲にとらえるようにしています。

また、生活機能に影響を与える背景因子として「環境因子」と「個人因子」を位置付けています。つまり、障害は人間と環境との相互作用としてとらえるべきであり、性別や年齢、経験などの個人差に配慮した理解が求められます。

ICIDHが医学モデルとして障害をとらえていたのに対して、ICFでは医学モデルと社会モデルを統合した分類となっています。

ICFの考え方を通して、住環境や都市環境などのあり方が障害のある人の活動や社会参加を阻害したり、逆に促進したりするということが理解できます。

ZOOM UP

■ICFの大分類（第1レベル）

「心身機能・身体構造」が「心身機能」と「身体構造」の2つに分かれ、「活動」と「参加」が一つにまとめられている。環境因子は物的環境（1、2章）、人的環境（3、4章）、社会的環境（5章）に分かれている。

心身機能	1章 精神機能
	2章 感覚機能と痛み
	3章 音声と発話の機能
	4章 心血管系・血液系・免疫系・呼吸器系の機能
	5章 消化器系・代謝系・内分泌系の機能
	6章 尿路・性・生殖の機能
	7章 神経筋骨格と運動に関連する機能
	8章 皮膚および関連する構造の機能
活動と参加	1章 学習と知識の応用
	2章 一般的な課題と要求
	3章 コミュニケーション
	4章 運動・移動
	5章 セルフケア
	6章 家庭生活
	7章 対人関係
	8章 主要な生活領域
	9章 コミュニティライフ・社会生活・市民生活
環境因子	1章 生産品と用具
	2章 自然環境と人間がもたらした環境変化
	3章 支援と関係
	4章 態度
	5章 サービス・制度・政策

（身体構造分類は省略）

SECTION 3 福祉の考え方

リハビリテーションとは

●リハビリテーションは、医学的な機能回復訓練という意味だけではなく、幅広い意味での自立に向けての過程を意味します。
●リハビリテーションを理解するには、まず「障害とは何か」を理解し、それを克服して社会参加することの意味を考えなければなりません。
●当事者のほか、医師、看護師、理学療法士、作業療法士、言語聴覚士、義肢装具士、介護職、家族、ボランティアなどが当たります。

リハビリテーションの意味

●リハビリテーションと自立支援

リハビリテーションは、狭義には何らかの障害からの回復のための医学的な機能訓練を指しますが、幅広い視野からは「人間としての権利の回復＝復権」と「生活の再建」を目指すものです。したがって、実際のリハビリテーションでは身体や精神の機能の回復ばかりでなく、身の回りの動作などの自立、家庭生活や社会生活が可能となることなど、総合的な支援を通して、QOL（生活の質）を向上させることが最終的な目的となります。

●自立支援のための考え方

高齢者のリハビリテーションを実施し、自立を支援していくうえでの基本的な考え方は、以下の通りです。

◆リハビリテーションを「機能訓練（機能回復訓練）」や社会復帰などのためのプログラムに限定しない

◆障害者の全人的回復を目指す「総合リハビリテーション」を実現する
◆「障害」を正しく理解する
◆高齢者・障害者の個性別の重視
多種多様な社会参加のスタイルを柔軟に受け入れる心のゆとりを。
◆「自立」の意味を正しく理解する
身体的自立や経済的自立だけでなく、精神的自立も重視する。
◆リハビリテーションはチームワークで
全人的リハビリテーション実現のためには、専門家同士のチームワーク作業が重要。

◆高齢者のリハビリテーションの最終的な目標は、QOLの向上であり、高齢者の役割の創出や社会参加の実現を目指すことである。
◆高齢者リハビリテーションの目標は、身体的・精神的機能の回復を最大限に図り、可能な限り自立して生活できる能力を取り戻すことで、活動性の回復、人との交流の回復、社会への再復帰というQOLの向上にある。
◆QOLの向上を図るために、高齢者の特性に応じた対応をし、廃用症候群を予防し、在宅・地域での生活を支えるリハビリテーションを提供する。さらに、高齢者の個別性や個性を重視し、自己決定を尊重したリハビリテーションを提供する。
◆急性期のリハビリテーションは、脳卒中などの発症直後から治療と並行して、ベッド上で体位変換、関節の拘縮予防などの機能訓練を行い、早期離床を目指す。
◆回復期リハビリテーションは、医療機関で疾患の治療を終えたら在宅復帰を目標に、施設等の訓練室で基本動作や日常生活動作などの訓練を短期集中的に行う。
◆維持期リハビリテーションは、在宅や施設で機能の維持・改善、日常生活動作や人間関係の拡大などを図り、地域での交流を通して社会的孤立を予防する。

地域リハビリテーション

「地域リハビリテーションとは、障害のある人々や高齢者およびその家族が住み慣れたところで、そこに住む人々とともに、一生安全に、いきいきとした生活が送れるよう、医療や保健、福祉および生活に関わるあらゆる人々や機関・組織がリハビリテーションの立場から協力し合って行う活動のすべてをいう」と(社)日本リハビリテーション病院・施設協会が定義しています。

「自立」は必ずしも生活上のさまざまなことを自分の力だけで行うことではありません。1960年代後半にアメリカで生まれ、国際障害者年を契機にわが国にも大きな影響を与えた「障害者の自立生活運動（IL 運動：Independent Living movement)」は重度障害者を主体としたもので、家族や施設職員への依存から脱して、福祉サービスを受けながら地域社会の中で自らの意思に基づいて生活を送ることを目的としています。

地域リハビリテーションは、高齢であっても障害が重くても、必要なサービスを主体的に利用しながら、地域社会の中で自己判断・自己決定できるように支援することです。2015年4月、介護保険法が改正され、「介護予防・日常生活支援総合事業」の中の「一般介護予防事業」の1つとして、「地域リハビリテーション活動支援事業」が新設されました。この事業の究極の目標は自立支援であり、地域包括ケアシステムの地域リハビリテーションの基盤整備をさらに進めることが不可欠です。

ZOOM UP

■高齢者リハビリテーションの流れ

①急性期リハビリテーション
ベッド上での機能訓練
（廃用症候群の予防）
↓
②回復期リハビリテーション
訓練室での機能訓練
（家庭復帰へ向けて）
↓
③維持期リハビリテーション
地域との交流など
（機能維持と社会的孤立の予防）
↓
④終末期リハビリテーション
苦痛の軽減・解除
（人間らしい存在を保つ）

SECTION 3 福祉の考え方

在宅介護と自立支援

●在宅介護の原則に則り、要介護者の自立支援、家族などの介護負担の軽減、住宅のバリアフリー化を図っていくのが、福祉住環境コーディネーターにとっての介護のあり方です。
●地域ケアとは、何らかの不自由があるか、そのおそれがある人たちの暮らす地域社会で、本人たちが主体的に自己実現を図れるように、その地域の社会資源を使って行う支援をいいます。

在宅介護のあり方

●介護とは

介護とは、高齢者や障害者で心身に何らかの障害があり、日常生活に支障があるとき、安心して安定した生活を継続するために必要となる援助のことです。介護は病院や施設に要介護者等を収容して行う場合もありますが、重度の疾病や障害でない場合には、本人が慣れ親しんだ場所であり、心許せる家族のいる自宅での在宅介護が自立促進のために望ましいといえます。

しかし、在宅介護には、
①介護者（主に家族）の負担が大きい
②自宅の構造や仕様が高齢者や障害者の生活にとって不都合な場合が多い
といった問題があります。

●在宅介護の原則

在宅介護は決して家族だけで介護するものではなく、ホームヘルパーなどの社会福祉サービスも必要ですが、第三者が家庭に入ることに抵抗感や違和感を生じる場合も少なくありません。住環境コーディネーターを含む外部の介護者・介護支援者は次の原則に則って、業務を遂行する必要があります。

①インフォームドコンセントの考え方に則り、対象者の自己決定権を尊重する。
②対象者が日常生活で自立性を拡大できる援助を行う。
③対象者の文化・価値、生活習慣を尊重する。
④廃用症候群の発生や二次障害の防止対策を早期から実施する。
⑤住環境整備などによって、生活場面での安全と安心を図る。
⑥対象者の社会参加を積極的に援助する。
⑦生きがいや生きる喜びが見いだせる援助を行う。
⑧常日ごろから要介護者等を観察し、早期の問題発見とトラブルの防止に努める。
⑨関連職種とのチームワークで、介護計画（ケアプラン）の立案、実施、フォローアップまでを行う。

自立支援とは

高齢であっても、重い障害があっても、必要とする保健医療・福祉サービスを利用しながら、住み慣れた自宅や地域で安全・快適に、その人らしい主体的な暮らしを実現し、継続することが大切です。そのためには生活環境を改善するとともに、多くの人々の支援が不可欠となります。

●自立支援の５原則

①利用者の主体的に選択できる多様な自立支援サービスの整備
②サービスの利用場面では、利用者自身の自己決定権を尊重（学習機会の保障、情報提供、助言は必要）
③利用者の移動とコミュニケーションを自由に行える手段の保障と、地域における良好な人間関係のうえで社会・経済・文化などのあらゆる活動に主体的に参加できる条件の整備
④できる限り地域社会で居住の場を確保
⑤広く政策形成の過程への参加を保障

自立支援の具体化

自立支援を具体化するための社会的なサービス資源には、主に以下のようなものがあります。

生活全般	①各種相談や情報提供、広報活動 ②訪問看護事業などの保健医療サービス ③ホームヘルプサービス、デイサービスなどの介護・生活援助サービス ④障害者相談員、精神科ソーシャルワーカー、ピアカウンセラー（同じ疾患や障害の経験者が相談・助言者になること）などによるカウンセリング相談 ⑤福祉のまちづくりなどの生活環境整備 ⑥リフト付き乗用車やリフト付きバスなどの移動・交通サービス ⑦点字、手話などのコミュニケーションサービス ⑧防犯、防災などのセキュリティサービス ⑨権利擁護・財産管理に関するサービス ⑩機能訓練サービス ⑪居住の場の整備（施設や住宅）
社会参加	①見守り、励ましの支援システム ②多様な働く場の整備や活動の場の整備 ③社会参加支援サービス（文化、スポーツ、レクリエーション、地域交流） ④教育支援サービス ⑤雇用・就労サービス（職業的リハビリテーションや雇用促進など）
住環境整備関連	①住宅改修サービス ②福祉用具の研究開発と利用の促進

ZOOM UP

■介護保険法における自立の考え方

介護保険法の第１条では高齢者の自立を以下のようにうたっている。

「加齢に伴って生ずる心身の変化に起因する疾病等により要介護状態となり、入浴、排泄、食事等の介護、機能訓練並びに看護及び療養上の管理、その他の医療等を要する者がその有する能力に応じ自立した日常生活を営むことができるよう、必要な保健医療サービス及び福祉サービスにかかる給付を行うため、国民の共同連帯の理念に基づき介護保険制度を設け、その行う給付等に関して必要な事項を定め、もって国民の保健医療の向上及び福祉の増進を図ることを目的とする」

■自立と自律

自立は「ADLの自立」という用語が示すように、自らの力で単独で行為を行うことを指し、リハビリテーションの目標としてとらえられてきた。しかし、自立生活運動が示すように、重度な障害のために自立することはできなくても、自らの生活を自己判断・自己決定することの大切さが問われるようになってきた。このような生活に対する取り組みに対しては、「自律」という用語が使われることがある。

分野別練習問題

（解説は監修者が作成しています）

解答・解説は44ページにあります

問1 次の①～⑤の記述の中で、その内容が最も不適切なものを一つだけ選び、解答用紙の所定欄にその番号をマークしなさい。

① 福祉住環境コーディネーターは、高齢者や障害者本人または家族からの相談から把握したニーズやケアマネジャーなどが把握したニーズに対し、対応方針を整理し、関連職種のコーディネートを行う。

② 福祉住環境コーディネーターは、多くの関係者の話の進行・調整を行い、方針の検討を進めたり、必要機関との連絡調整を行う。

③ 福祉住環境コーディネーターは、住環境整備の施工が方針どおり進められているかのチェックを行う。施工段階で問題が発生した時は、直ちに現場で指示を出し、完成時期を守るために工事の進行を促すことが義務づけられている。

④ 福祉住環境コーディネーターは、工事完成後に、住環境整備の方針決定に携わった関係者、特に、理学療法士、作業療法士とともに現場に立ち会い、問題があれば対応方針を検討する。

⑤ 福祉住環境コーディネーターは、住環境整備が高齢者や障害者の生活に役立っているかの確認を、工事完了後に行うが、その後の生活についても定期的に使い勝手を尋ねるなどフォローアップに務める。

問2 次の①～⑤の記述の中で、その内容が最も不適切なものを一つだけ選び、解答用紙の所定欄にその番号をマークしなさい。

① 福祉用具専門相談員は、利用者の身体状況、介護環境、住環境等を十分に把握したうえで福祉用具選定の助言を行い、また、利用者への適合状況を確認する。

② 介護支援専門員（ケアマネジャー）は、一連の介護支援サービスとして、アセスメント、ケアカンファレンス、介護サービス計画の作成、サービスの提供、モニタリング及び保

険の給付管理などの役割を担う。

③　福祉用具プランナーは、福祉用具に関する適切な知識と適用に関する技術を有する者であり、ケアマネジャーが福祉用具プランナーを兼ねることはできない。

④　義肢装具士は、医師の指示のもとに義手や義足、四肢体幹の装具を採型・設計・製作し、身体への適合調整を行う専門職種である。

⑤　福祉住環境コーディネーターは、利用者が病院から退院してきた時期には、日常生活動作の拡大を目的に福祉用具の活用や住宅の改造、家族関係や介護力の把握、検討を行う。

問3　**次の(a)～(e)の記述について適切なものを○、不適切なものを×としたとき、正しい組み合わせを①～⑤から一つだけ選び、解答用紙の所定欄にその番号をマークしなさい。**

(a) 介護に関係する専門職が、自己の判断による一方的な指示や介護サービス計画等を作成することは、支援として必要である。

(b) ICFの障害のとらえ方は、心身機能・身体構造、活動、参加の総称を生活機能とし、それに問題が生じた状態をそれぞれ機能障害、活動制限、参加制限とし、その総称を障害としている。

(c) 介護保険法や障害者総合支援法で強調される高齢者や障害者の「自立」の考え方においては、達成すべき目標として、身体的自立と経済的な自立の二つを掲げている。

(d)「自立支援」の原則の一つとして、サービスの選択にあたっては、介護者の決定を優先させることがあげられ、その上で利用者自身の自己決定を促す。

(e) 福祉の基本は、本人の意思の尊重に基づき、福祉サービスを利用者自らの自己選択において決定することである。

①　(a) ×　(b) ○　(c) ×　(d) ×　(e) ○
②　(a) ×　(b) ×　(c) ○　(d) ×　(e) ×
③　(a) ○　(b) ×　(c) ×　(d) ○　(e) ○
④　(a) ×　(b) ○　(c) ○　(d) ×　(e) ○
⑤　(a) ○　(b) ○　(c) ×　(d) ○　(e) ×

問4 次の①～⑤の記述の中で、その内容が最も適切なものを一つだけ選び、解答用紙の所定欄にその番号をマークしなさい。

① 「障害者の権利宣言」では、「障害」の定義を、先天的か否かにかかわらず、身体的または精神的な機能の損傷により、社会生活に必要なことを自分自身で全くできないことを意味する、としている。

② 高齢者において家庭内事故死の発生率は交通事故死の発生率とほぼ同じである。また、高齢者の家庭内事故の内容は転倒、転落、墜落等のほかに、最近特に注目を集めているのが浴槽内の溺死である。

③ わが国の住宅面積は、先進諸国に比較して極端に小さいが、一室あたりの面積は変わらない。

④ 高齢者リハビリテーションは、脳卒中モデル、廃用症候群モデル、認知症高齢者モデルの三つのモデルに区分されている。脳卒中モデルのリハビリテーションでは、発症直後の急性期には原疾患の治療に専念し、安静を保つ必要がある。

⑤ 介護保険法の最大の目標は、介護を必要とする状態であっても自立した生活をおくり、人生の最期まで人間としての尊厳ある生を全うできるような社会的支援の形成にある。

問5 次の①～⑤の記述の中で、その内容が最も不適切なものを一つだけ選び、解答用紙の所定欄にその番号をマークしなさい。

① 高齢者や障害者の自立支援のためには多くのサービスが整備されていることが必要である。サービスを利用する人は、専門家が提案したアドバイスも含め自ら主体的に決定することが自立につながる。

② 自立支援に必要な各種サービスを利用者が主体的に選択し、自己実現を図るまでの過程では、必要な情報の提供や助言、学習の機会の保障などの支援を一度に集中的に行うと効果的である。

③ 自立支援サービスを利用する者の居住の場は、できる限り地域社会との繋がりがもてるように確保するとよい。

④ 自立支援を円滑に進めるためには、自由な移動とコミュニケーションの手段を保障することが重要である。

⑤ 自立支援に関する政策を検討する場合、自立支援を必要としている者の参加を保障することが重要である。

問6 **次の①～⑤の記述の中で、その内容が最も不適切なものを一つだけ選び、解答用紙の所定欄にその番号をマークしなさい。**

① 理学療法士は、何らかの疾病、障害などに起因する機能障害や形態障害に対して運動療法を用いて働きかけたり、また疼痛や循環障害などに対して温熱、水、光線、電気といった物理療法を用いて働きかけたりする。

② 作業療法士は、一般病院やリハビリテーションセンター、肢体不自由児施設、保健所、デイケアセンター、介護老人保健施設など、多くの施設で業務に従事している。

③ 言語聴覚士は、音声言語障害や聴覚障害などによるコミュニケーション障害に対するリハビリテーションに従事する専門職である。

④ 義肢装具士は、医師の指示のもとに義手や義足、四肢体幹の装具を採型・設計・製作し、身体への適合調整、訓練を行う専門職であり、通常の医療機関には必ず配置されている。

⑤ 介護支援専門員は、介護保険制度において、適切な介護サービス利用を図る手法である介護支援サービス（ケアマネジメント）機能を主に担当する専門職である。

解答・解説

■問1■　正解3

③　不適切。問題が発生した場合は専門職に相談し、指示を仰ぐべきである。

■問2■　正解3

③　不適切。福祉用具プランナーは福祉用具に関する適切な知識と適用に関する技術を有し、福祉用具に関する相談を受けたり、福祉用具に関するプランニングを行ったりする。この役目をケアマネジャーが兼ねる場合もある。

■問3■　正解1

(a) 不適切。介護の究極の目的は自立である。そのため、利用者を尊重し、一方的に指示をしたり介護プランを押しつけるようなことがあってはいけない。

(b) 適切。設問のとおり。

(c) 不適切。自立の考え方は大きく変化し、経済的自立・身体的自立ととらえられていたものが、さらに精神的自立も大切な側面であるとされる。

(d) 不適切。サービスの選択にあたっては、利用者自身の自己決定を原則とする。

(e) 適切。設問のとおり。

以上から、(a) ×、(b) ○、(c) ×、(d) ×、(e) ○となり、①が正解。

■問4■　正解5

①　不適切。障害者の権利宣言では、「障害」を先天的か否かにかかわらず、身体的または社会的生活に必要なことを自分自身で完全にできない、または部分的に行うことができないことを意味するとしている。

②　不適切。高齢者に限れば、2014年の統計によると、家庭内で起こる事故死は、交通事故死の3倍以上という結果が出ている。

③　不適切。わが国の住宅は、先進諸外国の住宅面積に比較して極端に小さく、したがって、一室あたりの面積も狭くなっている。

④　不適切。前段は正しいが、後段が不適切。脳卒中モデルは急性に生活機能が低下するタイプで、発症直後の急性期から疾患の治療と並行して、ベッド上での体位変換や関節可動域訓練などのリハビリテーション治療を開始して、早期離床を図る。

⑤　適切。設問のとおり。

■問5■　正解2

②　不適切。必要とする情報の提供や助言、あるいは学習の機会の保障などを継続的に、時宜に合わせて支援することが必要である。

■問6■　正解4

④　不適切。義肢装具士は、個人または会社組織に所属して業務にあたっており、通常の医療機関に、専門職として必ず配置されているわけではない。リハビリ専門病院でも必ずしも配置されてはいない。

PART 2

高齢者・障害者の特性と住環境

高齢者の特性

●人は加齢に伴って、運動機能や身体機能、感覚機能、骨や筋肉、内臓などに機能の低下や精神的な意欲の減退などが現れやすくなります。これを老化といい、さまざまな疾患や障害を伴うことが多くあります。
●高齢者のために住環境を整備してバリアフリーを実現するためには、高齢者に起こる変化の特性を十分に理解しておくことが重要です。
●加齢に伴う身体的諸症状や障害を老年症候群といいます。

加齢と老化

人が年をとることを**加齢**といいます。人は誕生してから加齢に伴い、肉体的、精神的に変化していきますが、加齢による生体的な衰退を**老化**と呼びます。老化は、高齢者になって突然起こるものではなく、20～30歳代からその多くが徐々に始まりますが、年齢とともに加速され、高齢者になって具体的な機能低下や疾患となって現れてきます。

老化による機能低下は全身にみられますが、特に運動機能や感覚機能の低下が生活上に不都合をもたらします。運動機能の障害により自立度が低下した状態をロコモティブシンドローム、筋力が低下した状態をサルコペニア、虚弱（frailty）をフレイルといいます（49ページ参照）。

◆主な機能低下のポイント

身体部位	低下する機能	発生する症状・障害
心臓・血管系	血管の弾力性	高血圧、不整脈、狭心症、心筋梗塞
腎機能	濾過・排泄機能	残尿、頻尿、尿失禁、尿路感染
呼吸器系	肺活量、最大換気量	肺炎、肺気腫、肺結核、スタミナ低下、息切れ
消化器系	唾液・胃液の分泌、咀嚼・嚥下機能、消化吸収、蠕動運動	便秘、食欲不振、口渇感、誤嚥
骨	コラーゲンやカルシウムの減少	骨粗鬆症、骨折
神経・筋系	瞬発力、敏捷性、筋力、平衡感覚	転倒、サルコペニア（筋力低下）
感覚系	視力、明暗順応力、聴力、温度感覚、嗅覚	老眼、白内障、緑内障、難聴、火傷、ケガ

高齢者の身体特性　その1

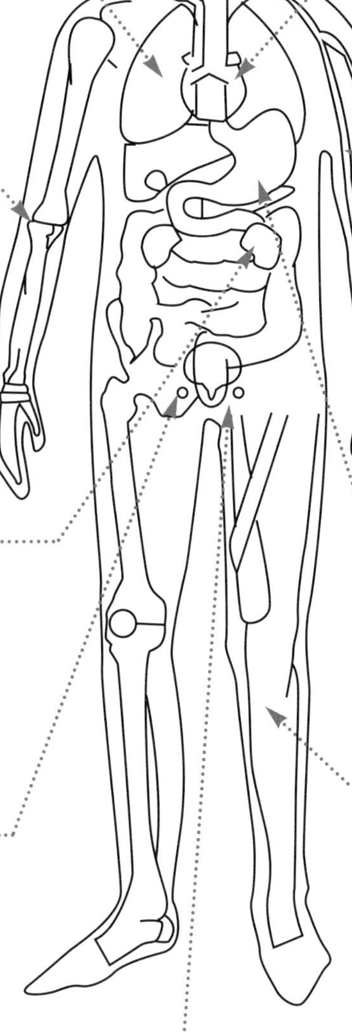

肺の機能が衰える
　肺や胸郭の弾力性が低下し、肺活量や最大換気量が低下。肺炎や肺気腫、肺結核を起こしやすくなる。

骨折しやすい
　コラーゲンやカルシウムなどの減少により、骨量が減少。女性は閉経後から、男性は80代から骨粗鬆症（骨の形態に変化がなく、骨量全体が減少し、骨折しやすい状態になること）が急増し、脊椎や大腿骨頸部などが骨折しやすくなる。

腎臓・泌尿器系の機能が低下する
　腎臓の老廃物の濾過機能が低下する。また、頻尿（とくに夜間）、尿失禁が生じやすくなる。男性の場合、前立腺肥大も起こりやすくなる。

内分泌系機能の低下
　内分泌器官の重量が低下し、機能が落ちるため、病気やストレスに対する反応が遅れる。
　血糖値を降下させるインスリンの働きが低下し、糖尿病にもなりやすくなる。（69ページ参照）

免疫機能が低下する
　感染症にかかりやすくなり、治癒しにくくなる。

心臓機能が低下する
　最近の研究では、「高齢でも健康なら心臓の安静時の心拍出量は低下しない」とされているが、狭心症や心筋梗塞を引き起こしやすくなる。

血管が老化する
　血管の弾力性が損なわれ、動脈硬化が進行する。高血圧や不整脈が起きやすくなる。

感覚機能が低下する
　皮膚感覚がにぶり、温度や痛みがわかりにくくなるので、やけどやケガをしやすい。

胃･腸の機能が落ちる
　消化液の分泌や蠕動運動が低下し、消化吸収力が落ち、便秘がちになる。胃潰瘍にもなりやすい。

運動機能（神経・筋肉系）が衰える
　運動神経の伝達速度が落ちるため、敏捷性や瞬発力、平衡感覚が低下し、敷居やじゅうたんといった小さな凹凸でつまづき、転倒しやすくなる。70歳の筋力は20代の約75％、平衡感覚では、65歳の閉眼片足立ち時間が20歳代の25％まで落ちる。

高齢者の身体特性　その2

視力が低下する

遠近感の調節を行う水晶体の弾力性が低下し、網膜での焦点があいにくくなり、老視となる。水晶体の混濁により起こる白内障や、眼圧の昂進によって視神経が萎縮する緑内障も起こりやすく、視力が落ちる。明るさの変化に順応する能力（明暗順応）も60歳以降低下する。

耳が聞こえにくくなる

高音域の音から聞きづらくなり、家族やまわりの人とコミュニケーションがとりにくくなる。

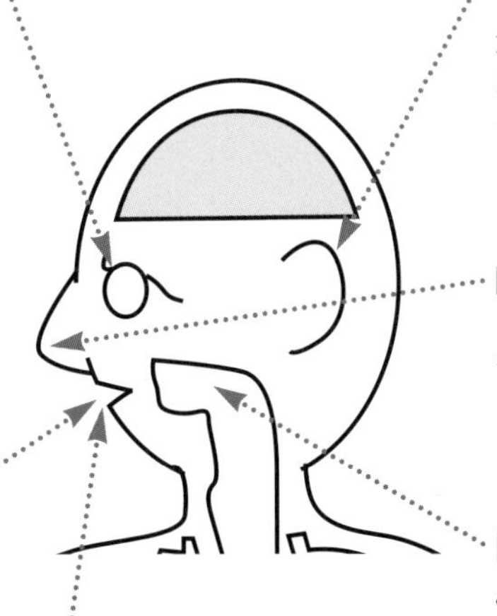

嗅覚が低下する

においに鈍感になり、ガスもれなどに気づきにくい。

唾液分泌・咀嚼機能が低下する

唾液の分泌が低下し、口渇感の訴えが増える。咀嚼機能や飲み下す機能が低下するため、誤嚥を引き起こしやすい。

味覚が衰える

五感の機能が低下するため、薄味やうま味の感覚が鈍って、濃い味付けを好みやすくなる。

歯が弱くなる

虫歯にもひどくなるまで気づきにくくなる。カルシウム不足で歯も弱る。歯ぐきも弱り、脱歯しやすい。

高齢者の心理的特性

身体能力に比較すると、想像力、洞察力、総合的判断能力など知的能力や情緒面は高齢者となっても比較的高い能力を保つことができるとされています。しかし、やはり老化は避けられないものがあります。

加齢によって現れる精神的・心理的特性は次の通りです。

1．記憶力が低下する

①加齢に伴って記憶力の低下が起こり、遠い過去の出来事（長期記憶）より、最近起こった出来事（短期記憶）は忘れがちになります。

2．内向的、保守的、抑うつ的になりやすい

①自分の価値観に固執して内向的になり、新しいことには用心深く消極的です。

②経済的不安や身体機能の低下などから、防衛的で抑うつ的になりやすく、頑固で人の話を聞くゆとりが少なくなります。

3．睡眠障害により不規則な生活に

①加齢に伴って、不眠や夜間行動など、睡眠障害が増え、昼夜逆転の不規則な生活になります。

●心の老化の原因

その原因としては、体力低下、機能低下による身体的なもの、記憶力低下、気力減退などの知能的なもののほか、退職、家庭内での役割交替などによる社会的隔絶感、家族との別居による孤立感、友人・知人の死による不安、収入の減少にともなう経済的不安など**社会的・環境的要因**によるものも少なくありません。

心理的な内向化、保守化は閉じこもりがちな生活を生み、より身体機能の低下を加速させ、疾患や障害を増大させ、健全な日常生活の営みを阻害することにつながりかねません。

社会的・環境的要因については、周囲、とりわけ家族の配慮が重要となります。

●高齢者との対話のために

高齢者は心理的な変化や記憶の低下で、心を閉ざしやすくなります。高齢者をサポートする立場の人間にとっては、適切なコミュニケーションをとることが重要です。高齢者と互いに理解し合うために、次の点に配慮します。

●高齢者の心理的特性と接し方

弱者扱いせず、人生の先輩として尊敬し、尊重した対応をすることが大切です。

KEY WORD

■骨粗鬆症（こつそしょうしょう）

骨の形態には変化がなく、骨量全体が減少した状態で、女性は閉経後、男性は80歳を過ぎると急増する。骨折や骨の変形を起こしやすい。適度な運動やカルシウムを多く含んだ食事などが予防につながるとされる。

■明暗順応（めいあんじゅんのう）

明るい場所から暗い場所に移ったときの視覚の順応力を暗順応、逆を明順応という。網膜の光に対する感受性が時間の経過とともに増加する能力で、この能力が低下すると、暗い場所にいきなり移動すると物が見えにくくなる。

■フレイル

虚弱。身体的機能や認知機能の低下がみられる状態で、健康な状態と要介護状態の中間に位置する。①体重減少、②疲労感、③歩行スピードの低下、④筋力（握力）の低下、⑤身体活動量の低下の５項目のうち、３項目以上あてはまるとフレイルだと認定される。

心理的特性	対話のしかたの工夫
記憶力が低下する	最近起きたことは忘れがちだが、昔の記憶は明瞭な場合が多いので、昔話などをして、孤立感を感じさせない。
自分の価値観にこだわる	言動に明らかな間違いや誤解があっても、強く否定することは避ける。 本人にできることには手を出さず、本人のやり方を尊重する。
人の話を聞くゆとりがない	話をするときは、必要なことだけを、手短にわかりやすく話すように努める。
反応が緩慢になる	時間がかかっても焦らせず、話し始めるのを待つ。 高齢者本人のペースに合わせて、対話する。

SECTION 1 高齢者・障害者の特性

高齢者のかかりやすい疾患・障害

- 高齢者に起こりやすい生活習慣病、脳血管障害、パーキンソン病、関節リウマチなどの疾患の原因と特徴をしっかり把握しましょう。
- 疾患をかかえた高齢者に老化による機能低下が加わると、より障害が重度になるので、こうした重複した障害を克服できるような住環境整備が必要になります。
- 高齢者の自立度を判断する基準に日常生活動作（ADL）があります。

高齢者にとっての疾患・障害

高齢者は老化によって身体機能全般が低下していきます。それによって、病気にかかりやすくなったり、けがをしやすくなります。高齢者の病気やけがは障害となって残り、介護を必要とすることが多くなります。

●高齢者の疾患の特徴

高齢者の疾患には、①ホメオスタシス（細胞の代謝機能維持のために内部環境を一定に保つバランス保持能力）が破綻しやすくなるため病気に固有の症状が表れにくく、症状は安定しにくい。②免疫力の低下により、病気が長期化したり、慢性化しやすい。③病気に対する抵抗力の低下などのため、疾患と機能低下とが複合化し、障害は重度なものになりやすい、という特徴があります。

なお、2020年以来、新型コロナウイルス感染症（COVID-19）は高齢者ほど重症化しやすく、基礎疾患があれば致死率も高まる傾向にあると言われています。基本的な感染防止対策（マスクの着用、手洗い、三密の回避）に取り組むとともに、動かないこと（生活不活発）によりフレイル（虚弱）が進行するのを防ぐように心がけましょう。

◆ロートンの「生活機能の７段階の階層モデル」

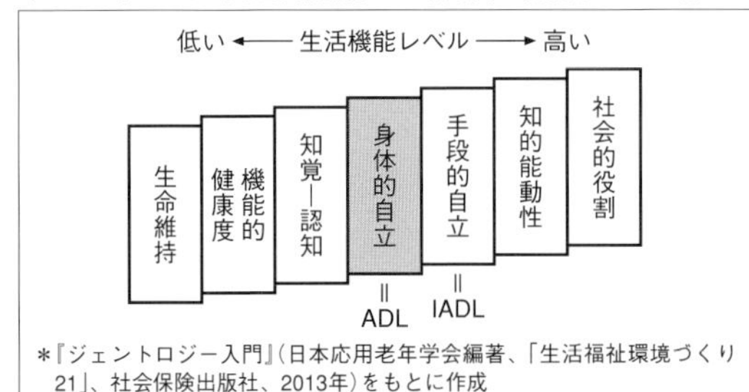

＊『ジェントロジー入門』（日本応用老年学会編著、「生活福祉環境づくり21」、社会保険出版社、2013年）をもとに作成

日常生活動作（ADL）と応用的な日常生活動作（IADL）

高齢者や障害者の生活自立度を測るための指標（「身体的自立」）。自立して生活するための基本的な身体的動作のことで、食事、排泄、着替え、入浴、簡単な移動などが含まれる。ADL（17ページKEYWORD参照）よりも一段階高い自立レベルに、食事を自分で作り、金銭管理をしたり、買い物に外出できる「手段的自立（IADL）」（197ページZOOM UP参照）がある。「手段的自立」以上のレベルを満たさない場合には、虚弱（要支援）高齢者とみなされる。

高齢者のかかりやすい疾患・障害

高齢者のかかりやすい疾患・障害には次のようなものがあります。

◆代表的な高齢者の疾患・障害

<table>
<tr><th colspan="2">疾患・障害名</th><th>病気の特徴</th><th>病気の原因・予防治療など</th></tr>
<tr><td rowspan="2">認知症（56ページ参照）</td><td>アルツハイマー病</td><td rowspan="2">記銘・記憶力障害を中心に、見当識障害、計算力、理解力、判断力など知的機能が持続性・進行性に低下し、適切に日常生活活動が営めない状態をいう。</td><td>臨床症状と脳萎縮の存在から診断するが、真の原因は不明。</td></tr>
<tr><td>脳血管性認知症</td><td>動脈硬化をもとに脳梗塞や脳出血を起こし、広範囲に脳組織が障害を受けることにより起こる。</td></tr>
<tr><td rowspan="2">脳血管障害（59ページ参照）</td><td>脳梗塞</td><td rowspan="2">脳内の血管がふさがったり、破れたりすることにより脳神経に損傷が生じる病気。
一般的な症状としては意識障害、呼吸障害、嚥下障害、運動麻痺、感覚麻痺、平衡機能障害、排尿障害などがある。
麻痺は障害が起こった側と反対の半身に起こる。</td><td>脳の血管に血液の固まりが詰まって起こる。</td></tr>
<tr><td>脳出血</td><td>高血圧などが原因で、脳内の血管が破れて出血し、血液の固まりが脳を圧迫してさまざまな症状を引き起こす。</td></tr>
<tr><td colspan="2">パーキンソン病（78ページ参照）</td><td>手足が震え、筋肉がこわばってくる神経性難病で、運動障害が慢性的に徐々に進行し、寝たきりになることが多い。</td><td>脳の神経伝達物質ドーパミンが減少するために起こる。症状に応じて、運動能力の低下を防ぐ。</td></tr>
<tr><td colspan="2">廃用症候群（62ページ参照）</td><td>長期間の寝たきりで、身体的機能が病的に低下すること。
寝たきり症候群とも呼ばれる。</td><td>全身の活動を行わないために起こるので、疾患になっても活動を維持し、寝たきりにならないよう配慮する。</td></tr>
<tr><td colspan="2">関節リウマチ（64ページ参照）</td><td>手足の関節を包んでいる滑膜が炎症を起こし、関節の多くが腫れて痛む自己免疫疾患。関節可動域の制限、筋力低下や手指の変形により日常生活が困難になる。</td><td>原因は明確ではないが、正常な関節の軟部組織が自己の免疫機構から攻撃されて起こる。</td></tr>
<tr><td colspan="2">骨　折（66ページ参照）</td><td>高齢者の骨折は廃用症候群などに結びつきやすい。</td><td>転倒しやすく、骨粗鬆症などで骨がもろくなるため。
転倒防止に注意する。</td></tr>
<tr><td rowspan="2">生活習慣病</td><td>心筋梗塞（68ページ参照）</td><td rowspan="2">日常の生活習慣に原因があり、弊害が蓄積されて起こるものを生活習慣病という。代表的なものが、糖尿病と心臓に血液を送る冠動脈がふさがって起こる心筋梗塞の2つである。
心筋梗塞は不整脈や呼吸困難を引き起こし、寝たきりになりやすい。
糖尿病は網膜症、腎症、神経障害などの合併症を引き起こしやすい。いずれも長期の治療と日常生活の改善を必要とする。</td><td>塩分の取りすぎや肥満、ストレスが原因となることが多く、適度な運動や食事療法が必要となる。</td></tr>
<tr><td>糖尿病（69ページ参照）</td><td>体内のインスリンの分泌不足によって起こることが多く、食事療法や運動療法が必要となる。</td></tr>
</table>

障害者の特性

- 障害には、先天的なものと後天的なものがあります。
- 高齢者に限らず、介護を必要とする肢体不自由、内部障害、視覚障害、聴覚障害、認知・行動障害について、その特徴を把握しましょう。
- 高齢者は疾患などを原因にいくつかの障害を複合的に併発する場合も少なくありません。障害は単独で存在するとは限らないことをよく認識しましょう。

肢体不自由者の特性

疾病や事故のために何らかの**運動機能障害**がある人を肢体不自由者といいます。人間が身体を動かすには、脳の命令が神経系を伝わって筋肉・骨・関節系の運動器官を刺激することが必要ですが、これらの器官に命令が伝わらない、器官が働かないなどの状態が運動機能障害です。また、運動に必要な神経、筋肉、骨・関節が何らかの理由で働かない状態を**麻痺**といいます。

代表的な肢体不自由の原因には**脊髄損傷**、**脳性麻痺**、**進行性疾患（筋ジストロフィー症など）**、**脳血管障害**、**頭部外傷**、**切断**などがあります。

感覚障害者の特性

人間は、視覚（目）、聴覚（耳）、触覚（皮膚）、嗅覚（鼻）、味覚（舌）という感覚から脳に情報を取り入れています。これらの感覚機能がうまく働かないと日常生活に支障をきたします。とりわけ視覚、聴覚の障害は重要です。

●視覚障害者の特性

人間は社会生活に必要な情報の80％以上を視覚から得ているとされます。したがって、視覚障害は日常生活に大きな影響を与えます。

視覚障害には**視力障害**と**視野障害**があります。視力障害には、ほとんどまたはまったく物を見ることのできない「盲」、最低限の日常生活は送れるが文字の読み書きなどに不自由を生じる「弱視（ロービジョン）」があります。

視野障害は、目を動かさないで見たときに見える範囲に異常がある状態で、同じ視力であっても、物が見えにくく行動が制約されます。

●先天盲と中途失明者

同じ盲の状態であっても、生下時からの障害で視覚経験のない先天盲と中途失明者では、かなりの違いがあります。**中途失明者**は失明以前の視覚経験によって物の形などの図形的・立体的イメージを補うことができますが、**先天盲**の場合は視覚障害の意味そのものを認識することすら難しいものです。

しかし、中途失明者、とりわけ年齢が上になるほど、「目が見えなくなった」ことへの精神的ショックが大きく、障害を受容し、克服する意欲を持つことが難しくなります。

●聴覚障害者の特性

人間は、主に言葉を話し、聞くことによって相互にコミュニケーションを図っています。聴覚障害は日常の所作への影響は大きくありませんが、単に音が聞こえないというだけではなく、コミュニケーションや情報のやりとりに支障をきたす障害です。

成人の中途障害者の場合は少なくとも言葉を話すことはできますが、先天性や言語習得以前の聴覚障害の場合、声を発する機能があっても言葉を習得することが難しい状況にあります。また、聴覚が正常でも、話すことが難しい失語症や発声器官の障害でうまく話すことができない構音障害のような**言語障害**という症状もあります。

その他の障害者の特性

人間は感覚によって情報を得て、筋肉、骨、関節などの器官を動かしますが、それらをコントロールする脳の機能そのものが、何らかの理由で正常に機能しなくなり、知的、精神的に障害を持つ場合があります。

●内部障害

内臓機能や免疫機能が障害されて、ADLが著しく制限されている状態のこと。心臓機能障害、呼吸機能障害、腎臓機能障害、小腸・直腸・膀胱機能障害、ヒト免疫不全ウイルス（HIV）による免疫機能障害（エイズ）があります。

●認知行動障害

主に下表のように分類されます。

高次脳機能障害	大脳が何らかの理由で損傷を受け、思考、言語、記憶、学習、行動、注意、情緒など大脳皮質の働きに障害が起きた状態。高次神経障害、神経心理学的障害、認知障害などともいいます。
知的障害	先天性、あるいは乳幼児期に大脳の発達に障害が起こり、知能に機能低下が生じた状態をいいます。
精神障害	物事の認識や思考、行動が正常でなくなる状態で、統合失調症（精神分裂病）や躁うつ病が代表的なものです。

SECTION 1 高齢者・障害者の特性

在宅医療の必要性

●施設医療重視から在宅医療重視への転換は、高齢者や障害者のQOL（生活の質）の向上だけでなく、医療費の抑制にも貢献しています。
●在宅医療を円滑に進めていくためには、多職種の医療専門職のチームワークや在宅医療にかかわる機器の導入が必要です。
●医療機器の導入に求められる住環境の特性を理解しておく必要性があります。

在宅医療のニーズ

最近では、介護が必要となった高齢者や障害者でも、できる限り住み慣れた地域や自宅で生活が送れるよう、施設医療重視から在宅医療重視への方向転換が図られるようになってきました。その結果、介護される本人のQOL（生活の質）が向上したばかりでなく、年々増大する医療費の抑制にも大きく貢献しています。

在宅医療を円滑に進めるには、診療システムの整備や各地域での多くの医療専門職の連携が求められています。

在宅医療に関わる機器

医療機器の導入や使用方法の指導は医師や看護師などが行いますが、福祉住環境コーディネーターも医療機器を導入している対象者の住環境の特性を知っておく必要があります。

●泌尿器系

自己導尿（セルフカテーテル）：排尿に困難があるとき、一時的にカテーテルを尿道に挿入して尿を出す。カテーテルを尿道や造設した膀胱瘻から挿入したまま留置するものを「留置カテーテル」という。

◆カテーテル

人工肛門（ストーマ）、人工膀胱（尿路ストーマ）：排泄物は臭うので、換気に配慮し、処理や器具を洗う場所をトイレ内か専用の部屋に用意する。

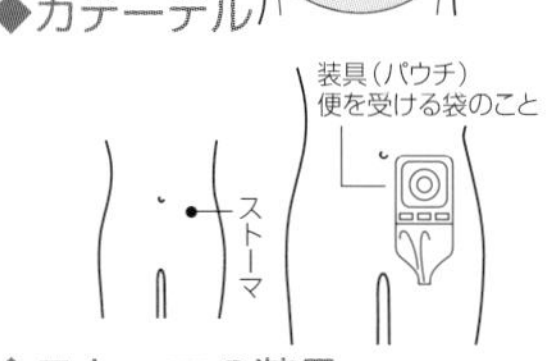

◆ストーマの装具

収尿器、しびんなど：排泄する場所によって、トイレまたは寝室に汚物流しや手洗い器、消毒用具を含めた尿器具類の保管場所の確保が必要。

腹膜透析：連続的携帯式腹膜透析（CAPD）は、腹腔内にカテーテルを留置し、透析液を腹腔内に出し入れすることにより透析を行う。

●心臓機能障害

心臓ペースメーカー：心臓の機能が低下している場合、胸部にペースメーカーを埋め込み、電極が心臓の筋肉に電気刺激を与える。ただし、電磁波の影響による誤作動の可能性に注意が必要。

●呼吸器系

吸入器：水蒸気とともに口や鼻から薬剤を吸入させるネブライザー（噴霧器）のこと。咽頭や喉頭の吸引器と併用して痰を吸引しやすくするほか、消炎や咳を鎮めるためにも使われる。持ち運びが簡単で、ベッドサイドで使用できる。

KEY WORD

■カテーテル
　気管や食道、胃、腸、膀胱などの内容物や体液を外に出したり、薬剤や輸液などを注入するために使われる柔らかい管状の器具のこと。

■ストーマ
　腸や膀胱の病気で肛門や尿道が使えなくなったとき、腹部に新たに作る排泄口。

■気管内挿管
　気管切開などによって、気道を確保するための管を気管の中に挿入すること。

酸素吸入器：在宅酸素療法を行う人のための器具。酸素用高圧ガスボンベや酸素濃縮器、外出時の携帯用酸素ボンベから鼻カニューレや酸素マスクなどを通して酸素を送り込む。ガスボンベは転倒しないよう固定し、引火性・発火性のあるものは近くに置かない。酸素濃縮器は高濃度の時は火気厳禁。細菌感染防止のために、器具は清潔な状態で使用する。

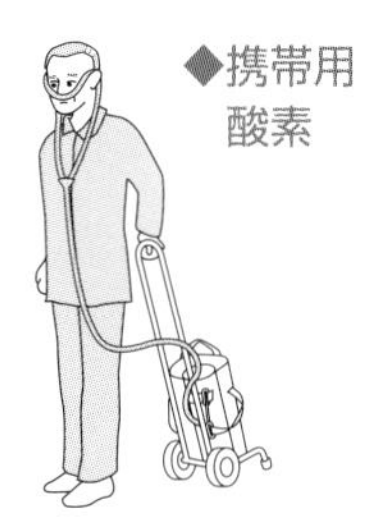
◆携帯用酸素

人工呼吸器：在宅における呼吸機能の確保用の器具。気管切開カニューレの場合は、コミュニケーション機器の活用が必要となる。ほかに、鼻マスクがある。

●消化器系

経管栄養法：腸管機能障害などにより口から食べ物を摂取することが難しいとき、栄養成分をチューブを通して胃や腸に注入する在宅での栄養法。鼻から管を入れる経鼻経管栄養法と腹部に孔を開けて入れる胃瘻などがある。誤嚥防止のために半座位姿勢を確保する特殊寝台を導入する。経管栄養食のつくり方、注入速度、チューブと瘻孔部の管理、栄養状態と水分のバランスなどに注意が必要である。

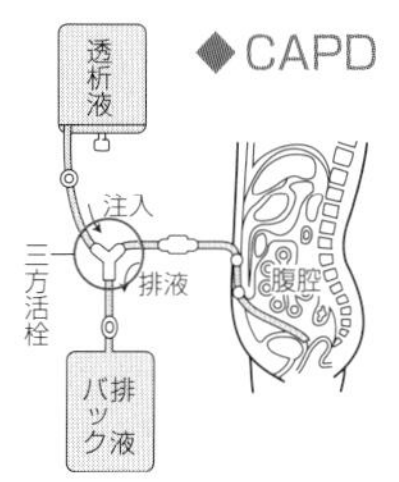

◆CAPD

中心静脈栄養法：経口または経腸摂取できないときに、高カロリー液を中心静脈に輸液する方法。カテーテルを用いた体外式とポート型の完全皮下埋め込み式がある。携帯用自動輸液ポンプを用いて仕事や外出なども可能。

SECTION 2 / 高齢者に多い症状別特性と住環境

認知症

- 意欲低下、記憶障害、見当識障害、注意力の散漫、徘徊、失禁や便こねなどの異常行動、精神症状が段階的に出てきます。
- 安全で衛生的な状況が保たれるよう、住環境の整備に工夫が必要です。
- デイケアの利用や、症状が進み異常行動や精神症状が著しくなったら特別養護老人ホーム、グループホームなどへの入所の検討も必要です。新オレンジプランによる施策が進んでいます（120ページ参照）。

認知症の症状特性

認知症とは、正常な水準まで達していた知的機能が持続性・進行性に低下し、記憶や判断力などの障害のために適切な日常生活を営めない状態をいいます。代表的な疾患はアルツハイマー型認知症（アルツハイマー病）と脳血管性認知症、レビー小体型認知症（レビー小体病）です。

＜アルツハイマー型認知症＞

①原因不明の脳萎縮により人格の変化などを伴い、比較的緩慢に経過します。

②記憶障害が顕著で記銘力の低下が著しく、見当識障害が出て場所もわからず迷子になったり、ひどくなると徘徊、不潔行為などの異常行動がみられます。

〈脳血管性認知症〉

①脳動脈硬化をもとに脳梗塞や脳出血を起こし、広範囲に脳組織が障害を受けることによって起こる認知症疾患をいいます。

②記憶障害、特に記銘力障害が目立つと同じことを何度も尋ねたり、少し前のことがわからなくなったり、日時、場所、人物の見当識や一般知識が失われます。計算力、判断力も不良となり、「まだら認知症」になることもあります。

●認知症の症状

認知症の症状には、主に下表のようなものがあります。

障害の種類	症　状
知能障害	知的機能、とりわけ記憶力が低下する。日常的な物忘れとは異なり、行動の全てを忘れたり、自分のもの忘れに気づかないなどの特徴がある。
見当識障害	自分が置かれている状況に関する認識のことを「見当識」という。自分がだれで、家族にはどんな人がいるかなどの人間関係の認識、今自分がどこにいるか、どこが自分の家のなのかという地理的関係の認識、今日が何月何日なのかという時間的認識などがわからなくなること。
情動・意欲の障害	注意力、集中力の低下、外界に対する興味・関心の減退。高度になると、情緒が不安定になり、感情コントロールが難しく、感情鈍麻になる。

●中核症状と周辺症状

認知症には脳の神経細胞が減少して生じる中核症状と、環境や人間関係、身体、心理などの要因が中核症状に関わって生じる周辺症状があります。

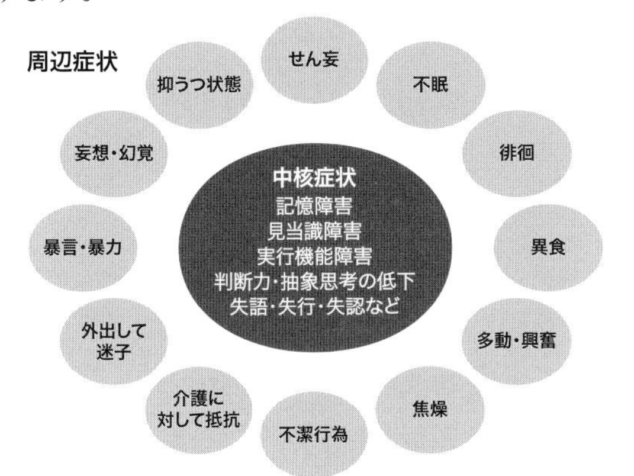

*「痴呆症の薬物療法」(『第64回老年学公開講座』『痴呆はどこまで防げるかどこまで良くなるか』9-40ページ、本間昭著、東京都老人総合研究所、2001年) および公式テキストをもとに作成

●症状が進んだときの問題行動

次のような行動が起きることがあります。

夜間せん妄	夜間、とくに見当識が薄れて物事の判断がしにくくなり、一時的に軽度の意識障害を起こしたり、暴れたりすること。
幻覚・幻聴と妄想	実際には見えないものが見えたり、聞こえないものが聞こえたりする。さらに、被害妄想に襲われることが多くなる。
作　話	記憶のとぎれたところを、作り話で埋めようとすること。
徘　徊	周囲の人たちからは何の目的もなく家の内外を歩き回っているように見える現象。実際は古い記憶や思い出によって歩き回る場合が多く、制限するとかえって逆効果になる。

このほか、「夕方たそがれ症候群」が出たり、不潔行為、自傷行為、攻撃的行為などが表れることが多くなります。

●認知症高齢者への接し方

本人の生活リズムを崩さず、見守りの姿勢で接することが重要です。ただし、進行の度合いに応じて介助の段階を考えること。幻覚や妄想に対しても否定せず、訴えを根気よく聞き、安心させるように心がけます。

KEY WORD

■軽度認知機能障害(MCI)
記憶障害はあるが、社会生活に支障がなく、認知症の定義に当てはまるほどではない状態のこと。

■多発性脳梗塞
脳の血管が詰まって血液の流れが滞り、周囲の脳組織が死滅してしまう脳梗塞が、複数の場所で生じたもののこと。

■起立性低血圧
寝たきり状態が長期にわたるなどして、立ち上がった時に血流がうまく対応できずに、脳内の血圧が下がること。自律神経系の疾患が生じやすい。また、起きあがり動作のとき、立ちくらみやめまいなどを起こす。

ZOOM UP

■知的刺激に触れる環境の整備
認知症高齢者は知的機能の低下や自発性の衰退によって知的な刺激から遠ざかりやすい。季節や日時の見当識を刺激するためには時計やカレンダー、季節の花などを飾る、昔を思い出させるアルバムや写真を見せる、などの環境整備を行うことで認知症を予防し、症状の進行を抑制することができる。

症状進行と住環境整備

症状の進行を想定し、早期からの住環境の整備が望まれます。

◆早期からの住環境整備

状　　況	住環境整備のポイント
歩行が可能な場合	転倒・転落防止のため、段差を解消するか、段差のある場所へ近づけない工夫。滑りにくい床への変更。
家事をする場合など	ガスの元栓は閉めておき、ガス漏れ警報器、火災報知器、自動消火装置などを設置する。電磁調理器、温度調節機能付き給湯器、レバー式混合水栓に取り替える。
症状を進行をさせないために	引っ越しや急な模様替えを避け、住み慣れた住環境を維持する。自宅に人が集まりやすい環境を。施設の通所介護「デイサービス」を利用して、同じような症状を持つ高齢者が集まれる環境づくりも。

◆症状別住環境整備のポイント

症状の特徴	住環境整備のポイント
新しい環境や設備の使用方法を学習することが困難	住環境を改善する際、古い記憶を活用できる住環境をつくるように心がける。
見当識障害がある	日時や季節、居場所がわからなくなるときがあるので、大きな時計や日めくりカレンダーを用いたり、季節感がわかるような演出が効果的。場所の認識のために、ドアの色を変えたり、風呂場に暖簾を下げたりする。
徘徊がある	家族の知らないうちや、深夜に徘徊する場合に備えて、工夫する。 ①玄関のドアや門扉に開閉すると鳴る警報機の設置。 ②出口を通過すると、電波を発信し、家族の持つ受信機に知らせる認知症老人徘徊感知機器や徘徊センサーを高齢者の身につける。 ③移動範囲を手すりで誘導する。 ④やむをえないときは、玄関やドアに二重三重に鍵をかける。 ⑤住宅改修が可能なら、家事をしながら本人が視野に入る間取りにする（ただし、タイミングには十分な配慮を）。 ⑥連絡先を衣服に書いたり、近所や交番に連絡し、協力を求めることも必要。
失禁がある	①トイレの位置を間違えないように、トイレの近くに居室を。 ②失禁後の後始末がすぐできるように、浴室をいつでも使えるようにする。汚物流しが浴室にあると、さらに便利。 ③脱衣室に下着やリネン類の収納棚を設ける。 ④可能なら、防水床にし、排水口を設け、トイレ内にハンドシャワーを設置する。 ⑤可能なら、トイレに介助スペースを。掃除もしやすくなる。 ⑥失禁しやすい居室の床材質を防水性でふきとりやすいフローリングにする。
危険なものを口にする	洗剤、薬品、マッチ、ライター、可燃性液体、刃物などは目にふれないところに収納し、腐敗した食品などは処分する。
弄便など異常行動がある	汚染、破損は住環境をさらに危険にする。介護場面では、何か間違えても叱責や強制をせず、受容的な態度をとる。入院・入所も検討。

SECTION 2 高齢者に多い症状別特性と住環境

脳血管障害

●脳血管障害は、脳の血管が詰まったり、破れることにより脳神経に損傷を起こす病気で、頭痛、片麻痺、意識障害などの症状が現れます。早期にADLの自立を目標としたリハビリを始めることが大切です。
●住環境整備は、歩けるか、車いすか、寝たきりかという、移動方法の可能性によって決まります。
●出入り口、トイレ、浴室、階段などの住環境改善の工夫が必要です。

脳血管障害とは

脳血管障害には、脳出血、クモ膜下出血、脳梗塞があり、全体の70～80％は脳梗塞です。

〈脳出血〉

脳の動脈硬化により生じます。高血圧、糖尿病、高脂血症などが危険因子となり、動脈硬化が進むと、高血圧により大きく脳の血管が破れて脳内に出血を生じます。血液の固まりが脳内にできることにより頭痛、意識障害、嘔吐などを発症します。また、出血した血管が支配していた領域や、血液の固まりで圧迫された部位の働きが障害され、運動麻痺、感覚障害、呼吸障害、言語・記憶・認知・判断などの障害がさまざまな組み合わせで出現します。

〈クモ膜下出血〉

脳動脈の壁が薄く、弱くなった部分がふくらんで瘤をつくり、これが破れて脳の表面とそれを覆うクモ膜の間に血液が拡がる疾患です。

突発性の激しい頭痛が特徴で、嘔吐や意識障害を伴います。

〈脳梗塞〉

脳の血管に血液の固まりが詰まって循環障害が起こり、その結果発症時から片麻痺、頭痛、意識障害、ろれつが回らない、言葉が出ないなどの症状が現れます。

脳血管障害で起きる障害

脳血管障害は、脳内の障害を受けた領域や部位により現れる症状が決まります。前頭葉が障害されると、運動・言語・感情・意思・思考などの精神作用が、側頭葉では聴覚・言語・記憶が、頭頂葉では痛覚・圧覚などの感覚が、後頭葉では視力などが侵されます。

脳血管障害は、認知症（56ページ参照）を起こす場合があるほか、さまざまな麻痺が出現します。なかでも代表的なのは脳血管障害が出たのと反対側の半身が麻痺する片麻痺です。片麻痺があると、歩行や服の着脱が困難になるなど、両手動作が必要な場面で生活上の不便が生じます。さらに廃用症候群や関節拘縮などの二次障害の予防と日常生活動作の自立を目標に、早期にリハビリを開始する必要があります。

◆脳血管障害で起こる障害

障害の種類	障害の内容
平衡機能障害・運動麻痺	随意的な動作が不自由になり、歩行や日常生活動作に障害が出る。
感覚障害	触覚、温度感覚、関節が動いているときの感覚（深部感覚）に支障をきたす。
言語障害・失語症	音声や文字の理解や発声に障害が生じる。
半側視空間失認	両目で見ているのに、ものの左半分、右半分が認識できなくなる高次脳機能障害。
着衣失行	衣服の着方がわからなくなる。
片麻痺	平坦な場所の歩行は可能。麻痺した下肢を持ち上げるのが難しく、引きずり歩行になる。段差があると歩行が困難になるため、寝たきりになる場合もある。

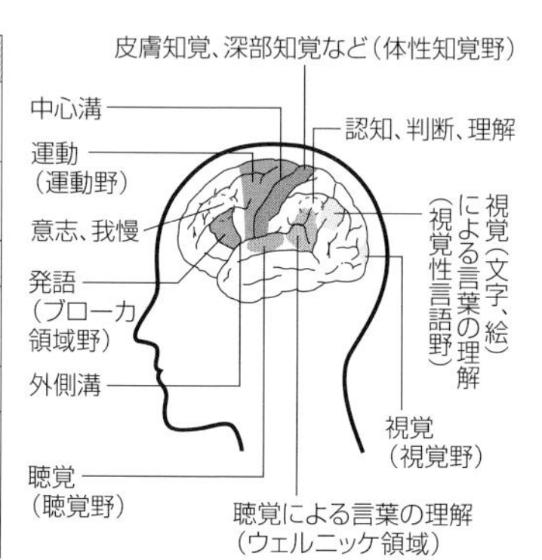

移動レベル別の住環境整備

住環境整備は、屋外歩行、屋内歩行、車いす、寝たきりといった利用者の移動レベルを考慮して、方針を決めます。

●屋外歩行レベルの住環境整備

杖などの使用を含めて、一人で屋外歩行ができる段階です。

- 生活空間はできるだけ１階とすることが望ましく、床は滑りにくい材質とする。立ち座りのための手すりを設置し、安定した家具を配置する。
- 玄関の上がりがまちの段差が大きいときは踏台（式台）を置いて段差を小さくし、昇降時に身体を支えるための手すりを健側に設置する。
- 居室からトイレまでの動線は短くする。戸は引き戸が望ましく、廊下との段差を解消する。便器の高さが低いと立ち上がりにくくなるため、補高便座を用いるとよい。便器の両側のほか、前方にＬ字型手すりを設けると、姿勢保持や立ち上がりが楽になる。
- 浴室内の移動に横手すりを設置する。浴槽の縁高を400mm程度に設置。浴槽への出入りは座位で浴槽をまたぐようにするのが安全なので、浴槽の脇に浴槽の縁と座面が同じ高さの入浴用いすや移乗台を置く。

●屋内歩行レベルの住環境整備

杖による歩行、手すりや家具を伝い歩き、介助による歩行は可能だが、立ち座りや階段の上り下りが困難な段階です。

- 生活空間はできるだけ1階とすることが望ましい。起き上がりが困難な場合は特殊寝台を導入し、ベッド用手すりを取り付けて立ち上がりやすくする。
- 玄関の戸は引き戸にし、手すりや式台を設置する。廊下から玄関土間の間に腰掛け台を置くと、靴や装具が脱ぎやすくなる。
- トイレの戸は引き戸か、外開き戸にし、把手はレバーハンドルにする。手すりは屋外歩行レベルと同様に設置するが、利用者の動作に合わせて取り付け位置を決めるとよい。便器の高さを少し高くすると、立ち座りが楽になる。
- 屋外歩行レベルと同様に手すり、入浴用いす、移乗台などを設置する。介助が必要な場合は洗い場のスペースを拡げて、介助スペースを確保する。

●車いすレベルの住環境整備

住宅内の移動に車いすを使用する段階です。

- 玄関の段差解消には、利用者の車いすの操作能力、敷地の広さや改修費用などを勘案して、スロープや段差解消機（274ページ参照）を設ける。
- 起き上がりや車いす移乗の際に介助がしやすい特殊寝台やリフトを導入する。屋内で車いすを使う場合は、廊下や入口の段差を解消し、移動しやすい幅員を確保するほか、方向転換できるスペースを設ける。
- 立位姿勢がとれなかったり、ズボンや下着の上げ下げ、便器への移乗に介助が必要なときは、便器の前方や側方に介助スペースを設ける。トイレに車いすが入らないときや夜間の排泄にはポータブルトイレ（263ページ参照）を利用する。
- 洗い場は介助しやすいように広めにする。シャワー用車いすを利用するときは、出入り口の段差を解消し、洗面所と洗い場の床面の高さを同じにする。浴槽内での立ち座りに、浴槽内でいすや昇降装置を利用する。固定式（設置式）リフト（279ページ参照）、天井走行式リフト（280ページ参照）は大がかりな工事が必要となるので、事前に十分な検討が必要となる。

●寝たきりレベルの住環境整備

起居、座位保持、移動など生活動作全般に介助が必要なレベルです。

- スロープや段差解消機を設置して、屋内と屋外との移動手段を確保する。
- 屋内の移動に車いすを利用する場合は、車いすレベルに準じる。
- 車いすやポータブルトイレへの移乗、浴槽に入る場合にはリフトを活用する。差し込み便器を使用してベッド上で排泄する場合やポータブルトイレを使用する場合は、その洗浄設備と場所が必要となる。

KEY WORD

■健側(けんそく)と患側(かんそく)

脳血管障害などにより、麻痺が起きた場合など、健康で麻痺のない体の部分を「健側」、麻痺のある体の部分を「患側」と呼ぶ。

■特殊寝台

上半身側と脚の部分が自由に上げ下げでき、半座位が自然に取れるように工夫されたベッドのこと。障害や疾病、手術などにより、立ち姿勢をとれない場合に利用される。

■立位用段差解消機

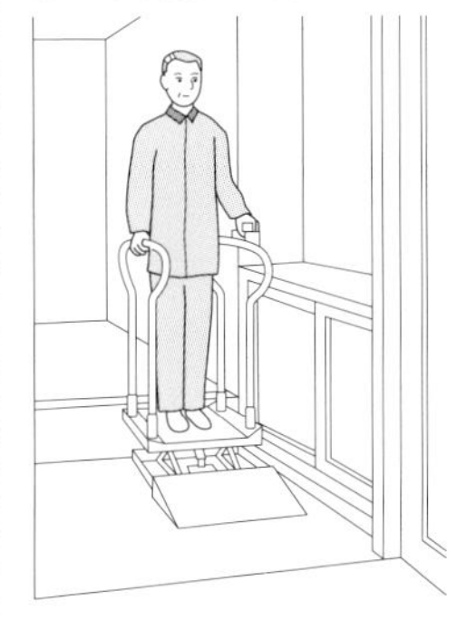

あまり場所をとらずに設置できる。立ったまま使用し、床レベルから地面レベルに移動。

ZOOM UP

■リフト導入の留意点

固定式（設置式）リフト、天井走行式リフト、据置式リフトなどを導入する際は、利用者がトイレや浴槽に入らない場合もあるので、関節可動域の制限など利用者の身体状況や介助量の軽減の程度、床・壁・天井などの構造がリフト設置に適しているか、改修工事の費用など、事前に十分な検討が必要となる。

SECTION 2／高齢者に多い症状別特性と住環境

廃用症候群

●廃用症候群とは、寝たきりなど心身の機能を十分に活用しないことにより、本来低下すべきでない機能が低下する状態です。
●廃用症候群を未然に防ぐためには、早期離床、早期歩行、生活全般の活性化のための住環境整備が重要となります。
●座った姿勢を保ちやすい機能的なベッドや、安心して立ったり歩行したりできる手すり、杖、歩行器の導入も必要です。

廃用症候群とは

人の機能は、身体的にも精神的にも使われない状態が続くと機能が低下します。骨折、けが、病気などがもとで、過度の安静や長期の臥床、関節の固定などにより生じる機能低下、褥瘡（床ずれ）、筋萎縮、骨萎縮、関節拘縮などの一連の症状を廃用症候群といいます。

〈心身の症状〉

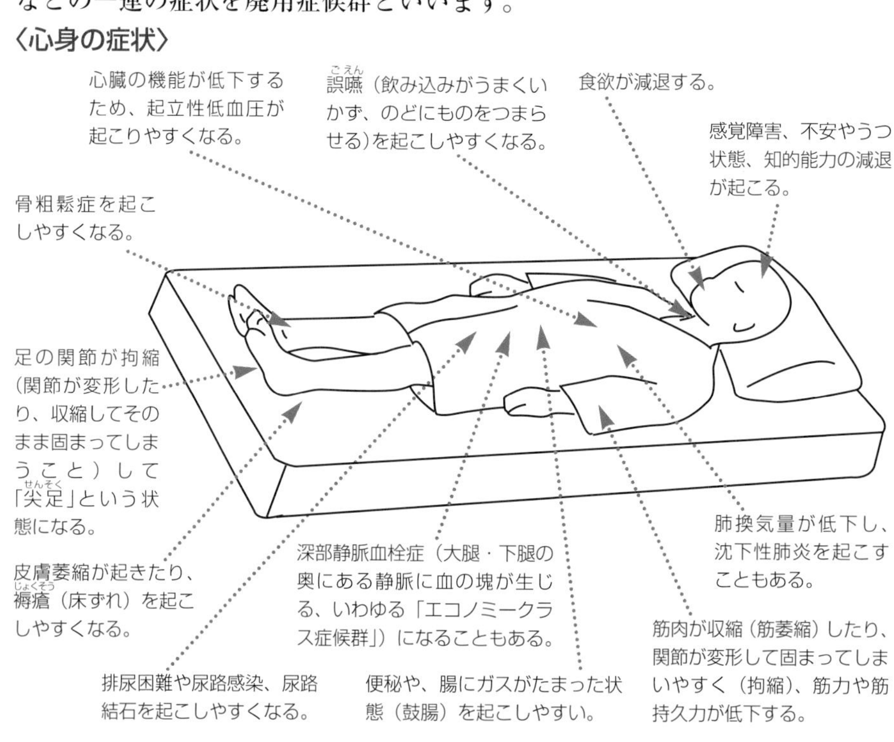

住環境整備のポイント

廃用症候群の改善･予防は、日常生活を可能なかぎり活動的にすることが基本です。具体的には、家庭内では就寝以外の臥床を少なくする、つまり離床の促進です。さらに家庭外で何らかの活動に参加できるよう支援します。住環境整備も早期離床をいかに促すかがポイントです。

●早期離床を促すために

特殊寝台の導入：ベッドで座位姿勢を長く保つためには、特殊寝台が効果的です。端座位をとる場合は、かかとが床にしっかりと着く高さにします。座位姿勢を安定させ、起居動作やポータブルトイレへの移乗などが容易になるように、ベッド用手すりを備えます。

ポータブルトイレの使用：トイレまで行けないときは、ベッドサイドにポータブルトイレを置き、おむつ生活にならないよう住環境を整備し、離床を促します。トイレは足が床にしっかりと着き、安定した座位が保持できる高さとします。立ち上がりやすく、安定性があるものがよいでしょう。

●早期歩行を促すために

手すり、杖、歩行器の導入：立ち上がれるようになったら、各室間を安心して移動でき、行動半径を広げてQOL（生活の質）を高められるよう、手すり、杖、歩行器などを使用します。

●生活を活性化するために

①家族の団らんに加われるよう、ベッドは居間や茶の間の近くに置きます。

②本人も介助者もリハビリや散歩に出かけやすい環境を整えます。

③趣味活動などに取り組めるよう、デイサービスなどの利用も考えます。

KEY WORD

■褥瘡（じょくそう）**（床ずれ）**

寝たきり状態の場合、自らの体重で骨が出っぱった部分を持続圧迫することにより血液の循環が悪くなり、皮膚・皮下組織が壊死して治りにくい潰瘍になってしまう状態。肩甲骨下端、肩、肘、仙骨部、かかと、膝の外側、くるぶしなどにできやすい。定期的に体位を変えたり、栄養状態を良くし、皮膚を清潔にするなどして予防する。

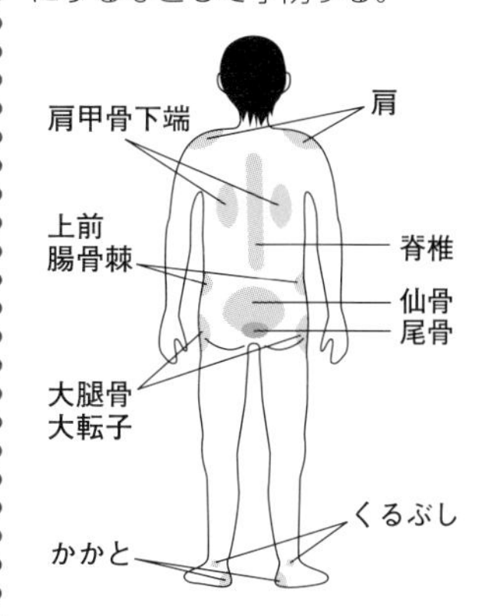

ZOOM UP

■廃用症候群の予防法

①車いすなどを使って積極的に外出をする。

②福祉センターなどのグループ活動に参加し、家に閉じこもらない。

③起立性低血圧を防止するため、起き上がりの動作や上半身を90度に近い姿勢に起こした「座位」を保つ練習をする。その後、車いすやいすへの移乗訓練を行い、立ち上がり脚の力が強くなるように導いていく。

SECTION 2 高齢者に多い症状別特性と住環境

関節リウマチ

- 激しい関節の痛みや変形で、腕や脚を伸ばしたり曲げたりするのが難しく、歩行にも支障をきたします。
- トイレの便座や洗い場の台は高めに、ドアノブや水栓はレバー式か棒状の把手にすると使用しやすくなります。
- 衣服の着脱や身体を洗うのに、福祉用具を導入します。

関節リウマチとは

原因不明の疾患の一つで、中高年の女性に多い進行性の自己免疫疾患です。手足の指、手首など多くの関節が腫れて痛みを生じます。徐々に手指の関節が変形したり肩や肘の関節の可動域が制限されたりして、把持機能が低下して日常生活に支障をきたしたり、歩行障害を引き起こします。

●症状

①初期には、「朝のこわばり」といって、起床時に関節が硬直します。

②関節の痛み、腫れ、熱感がみられます。むくみが体の左右に出ます。

③進行すると、骨や軟骨が破壊されて特有の関節の変形が起こり、貧血などの全身症状が現れます。関節の動かし始めはこわばって動かしにくく、使っているうちにだんだん動かせるようになります。症状は天候に左右されやすく、雨の日や寒い日に痛みが強まる傾向があります。

◆関節リウマチで変形した指

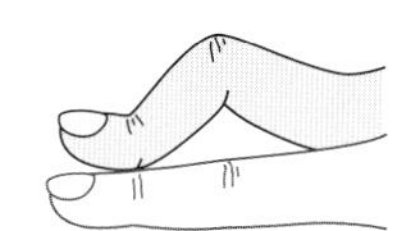

ボタン穴変形　指の関節が変形してボタンホールのようになったもの

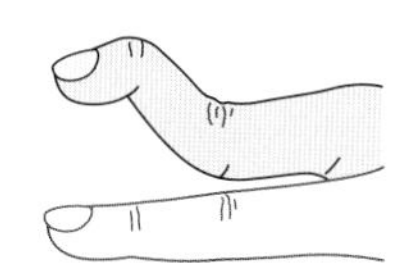

スワンネック変形　指の関節が変形して指先が伸びきらずにいる状態

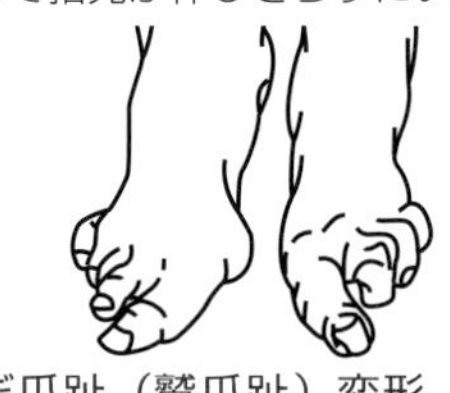

かぎ爪趾（鷲爪趾）変形　指関節が変形して上にもちあがった状態

●治療

①非ステロイド系抗炎症剤、抗リウマチ剤などの薬物療法で関節の炎症と痛みを抑制する。

②温熱療法、関節可動域訓練、補装具や自助具を活用するリハビリテーション療法が行われる。

③滑膜切除術、人工関節置換術などの手術療法が行われる。

住環境整備のポイント

関節に負担をかけない環境の整備を基本とします。家具や生活用品について「固い」「重い」というものをできるだけ避けます。また、少しの段差でも、歩行、車いす利用の両方で、関節の痛みを引き起こすので、段差の解消も重要なポイントです。

関節が痛み、握力がない：肘から先の腕全体を、机やいすのアームについて立ち上がれる工夫を。畳の部屋には座卓を置いて立ち上がれるようにします。

長時間立っていられない：キッチンにはいすを置き、座って作業できるように。足が宙に浮いたり、つま先に力が入って痛まないよう、踏み台を用意します。

関節に負担がかけられない：ドアノブ、水道栓などはレバー式や棒状の把手に。

トイレの使用が困難：立ち座りが楽になるよう、補高便座を便器に乗せて高くするか、便座の高い身体障害者用便座を導入。お尻がふけない場合は、温水洗浄便座を。便器からの立ち上がり用に手すりも付けます。

入浴が困難：下肢関節が十分曲がらない場合は長めの浴槽にするか、深めの浴槽の中にいすを置きます。浴槽の長手方向に移乗台を置くと、座位で浴槽に出入りできます。洗体いすの高さは関節の可動角度に合わせます。タオルを握れないので、長柄つきブラシなどを用いて洗うなど工夫します。

衣服の着脱が難しい：ボタンエイドやソックスエイド（右図参照）などを利用します。

KEY WORD

■自己免疫疾患
本来、体内に侵入した細菌などの外敵に対して作られる抗体が、自分の体の細胞や組織に対して作られて、正常な細胞を攻撃してしまう病気。関節リウマチもこうしたメカニズムによって起こる。

■免疫グロブリンG（IgG）
体内に侵入した細菌などの外敵（抗原）に対して作られるのが抗体。グロブリンはその抗体の本体となるタンパク質。免疫に関与していることから、「免疫グロブリン」と呼ばれる。

■リウマトイド因子
関節リウマチは、リウマトイド因子という抗体が何らかの原因で作られ、自己免疫反応によって正常な細胞が攻撃を受けて発病する。発病のメカニズムは不明。

■ボタンエイド

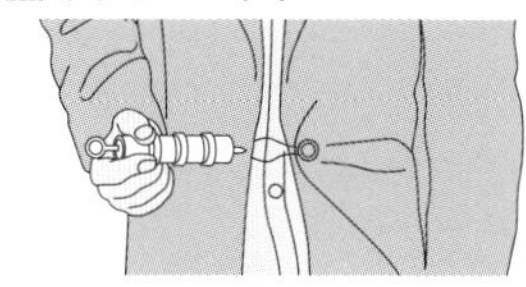

衣服のボタン穴にボタンエイドを通し、フック部分にボタンを引っかけて引き抜く

■ソックスエイド

靴下をへら状の部分にはかせて、足先につけ、ひもを引っぱり上げてはく

SECTION 2 高齢者に多い症状別特性と住環境

骨折

●高齢者の骨折は転倒時に起きやすく、これがもとで寝たきりになったり、廃用症候群を起こしやすいものです。
●骨折予防のためには、転倒を防止するように室内を整理し、段差をなくす、手すりを配置することなどが必要です。
●骨折したら、ベッドを導入するほか、車いすへの対応も考えます。

高齢者の骨折の特徴

高齢になるほど転倒しやすくなるため、骨折は起こりやすいものです。また、骨粗鬆症（49ページ参照）があったり、歩行能力が低下していたり、認知症の症状が出ていると、さらに骨折しやすくなります。骨折そのものは治療によって回復することができますが、治療中のギプスによる固定が寝たきりや廃用症候群（62ページ参照）を招きやすいので、予防が大切です。

〈骨折しやすい部位〉

脊椎椎体圧迫骨折（せきつい）：交通事故にあったり、転倒・転落したとき、尻もちをついたとき。高齢者の骨折で最も多い

大腿骨近位部骨折（だいたいこつきんいぶ）：横向きに転倒したとき

橈骨・尺骨遠位端骨折（とうこつ・しゃっこつ）：前に手をついて転倒したとき

肋骨骨折：前向きに転倒したとき

●**治療法**

①骨折した部分を元の位置に戻し（整復（せいふく））、ギプスで固定。治ったら、リハビリを行います。

②ただし、大腿骨近位部骨折は構造上、骨がつくのに時間がかかるため、人工関節置換術（じんこうかんせつちかん）などの整形外科的手術を行ってから、リハビリに移ることがあります。

◆橈骨・尺骨遠位端骨折

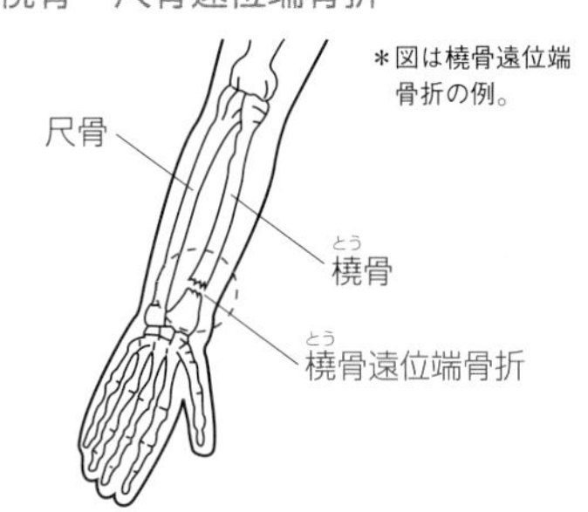

◆大腿骨近位部骨折・脊椎椎体圧迫骨折

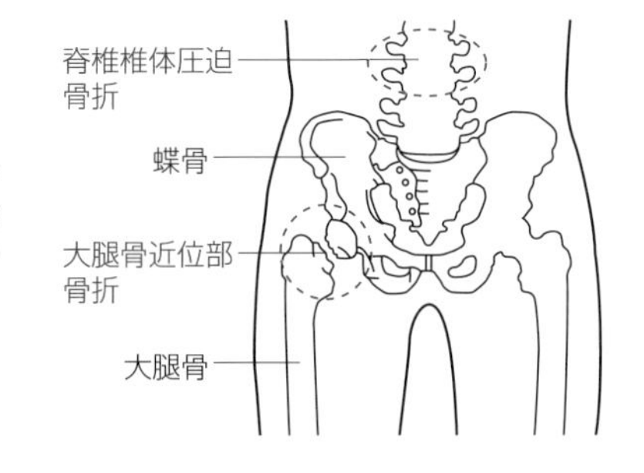

骨折防止のために

浴室や階段に限らず、寝室や居間・廊下などでの転倒もあるので、下記の点に注意します。

①室内の段差をできるだけ解消するため整理整頓する。カーペットのめくれや座布団の角、電気製品のコードなどの位置に注意します。
②立ち上がり動作や片足立ちが必要な場所には、手すり、つかまり台などを設置し、玄関の段差が大きい場合は、式台やいすを置きます。
③居室からの動線の床は滑りにくい床材にし、足もと灯を設置します。
④股関節の関節可動域に制限があったり痛む場合は、座面を高くしたり、立ち上がりやすくするために手すりを設置します。
⑤浴槽への出入りでは、洗い場の床材を滑りにくいものに変更します。
⑥股・膝関節の可動域に配慮して、浴槽内に座ったとき足先が前方の壁に着く程度の長めの浴槽にします。

住環境整備のポイント

＜屋内歩行レベルの場合＞

①踏台（式台）や立位用段差解消機などで玄関の段差を解消します。
②水回りは、ぬれても滑りにくい材質に。
③歩行器を使用する場合は、キャスターが回転しやすいフローリングに、杖使用の場合は、滑りにくい床材に。
④転倒の危険性を減らし、起き上がりや立ち上がりを楽にするため、ベッドを利用。ベッドの高さは、端座位姿勢が保ちやすく、かかとが床に着くようにします。

＜車いすレベルの場合＞

①出入り口が車いすに対応するかどうかを検討します。
②特殊寝台を導入すれば、股・膝関節の痛みの具合や可動域を観察しながら、ゆっくりと起こしたり、寝かせたりできます。
③リフトは、立位能力がなく、介助が困難になったら導入の検討を。
④ベッドから車いすへの移乗用にベッド用手すりなどを取り付けます。本人が立てない場合、介護者が抱きかかえて移すのは大変なので、座位移乗やハイロー（高さ調節）機能付き特殊寝台、肘かけ脱着型車いす、トランスファーボードの組み合わせで座位姿勢のまま移乗させるテクニック、移乗用のリフトの利用も考慮します。

SECTION 2 高齢者に多い症状別特性と住環境

高齢者の内科的疾患

●心筋梗塞は心臓の冠動脈が閉塞して起こる病気です。激しい胸の痛みや呼吸困難を伴いますが、高齢者の場合、痛みを伴わない場合も多いです。2020年、国は「循環器病対策推進基本計画」に基づき総合的な対策に取り組み始めました。
●糖尿病は高齢者の場合若年者に比べて症状を呈しないことがあります。また糖尿病網膜症、糖尿病神経障害、糖尿病腎症などの合併症を起こします。
●いずれの場合も、手すりや暖房の工夫が住環境整備のポイントです。

心筋梗塞

●症状・誘因

心臓の筋肉に酸素や栄養分を送る冠動脈が、動脈硬化により閉塞して血液が流れなくなり、酸素と栄養の不足でその先の筋肉が死んでしまい、心臓のポンプ機能が低下する病気です。

主な症状：前胸部の激しい痛み、しめつけ感が典型的な症状です。呼吸困難、意識障害、顔面蒼白や冷や汗などがみられます。診断・治療開始の遅れは予後を悪くしますが、高齢者では自覚症状がないことが多いため、発見や診断が遅れることがあります。一刻も早く専門医による生活管理が必要です。

誘因：高血圧症、高脂血症、糖尿病、肥満、ストレス、喫煙など。動脈硬化を防ぐためには食事療法とともに、運動療法も効果があります。

＜日常生活の注意＞

重い物を持ち上げたり、階段を上り下りすることなど、心臓に負担がかかる強度な動作は控えます。運動するときは心拍数に気をつけ、適度な運動を心がけます。また温度差も心臓に負担をかけるため、冬季には居室と温度差が極端に違わないように、廊下、洗面所、浴室、トイレなどの暖房に配慮します。

●住環境整備のポイント

①身体を起こす動作が心臓に負担をかける場合は、特殊寝台を導入します。
②階段の上り下りを制限された場合には、階段昇降機やホームエレベータ（276ページ参照）の利用も考慮します。
③居室間の温度差が生じないよう、冷暖房に留意し、洗面や家事には給湯機を利用します。

糖尿病

●症状・原因

膵臓から分泌され、血液中の糖の濃度を下げるインスリンが絶対的に欠乏している（1型糖尿病）か、インスリン作用が相対的に不足している（2型糖尿病）ために、血液中の糖の濃度が高まり、さまざまな症状を示す疾患です。

主な症状：口の中が乾く口渇感が出たり、多飲、多尿や夜間頻尿、体重の減少、倦怠感など。

合併症：視力障害、神経障害、めまい、インポテンツ、下腿部壊死による切断など。

●住環境整備のポイント

<末梢神経障害がある場合>

手すり：動作が緩慢になり、運動機能も低下するので、足先が傷ついたりバランスを崩して転倒するのを防ぐため、玄関の段差、浴室、トイレには手すりを設置します。

暖房：感覚障害があるときは、電気ストーブや電気あんかなどの局所暖房では熱さに気づかず、やけどをすることがあるので、部屋全体を暖めるようにします。

<末梢循環障害がある場合>

傷が治りにくく、冷たさをよけいに感じます。

暖房：局所暖房では、傷ができた場所が熱を持ち、やけどしやすいので、部屋全体を暖める暖房とともに、下肢全体を暖める床暖房や電気カーペットを。

照明：視力障害があっても、傷がチェックしやすいよう、局所的な明るさが確保できる照明を。

<視覚障害がある場合>

視覚障害者の場合と同様です(86ページ参照)。

<下肢切断が生じた場合>

切断の場合と同様です（77ページ参照）。

■CCU（Coronary Care Unit・冠動脈疾患集中治療室）

心筋梗塞は、さまざまな合併症を起こして短時間のうちに病状が急変することが多いので、瞬時に対応できる専門医、看護師などからなるチームによる治療を行うことができる人材と設備を備えた施設。

■METs（メッツ）尺度

安静座位の状態を1METsと定め、その何倍の酸素消費量に当たるかによって、運動負荷試験や日常生活の動作などを定めたもの。各レベルによって、以下のように活動の指標を定めている。

①**1～2METsレベル：**座位が中心の日常生活。食事、洗面が可能。

②**2～3METsレベル：**ゆっくりとした歩行と調理、床ふきが可能。

③**3～4METsレベル：**平地歩行とシャワーや洗濯が可能。

④**4～5METsレベル：**普通の家庭生活が可能で、短時間のレクリエーションもできる。

⑤**5～6METsレベル：**手すりにつかまって階段の上り下りや屋外活動も可能。

＊6METs以上は省略。

SECTION 3 肢体不自由者の症状別特性と住環境

脊髄損傷（SCI）

- 脳に近い頸髄の損傷がもっとも重く、胸髄、腰髄の順で障害の程度が軽くなっていきます。
- 自律神経機能障害、感覚障害、性機能障害、知覚障害、直腸・膀胱機能障害なども起こします。
- 腰髄損傷までは、車いす利用が基本で、ADLの自立度合いによって、住環境整備のポイントが決まります。

脊髄損傷の症状と特徴

●症状

転落・転倒事故や交通事故などにより、脊髄が傷つけられたり圧迫され、運動や感覚の神経伝達経路が損傷し、運動障害や呼吸障害、自律神経機能障害、感覚障害、性機能障害、知覚障害、直腸・膀胱機能障害などが起こるのが脊髄損傷です。

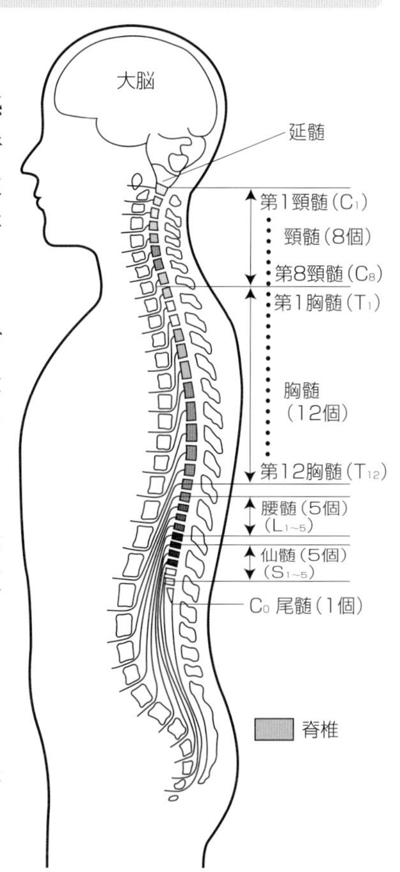

●脊髄の構造と障害程度

脊髄は脊椎の間から分岐して各部にのびており、椎間に応じた髄節として、脳に近いほうから8個の頸髄、12個の胸髄、5個の腰髄、5個の仙髄、1個の尾髄からなります。

損傷した場所が脳に近い頸髄損傷がもっとも障害が重く、なかでももっとも脳に近い第3頸髄までの損傷では、両手足が全く使えない強度の四肢麻痺という高度の障害に加えて、呼吸障害が起き、自然呼吸ができません。

胸髄損傷、腰髄損傷の順で、障害部位は狭まり、腰髄損傷や仙髄損傷では足に障害が出ますが、福祉用具などの活用により、日常生活には大きな支障はありません。

損傷レベルと対応

●治療・対応

損傷のレベルによって、リハビリテーションが行われますが、損傷した脊髄の機能は回復しません。よってADL（日常生活動作）にも、以下のように差が出るため、福祉用具などの助けが必要になります。運動機能やADLは年令、体格、受傷前の生活様式によって大きく異なります。

◆脊髄の損傷レベルとADLや対応

損傷レベル	運動機能	ADL（日常生活動作）
第1～第3頸髄（C_1～C_3）損傷	首が動かせるだけで、四肢のすべてが麻痺。呼吸障害も。	①全介助が必要。 ②人工呼吸器の使用。 ③環境制御装置の使用。 ④呼吸や唇、顎の動きでスイッチ操作。
第4頸髄（C_4）損傷	自発呼吸は可能で、肩甲骨を上げられる。	①全介助が必要。 ②頭につけたり、口にくわえた棒でパソコン、ページめくりが可能。
第5頸髄（C_5）損傷	肩、肘、前腕の一部を動かせる。	スプリント（上肢装具）が付いた自助具で食事、ひげそり、文字を書くことが可能。
第6頸髄（C_6）損傷	①肘は伸ばせないが、曲げられる。 ②手首をあげる力は弱い ③プッシュアップがごくわずか、できる。	①自助具で食事や字を書いたり、ひげそりが可能。 ②上半身の着替えが可能。 ③ベッドの柵などを利用して､寝返りや起き上がりもできる。
第7頸髄（C_7）損傷	①手首を伸ばせる。 ②手の関節までの動きはほぼ完全。 ③プッシュアップが安定する。	①自助具なしで食事ができる。 ②身だしなみを整えるのも、着替えも自分でできる。 ③寝返り、起き上がり可能。 ④ベッドと車いす、車いすとトイレの移乗が可能。
第8頸髄・第1胸髄損傷（C_8～T_1）	上肢（手・腕）がすべて使える。	車いすが一人で使いこなせ、車いすでのADLが自立する。
第2～6胸髄損傷（$T_{2\sim6}$）	胴体（体幹）のバランスが一部安定する。	車いすは必要だが、簡単な家事動作はできる。
第7胸髄～第2腰髄損傷（T_7～L_2）	体幹がほぼ安定し、骨盤帯の挙上が可能。	住環境の整備により、家事だけでなく、仕事やスポーツも可。
第3・第4腰髄損傷（L_3～L_4）	①体幹は安定する。 ②下肢が一部動く。	ADLは自立。車いすではなく、杖や短下肢装具で歩ける。
第5腰髄・仙髄損傷（L_5～S_5）	足の関節の動きが十分でない。	ADLは自立。歩行は器具を使わなくてもできる。

KEY WORD

■肢体不自由
脳や脊髄など中枢神経の障害が原因で、手足（四肢）や手足以外の身体の部分（体幹）に機能障害があり、日常生活に支障をきたしている状態。

■四肢麻痺
頸髄損傷や脳性麻痺などの高度な障害があり、すべての手足が麻痺して使えない状態のこと。

■自助具
障害に応じて食事や整髪、着替えなどの日常生活動作が自分でできるように工夫された食器や器具のこと。

■プッシュアップ
座った姿勢で床などに手をついて、曲げた肘を伸ばすと同時に肩甲骨を引き上げて、腰と上体を床から押し上げること。頸髄損傷者は肘の伸展ができないので肩甲骨の挙上を重心移動を利用して行う。脊髄損傷者は、このプッシュアップによって体の移動や車いすでの褥瘡予防を行う。握りやすく安定性の高いプッシュアップ台を利用する場合もある。

■環境制御装置
重い身体障害をもつ人でも、日常生活動作が自立できるように工夫された装置。呼吸やまばたきなどのわずかな動きによって、エアコンやテレビなどの家電製品の操作やカーテン、扉の開閉などができるようになっている。操作方法は、障害の残存機能によって異なる。（286ページ参照）

疾患に応じた住環境整備

頸髄や胸髄の損傷で、感覚障害、膀胱機能障害、直腸機能障害を起こします。

●感覚障害

温かい冷たいなどの感覚や触覚・痛覚などの感覚が残存髄節以下において麻痺します。そのため、車いす、便器への移乗時などに身体をぶつけたり擦ったりして傷つけやすくなります。身体をぶつける可能性のあるところにはクッション材を貼っておきます。また、入浴時に熱湯に気づかずにやけどをすることもあるので、浴室には温度調節機能の付いた給湯器やサーモスタット付き水栓金具などを設置します。

車いすの座席には必ずクッションを敷いて褥瘡（じょくそう）を予防します。車いすに長時間座っている場合は、プッシュアップして体位変換を行い坐骨部にかかる圧力を除くようにします。プッシュアップができない場合は、身体を側方に傾けて座位姿勢を変えるだけでも除圧がある程度可能になります。

●膀胱機能障害

損傷レベルや膀胱機能障害の回復状態によって、排尿する場所や使用する尿器具を把握しておきます。

●直腸機能障害

脊髄を損傷すると排泄機能に障害を受け、正常な便意と排便コントロール機能を失い、便秘傾向となります。緩下剤や浣腸などを用いて、定期的な排便習慣をつけるようにします。排便に時間を要する場合は、便座にクッションを取り付けたり、冷暖房設備を設置します。

損傷レベル別住環境整備

●頸髄損傷の住環境整備

高位頸髄損傷の場合は、プッシュアップができないため、ベッドから車いす、浴槽への出入りなど自立した移乗動作が困難になるので、天井走行式リフトや床走行式リフトなどの福祉用具の導入が必要になります。

さらに、残存機能を使って呼気・音声スイッチなど正確に入力信号を操作できる環境制御装置を導入することにより、テレビをオン・オフしたり、特殊寝台のリクライニング調節などができます。

●胸髄損傷の住環境整備

両手は正常なので、プッシュアップによってベッドから車いすなどへの移乗は可能となります。ただし、筋力が弱い場合は、車いすの座面の高さとベッドや便器の高さを同じにするなど、損傷レベルや自立意欲などを考慮することが大切です。

玄関	車いすに座ったまま住宅に出入りするために、スロープ（1／12以下の勾配）または段差解消機を設置して、段差を解消する。ドアは引き戸のほうが使いやすい。居室から直接出入りできるようにするとよい。
トイレ	トイレに行きやすいように、段差を解消し、車いすの通行幅員やスペースを確保する。便座の高さと車いすの座面の高さを同じにすると、移乗の労力が軽減される。便器の両側に手すりを設置する。
浴室	脱衣室には着替えやすいようにベンチを設置する。車いすから洗い場への移乗の労力を軽減するため、洗い場全体または一部を車いすの座面の高さと同じにする。浴槽の出入りに介助が必要な時は、リフトの導入を検討する。浴槽は座った時に膝が少し曲がる程度の大きさにし、浴槽内にも手すりを設置する。

●腰髄損傷の住環境整備

両手や体幹の筋力は正常なので、車いすで移動しても、手すりにつかまって立ち上がることができます。ADL能力を把握して必要な住環境整備を行います。

トイレ	一般の洋式便器に補高便座を置いて高くすれば使える人が多い。
浴室	浴室のドアが開き戸なら、引き戸か折れ戸などに取り替えるとよい。車いすから洗い場に移乗する場合は、洗い場全体または一部をすのこなどで高くするが、利用者の移乗できる範囲で、車いすより低くもできる。

KEY WORD

■自己導尿装置（セルフカテーテル）

カテーテルを尿道から膀胱内へ通して排尿する（54ページ～参照）。

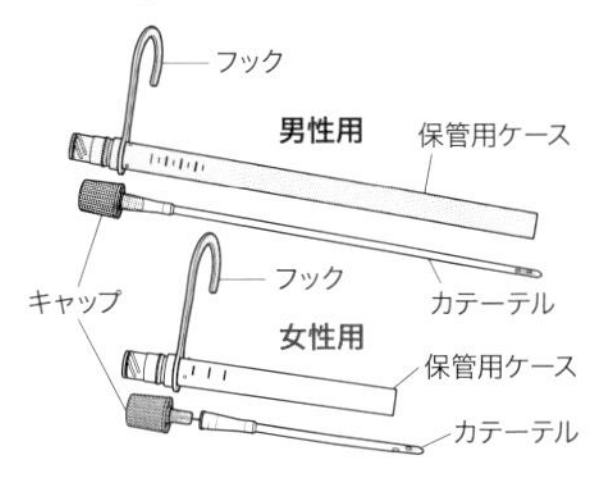

■プラットホーム式トイレ

脊髄損傷でもプッシュアップ動作で利用できるよう、便器の周囲に移乗台を設けたトイレのこと。

■キャスター付きシャワーいす

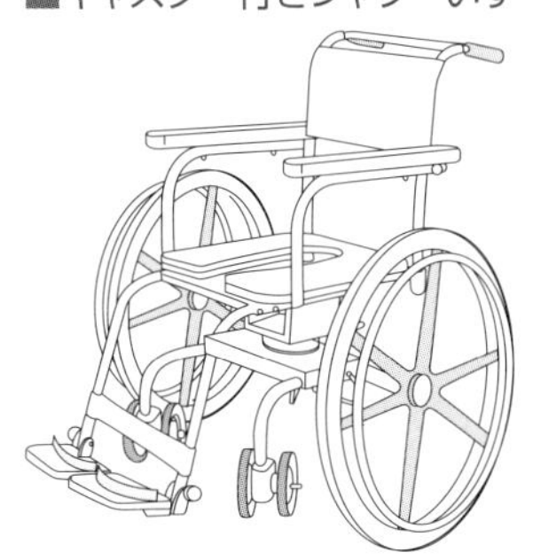

車いす使用者が入浴に利用する。防水性があり、トイレでも使用できる。

SECTION 3 肢体不自由者の症状別特性と住環境

脳性麻痺

- 受胎から新生児期（生後４週間）までに、血管障害、酸素不足、先天的な形態異常などを原因とする脳の病変による運動障害（麻痺）がでます。
- 痙直型、不随意運動型（アテトーゼ型、ジスキネティック型）、協調障害などのタイプがあります。
- 年齢が幼児期から中高年期まで広範囲にわたるとともに、障害の程度やADLの自立性が多様なため、成長の時期と個別性に合わせた住環境整備が必要となります。

脳性麻痺の特性

脳性麻痺の運動障害の特徴は、両手両足とそれ以外の身体の筋肉が異常な緊張を示すことです。また、麻痺する部分によっても、手足のどれかが麻痺を起こす単肢麻痺、両足に麻痺を起こす対麻痺、左右のどちらかが麻痺を起こす片麻痺などがあり、いずれも日常生活を営む上で支障をきたします。さらに、脳機能の障害を受けた部分の範囲が広いときには、重度の知的障害を合併する場合も少なくなく、視覚障害や聴覚障害を伴うこともあります。

●主な病型

筋肉が異常な緊張を示す状態によって、次のタイプに分けられます。

痙直型脳性麻痺：関節を曲げ伸ばしすると抵抗があり、筋肉が硬く突っ張って手足が動きにくくなるほか、関節が一定の角度に固定されやすくなるため関節拘縮を起こしやすくなる。

不随意運動型（アテトーゼ型、ジスキネティック型）**脳性麻痺**：思わず手足が動く、何かしようとすると、意図しない運動（不随意運動）が起きるなど、自分の意思と関係なく、筋肉の緊張状態が高まったり、緩んだりする。

多様な障害像と二次障害

①脳性麻痺の障害は、一人ひとりさまざまです。車いすが必要な人もいれば、杖歩行ができる人、単独歩行できる人もいます。また、手を使える人からまったく使えない人までいます。

②成長期には、精神・身体機能が発達する一方で、身長や体重が増えるため、今までに獲得した機能が低下してしまうこともあります。

③20代ごろからは、しびれ、関節の痛み、筋力低下、知覚障害などの二次障

害が出始めることがあります。

住環境整備のポイント

症状によって非常に個別的な対策が住環境整備に求められます。

●一般的な留意点

①室内を清潔な状態に保ちます。
②洗面所や浴室は使いやすいように整備します。
③車いすや装具を使うことが多いので、段差の解消などで移動の障害を取り除きます。

●障害が重度の場合

<幼児期>

①体重が20kgを超え、抱き上げるのがつらくなってきたら、寝室や浴室、居間で天井走行式リフトなどを利用します。
②車いすやバギーで出入りするため、出入り口にはスロープや段差解消機を設置します。
③座位を保持できない場合は、車いすを利用することもあるので、床をフローリングにしたり、段差を解消します。

<青少年期>

座位移動ができる場合：居間ではリフトは必要なく、トイレや浴室など、上下の移動が必要なところで主に使います。
座位移動ができない場合：トイレや浴室だけでなく、ベッドや畳から車いすに移る際にもリフトが必要になります。

二次障害を未然に防ぐため、福祉用具を積極的に活用しましょう。

<中・高年期>

それまで歩行ができていた人も、杖や車いすの利用が必要になるため、移動レベルの変化に応じた住環境整備をしていきます。

KEY WORD

■二次障害
ある障害や病気に見られる症状によって、二次的に引き起こされる障害のこと。脳性麻痺の場合なら、無理な姿勢をとったり、急激な運動をして、体に負荷をかける姿勢や動作をとりつづけるため、腰痛や頸椎の異常、関節性の痛みなどのさまざまな障害を引き起こします。

■座位移動
お尻の部分を浮かせながら、片手または両手を使って移動すること。歩行が困難な人や立った姿勢（立位）をとれない人がとる移動方法の一つです。

ZOOM UP

■住環境の改善を考えるとき
①本人の成長（自意識が高まり、家事分担をするようになったりしたとき）
②家族構成の変化（介助してきた家族がいなくなってしまったとき）
③介助負担の増大（介助してきた家族が加齢で体力が低下したり、重労働の積み重ねから腰痛などの障害を持ってしまったとき）

SECTION 3 肢体不自由者の症状別特性と住環境

切　断

●一般に、上肢切断は業務上の事故や交通事故などの外傷によるものが多いのですが、下肢切断では糖尿病や動脈硬化症などの末梢循環障害によるものが多くを占めています。
●住環境整備が必要なのは、下肢切断の場合です。自宅では義足をつける時もあれば、はずす時もあり、各人の移動方法によって環境整備の方法も違ってきます。

切断とは

①切断とは、事故などによる外傷、先天性の奇形、病気のための末梢部分の血行悪化などによって、上肢（手や腕）や下肢（足や脚部）の一部あるいは全部を切断し、欠損した状態のことです。
②原因は、交通事故や労働災害などの事故が多いですが、最近では、下肢切断では、糖尿病や動脈硬化症などによるものも増えています。
③切断部分を補うため、義手や義足といった義肢（282ページ参照）を使い、訓練して使いこなしていきます。

●上肢の切断

①義手は上肢切断の場合に、物をつかむ、離すなどの上肢機能を得るとともに、欠損部の補完に使用されます。切断箇所により補う義手は異なります。
②義手には、物をつかむなどの日常生活における動作性を目的とした能動義手、切断端の筋肉の活動を利用して電動で手先が動く電動義手、見た目を補う装飾義手などがあります。
③両側の上肢切断では能動義手が不可欠で、どちらかの上肢に機能を持たせます。電灯のスイッチを大きくする、戸にはレバーハンドルを設置するなどの住環境整備をします。

◆上肢の切断

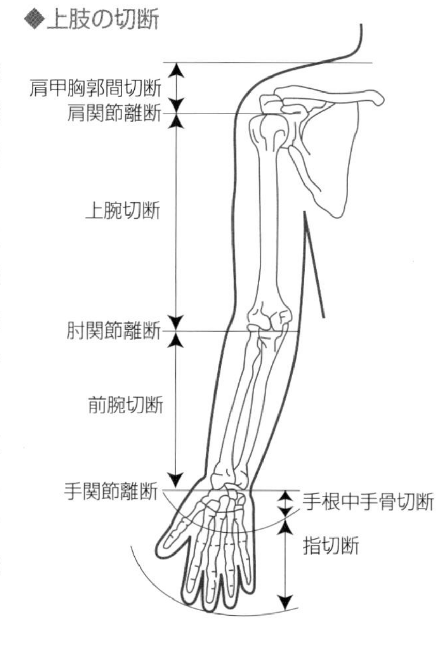

●下肢の切断

①下肢の切断の種類は右図のとおりです。下腿切断では下腿義足、大腿切断では大腿義足、などを使います。

②両下肢切断や切断部が腰に近い位置の場合は、杖が必要です。また、これに筋力が弱い、バランスが悪いといった条件が重なると、義足と車いすを併用する場合もあります。

③室内では、義足をはずして、座位移動をする場合が多くなります。

◆下肢の切断

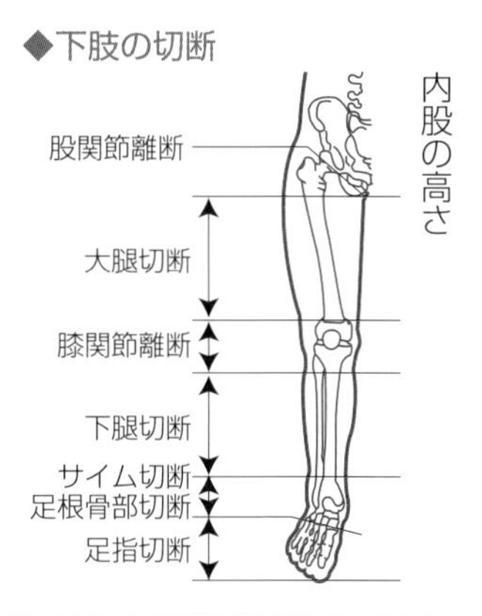

住環境整備のポイント

上肢切断、外傷性の片足切断や両側の下腿切断の場合は、住環境整備をしなくてすむことが多く、住環境整備が必要なのは以下のような場合です。

切断の種類	住環境整備
疾病による片足切断	①とくに、糖尿病の場合は、義足をはめ込む断端部分に傷ができても血行障害のために治りにくく、義足が装着できないこともあるので、車いすに対応できるよう、段差の解消を行う。
サイム切断・足部切断	①室内では義足を脱いでの歩行が可能な場合が多いので、足部への衝撃を和らげるために居室等にはクッション性のあるカーペットを用いる。 ②浴室には滑りにくい床材を用い、手すりを設置する。
下肢切断	①下肢義足は大腿義足に比べ着脱が容易なので、住環境整備の必要性は少ないといえる。 ②要所には手すりを取り付ける。入浴の際は義足を脱ぐので、滑りにくい床とし、手すりを設置して転倒を防止する。また腰掛け台を設ける。
片側大腿切断・膝関節離断	①立ったまま靴を履いたり脱いだりできないので、玄関にベンチやいすを置き、手すりを設ける。 ②義足歩行の場合は、床材は滑りにくい材質を使用し、要所に手すりを設置して安全を確保する。トイレには両側に手すりを取り付ける。 ③敷居などの段差をできるだけ解消する。 ④浴槽へは移乗台などを使って縁に座ってから出入りする。着替えや身体を洗うときはいすを使う。
両側大腿切断	①玄関・出入り口は車いすで移動できるよう、スロープや段差解消機を設置する。 ②室内では両手で座位移動するか、車いすを利用する。 ③トイレの便座と車いすの座面の高さに多少差があっても、両腕の筋力が正常であれば、車いすから移乗できる。便器の両側に手すりを取り付ける。 ④浴槽へは移乗台に腰掛けてから出入りし、洗い場ではいすに腰掛けて身体を洗う。いすに腰掛けたまま使えるように水栓金具などを付け替える。
片側股関節離断	①股義足で室内を移動するときは、要所に手すりを設置し、滑りにくい床とする。義足を脱いで車いすまたは両松葉杖で移動するために段差を解消し、車いすが通れる有効幅員を確保する。 ②トイレは洋式便器とし、両側に手すりを取り付ける。浴室は、両側大腿切断に準じる。

ZOOM UP

■断端の管理

切断端部分の形が変わると、その部分をはめ込む部分（「ソケット」という）に義肢が入らなくなったり、ゆるみが出て義肢が使えなくなる。そこで、断端部分が変形しないよう、日頃からの断端部分のケアが必要となる。

SECTION 3 肢体不自由者の症状別特性と住環境

パーキンソン病

- 振戦／筋固縮／無動・寡動／姿勢反射障害・歩行障害が四徴（四大症状）です。
- バランスが取りにくいので、歩行ができる段階では出入り口にスロープは付けません。
- 方向転換や身体をひねるのが苦手なので、トイレ、浴室、居室の配置や動線を単純化し、トイレ、浴室は介助できるよう広くとります。
- 身体の機能低下など病状が徐々に進行する進行性疾患です。

パーキンソン病とは

●病気の概要

①中・高齢期に発症することが多く、脳の黒質で作られる神経伝達物質の1つであるドーパミンが減少することにより生じる神経変性疾患です。

②症状は徐々に進行し、排尿障害などの自律神経症状、認知症、うつ・妄想などの精神症状が加わり、運動量の低下や歩行障害により次第に自立困難となって寝たきりになることもあります。

四徴（四大症状）	振　戦	いつとはなしに手や足がふるえる。
	筋固縮	四肢を他動的に屈伸させると、関節に硬い抵抗感を示す。
	無動・寡動	あらゆる動作がゆっくりとした感じになる。
	姿勢反射障害・歩行障害	つまずいたり転倒しやすく、とっさの身のこなしができない。
その他の症状	①腕が曲がって、胸にくっついたようになる。 ②背中が丸まり、上半身が前屈みになる（前屈姿勢）。 ③顔の筋肉が硬くなって、表情の変化が乏しくなる（仮面様顔貌）。 ④歩こうと思っても、最初の一歩が前に出せない（すくみ足）。 ⑤歩き出すと次第に加速してしまい、なかなか止まれない（加速歩行）。 ⑥歩き始めると体重が前にかかって、急には止まれなくなる（前方突進）。 ⑦手の振りが乏しく、小刻みな歩調で歩く（小刻み歩行）。 ⑧手が震えて字が書けなくなるなど、日常動作が下手になり、鈍くなる。	
症状の進行	はじめは片半身だけの障害による機能の低下も、軽いものから、やがて体の両側に障害が出て、ADL（日常生活動作）の介助が必要になり、最後は寝たきりで全面的介助が必要となる。 1日または1週間のうちに症状が変動する日内変動、週内変動も特徴の一つ。	
治　療	①ドーパミンを補う治療薬を使う。 ②重症度に応じた目標設定をし、運動療法を行う。	

◆パーキンソン病におけるホーン・ヤールの重症度分類

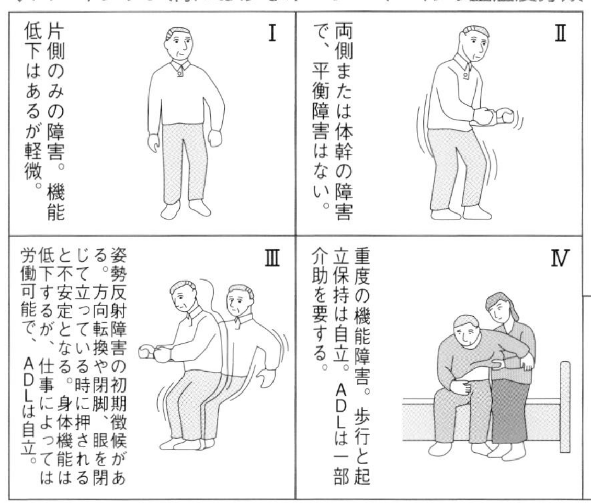

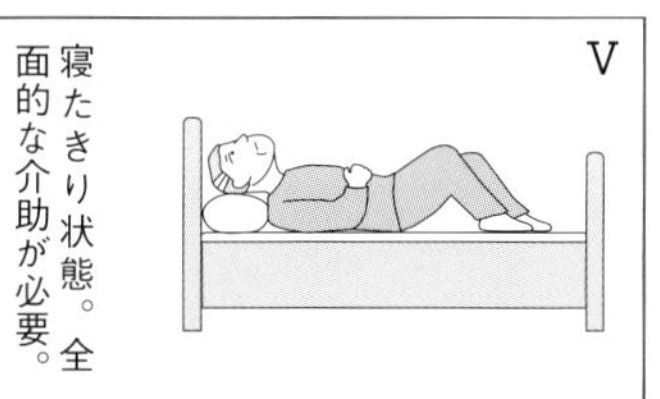

ZOOM UP

■生活上の配慮と工夫

投薬とリハビリテーションに加え、ストレッチや運動、体操などで症状の進行を遅らせ、QOLを維持しながら生活を送ることが可能になった。

住環境整備のポイント

パーキンソン病は進行性疾患です。大がかりな住宅改修を一度に行うより、手すりの設置や家具配置の工夫、福祉用具の導入などで徐々に調整します。

転倒の危険性が増えたり、介助が負担になってきたときが、住環境整備の時期と考えましょう。症状に日内変動・週内変動があるので、運動性が一番低い状態に合わせて整備を行っていきます。

歩行機能の維持を目指すため、介助者が歩行介助に困難をきたすまで、室内では車いすは導入しません。以下、歩行レベルの対策を示します。

出入り口：バランスがとりにくいため、車いす利用になるまでスロープはつけません。玄関の段差には式台や手すりを付けて対応します。

居室配置：パーキンソン病の患者は、身体をひねったり、方向転換するのが難しいので、トイレ、浴室、居室はできるだけ近くに配置します。また、階段の上り下りは危険なので、生活空間を1階にまとめる工夫も必要です。

トイレ：扉は引き戸にし、便座はトイレに入った時の身体の向きを大きく変えずに使える向きにします。車いす介助でも利用できるよう面積を広くとります。立ち上がりや衣服の着脱のため、便器の両側に手すりを付けます。動作が緩慢で失禁をしやすいので、夜間はポータブルトイレも検討。

浴室：浴槽は浅めで、膝を曲げて入れる大きさにします。浴槽の出入りは立ったまま手すりを握りながら片足ずつ入る方法にします。足が持ち上げられず介助が必要な場合は座位で出入りします。

進行性疾患

●進行性疾患とは、運動機能が進行的に障害される疾患で、筋ジストロフィーや、特定疾患に指定されている脊髄小脳変性症、筋萎縮性側索硬化症（ALS）などがあります。まだ有効な治療方法がありません。
●運動機能に障害のある進行性疾患なので、リフトや車いすの利用、段差の解消などの住環境整備が必要となります。

進行性疾患の特徴

●筋ジストロフィー

筋肉細胞がこわれ、しだいに筋萎縮・筋力低下が進行する遺伝性疾患です。日本で多いのは男児に多いデュシェンヌ型筋ジストロフィーです。

デュシェンヌ型は、1～3歳頃に発病し、小学校入学前後には、腹を前に突き出した姿勢で腰を大きく揺らして歩く（動揺性歩行）ようになります。中学年で動揺性歩行が著しくなり、膝や太ももに手をついて立ち上がる登攀性起立が増えます。中学校入学頃には一人で歩けなくなり、車いすが必要です。呼吸障害、背骨の曲がりが現れ、手足の関節が動かしにくく、骨の発達不良で骨折しやすくなります。

以後、手足と呼吸・心肺の機能障害、体幹の筋力低下が進行して座位姿勢の確保が難しくなり、背もたれを使うか、臥床生活となります。

●筋萎縮性側索硬化症（ALS）

筋肉を動かす神経・運動ニュートロンが変性し、筋肉が萎縮していきます。筋肉がやせて手指や足に力がなくなり、運動や歩行機能が低下し、上手に話せないなどの言語障害、嚥下障害などの症状を生じます。中年期以降に発症し、失禁はないが、数年で四肢麻痺、摂食障害、呼吸麻痺により自立困難となります。リハビリに加え、補助呼吸装置、自助具、補装具、意志疎通手段（五十音表や眼球運動操作ワープロ等）などの補助具を備え、住宅改造も検討します。

●脊髄小脳変性症

小脳から脊髄にかけて変成・萎縮し、手足の動きがぎこちなくなるなどの運動失調を主症状とする病気の総称です。遺伝性（40％）と原因不明の非遺伝性があり、進行とともに、歩行障害が進み、言葉が不明瞭になる失調性構音障害、上肢の運動障害も現れます。固縮・無動などパーキンソン病のような症状（発症後2〜3年）や知的・情動的な症状が現れることもあります。さらに、嚥下障害、尿失禁・起立性低血圧など自律神経症状や腱反射亢進による異常なこわばりなどが生じます。

住環境整備は移動能力に合わせて行います。

KEY WORD

■意思伝達装置

足やまぶた、息などの残存身体機能を使って、コミュニケーションをするための装置のこと。人工呼吸器を装着すると、声が出せなくなるため、コミュニケーション手段として活用できる。

◆脊髄小脳変性症（失調症）の重症度分類

重症度	細分類	特徴
stage I 歩行自立期	屋外歩行自立	手すりを使用しない階段昇降、駆け足可。屋外歩行もほぼ安定して可
	屋内歩行自立	階段昇降など不安定。平地歩行はほぼ安定して可
stage II 伝い歩き期	随時伝い歩き	独歩は可能だが、要所要所ではつかまるものが必要
	常時伝い歩き	独歩はほとんどできず、伝い歩きが主
stage III 手膝這い・座位でのずり移動期（車いす期）	手膝這い移動	独歩はできない。手膝這い、または車いす自立
	座位でのずり移動	座位でのずり移動などで移動できるが実用性は低い
stage IV 移動不能期	座位保持可	移動できないが、両手をついて座位保持はできる
	座位保持不可	一人では座位も保てない、寝たきりの状態

*『臨床実習フィールドガイド』(144頁、石川朗 他編、南江堂、2004年）と公式テキストをもとに作成

住環境整備のポイント

●筋ジストロフィー（デュシェンヌ型）の場合

時期	住環境整備
小学校低学年 〜 中学年	①転びやすいので、床面の段差をなくす。 ②**トイレ：**便器便座が高いと立ち上がりやすい。便器前方にスペースをとる。 ③**浴室：**親が抱えたまま浴槽に出入りするので、いったん介助者が腰掛けられる移乗台かバスボードを設置するとよい。
小学校中学年 〜 高学年	①歩行能力がさらに低下。和式生活では手膝這いや座位で移動、洋式生活なら車いすを使う。 ②**居室・廊下：**両下肢具を使った歩行訓練のため、手すりを用意する。 ③**トイレ：**和式便器はそのまま使用できる。車いすの場合は介助スペースを。 ④**浴室：**シャワー浴だけの場合、全体暖房とシャワー水洗を数カ所に設ける。
中学校	①座位移動に介助が必要。車いすでは介助走行、電動車いすでは自立走行。 ②**リフト：**便器や車いすへの移乗、浴槽への出入りにリフトの活用を検討。
それ以降	①座位保持が困難になり、呼吸障害も進むため、寝返りや姿勢を変えるにも介助が必要。入浴は全介助となる。 ②**寝室：**(1) 介助しやすいハイアンドロー（高さ調節）機能付き特殊寝台に。 (2) 人工呼吸器や痰の吸引、経管栄養などの機器や手洗い器。 ③**浴室：**頭部を支えられるシャワー用車いすに。入浴サービスの利用も検討。

●筋萎縮性側索硬化症の場合

病状の進行に対応して住環境整備を行います。初期は、ADLが比較的自立しているので、住環境整備の必要性は低いといえます。

中期	上肢の筋力低下を補うため、自助具や上肢装具、少しの力で使える福祉用具を準備。 下肢の筋力低下を補うため、下肢装具や手すり、段差解消により歩行の安全性を確保する。立ち上がりやすくするため、ベッド、いす、便器などは高めにする。いずれ立ち上がれなくなるので、補高便座や立ち上がり補助便座などを利用する。 構音障害などでコミュニケーションが難しいときは、パソコン、携帯用会話補助装置（91ページ図参照）などを利用する。
後期	座位姿勢を保つことが難しくなるので、車いすは姿勢変換機構付車いす（リクライニング式、ティルト＆リクライニング式、272ページ参照）とする。 ベッド上での生活時間が長くなるため、介助しやすいハイアンドロー機能付き特殊寝台を検討する。周囲には、吸引器、人工呼吸器、意思伝達の手段としてパソコンなどを置く。テレビや照明の電源をオン・オフする環境制御装置（71、286ページ参照）の導入も検討。吸引器や人工呼吸器の衛生を保つため、手洗い器などがあると便利。 身体の保持が難しいので、寝たままの姿勢での入浴が楽である。スペースに余裕があれば、寝室の隣に利用者用の浴室を設けるとよい。

●脊髄小脳変性症の移動能力、起居・移動動作、福祉住環境整備

移動能力	起居・移動動作	福祉住環境整備、補装具、補助具
歩行自立期 stage I	・就業、通勤に関する指導 ・自動車を運転している人は、やめる見極めが重要 ・体力維持用に散歩など歩行量の確保を指導 ・悪路や階段昇降は、杖、手すりを使う	
（移行期）	・歩行車、車いすを使ってタクシーを利用できる ・介護者と腕を組むなどの屋外介助歩行をする	・介助用車いすや膝装具、短下肢装具などの装具類、歩行車、杖などの福祉用具 ・起立、立位保持、移動の場所に、高めの手すり設置
歩行不安定期 stage II	・外出の機会となる社会資源の活用 ・起立、立位保持が不安定になるので、入院中から在宅での動作を想定して指導 ・伝い歩きは、横歩き、両側壁伝い歩きなど在宅で必要な方法を指導 ・屋内の一部で歩行車を使用 ・屋外で車いすによる移動 ・伝い歩きなどで歩行量を確保	・布団かベッドを選択 ・車いすの使用 ・トイレ、浴室の改造 ・夜間は尿器など ・衣服の着脱の工夫
（移行期）	・手膝這い移動と併用 ・膝立ち位、片膝立ち位、高這い位（臀部を高くして這う姿勢）の練習	
手膝這い期 stage III	・屋外の一部と屋内で車いすでの移動を指導 ・伝い歩きと併用 ・ベッド、いす、洋式便器への移乗で、膝立ち位、片膝立ち位、高這い立ち位の各動作を使う	・車いすの使用 ・手すりの設置 ・ベッドの使用 ・家屋構造によりトイレとポータブルトイレ、尿器
（移行期）	・介助歩行訓練を継続 ・手膝這い、座位でのずり移動、起座が困難となる	
臥床期 stage IV	・部分的な車いす使用（座位保持、運搬） ・ベッド用手すりを使っての起座方法 ・ベッド用手すりを使っての寝返り ・座位時間の延長	・車いすの使用 ・特殊寝台 ・背もたれ付きポータブルトイレ、尿器の使用 ・頸椎装具の検討

*「脊髄小脳変性症患者の生活指導」（『理学療法ジャーナル』Vol.27 No.3、177-182頁、小林量作 他共著、1990年）および公式テキストをもとに作成。

SECTION 3 / 肢体不自由者の症状別特性と住環境

重症心身障害

●運動機能や知的機能に重大な障害があり、生命維持に関わる機能の低下も見られる状態です。
●医療装置、ベッドや車いす上での排泄用具やその洗浄用の汚物流し、緊急時に対応した出入り口の整備が必要となります。

重症心身障害とは

運動機能と知的機能の両方に重い障害を持った状態が、重症心身障害です。

呼吸機能や嚥下（飲み込む）機能、摂食機能、体温調節機能など、生命を維持する機能の低下が伴う場合もあります。

個々人によって症状や重症度には差が見られるため、家族だけでなく、医療スタッフとの連携をとり、情報を得ることが必要です。

住環境整備のポイント

①体温調節機能や環境への適応性が低下しているので、温度や湿度の急激な変化を避けるため、エアコンの設置は必須です。
②医療緊急度が高いため、出入り口は車いすやストレッチャー対応にします。
③移乗動作は全介助の場合が多いので、移乗用の福祉用具を導入します。
④トイレで座位姿勢がとれない場合は、ベッドや車いすの上で排泄を行います。
⑤排泄物の始末や尿・便器の洗浄などのために、手洗い器や汚物流しがあると便利です。
⑥必要に応じて、ベッドサイドに吸引器やネブライザー、経管栄養などの医療器具を置きます。
⑦ベッド上での生活時間が長い場合は、ハイアンドロー機能（高さ調節機能）付きの特殊寝台にすると、介助が楽になります。

SECTION 4 / 感覚障害者の症状別特性と住環境

視覚障害（視力・視野障害）

●小さいものが見えなかったり、見えにくい視力障害のほか、視野の一部が見えない視野障害があります。
●社会生活を営むうえで必要な情報のうち80％以上は目を通して得られる視覚情報です。このため、家具の配置や照明への配慮、段差や扉にコントラストの高い配色を施すなど、住環境への配慮が必要となります。

視覚障害とは

視覚障害とは、光が通過する角膜から大脳の視覚中枢に伝えられる経路の一部が損傷を受けると、視機能に障害が生じ、その結果、物を見たり、本を読んだり、歩くなどの日常生活が不自由になることです。視覚障害には視力障害や視野障害のほか、順応、色覚、羞明の問題が生じることがあります。

順応：明るい所から暗い所に入ると一瞬見えなくなり、しばらくすると周囲が見えてくる（暗順応）。逆に、暗い所から明るい所に出るとまぶしくて周囲が見えないが、しだいに慣れて見えてくる（明順応）。急に見えなくなる結果、つまずいたり、ぶつかったりしやすい。

羞明：普通の光をまぶしく感じて、物が見えにくい状態をいう。窓から強い日差しが差し込む部屋では、壁や床からの反射でまぶしさを増して、物がはっきり見えず、移動などが不自由になる。

色覚：人が色を感じることができる視細胞の三つの錐体細胞のどれかが障害を受けると、赤、緑、青の色が識別できなくなる。錐体細胞がすべて障害されると、色感がなく、明暗だけが識別できる全色盲となる。先天性の色盲は障害には入らない。

視力障害

目の働きは、物の形や色、明るさなどを認識することですが、こうした機能に障害があると、視覚的な認識が正しくできなくなり、日常生活を不自由にします。目の異常で重要なのは、近視や遠視、乱視などの屈折異常です。

近視：入ってきた光が網膜より前で像を結ぶため、遠くのものがよく見えなくなる一方で、近くのものはよく見える。

遠視：光が網膜より後ろで像を結ぶため、光を収束させないとよく見えない。

乱視：角膜や水晶体が正常な球体をしていないため、一点に像を結ばない状態。物体がゆがんで見える。

視野障害

視野障害とは、目を動かさないで見える範囲が狭くなる症状で、以下の種類があります。

1．求心狭窄

見ようとしている部分は見えるのに、そのまわりが見えない状態。足もとの障害物に気づかずにつまずいたり、向こうから来る人や半開きのドアにぶつかることが多くなります。

2．中心暗点

視野の中心部は見えないが、周辺部は見える状態。移動や歩行にはあまり不自由しないけれど、コントラストの高い色彩環境が必要です。

3．同名半盲

両眼において同じ側半分の視野が欠損する（右図は左側同名半盲の場合）。半開きのドアに気づかずにぶつかったり段差が認識できないことがあります。

ZOOM UP

■目の構造と物の見える仕組み

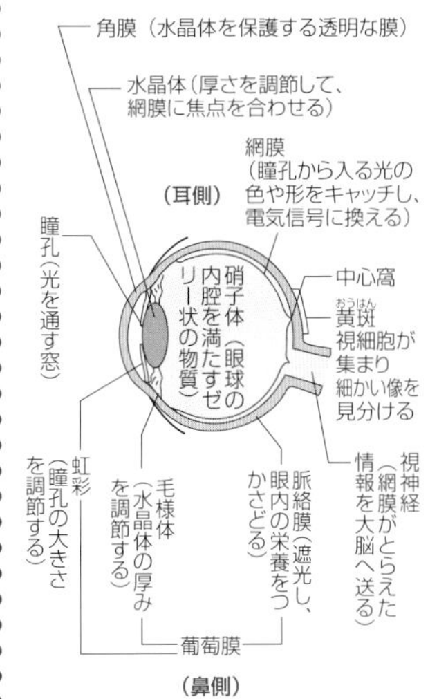

眼球に入った光線は角膜で屈折され、瞳孔を通過し、水晶体でさらに屈折されて硝子体（しょうしたい）に入って網膜の視細胞を刺激する。この刺激が視神経を伝わって大脳皮質の視覚中枢に伝えられ、物が見えるのである。

■異名半盲

両眼において異なる側半分の視野が欠損する。両眼の耳側半分が見えない状態の両耳側半盲が多いが、まれに両眼の鼻側半分が見えない状態の両鼻側半盲となることがある。

高齢者に多い目の病気

高齢者に多い目の病気は、主に下記のようなものです。

1．**白内障**：本来は透明な水晶体が混濁する病気。圧倒的に多いのは、水晶体の新陳代謝の衰えによって生じる老人性白内障である。

見え方：物が見えにくくなったり、かすんだり、光がまぶしいなどの症状が出て、コントラストの低い色の物は見えにくくなり、読み書きにも支障が出る。

2．**緑内障**：眼圧の昂進（上昇すること）により視神経が圧迫されて萎縮し、視力低下と視野狭窄をともなう病気。

見え方：暗い場所で物が見えにくく、症状が進むと求心狭窄が出る。

3．**網膜黄斑変性症**：網膜の黄斑部という場所が変性する病気。

見え方：視力が落ち、視野の中心部がぼやけたり、ゆがんだり、見えなくなる。明るい場所ではまぶしく感じ、読み書きが難しくなる。

4．**網膜色素変性症**：網膜の視細胞が障害を受けて起こるといわれる。

見え方：視野狭窄が出て、早期から光覚（明暗）が弱くなったり、暗順応に弱くなる。

5．**糖尿病網膜症**：糖尿病の重大な合併症の一つ。高血糖の状態が長く続くと、網膜の毛細血管が傷んで浮腫や出血が起こり、進行すると失明する。

見え方：物がかすんで見えたり、羞明があり、コントラストの低い色の物は見えにくくなる。

住環境整備のポイント

視覚障害は、主に移動・歩行、コミュニケーション、ADLなどの不自由さをもたらします。家族の過保護などによって、さらに二次的な障害を引き起こすこともあります。

◆視覚障害者に起きやすい問題点と対策

問題点	対　策
手で壁面や家具などにふれながら伝い歩きする	家具は凸凹にならないよう、一列に並べる。
室内移動のときぶつかりやすい	床に物を置いたり、顔に触れやすい高さに吊り棚やふきんかけなどを置かない。倒れやすい花瓶や置物などは置かず、ドアを半開きにしておかないことも大切。
部屋がわかりにくい	ドアの周囲だけコントラストの高い色にする。

問題点	対　策
ドアの位置がわかりにくい	どの部屋かわかりやすいよう、形の浮き出すシールを床から140～160cmのところに貼る。
廊下で衝突しやすい	同時に両手で左右の壁が触れる広さを取り、出っ張りをなくす。
階段から転倒・転落しやすい	①蹴上げの部分は、踏み込まないように閉じる。 ②階段の先端（段鼻）の部分に踏み面と対照的な色を3cm以上の幅で付ける。また、階段の始まりと終わりの段は、はっきり区別できるように、他の段の色とのコントラストが強い色にする。
明るさやまぶしさで見えにくい（羞明）	①かすみがある場合は、廊下や階段の照明も室内と同じぐらいの明るさにする。 ②羞明の場合は、強い日差しが入らないよう、窓にカーテンやブラインド、遮光フィルムを設置する。 ③夜盲の場合は、移動箇所の明るさを一定にするため、玄関や廊下、階段に人が近づくと点灯する人感スイッチ照明を設置する。
スイッチやコンセントの位置がわかりにくい	スイッチプレートなどを周囲の壁に対してコントラストの高いものに交換する。

〈その他の留意点〉

①家具などの物の配置が変わったら、必ず新しい場所を確認してもらう。
②浴室、台所など、水まわりの床は滑りにくい、ノンスリップの床材に。
③居間・廊下・居室の床の種類をフローリングとじゅうたんなど、違う材質にすると、歩き回ると足の裏で感じるので、場所がわかりやすい。

■障害受容

自分の障害を受け入れること。受容までには、以下のような心の葛藤がある。

①**ショックの時期**：障害発生直後の放心状態で、障害を現実としてとらえられず、不安感も強く感じられない。
②**否認の時期**：障害が簡単に治らないことに気づき、障害を否定したり、現実逃避する。
③**苦悩・混乱の時期**：障害が完全に治らないことがわかり、怒り、うらみをもったり、悲嘆にくれたり、抑うつ的になったりする。
④**解決への努力の時期**：自分の障害に前向きになって努力し始める。
⑤**受容の時期**：新しい役割や活動を見つけ、生き甲斐を感じられるようになる。

■視覚障害者との対話の工夫

視覚に障害のある人には、必要なときにわかりやすく声をかけることが、コミュニケーションのうえで大切。

①用があるときは、相手の正面に立って声をかける。黙って体に触れたりするのは禁物。
②「こんにちは、○○です」と、自分がだれかわかるように声をかける。
③複数で話すときは、だれが話しているかわかるように、「○○さん、どう思いますか」というように話しかける。
④位置を伝えるときは、相手を中心に右、左、前、後ろなどの言葉を使い、「あそこ」「あれ」などの指示語は避ける。
⑤新しい場所では、部屋や場所の構造や位置関係など、視覚的な情報を言葉で説明する。

SECTION 4 感覚障害者の症状別特性と住環境

聴覚・言語障害

●聴覚・言語障害者は外見上わかりづらく、コミュニケーションをとってはじめて障害があるとわかるので、「見えない障害」といわれています。その特徴を理解しましょう。
●住環境整備では、補聴器対応電話や携帯電話のメール、テレビの文字放送、チャイムや電話のベルの音を伝えるフラッシュライトなども積極的に活用していきます。

聴覚障害者の特性

●難聴の症状

難聴には以下の3種類があり、老人性難聴の多くは**感音難聴**です。老人性難聴では高音部から徐々に聞き取れなくなっていきます。

◆難聴の種類と特徴

難聴の種類	原因となる病気	障害のある場所	聞こえ方
伝音難聴	慢性中耳炎、外耳道閉鎖症	外耳、中耳といった伝音系	①音が普通より小さく聞こえる。 ②言葉は大きな声なら聞き取りやすい。
感音難聴	メニエール病、内耳炎、神経性腫瘍など 原因不明の場合も多い。	内耳または蝸牛より中枢側の感音系	①小さい音は聞き取れず、大きい音は響きすぎてうるさく感じやすい。 ②言葉が、ゆがんではっきり聞こえず、言葉の聞き取り能力（語音明瞭度）が低下する。 ③補聴器の十分な効果は期待できない。
混合難聴	慢性中耳炎と内耳の障害が重なった場合など	伝音系と感音系	①小さい音は聞き取れない。 ②言葉は音を大きくすれば聞き取りやすくなるが、語音明瞭度が低下しているため、はっきり聞き取れないこともある。

◆音を聞く仕組み

空気の振動である音は、外耳道を通り鼓膜を振動させ、この振動が中耳の耳小骨を介して内耳にある蝸牛（かぎゅう）に送られ、電気信号に変えられる。この電気信号が聴神経を通じて大脳に伝えられ、音として認知される。

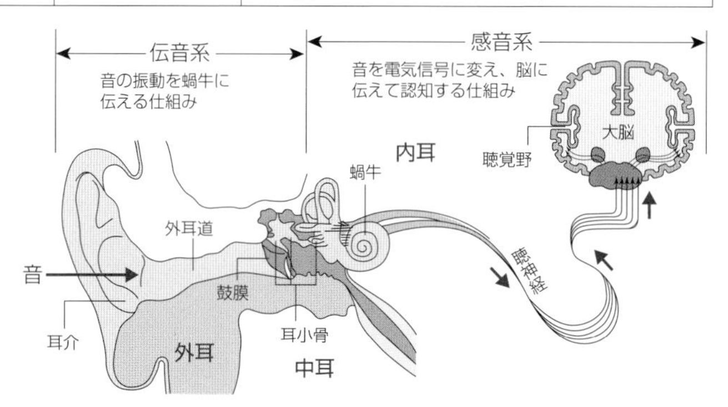

言語障害者の特性

言葉を話したり、理解したりする過程には、以下の図のような過程が必要です。そのどこかに障害があり、言葉を組み立てて話したり、発音したりすることが難しいのが言語障害です。

◆言葉を話し、理解する仕組み

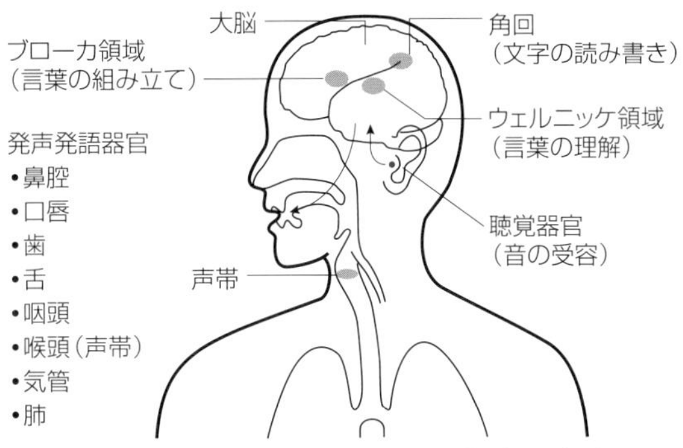

①耳から入った言葉を大脳のウェルニッケ領域で理解する
②話す言葉は大脳のブローカ領域で組み立てる
③脳から運動神経を通って指令を受け、発声発語器官で話す

代表的な言語障害は、以下の表の通りです。

◆言語障害の種類

	障害のある場所や原因	症　状
失語症	大脳の言語野の障害	①単語が思い出せない（喚語困難・語健忘）。②言いたい言葉と別の単語や発音が出てしまう（錯誤）。③話し言葉がうまく組み立てられない。④言葉を聞いて理解することが困難な場合もある。⑤文字の読み書きに障害が出ることもある。
構音障害	発声発語器官の障害（器官の麻痺などの運動障害、口蓋裂などの発音器官の形態異常、聴覚障害など）	言語の理解や文章の組み立てには問題ないが、正しい発音をするのに困難が伴う。
発音障害	声帯の障害	言語の理解や文章の組み立ては正常だが、声がかすれたり、声が出なかったりする。
吃音(きつおん)	不明	言葉がつかえてどもり、なめらかに話せない。言語理解は正常。

■難聴のレベル

音の大きさを表す単位がdB（デシベル）で、数字が大きいほど大きな音になる。その人の耳が聞きとれる一番小さな音の大きさを聴力レベルという。聴覚に異常のない健聴者の聞き取れる一番小さな音の平均は0dBで、平均聴力が25dB以内が正常で、26dB以上から難聴と診断される。

■オージオグラム

オージメーターという機器を用いた聴力検査で難聴の診断をする。この聴力検査で測定された各周波数ごとの聴力レベルを表したグラフがオージオグラム。

■ダイナミックレンジ

快適に聞き取れる音の大きさの幅をダイナミックレンジという。感音難聴では、ダイナミックレンジの幅が狭くなる傾向にあり、健聴者にはちょうどよい音でもうるさく感じてしまう。

難聴者にとっては、少なくとも、話し声の大きさが雑音よりも15dB以上小さい環境が必要とされる。また反響音が多いところも言葉が聞きにくくなるので、会話時には窓を閉めるなど、聞きとりやすい音響的環境に配慮する。

■障害を受けた年齢による影響

言葉を習得する前に重い難聴があると、音声言語や発音の習得に障害が起こることがある。言語を習得した成人以降の場合は、家庭、地域、会社でのコミュニケーションの問題や心理的な問題も大きい。

聴覚・言語障害者の住環境

●会話

①筆談の道具（ノートやカード）、文字盤があると便利です。

②聴覚障害者のためには、補聴器のほか、集声管、集音器といった福祉用具もあります。

③言語障害者には、携帯用会話補助装置（右ページ図参照）、意思伝達装置などが利用されるほか、携帯端末やタブレットも筆記用具として便利です。

●チャイムやベル

①玄関チャイムや電話のベルは、音量音質を聞き取りやすい音域に調整したり、音を光に変える回転灯やフラッシュライトを使います。

②目覚まし時計は振動式のものにし、赤ちゃんのいる家庭では、泣き声がわかるよう、音をキャッチして光や振動に変えるセンサーを使います。

●電話・遠距離コミュニケーション

①補聴器対応電話や音量が大きくできる電話を利用します。

②ファックスのほかに携帯電話やパソコンなどの電子メールやSNS（ソーシャルネットワークサービス）も利用されます。

●テレビ・ラジオ

①軽度の難聴なら、外部スピーカーやイヤホンで十分視聴できます。

②磁気誘導コイル内蔵の補聴器を使えば、テレビの音声が聞けます。

③地デジになり、字幕が用意されている番組では切り替えるだけで字幕が表示できます。

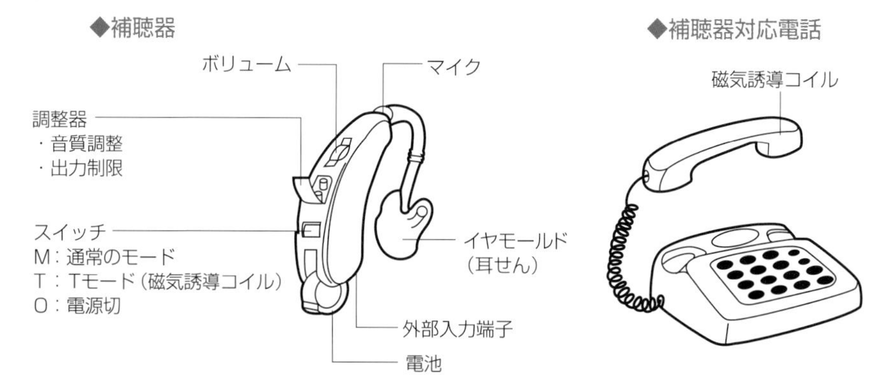

耳掛け型などの補聴器で「T」スイッチが付いている場合に使用できる電話。受話器内の磁気誘導コイルで、電話音声を電磁波に換えて補聴器に伝える。Tモードでは、それを受信して、補聴器から電話音声が聞こえる仕組み。

対話への配慮

〈留意点〉

①言葉、絵、文字、身ぶりなど、相手の理解しやすい方法に合わせて対話をします。

②注意をこちらに向けてから会話を始めます。

③外部の雑音をシャットアウトするために、窓を閉める、換気扇を切る、騒音の出る場所から離れるなど、雑音を遠ざけ、聞き取りやすくする工夫が必要です。

④反響や残響を少なくします。

◆携帯用会話補助装置の例

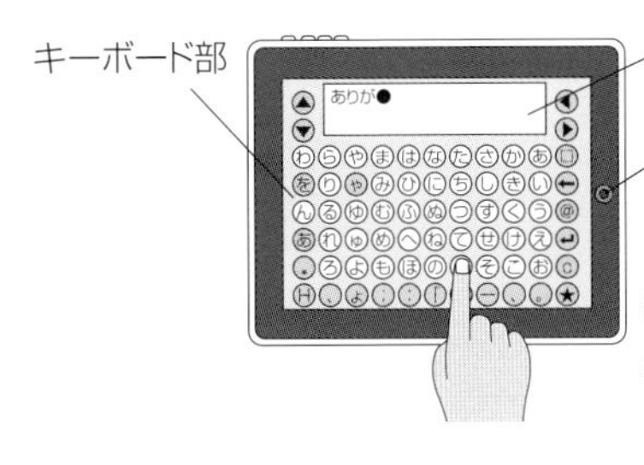

発声の困難な人がコミュニケーションに用いる装置。キーボードで入力して、音声と液晶画面の表示で相手に意思を伝えることができる。あらかじめ必要な文章を登録してあるものもある。

KEY WORD

■指文字
日本語の音を指の形で表し、その形を手で感じ取って会話する方法。

■磁気誘導コイル
音声を電磁波に変えたり、電磁波を音声に変えて送る機能のある器具のこと。

■磁気誘導ループ装置
マイクから取り込んだ音声を電磁波に変えて、補聴器に送る装置のこと。テレビ・ラジオ視聴用には、イヤホンの端子に接続して使う簡単なものと、専用のアンプを利用するものがある。

<聴覚・言語障害者とのコミュニケーションの方法>

音声：遠距離や複数での会話の聞き取りは難しいので、近くでゆっくりはっきり話します。

筆談：見やすい文字で丁寧に書き、図や記号なども利用して理解を助けます。

手話・指文字：中途失聴者の場合、手話がわからない場合もあるので、理解し合える工夫をします。

読話：相手の口の形で話し言葉を類推する方法で、読話を使う場合、自分の口の動きや表情がはっきり見えるようにし、短い文で話します。

<聴覚・言語障害者とのコミュニケーションの注意>

①相手が逆光にならないように正対し、短い文章で、ゆっくりと話します。

②相手の理解しやすい簡単な表現を使い、身ぶり、絵、文字、図、実物も利用します。

③相手の表情を参考にしたり、筆談や身ぶり、絵なども使って、言いたいことを理解します。

SECTION 5 ／その他の障害者の症状別特性と住環境

内部障害

- 近年、内部障害者の増加率は高くなっており、リハビリテーションの役割と重要性が認識されています。
- 温度や湿度を一定にして室内を清潔に保ち、手すりを設け、段差をなくす住環境整備が必要となります。
- 在宅医療機器についての理解も深めましょう。

内部障害者の症状特性

心臓、呼吸器、腎臓、小腸、直腸・膀胱・肝臓の各機能障害、ヒト免疫不全ウイルス（HIV）による免疫機能障害などで、ADLがかなりの制限を受けることを内部障害といいます。障害認定の対象にもなっています。

◆内部障害の種類と特徴

障害の種類	症　状
心臓機能障害	①心臓のポンプ機能が低下し、必要な血液を体に送り出せない状態。 ②急性・慢性心不全、狭心症、アダムス・ストーク症候群などを起こす。 ③症状は、動悸、息切れ、胸の痛み、呼吸困難、チアノーゼなど。
呼吸器機能障害	①呼吸機能の低下によって、体に必要な酸素を取り入れる能力が衰えた状態。 ②症状は、息切れ、咳と痰の増加、喘鳴、呼吸困難などで、広範囲に病状が進むと、肺の血圧が高くなり、肺性心や心不全が起こる。
腎臓機能障害	①血液中の老廃物を排出する腎機能が低下し、体液の恒常性が保てなくなり、腎不全になった状態。 ②症状が進むと、高血圧、多尿・少尿・頻尿、貧血などが出る。悪化すると、尿毒症になり、人工透析によって人工的に血液中の老廃物や水分を排出させることが必要になる。
膀胱・直腸、小腸機能障害	①小腸機能障害は、小腸で栄養の吸収力が低下した状態で、胃や腸に直接管を入れて栄養物を送り込む経管栄養法や高カロリーの輸液の点滴を行う中心静脈栄養法が必要になる。 ②直腸・膀胱機能障害は、便や尿を出せなくなった状態のことで、おなかに穴を開けて人工の排泄口のストーマをつくったり、カテーテルという管を尿道から膀胱に入れて、排尿を行う（54ページ図参照）必要がある。
免疫機能障害	①エイズウイルスとも呼ばれるHIVの感染によって、免疫機能が破壊され免疫力が低下して、日常生活に支障が生じた状態。 ②全身のリンパ節の腫れ、発熱、下痢、体重減少などのエイズ関連症候群を経て、カリニ肺炎、悪性腫瘍、神経障害などの症状が出て、エイズを発病。

肝臓機能障害	①胆汁の産生をはじめ、栄養分の分解・合成・貯蔵、解毒など、生命維持に欠かせない働きが低下する。 ②重症化すると強い全身倦怠感や痛みを伴うけいれんなどが生じ、進行すると肝硬変へ進み、肝がんが発生する場合も。 ③原因疾患にはウイルス性肝炎、自己免疫性肝炎、アルコール性肝炎などがある。

住環境整備のポイント

障害の種類や程度によって、身体的にも心理的にも違いが大きいため、個々の状況に応じた対応を検討することが必要です。また、症状によっては、生命維持に関わる医療機器を装着したり、家庭内で使用する人もいます。下記に基本的な注意点をあげますが、医療機器を使用する生活状況だけでなく、今は使用していなくても、今後どのような医療機器が必要になるかといった知識が求められます。(54ページ参照)

KEY WORD

■アダムス・ストーク症候群

心臓の障害による心拍の停止や不整脈によって引き起こされる、脳血管の循環不全による一時的な意識障害。めまいや失神の意識障害、全身のけいれん、尿失禁が起こることもある。

■肺性心

肺の疾患によって肺内の血管の抵抗が増すために、心臓の右心室に負荷がかかって、拡張や肥大が起こること。

室内を清潔に保つ	呼吸機能が落ち、体温調節が困難で、抵抗力も低下している。室内を清潔に保ち、換気や空気の清浄にも気を配る。
気温・湿度を一定に	火気のない暖房器具を選択し、日中は20℃前後、夜間は15～18℃、湿度は50～60％をめやすに。
移動を楽にする	動作性がかなり落ちているので、床の段差をなくし、手すりを付けるとともに、ベッドやいす、洋式トイレの使用も必要。
外出しやすくする	体力維持のため外出しやすいよう、玄関の段差をなくし、手すりを付け、車いすの対応も検討。

◆場所別のポイント

居　室	1階を基本とし、2階以上であればホームエレベータを設置。在宅医療機器が設置できる広さ。床はほこりが立ちにくく、清潔さを保ちやすい材質。キャスター付き機器を使用している場合は滑りやすい材質に。冷暖房、換気、調湿機器を設置。
トイレ	洋式便器に手すりと暖房機器を設置。排泄物の処理や機器の洗浄をする専用の部屋がない場合は、そのスペースも設ける。
浴　室	体力が低下すると足元が不安定になるので、床は滑りにくい材質に。心臓や呼吸機能障害者は、入浴は内臓に負担が大きくなるので、座って洗体やシャワー浴をするのも立ち上がりも楽な高さの動きにくいいすを用意。浴槽は、出入りや中にいすを入れることも考慮して、深さや形を決める。
台　所	常時、酸素を使用する場合には電磁調理器を設置。
出入り口	定期的な通院や外出を楽にするため、手すりの設置や段差解消を行う。
廊下・階段	体力の低下した人には手すりの設置が必要。在宅酸素療法などでチューブを付けて移動する場合は、壁の要所要所にチューブをかけておくフックなどを設置する。
在宅医療機器を使用するための専門室	連続的携帯式腹膜透析（CAPD）をしている人には、透析用バッグの交換用に清潔な部屋を設置。ストーマ、自己導尿、留置カテーテル使用者には、排泄物処理や器具洗浄の専用の部屋を設置。経管栄養法や中心静脈栄養法の人で、必要な場合は栄養物の調合用に清潔な部屋を設置。

SECTION 5 ／その他の障害者の症状別特性と住環境

その他の認知・行動障害

- 高次脳機能障害があり、日常生活や社会生活に制約を受ける症状の場合には精神障害者保健福祉手帳の対象となります。手帳がなくても診断書があれば、障害者総合支援法に基づく障害福祉サービスを受けることができます。
- 精神障害者は、①作業遂行、②対人関係、③場面への対応が苦手です。
- 発達障害の３つの特徴的な障害は、①社会性の能力の障害、②コミュニケーション能力の障害、③想像力の障害とそれに伴う行動の障害です。

高次脳機能障害

高次脳機能障害とは、脳血管障害や交通事故などによって、脳に損傷を受けたために、思考・言語・記憶・学習・行為・注意などの脳の働きに障害が起きた状態です。以下の表のような症状があります。

◆高次脳機能障害の種類

症状名	主な症状
半側空間無視	①自己の右・左の半側の空間に意識がいかず、状況や物品を認識できない。 ②左の無視がほとんどで、歩行中に左側の障害物に気づかずにぶつかるなど。
失認	①視力は保たれているのに、見ても物の形や色が何であるかを認知できない。 ②手で触ったり、音や声を聞くなど他の感覚を使うと認知できる。
失行	①これまでできた日常動作を順序に従って正しく行うことができなくなる。 ②服の上下を間違えたり、上手に着ることができなくなる。道具の使い方を誤ったり、動作がぎこちなくなる。
失語	①読む、書く、話す、聞くといった言語機能の障害のため、言葉の意味がわからなかったり、言葉を正しく話せないなど、意思の伝達が難しくなる。
身体失認	①自分の体が自分のものでないように感じる、麻痺があってもそれを認めない、軽い麻痺でも使わないなど、自分の体についての意識に異常がみられる。
記憶障害	①日付や時間、物を片づけた場所を忘れてしまったりする。 ②発症前のことを思い出せない場合でも、昔の記憶は思い出すことが多い。
注意障害	①短時間しか集中して物事ができなかったり、注意力が散漫になるために間違いが多くなる。同時にいくつかのことをしようとすると混乱する。
遂行機能障害	①生活に必要な一連の作業の目標を立て、実施する手順を計画し、手際よく実行し、その結果を評価して次の作業に生かすことが困難になる。
社会的行動障害（行動と情緒の障害）	①感情をコントロールできず、ささいなことで怒ったりする。無気力で自分から行動を起こさない。一つのことにこだわって、自分の考えを変えない。

知的障害

知的障害とは、6歳ごろまでの大脳の発達障害により起こり、日常生活に支障をきたし、援助を必要とする状態のことです。

●障害の特色

①18歳以前に発症、②知的機能が明らかに平均より低い状態、③適応技能に問題があり、学校や日常生活での知的行動に支障をきたします。

●障害の程度

主に、軽・中・重・最重度の4段階で分けられ、軽度の場合は身の回りのことや読み書き、会話、簡単な作業ができます。しかし最重度の場合は、日常生活に全面的な介助（全介助）が必要で、意思の疎通も難しくなります。時間はかかっても動作を学習できることが多いので、あきらめずにじっくりと取り組むことが重要です。過介助にならないよう注意します。

■知的障害の原因

ダウン症候群などの染色体異常、先天性甲状腺機能低下症（クレチン病）、出産前後の感染症（トキソプラズマ症）、出産時の酸素不足や脳圧迫などの外傷、生後の高熱の後遺症などがあるが、原因不明のものも多い。

■知的障害の一次障害と二次障害

一次障害とは、その人が持っている知的障害に関連することを指し、二次障害とは、養育や対応、処置が不適切なために起こる障害を指す。

■タイムエイド

作業を表す絵や写真など（ピクチャーカード）をセットし、作業したい時間を設定しておくと、残り時間を黒い液晶ドットの数などで知らせてくれる。

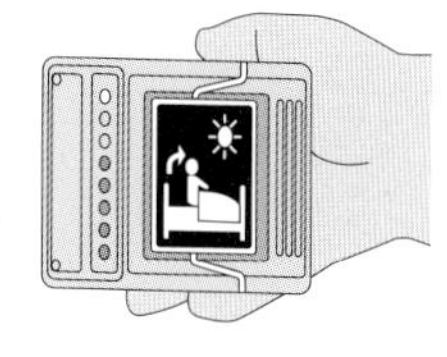

精神障害

精神障害は、統合失調症、躁うつ病、薬物やアルコールなどの中毒、心理的な要因による心因反応や神経症、知的障害など広い範囲に及びます。身体の疾患をきっかけに脳の機能が傷害された**外因性精神障害**、遺伝素因の関与が想像される**内因性精神障害**、心理的なストレスが原因の**心因性精神障害**に分かれます。

外因性精神障害には、脳炎や脳腫瘍、脳の外傷など脳の病気による器質性精神障害、バセドウ病や肝臓病など脳以外の疾患によって2次的に脳が傷害される症状性精神障害、薬物などによる中毒性精神障害があります。

内因性精神障害には、統合失調症や躁うつ病などがあります。心因性精神障害には、強いショックによる心因反応や神経症が含まれます。

在宅介護では、①疾患の経過の時期（急性期・回復期・慢性期）、②ライフステージ（青年期・壮年期・老年期）、③生活環境（住宅や家族の状況）、④日常生活上の機能レベル、⑤疾患・障害の受容の程度、を考慮します。

発達障害

発達障害とは、「自閉症、アスペルガー症候群その他の広汎性発達障害、学習障害、注意欠陥多動性障害その他これに類する脳機能の障害であって、その症状が通常低年齢において発現するものとして政令で定めるものをいう」と発達障害者支援法に定義されています。

自閉症（AD）：人との関わり方が一方的で、人や社会との適切な関係を形成することが難しい、意思疎通を図ることが難しい、思考や行動の柔軟性がなく、同じ状況へのこだわりが強いなどの特徴がある。知覚が過敏。

学習障害（LD）：基本的には全般的な知的発達に遅れはないが、聞く、話す、読む、書く、計算する、推論する能力のうち、特定のものの習得と使用に著しい困難を示すさまざまな状態を指している。

注意欠陥多動性障害（ADHD）：7歳以前に現れ、その状態が継続する。年齢あるいは発達に不釣り合いな注意力、衝動性、多動性を特徴とする行動障害で、社会的活動や学業に支障をきたすものと定義されている。学校の勉強などにときどき集中することができない、他人の会話などの邪魔をする、不必要に走り回ったりすることなどが挙げられている。

住環境整備のポイント

●高次脳機能障害の場合

運動機能障害を考え合わせながら設定する必要があります。

1. できるだけ障害をもつ前の環境を保つ

慣れた環境のほうが不自由が軽減します。改修する場合でも、できるかぎり間取りを同じにしたり、使い慣れた家具を配置します。

2. 見やすく、視覚的にわかりやすい環境に

新しいことは覚えにくいので、家具や器具はできるかぎり少なくします。物を置く位置を一定にし、器具は使いやすいものにします。

3. 凹凸が少なく、人が動きやすい安全な環境に

動作がぎこちないので、移動するとき転倒したりぶつからないように、段差の解消、手すりの設置、壁面や家具の凸凹を少なくします。

●知的障害の場合

対象者の障害の程度、成育や生活環境に応じて整備します。

1. 危険を防止する

洗剤や化学薬品などは鍵のかかる場所に保管。電気コンセントに異物を差し込めないようにガードを取り付け、ドアのすき間や戸袋で指を挟まないようにドアストッパーなどを使います。

2. 転倒を防止する

運動障害などにより、つまずいて転倒しやすいので、階段に手すりの設置を検討。床の上に新聞、雑誌、衣類などを散らかさないようにします。割れやすいものの配置にも工夫が必要です。

KEY WORD

■てんかん
脳機能の障害によって発作的におこる意識障害とけいれんを主症状とする疾患。からだがけいれんしたり、意識を失ったり、ぼうっとしたり、さまざまな発作が起きる。

3. 介助者の負担に配慮する

介助が必要なことが多いので、介助者の負担に配慮します。また、介助者の姿が見えないと不安がるので、介助者との見通しがよい空間構成にします。

4. 日課の見通しを補う

日課の見通しが苦手なので、砂時計やタイムエイド（95ページ参照）のように時間経過や予定を視覚的に示して伝える用具も有効です。

●精神障害の場合

特別な住宅設計や改修は必要なく、一般のバリアフリーの配慮で十分です。

ただし、たとえば幻聴がある場合は、音に過敏な傾向があり、近隣の音と幻聴の区別がつかず、症状が悪化する場合があるので、静かで落ちついた環境を確保します。

また、生活技能の確保、近隣住民との対人関係の維持、住居の確保（140ページ参照）など、地域で生活を維持するための問題を解決するために、訪問指導やホームヘルプサービスなどのサポート体制の整備がきわめて重要です。これらの支援の充実にも福祉住環境コーディネーターの役割が期待されます。

●発達障害の場合

自閉症（AD）の場合	刺激に対して過剰に固執しやすいので、刺激過多にしない配慮をする。換気扇や扇風機に指が入らない工夫をし、高い所が好きなので家具や家電が倒れないように固定する。既存の状況へのこだわりが強いので、配置換えは様子を見ながら慎重に進める。
学習障害（LD）の場合	運動動作に困難があるとつまずきやすいので、段差を解消したり、段差に目印を付ける。電気コードを束ね、つまずきそうな物を床には置かずに収納し、転倒に備える。急な模様替え・配置替えは混乱を招くことがあるので慎重に。調理で手順や操作を間違えて火災にならないように、煙感知器や自動消火装置の設置も検討。
注意欠陥多動性障害（ADHD）の場合	衝動性や不注意によりぶつかったり転倒しやすいので、壊れやすい物は片づけ、不要な物はなるべく収納する。物を投げたり叩いたりするので、ガラスに飛散防止フィルムを貼ったり、床にクッションを敷くなど衝撃を和らげる工夫を。なるべくシンプルなデザインにして落ち着きがなくなるのを防ぐ。音に敏感に反応する場合は、発信音の音量を調節。

分野別練習問題

（解説は監修者が作成しています）

解答・解説は113～116ページにあります

問1 **次の①～⑤の記述の中で、その内容が正しいものを一つだけ選び、解答用紙の所定欄にその番号をマークしなさい。**

① 脳出血の発症は夜間や休息時に多く見られる。意識障害や片麻痺などの障害が発症時から起こる。

② 関節リウマチは、指、手首、肘、膝などの関節に腫れや痛みが生じ、徐々に進行し、関節の可動域の制限や手指の変形、歩行障害などを引き起こす自己免疫疾患である。

③ 心筋梗塞は、心臓の筋肉に栄養分を送っている冠動脈が閉塞したために起こる疾患である。発作は、安静時には起こらないが、激しい運動を避けることが重要である。

④ 廃用症候群を未然に防ぐためには早期離床、早期歩行、生活全般の活性化であり、住環境整備は逆効果である。

⑤ アルツハイマー病を起因とするアルツハイマー型認知症高齢者の住環境整備は、介護しやすい環境が重要であるので、本人のための住環境の整備は必要ない。

問2 **次の眼に関する①～⑤の記述の中で、その内容が最も不適切なものを一つだけ選び、解答用紙の所定欄にその番号をマークしなさい。**

① 求心狭窄とは、見ようとするところは見えるが、その周りは見えないという症状である。そのため、移動の際に足元の障害物を蹴ってしまうことなどがよく起こる。

② 中心暗点とは、見ようとする部分は見えないが、周辺部は見えるという症状である。周辺部は見えるので歩行は比較的容易であるが、階段などが見分けにくく、転倒しやすい。

③ 半盲とは、視力に問題がないにもかかわらず、目で見ただけではその物体が何であるかわからない、色の識別ができないなどの症状が起こる。この場合、手で触れればすぐにそのものを認知できる。

④　白内障とは、水晶体が濁る病気で、進行してくると曇りガラスを通して見ている状態になり、とりわけ高齢者に多く見られる。

⑤　緑内障とは、眼圧の上昇によって、視神経が圧迫されて萎縮する病気で、視力低下と視野狭窄をともなう。

問3　**次の認知症に関する①～⑤の記述の中で、その内容が最も適切なものを一つだけ選び、解答用紙の所定欄にその番号をマークしなさい。**

①　認知症とは、生まれつきの知的障害や成人になってからの頭部外傷などにより脳の器質障害が起こり、そのため知能が持続的に低下する状態をいう。

②　認知症の症状としては、知的機能の低下、特に記憶障害が特徴的である。なかでも記銘力障害が著しく、忘れっぽくなり、何度も同じことを繰り返す傾向になる。これに伴い、過去の体験の忘れてしまった部分を作り話で取り繕おうとすることもある。

③　認知症高齢者には、コミュニケーション能力には支障がないものの、適応力が悪い、判断力が低下するなどの生活上の問題がある。

④　認知症高齢者では、半側空間無視となり、日時、場所などがわからなくなることがしばしばである。また自分の名前や年齢などの基本的なことがわからなくなることもある。

⑤　認知症高齢者によくみられる失行症とは、夜間とくに見当識が薄れて物事の判断がしにくくなり、一時的に精神錯乱を起し、大声で叫んだり暴れたりすることをいう。

問4　**次の①～⑤の記述の中で、その内容が最も適切なものを一つだけ選び、解答用紙の所定欄にその番号をマークしなさい。**

①　ウェルニッケ領域とは、大脳皮質における言語活動に関係する領域の一つであり、この部分が損傷されると、耳でとらえた言葉の理解に障害が起こる。

②　喚語困難とは、構音障害ともいい、言葉が出てこない、何と言う言葉だったか思い出せない症状をいう。

③　幻視とは、現実に発せられない音や声などが聞こえるように感じることをいい、統合失調症などの疾患に現れる。

④　硝子体とは、眼球組織のうち凸レンズ状の弾性のある袋で、焦点を合わせる役割をする。

⑤　前方突進とは、パーキンソン病などに見られる歩行障害の一つで、歩き始めようとするときになかなか第一歩が出ない症状をいう。

●以下の事例を読み、問5の設問に答えなさい。

<事　例>

Sさんは脳梗塞による右片麻痺をもつ71歳の男性。現在、木造2階建ての自宅に、67歳の妻と息子との3人で暮らしている。室内での車いすによる自力移動や、車いすとベッドとの移乗動作は何とか可能なレベルである。現在、介護保険制度の要介護認定の申請を行っている。

問5 **脳血管障害者の住環境整備を行う場合の一般的な配慮事項について、①～⑤の記述の中で最も不適切なものを一つだけ選び、解答用紙の所定欄にその番号をマークしなさい。**

① 「屋外歩行レベル」「屋内歩行レベル」「寝たきりレベル」など、対象者の可能な移動方法のレベルにより住環境整備の方針は異なる。

② 「歩行レベル」の場合、歩行障害があり、麻痺側での片足立ちが困難となるため立位保持が不安定となるが、階段昇降や段差越えには支障がないので、手すりの設置や段差解消の手だてなどの環境整備は必要ない。

③ 出入り口周辺の環境が未整備であると、転倒・転落しやすくなるなどの問題が生じ、不安や億劫さを感じて外出しなくなり「閉じこもり状態」になりやすいので、整備が必要となる。

④ 右利きだった人が左手で日常行為を行わざるを得なくなることもある。その場合は引き戸やレバーハンドルに変更するなどの整備も必要となる。

⑤ 高次脳機能障害を伴う場合が少なくない。慣れた環境下であれば不自由が軽減することがあるので、できる限り整備前の環境を活かした工夫が必要である。

●以下の事例を読み、問6・問7・問8の設問に答えなさい。

<事　例>

パーキンソン病となったHさんは69歳で、妻71歳と2人暮らし。持ち家で木造一戸建てである。ベッドからの起き上がり動作は介助が必要であるが、座位姿勢は手の支持があれば安定。歩行介助が中心で立ち座りや立位保持の介助量が増加している。

入浴や排泄には全介助が必要である。

問6 次のパーキンソン病の代表的な症状に関する①～⑤の記述の中で、その内容が最も不適切なものを一つだけ選び、解答用紙の所定欄にその番号をマークしなさい。

① 手足が細かく震える振戦を示す。
② 全身の感覚障害を示す。
③ 関節を他動的に動かすと抵抗感を示す固縮が起きる。
④ 転倒防止が困難になる姿勢反射障害を示す。
⑤ 動きが鈍くなり、一つの動作の開始に時間がかかる無動を示す。

問7 次のパーキンソン病の能力障害に関する①～⑤の重症度分類Ⅰ～Ⅴの記述のうち、その内容が最も不適切なものを一つだけ選び、解答用紙の所定欄にその番号をマークしなさい。

① Ⅰ－片側のみの障害で、機能低下はあっても軽微である。
② Ⅱ－両側性または体幹の障害で平衡障害はない。
③ Ⅲ－姿勢反射障害の初期徴候がみられるが、身体機能の低下は全くみられない。
④ Ⅳ－重症な機能障害を呈し、ADLの場面で一部介助を要する。
⑤ Ⅴ－全面的な介助を必要とし、臥床状態になる。

問8 パーキンソン病の特徴と住環境整備の一般的な注意点として、次の①～⑤の記述の中で、最も不適切なものを一つだけ選び、解答用紙の所定欄にその番号をマークしなさい。

① パーキンソン病に対する住環境整備を行ううえで考慮すべき点は、進行性疾患であること、症状の程度に日内変動があること、抗パーキンソン薬の服用で本人の運動活動性に波があること、などである。
② パーキンソン病の場合、大がかりな住宅改修を一度に行う住環境整備よりも、手すりの取り付けや家具の配置の工夫、福祉用具を進行状態に合わせて活用するなど、徐々に進めるのがよい。
③ パーキンソン病は進行性疾患であり、屋外歩行レベルから屋内歩行レベル、車いすレベルと、移動方法が変化していく。

④　パーキンソン病の住環境整備を行う場合、単純な動線が望ましいが、進行方向を変えたり、直角に曲がるような間取りは支障がない。

⑤　パーキンソン病の場合、出入り口の床面が傾斜している状態のスロープ上では、身体のバランスをとりにくいので、歩行している段階ではスロープの導入はしないほうがよい。

問9　**次の骨粗鬆症に関する①～⑤の記述の中で、その内容が最も不適切なものを一つだけ選び、解答用紙の所定欄にその番号をマークしなさい。**

①　骨粗鬆症は、骨質の組成は正常であるが、骨量が減少している状態である。

②　骨粗鬆症は、高齢者、特に閉経後の女性に多く発症する。

③　骨粗鬆症の症状は、腰痛、脊椎圧迫骨折、橈骨遠位端骨折、大腿骨頸部骨折を引き起こしやすい。

④　骨粗鬆症の原因としては、加齢や運動量の減少による生理的なもの、カルシウム摂取量の不足による栄養の問題の２つがある。

⑤　骨粗鬆症の薬物療法として、ビタミンD_3や男性ホルモンが使われる。

問10　**次の(a)～(e)の文中［　　］の部分に最も適切な用語を選び、解答用紙の所定欄にその番号をマークしなさい。**

(a) 胸髄損傷者が洋式トイレに移乗する際は、［ア］を基本とする。

【アの語群】

① プラットフォーム　② プッシュアップ　③ 立位保持　④ 座位保持

(b) 片麻痺者で屋内移動能力が下肢装具を装着し、T字型杖による歩行が自立している場合、洋式トイレの整備としては［イ］の取り付けが一般的である。

【イの語群】

① ポータブルトイレ　② ターンテーブル　③ 移動用バー　④ 手すり

(c) 両大腿下肢切断者の浴槽の出入り動作を容易にするためには、［ウ］の利用が有効である。

【ウの語群】

① 浴槽内昇降機（浴槽設置式リフト）　② 体位変換器

③ エルボークラッチ（ロフストランド・クラッチ）

④ 天井走行式リフト

(d) パーキンソン病は進行性疾患であるため、浴室の整備方針として身体機能が重度化した場合を想定し、 エ の利用も検討する。

【エの語群】

① バスボード　② 入浴用いす　③ リフト　④ 手すり

(e) 片麻痺者で屋内移動は伝い歩き、いすからの立ち上がり動作は自立している場合、入浴中の洗体動作の安全性を高めるために オ の利用が有効である。

【オの語群】

① リフト　② 入浴用いす　③ 浴槽内昇降機（浴槽設置式リフト）

④ 簡易手すり

問11 **次の(a)～(e)の記述について適切なものを○、不適切なものを×としたとき、正しい組み合わせを①～⑤から一つだけ選び、解答用紙の所定欄にその番号をマークしなさい。**

(a) 要介護高齢者が活動しやすい住環境整備として、段差の解消や手すりの設置は最低限必要な整備である。段差の解消は、高さや場所によって敷居の撤去やすりつけ板、スロープ、段差解消機の設置などを行う。

(b) 精神障害者の生活においては、作業遂行や対人関係に困難を生ずることが多く、その点への配慮が必要であるが、住環境への配慮は特に必要ない。

(c) 認知症高齢者の居宅介護のための住環境整備は、本人の生活リズムをくずさず、介護者が徘徊や転倒に過度の注意を払うことなく、見守り姿勢で介護に専念できる住環境整備が必要である。

(d) 脳性麻痺者の住環境整備は、個々人の動作の方法をよく知って、それに合わせながら行う必要がある。車いす、電動車いすを使用して屋外に出ることは避けるべきである。

(e) 高位頸髄損傷者の場合は、全介助に近い介護が必要であるが、呼気センサーやタッチスイッチなどにより、テレビや電話の操作、カーテンの開閉などができる環境制御装置の使用は日常生活の自立に役立つ。

①	(a) ○	(b) ○	(c) ×	(d) ○	(e) ×
②	(a) ○	(b) ×	(c) ○	(d) ×	(e) ○
③	(a) ×	(b) ×	(c) ○	(d) ×	(e) ○
④	(a) ×	(b) ○	(c) ×	(d) ○	(e) ×
⑤	(a) ○	(b) ×	(c) ○	(d) ○	(e) ○

問12 次の①～⑤の記述の中で、その内容が最も不適切なものを一つだけ選び、解答用紙の所定欄にその番号をマークしなさい。

① 片側大腿切断者は、大腿義足の構造上、つけたまま畳に座っていることが難しく、いす生活のほうが便利である。また、義足を簡単につけたり外したりすることも難しく、一度外すと両松葉杖で移動することが多い。義足をつけているときとつけていないときの動作を把握し、それぞれに必要な整備を行う。

② 両側大腿切断者は、車いすを使うのが一般的である。自宅では義足をつけないので、車いすの足台（フットサポート）は必要ない。義足をつけていても、いすからの立ち座りや歩行は、日常生活のなかでの実用性が低い。

③ デュシェンヌ型筋ジストロフィー症では、小学校中学年から高学年の時期に歩行能力を失っていくことが多い。和式生活では両上肢と両膝を使った手膝這いや座位での移動を行い、また洋式生活では車いすを使用するようになる。

④ デュシェンヌ型筋ジストロフィー症では、中学生の時期に座位移動に介助が必要になってくる。車いすは介助走行になる。電動車いすを使用しても手指の巧緻性の低下が顕著なので自立走行は不可能である。

⑤ デュシェンヌ型筋ジストロフィー症では、中学校卒業の時期以降、入浴は全介助になる。シャワー用車いすは、頭部を支えられるものを考えなければならない。浴槽でリフトの吊り具に乗ったまま湯につかる。浴槽には入らずにシャワー浴だけにする、などが考えられる。

問13 次の①～⑤の記述の中で、脳血管障害により生じる症状や障害に関する内容として最も適切なものを一つだけ選び、解答用紙の所定欄にその番号をマークしなさい。

① 激しい胸痛発作、呼吸困難、息苦しさ、顔面蒼白、冷や汗や脂汗などを示す。

② 何かしようとすると、意図しない動きが生じる。筋肉の緊張は大きく変動し、極端で速い動きがみられ、突然動きがくずれる。また、言語障害が多くみられる。

③ 手足が細かく震える振戦や、関節を他動的に動かすと抵抗感を示す固縮、動きが鈍くなり一つの動作の開始に時間がかかる無動、転倒防止が困難になる姿勢反射障害などの症状を示す。

④ 手足の麻痺による運動障害のほか、しびれや感覚の鈍さなどの感覚障害、ろれつがまわらなかったり、言葉が出なくなったりする言語障害、呼びかけても反応が悪いなどの意

識障害、めまいなどの平衡機能障害、などの症状を示す。

⑤　全身に、拘縮、筋力低下、筋萎縮、骨粗鬆症などの筋・骨格系症状、起立性低血圧、心予備能力低下などの心・血管系症状のほか、消化器系の症状や神経系の症状を示す。

問14　次の頸髄完全損傷に関する①～⑤の記述の中で、その内容が最も不適切なものを一つだけ選び、解答用紙の所定欄にその番号をマークしなさい。

①　第3頸髄損傷（第3頸髄節まで機能残存）では、運動機能は上肢、下肢、体幹の全てが麻痺するが、首を動かすことは可能である。

②　第4頸髄損傷（第4頸髄節まで機能残存）では、自走用車いすの操作が可能である。

③　第6頸髄損傷（第6頸髄節まで機能残存）では、プッシュアップがわずかながら可能となり、ベッドと車いすの移乗動作は一部の人で可能となる。

④　第7頸髄損傷（第7頸髄節まで機能残存）では、プッシュアップが安定して可能となり、上肢は肩から手関節までの動きはほぼ完全である。

⑤　第8頸髄損傷（第8頸髄節まで機能残存）では、車いすでのADLが自立する。

問15　次の①～⑤の記述の中で、その内容が最も不適切なものを一つだけ選び、解答用紙の所定欄にその番号をマークしなさい。

①　関節リウマチ者に対する住環境整備として、トイレの改修には、身体障害者用便器に取り換える、補高便座を既設の便器の上に乗せる、現状の便器の下に台座を設けてかさ上げする、などがある。

②　胸髄損傷者に対する住環境整備として、トイレの改修は、便器の高さには特に配慮が必要である。一般の洋式便器と車いすの座面に高低差があると、移乗に労力がかかるため、便器の高さと車いすの座面の高さを同じにし、便器の両側に手すりを設ける。

③　視覚障害者の住環境整備には、全盲に対応するばかりでなく、残存視力の有効活用にも十分配慮する必要がある。

④　脳血管障害者の車いすレベルでは、浴室の使用にシャワー用車いすを利用することがある。住環境整備として浴室出入り口の段差を解消し、洗い場の床面を洗面・脱衣室と同じ高さにすることが重要である。

⑤　廃用症候群のある利用者には、離床を促すための住環境整備が重要となるが、本人の自立への動機づけの点からみると、特殊寝台の導入は行うべきでない。

問16 次の①～⑤の記述の中で、その内容が最も不適切なものを一つだけ選び、解答用紙の所定欄にその番号をマークしなさい。

① 認知症高齢者には脳血管性認知症とアルツハイマー病を起因とするアルツハイマー型認知症が多い。前者では、全般的に認知症は軽度でまだら状の状態が多い。また後者では、体験したことの全体を忘れてしまい、症状の自覚がなく、もの忘れから見当識障害へと進行し、同時に思考能力がひどく低下する状態となりやすい。

② 認知症の症状の一つに記憶障害があり、なかでも記銘力障害が著明である。また認知症になると転倒の危険性が高まる。そこで間取りや家具の配置を変えたり、新しい設備機器を導入するなどの住環境整備を行うとよい。

③ 認知症になると注意力や集中力の低下、外界への興味や関心が減退するなど意欲や情動面に対しても影響を及ぼす。生活を活性化するためにも家族の協力と外出しやすい環境づくりなどの配慮が必要である。

④ 認知症による記憶障害により、ガスの火をつけっぱなしにしたり、アイロンのスイッチを入れっぱなしにすることが多くなる。安全対策として煙感知器や自動消火装置などを設置するとよい。

⑤ 認知症の問題行動の一つに失禁がある。不潔意識の欠落、見当識障害によりトイレの場所がわからなくなるなどが原因であり、住環境では衛生上の大きな問題になる。これに対応する手段として、動作の遅さや動線の単純化を考えてトイレまでの移動距離を短くしたり、また、仕上げ材を清掃しやすい材質にするなどで清潔さを保持する。

問17 次の(a)～(e)の記述について適切なものを○、不適切なものを×としたとき、正しい組み合わせを①～⑤から一つだけ選び、解答用紙の所定欄にその番号をマークしなさい。

(a) 自力で呼吸のできない人は、機械で空気を肺に送るために人工呼吸器を装着する。人工呼吸器を装着していても、会話によるコミュニケーションは可能である。

(b) 内部障害者は、障害が重度になると体力が低下し、車いすや電動車いすを使用する場合もある。

(c) 内部障害者が医師によって処方された在宅医療機器を使用するときは、医師や看護師などの医療職から取り扱い方法等について指導を受けた後に、本人及び家族、ホームヘルパーなどの介護者が取り扱う。

(d) 内部障害者は、呼吸や体温調節が困難で、抵抗力が弱く感染しやすいなどの障害がある。また、寒さや温度差は、血圧の上昇や腎血流量の増加を招き、心臓や腎臓への負担を増す。

(e) 身体に障害があると、気温の急激な変化や激しい温度の差は身体的な負担が大きいので、冷暖房機器の導入が必要である。冷暖房の効果を高めるため、温風や冷風が直接身体にあたるように取り付け位置に留意する。

① (a) × (b) ○ (c) ○ (d) × (e) ×
② (a) ○ (b) × (c) × (d) × (e) ○
③ (a) ○ (b) × (c) × (d) ○ (e) ×
④ (a) × (b) × (c) ○ (d) × (e) ○
⑤ (a) × (b) ○ (c) × (d) ○ (e) ×

●以下の事例を読み、問18・問19の設問に答えなさい。

<事　例>

脳血管障害により右片麻痺となったIさんは71歳の男性で、妻73歳と息子夫婦の4人暮らし。住宅は、持ち家で木造2階建てである。Iさんは杖と短下肢装具による歩行は可能であるが、長距離の歩行は困難である。また、白内障が進行しており、外出には介助者が必要である。屋内では、短下肢装具を装着しなくても歩行は可能であるが、壁や柱につかまって歩く状態であり、転倒の危険性が常に高い。妻は腰痛のために十分な介助が困難である。

問18 **次の脳血管障害の症状に関する①～⑤の記述の中で、その内容が最も不適切なものを一つだけ選び、解答用紙の所定欄にその番号をマークしなさい。**

① 脳血管障害には、脳内の血管が破れて出血する脳出血、脳の表面の血管が切れるクモ膜下出血、脳の血管が詰まる脳梗塞がある。

② 脳血栓症では、主に心臓などにできた血栓が脳に運ばれて血管がふさがれ、循環障害が起こる。発症は活動状況と無関係に急激に起こる。

③ 脳出血は活動時に多くみられ、突発的に起こることが多い。意識障害や片麻痺などの障害が発症時から起こる。また、高血圧症が合併する。

④ 脳血管障害では顔や手足の片麻痺による運動障害、しびれや感覚の鈍さなどの感覚障害、

ろれつが回らなかったり、言葉が出なくなったりする言語障害、呼びかけても反応が悪いなどの意識障害、めまいなどの平衡機能障害などの症状を示す。

⑤ 脳血管障害による運動麻痺では、麻痺側下肢を意識的に動かすことや持ち上げることが困難になることが多い。また、引きずり歩行も多くなる。

問19 **脳血管障害による片麻痺の住環境整備上の留意点に関する①〜⑤の記述の中で、その内容が最も適切なものを一つだけ選び、解答用紙の所定欄にその番号をマークしなさい。**

① 寝たきりレベルでは、日常生活動作のほとんどで介助が必要である。ベッド、便器、浴槽などで移乗する場合、背もたれや手すりの取り付けなどは効果がないため、介助者が全介助で身体を支えなければならない。

② 屋内歩行レベルは、買い物や通院・通所などの外出には電動車いすが必要であるが、住宅周辺の散歩など短い距離を移動するには、自走用（自操用）標準型車いすが必要である。

③ 車いすレベルでは、浴室での衣服の着脱、浴槽の出入り、洗体などのADLは自立している場合が多いが、車いすが走行できる通行幅員やスペースの確保、段差の解消などは必須である。

④ 屋内歩行レベルでは、玄関に手すりを設ける。上がりがまちの段差を小さくするために、式台を設置することもある。

⑤ 屋外歩行レベルでは、杖や下肢装具などの補装具を使う場合も含めて一人で屋外歩行が可能であり、住環境整備は必要ない。

●以下の事例を読み、問20・問21・問22の設問に答えなさい。

<事　例>

1年前に交通事故により第7頸髄完全損傷（第7頸髄節まで機能残存）となったTさんは、男性45歳で、妻40歳、長女15歳と長男12歳の4人家族である。自営業（座ってパソコンを操作する仕事）を営んでいる。住宅は、持ち家で一戸建てである。

現在、リハビリテーション専門病院で治療・訓練を受けており、3カ月後に退院し、自宅に戻ることとなった。日常生活は車いすが必要であるが、Tさんの希望は、自助具を活用して自宅で仕事を続けること、家族との生活を大事にしたいことであった。

問20 次の①～⑤のTさんの機能障害・能力障害に関する記述の中で、その内容が最も不適切なものを一つだけ選び、解答用紙の所定欄にその番号をマークしなさい。

① 肩と肘、前腕は動かせるが、左右の手関節は全く動かない。
② 膀胱機能障害があるので自己導尿などが必要である。
③ 体温調節障害があるので室内の冷暖房装置が必要である。
④ 感覚（知覚）麻痺があるので火傷に注意が必要である。
⑤ 寝返り動作は自立しているので体位変換のための介助は必要ない。

問21 次の①～⑤のTさんの住環境整備に関する記述の中で、その内容が最も不適切なものを一つだけ選び、解答用紙の所定欄にその番号をマークしなさい。

① 洗面台はカウンター式洗髪・洗面台が便利であり、その高さは車いすのアームサポートが入るようにする。
② 感覚（知覚）麻痺があるため、火傷をつくらないように常に適温に設定した給湯設備が必要である。
③ 浴室の洗い場は車いすの座面の高さと同じにする。洗い場の床には、褥瘡（じょくそう）を防止するためマットを敷く。浴槽には自力で入ることが全くできないので家族の全面介助が必要となる。
④ 給水栓やシャワー水栓はレバー式がよい。
⑤ 車いすでの自力走行は可能である場合が多いので、玄関には段差解消機やスロープの設置が必要である。戸は引き戸で把手は棒状のものがよい。

問22 ①〜⑤は次の図を想定した内容である。図中の人物をＴさんと仮定したとき、その内容が最も適切なものを一つだけ選び、解答用紙の所定欄にその番号をマークしなさい。

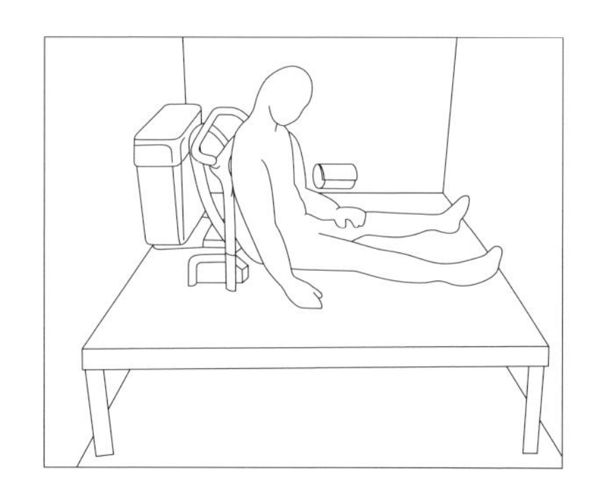

① 右図は座薬を挿入する時の姿勢である。

② Ｔさんは台上をプッシュアップ動作で移動できない。

③ 右図は排便姿勢である。排便には時間を要するので背もたれを使用する。

④ 移乗台座面は、褥瘡（じょくそう）防止用のクッション素材を用いれば車いす座面高さにそろえなくてもよい。

⑤ 右図は排尿姿勢である。排尿しやすいように長座位となっている。

問23 次の①〜⑤の記述の中で、その内容が最も適切なものを一つだけ選び、解答用紙の所定欄にその番号をマークしなさい。

① 切断の原因は、動脈硬化性血管障害や糖尿病、腫瘍など疾患の割合が高く、外傷性による切断の割合は低い。

② 糖尿病や動脈硬化性血管障害による下肢切断では、疾患の性質から中高年に多く、しかも健側の下肢筋力やバランス能力を含めた全体の運動機能の低下がみられ、体力の低下や体調の変化から日常の活動性も低下する場合がある。

③ 下腿切断では住環境整備の必要性は重要で、玄関、階段、トイレなどに手すりを付ける。入浴時は耐水性義足を付けるため、浴槽への出入りを安全に、楽に行うために移乗台や手すりを設ける。

④ 両側大腿切断で便器上での座位バランスをとりにくい場合は、ポータブルトイレを利用する。

⑤ 両側大腿切断者が玄関段差を安全に乗り越えるためには、義足を装着した場合は歩行が安定するので手すりを取り付ける必要はない。また、義足なしで車いすを使用する場合は、玄関で室内の車いすからいったん床に下り、別の車いすに乗るという方法もある。

問24 次の(a)～(e)の記述の［　］部分に下記の中から最も適切な用語を選び、解答用紙の所定欄にその番号をマークしなさい。

(a) パーキンソン病は［ア］が減少する慢性進行性疾患である。

【アの語群】

①アドレナリン　②インスリン　③ドーパミン　④免疫力

(b) パーキンソン病の代表的な症状は、振戦、無動、［イ］、姿勢反射障害である。

【イの語群】

①感覚麻痺　②拘縮　③固縮　④筋萎縮

(c) パーキンソン病の歩行では、すくみ足、［ウ］、加速歩行、小刻み歩行、前方突進がみられる。

【ウの語群】

①逆説動作　②引きずり歩行　③装具歩行

④酩酊（酔っているような）歩行

(d) ホーン・ヤールの重症度分類によると、パーキンソン病で姿勢反射障害により方向転換や閉眼起立で不安定となるのは重症度［エ］からである。

【エの語群】

①Ⅱ　②Ⅲ　③Ⅳ　④Ⅴ

(e) パーキンソン病の住宅改修の時期と重症度は［オ］。

【オの語群】

①関係ないので一般の高齢者と同じ考えでよい

②関係ないので脳血管障害と同じ考えでよい

③関係があるので車いすレベルに合わせて考える

④関係があるので車いすレベルと歩行レベルで分けて考える

問25 次の①～⑤の記述の中で、その内容が最も不適切なものを一つだけ選び、解答用紙の所定欄にその番号をマークしなさい。

①　排尿障害に関して使われる器具としては、自己導尿（セルフカテーテル）、留置カテーテル、人工膀胱（尿路ストーマ）に使用するもの、収尿器、自動排泄処理装置などがある。

②　吸引器を在宅で使用する場合には、介護者が移動するスペースを確保するために、一般的に壁に設置されることが多い。

③　ネブライザーとは、水蒸気とともに薬剤を吸入させるもので口や鼻から吸入する。咽頭

や喉頭などの感染症、炎症の治療などに用いられる。

④　酸素吸入器が必要な疾患・障害の原因には、脳・神経・筋肉の障害、気道の閉塞、肺機能の低下など種々ある。一般的には高圧酸素ボンベや酸素濃縮器などの装置から、酸素マスクや鼻腔にチューブを通して酸素を送り込む。

⑤　経口摂取が困難な場合、栄養物をチューブを通して胃や腸に注入する。方法としては、鼻腔栄養、胃瘻、空腸瘻などがある。栄養補給のため本人は一日数回、数時間、安静姿位をとる必要がある。

解答・解説

■問1■　正解2

① 不適切。脳出血は活動時に多くみられ、突発的に起こることが多い。

② 適切。設問のとおり。

③ 不適切。原因については正しいが、心筋梗塞の発作は運動時でも安静時でも起こるため予知が難しい。

④ 不適切。早期離床、早期歩行、生活全般の活性化のために、住環境整備は大きな役割を果たす。

⑤ 不適切。本人にとっても注意力や集中力が散漫になったり、記憶障害があっても日常生活ができるような住環境整備が必要となる。

■問2■　正解3

① 適切。設問のとおり。

② 適切。設問のとおり。

③ 不適切。本肢は高次脳機能障害の症状の一つである失認についての記述である。

④ 適切。設問のとおり。

⑤ 適切。設問のとおり。なお、緑内障は進行によって失明する危険性もあるが、白内障よりは発病率は低い。

■問3■　正解2

① 不適切。生まれつきの知的障害については知能が獲得されていないので、認知症にはあたらない。

② 適切。なお、認知症による記憶能力低下の特徴として、「体験の全体を忘れる、進行する、見当識障害がある、自覚がない」といった点があげられる。

③ 不適切。認知症の場合、「会話が普通にできない」という症状があり、コミュニケーション能力に支障があるといえる。

④ 不適切。本肢は見当識障害に関する記述であるが、半側空間無視とは高次脳機能障害の症状の一つであり、認知症とは関係がない。

⑤ 不適切。本肢は失行症ではなく、夜間せん妄に関する記述である。

■問4■　正解1

① 適切。設問のとおり。

② 不適切。構音障害は明確に発音することが困難な状態で、うまく言葉が出てこない、単語が思い出せない喚語困難とは異なる。

③ 不適切。本肢は幻聴に関する記述である。幻視は、現実に存在していない見えるはずのないものが見えてしまうこと。

④ 不適切。本肢は水晶体に関する記述である。硝子体は、眼球の内腔で水晶体から網膜までを満たす無色透明のゼリー状の物質で、眼球の形を保つ役目をもつ。

⑤ 不適切。本肢はすくみ足に関する記述である。なお、前方突進もパーキンソン病の症状である。

■問5■　正解2

① 適切。設問のとおり。特に車いす使用の有無によってその方針は大きく異なってくる。

② 不適切。歩行レベルでも転倒のおそれがあるので、段差解消や手すりの設置が必要となる。

③ 適切。設問のとおり。手すりの設置や

スロープの設置が必要となる。

④　適切。設問のとおり。なお、引き戸には引き手をつけるとよい。

⑤　適切。使いやすいように変更を加えつつ、できるだけ慣れた環境を残すというバランスをとる必要がある。

■問6■　正解 2

①　振戦を示す。

③　固縮が起きる。

④　姿勢反射障害を示す。

⑤　無動

がパーキンソン病の4大症状である。

②　不適切。全身の感覚障害は起きない。

■問7■　正解 3

①、②、④、⑤はHoehn-Yahr（ホーン・ヤール）重症度分類によれば適切である。

③　不適切。Hoehn-Yahrの重症度分類によれば、Ⅲは「姿勢反射障害の初期徴候がみられ、方向転換とか閉脚、閉眼起立時に押された際に不安定となる。身体機能は軽度から中等度に低下するが、仕事によっては労働可能で、ADLは介護を必要としない」とされる。

■問8■　正解 4

④　不適切。身体のひねりや方向転換がむずかしく（前方突進、すくみ足などが原因)、進行方向を変えたり、直角に曲がるような間取りは避けるべきである。

■問9■　正解 5

⑤　不適切。骨粗鬆症の薬物療法として、骨吸収を抑える薬（女性ホルモン、カルシトニンなど)、骨形成を助ける薬（ビタミンK_2)、吸収と形成を調節する薬（ビタミンD_3、カルシウム）が病態に応じて使われる。

■問10■　正解ア-②　イ-④　ウ-①　エ-③　オ-②

■問11■　正解 2

(a) 適切。設問のとおり。

(b) 不適切。精神障害者は新しい環境への取り組みが苦手であることが多かったり、日常生活の技術が未熟であることが多かったり、対人関係が苦手であったりすることが多い。そこで、住環境整備についても何らかの配慮が必要である。たとえば、火の不始末の可能性も大きいので、電磁調理器や煙感知器の導入を検討する。そして、プライバシーの確保をはかるといった点に注意すべきである。

(c) 適切。設問のとおり。

(d) 不適切。社会との接触を保つようにするために、車いすや電動車いすを使用してできるだけ外出の機会を持つようにすべきである。そのために出入り口などの整備が必要である。

(e) 適切。設問のとおり。

以上から、(a) ○、(b) ×、(c) ○、(d) ×、(e) ○となり、②が正解。

■問12■　正解 4

④　不適切。上肢の筋力、手指の巧緻性は低下するものの、ある程度保たれている。

■問13■　正解 4

①　不適切。本肢は心筋梗塞の症状に関する記述である。

②　不適切。本肢は脳性麻痺（アテトーデ型）の症状に関する記述である。

③　不適切。本肢はパーキンソン病の症状に関する記述である。

④　適切。脳血管障害の症状に関する記述である。

⑤　不適切。本肢は廃用症候群に関する記述である。

■問14■　正解2

②　不適切。特殊な電動車いすによる移動は可能であるが、自走用（自操用）車いすの操作はできない。

■問15■　正解5

⑤　不適切。早期離床のためには、まず、ベッド上で端座位姿勢をとり、さらにその時間を長くしていくことからはじめるとよいとされる。そのためには身体を起こすことが必要であり、特殊寝台の導入は有効である。

■問16■　正解2

②　不適切。認知症の人は新しい環境に適応することが難しく、間取りや家具の配置を変えたり、設備機器などを新しくすると、日常生活の移動や作業の上で混乱を引き起こす可能性が大きい。これがもとで、症状が悪化するケースもある。
そこで、大々的な間取りの改修ではなく、まずは段差の解消、手すりの設置、足元灯の設置など、転倒・転落による骨折の防止対策としての環境整備を行う。

■問17■　正解5

(a) 不適切。人口呼吸器を装着しているときには、多くの場合、声を出せなくなるので、コミュニケーションがとりにくくなる。
筆記用具による筆談やパソコンの使用など、コミュニケーションをとる手段を確保する必要がある。

(c) 不適切。在宅医療機器は、医師によって処方され、医師や看護師などの医療職からその取り扱い方法については指導と援助を受けながら、本人および家族が使用する。ホームヘルパーは扱わない。

(e) 不適切。温風や冷風が直接身体にあたらなように、冷暖房機器の取り付け位置に留意する。
以上から、(a) ×　(b) ○　(c) ×　(d) ○　(e) ×　となり、⑤が正解。

■問18■　正解2

②　不適切。本肢は脳塞栓症の記述である。
脳血栓症は、動脈硬化のある脳の血管が血栓でふさがれるため循環障害が起こり、その結果、発症時から片麻痺、意識障害などの複雑な中枢神経障害をきたす。発症は夜間や休息時に多く、症状はゆっくりと発現する。

■問19■　正解4

①　不適切。寝たきりレベルでは、ＡＤＬのほとんどで介助が必要である。
ベッドの上での起きあがりや座位保持ができないことも多いので、ベッド、便器、浴槽などでは、身体を支えるための背もたれや手すりの取り付け、取り付け位置などに配慮する。

②　不適切。屋内歩行レベルでは、買い物や通院、通所など、少し遠出をする際には車いすを必要とする。

③　不適切。車いすレベルでは、移動、衣服の着替え、浴槽への出入り、浴槽内の立ち座り、洗体など、ほぼすべてに介助が必要である。

④　適切。設問のとおり。

⑤　不適切。屋外歩行レベルでは、手すりの取り付け、式台の設置などの簡易な整備で移動や段差昇降が安全にできる場合が多いので、本人の活動範囲が広がるような住環境整備が必要である。

■問20■　正解 1

①　不適切。損傷レベルＣ７では、手関節までの動きはほぼ完全であり、手首を伸ばすこともできる。

■問21■　正解 3

③　不適切。損傷レベルＣ７では、浴室で洗い場を浴槽と同じ高さにすると、浴槽に自力で入れる人もいる。その際、浴槽の背もたれ側に洗い場を設ける。

■問22■　正解 3

①　不適切。座薬を挿入するときは、臀部に座薬を入れやすいように、便器上で上体を側方に倒す。

②　不適切。損傷レベルＣ７ではプッシュアップ動作が可能である。

③　適切。設問のとおり。

④　不適切。長座位姿勢とプッシュアップ動作に適した環境にするため、便器周囲に移乗台を設置する。
移乗台座面は、車いす座面高さにそろえ、褥瘡（じょくそう）防止用にクッション性の高い素材を用いる。

⑤　不適切。排尿の場合は、自己導尿のためのカテーテルや収尿器を使用する。

■問23■　正解 2

①　不適切。上肢の切断は、事故による場合が多いが、下肢の切断については、近年、事故による切断に加え、疾患のために末梢部分での血行が悪くなり、切断しなければならなくなった人が増加している。

③　不適切。下肢切断の場合、住環境整備の必要性はそれほど大きくはないが、玄関、階段、トイレなどに手すりを付ける。
また、入浴時は義足をはずすので、浴槽への出入りを行うために移乗台や手すりを設ける。

④　不適切。ポータブルトイレにしてもバランスがとりやすくはならない。便器上でバランスをとりにくい場合は、便器の両側に手すりを付けるとよい。
または、周囲に台を設置し、大腿部を広げて、しっかり身体を支えられるように改修する。

⑤　不適切。義足は移動の補助用具ではないので、義足をつけても歩行は安定しない。この場合、車いすを使うのが一般的で、しかも義足はつけない。
車いすのまま、玄関をスムーズに出入りできるようにするため、段差を解消する方法を検討する。改修工事が無理の場合は、段差解消機またはスロープを設置する。
屋外用と屋内用の車いすを使い分け、玄関で乗り換えるという方法もある。

■問24■　正解ア-3　イ-3　ウ-1
エ-2　オ-4

■問25■　正解 2

②　不適切。吸引器を使う場合、家庭では一般的に、移動式吸引器を利用することが多い。
ベッドで器具を利用する際は、ベッドサイドに器具を置いて、介護者が動けるスペースをとる。

PART 3

福祉住環境整備の周辺知識

SECTION 1　福祉サービスの実際

福祉制度とサービス

- 高齢者福祉制度は介護保険法の施行に伴い、従前の「老人福祉法」や「老人保健法」による施策が「措置」から「選択」へ大きく変化しています。
- 障害者プランでは、障害者の地域生活の支援を軸にして、そのための施設・環境整備・社会的自立の促進などを重視しています。
- ゴールドプランでは、ホームヘルプサービス、デイサービス、ショートステイが在宅支援の三本柱として重視されています。

福祉サービスの流れ

1949年　障害者福祉法の制定により、障害者福祉施策が本格的にスタート。

1963年　老人福祉法制定。現在のホームヘルプサービスの原形、「老人家庭奉仕員派遣」開始。

1975年　障害者の権利宣言（国連）。

1978年　市町村が「老人短期入所事業（ショートステイ）」開始。

1979年　市町村が「デイサービス事業」開始。

1981年　国際障害者年。

1989年　ゴールドプラン（高齢者保健福祉推進10カ年戦略）策定。

1993年　心身障害者対策基本法を障害者基本法へ改正。

1995年　障害者プラン・ノーマライゼーション7カ年戦略策定。

2000年　介護保険制度の創設。

2006年　介護保険制度の改正。障害者自立支援法施行。

2011年　介護保険制度の改正、障害者基本法改正。

2012年　認知症施策推進5か年計画（オレンジプラン）公表。

2013年　障害者総合支援法施行、障害者基本計画第3次計画（2013～2017年度）開始、オレンジプラン開始。

2014年　介護保険制度の改正。

2015年　新オレンジプラン公表。

2016年　「障害を理由とする差別の解消の促進に関する法律（障害者差別解消法）」施行。

2018年　「地域包括ケアシステムの強化のための介護保険等の一部を改正する法律」施行。

2021年　介護保険制度の改正。

基本となる在宅福祉サービス

まだ体制や内容の質的な向上は課題ですが、次表のようになっています。

サービス	内　容
ホームヘルプサービス（訪問介護）	①要支援あるいは要介護状態にある在宅の高齢者を対象に、訪問介護員（ホームヘルパー）を家庭に派遣し、身体介護や生活に関すること、相談・助言などを行う。 **身体介護：**食事、排泄、身体の清拭、洗髪、入浴、衣類の着脱、通院介助など **生活：**調理、洗濯、衣類の補修、整理整頓や掃除、生活必需品の買物、関係機関との連絡など **相談・助言：**生活や介護・身の上に関すること、住宅改修に関することなど ②身体障害者が自宅で日常生活ができるよう、ホームヘルパーを派遣して、入浴などの介護や家事の援助などを行うサービス。
デイサービス（通所介護）	①おおむね65歳以上で、要支援あるいは要介護状態にある在宅の高齢者を対象に、以下のようなサービスを行う。 ・健康チェック、生活指導、日常動作訓練、養護、家族介護教室 ・施設への通所や家庭への訪問による入浴・給食サービス（訪問では、洗濯サービスもある） ②身体障害者の自立促進や身体機能の維持・向上などのために、施設で以下のような活動や訓練を行ったり、入浴・給食・介護・送迎のサービスを行う。 ③歩行、家事訓練、会話、手話、点字、スポーツ、レクリエーション、健康指導、介護方法の指導。
ショートステイ（短期入所）	①介護者に代わって、原則は7日以内、計画利用の場合最長1カ月、特別養護老人ホームなどで世話をするサービス。 ②認知症のため、夜間の介護が困難な場合は、夜間に限って入所できる「ナイトケアサービス」もある。 ③施設によっては、3カ月まで入所できる「ミドルステイ事業」、認知症高齢者などの介護指導を行う「ホームケア事業」も。 ④身体障害者の家族が病気になったり、冠婚葬祭への参加、転勤などのために、重度障害者の介護ができなくなったとき、更生施設で短期間、保護するサービス。
住宅改良ヘルパー（リフォームヘルパー）	①高齢者が住みやすい住環境を整えるための住宅改修に関する助言や指導のほか、関係機関への連絡・調整を行うサービス。 ②住宅の状況、高齢者の身体的状況、家族構成などを把握して、施工者の紹介、業者への改良内容の連絡・調整を実施。施工後は評価を行い、利用者と家族に指導も行う。 ③福祉・医療・建築の専門職がチームを組んで住宅改良に臨む。

サービス	内容
高齢者日常生活用具給付等事業 重度身体障害者日常生活用具給付等事業	①おおむね65歳以上で、一人暮らしの高齢者や高齢者のみの世帯を対象に、主に防災の視点から、火災警報器、自動消火器、老人用電話、電磁調理器を給付または貸与している場合がある。 ＊従来の制度は介護保険制度に移行した。 ②肢体や視覚、聴覚に重い障害があり、場合によっては介助が必要な人の日常生活に便宜が図れるよう、日常生活用具を給付・貸与するサービス。費用は収入に応じた負担となる。
リハビリ教室 （機能訓練）	①脳血管障害などで心身の機能が低下している40歳以上の人を対象に、保健師や理学療法士、作業療法士が、歩行訓練や日常生活訓練を行うサービス。
訪問看護サービス （介護保険と医療保険がある）	①地域の訪問看護ステーションの看護師が、かかりつけ医と連携をとり、在宅の高齢者を訪問して必要な診療の補助や療養上の世話をするサービス。
訪問リハビリサービス （介護保険と医療保険がある）	①地域の訪問看護ステーションの理学療法士や作業療法士がかかりつけ医と連携をとり、在宅の高齢者を訪問して、機能回復訓練、生活動作や介助方法の指導、住環境のチェックなどを行うサービス。
その他の在宅生活支援サービス	①公的制度が実施するサービス以外にも、宅配サービス、入浴サービス、訪問サービス、移送サービス、巡回介護教室サービス、寝具乾燥サービスなどがある。 ②地域包括支援センターや市区町村の福祉・保健担当窓口で確認を。

認知症施策推進総合戦略（新オレンジプラン）

○高齢者の約４人に１人が認知症の人またはその予備群。高齢化の進展に伴い、認知症の人はさらに増加
2012年462万人（約７人に１人）⇒2025年約700万人（約５人に１人）
○認知症の人を単に支えられる側と考えるのではなく、認知症の人が認知症とともによりよく生きていくことができるような環境整備が必要

新オレンジプランの基本的考え方

認知症の人の意思が尊重され、できる限り住み慣れた地域のよい環境で自分らしく暮らし続けることができる社会の実現を目指す

○厚生労働省が関係各府省庁（内閣官房、内閣府、警察庁、金融庁、消費者庁、総務省、法務省、文部科学省、農林水産省、経済産業省、国土交通省）と共同して策定
○新プランの対象期間は団塊の世代が75歳以上となる2025年までだが、2020年度末に数値目標を更新
○策定に当たり認知症の人やその家族など、さまざまな関係者から幅広く意見を聴収（2017年改正）

地域包括ケアシステムの強化のための介護保険等の一部を改正する法律

高齢者の自立支援と要介護状態の重度化防止、地域共生社会の実現をはかるとともに、制度の持続可能性を確保し、必要とする人に必要なサービスを提供するため、2018年4月に「地域包括ケアシステムの強化のための介護保険等の一部を改正する法律」（2017年公布）が施行。

1. 地域ケアシステムの深化と推進

①自立支援と重度化防止に向けた保険者（市区町村、以下同）機能の強化などの取り組みの推進（1）

全市区町村が保険者としての機能を発揮し、自立支援と重度化防止に向けて取り組む仕組みの制度化

- 国から提供されたデータを分析のうえ、介護保険事業（支援）計画を策定。計画に介護予防や重度化防止などの取り組み内容と目標を記載
- 都道府県による市区町村に対する支援事業の創設
- 財政的インセンティブの付与の規定の整備
- 地域包括支援センターの機能強化（市区町村による評価の義務づけなど）
- 居宅サービス事業者の指定などに対する保険者（市区町村）の関与強化（小規模多機能型サービスの普及を助ける観点からの「指定拒否の仕組み」の導入など）を制度上で明確化
- 認知症施策の推進（新オレンジプランの基本的な考え方〈普及や啓発などをともなう関連施策の総合的な推進〉を制度上で明確化）

②医療と介護の連携の推進など（1）（2）

- 「日常的な医学管理」「看取り介護、ターミナルケア」などの機能と、「生活施設」としての機能を兼ね備えた、新たな介護保険施設を創設*1
- 医療と介護の連携などに関して、都道府県から市区町村への必要な情報の提供や、その他の支援の規定を整備

③地域共生社会の実現に向けた取り組みの推進など(1)(3)(4)(5)

- 保険者である市区町村が地域住民と協働して包括的な支援体制づくりを行い、障害福祉分野の各者との連携に必要な事項を記載した地域福祉計画策定の努力を義務化
- 高齢者と障害児者が同一事業所でサービスを受けやすくするため、介護保険と障害福祉制度に共生型サービスを追加する
- 有料老人ホームの入居者保護のための施策の強化（事業停止命令の創設、前払金の保全措置の義務の対象拡大など）
- 障害者支援施設を退所して介護保険施設に入所した場合などの保険者の見直し（障害者支援施設などに入所する前の市区町村を保険者とする）

2. 介護保険制度の持続可能性の確保

①２割負担者のうち、とくに所得の高い層の負担割合を３割とする（1）

②介護納付金への総報酬制の導入（1）

- 各医療保険者が納付する介護納付金（40～64歳の保険料）について、被保険者間では「総報酬割（報酬額に比例した負担）とする

＊1：現行の介護療養病床の経過措置期間は、2017年度末から6年間延長（2024年3月末まで移行期間）。病院や診療所から新施設に転換した場合には、転換前の病院や診療所の名称を引き続き使用できる。

凡例：(1)介護保険法 (2)医療法 (3)社会福祉法 (4)障害者総合支援法 (5)児童福祉法

KEY WORD

■認知症ケアパス

新オレンジプランの基本政策の１つ「認知症の容態に応じた適時・適切な医療・介護などの提供」をもとに、地方自治体が作成。認知症の容態に応じた対応やサービスが一体的に紹介されており、症状の進行に合わせた対応方法や、利用可能な医療・介護サービスなどを知ることができる。

■認知症カフェ

認知症の人やその家族 、介護・医療の専門家、地域住民が集い、交流や情報交換を行う場。情報を共有し合い、認知症についての理解を深めるものとして、全国に広がっている（2018年度からすべての市区町村に配置された認知症地域支援推進員などの企画により、地域の実情に応じて実施された）。

ZOOM UP

■新オレンジプランの７つの柱

①認知症の理解を深めるための普及と啓発の促進
②認知症の容態に応じた適時・適切な医療や介護などの提供
③若年性認知症施策の強化
④認知症の人の介護者への支援
⑤認知症の人を含む高齢者にやさしい地域づくりの推進
⑥認知症の予防法、診断法、治療法、リハビリテーションモデル、介護モデルなどの研究開発およびその成果の普及の促進
⑦認知症の人やその家族の視点を重視

SECTION 1　福祉サービスの実際

認知症への取組み

- 認知症施策推進大綱では、「新オレンジプラン」の基本的な考え方を踏まえて、認知症の発症を遅らせ、認知症になっても希望を持って日常生活を過ごせる社会を目指しています。
- 認知症の予防に関するエビデンス*2をもとに対策への取組みを促すことで、70歳代での発症を10年間で1年遅らせることを目標にしています。
- 指定居宅サービス等の運営基準において、医療・福祉関係の資格を有さない従業者への認知症介護基礎研修が義務づけられています（2024年3月まで、努力義務）。

認知症施策推進大綱

2019年6月に閣議決定された「認知症施策推進大綱」は、認知症になっても住み慣れた地域で自分らしく暮らし続けられる「共生」と、認知症の発症や進行を遅らせる「予防」を2つの核として位置づけています。従来は認知症対策で注目されていなかった「認知症予防」を重視するようになったのが、この「大綱」の特徴で、予防に関するエビデンス*2の収集を推進し、発症前からの認知症予防への取組みが強化されるようになりました。

「①普及啓発、本人発信の支援」、「②予防」、「③医療、ケア、介護サービス、介護者への支援」、「④認知症バリアフリーの推進、若年性認知症の人への支援、社会参加支援」、「⑤研究開発、産業促進、国際展開」の5つの柱に沿って施策を推進し、団塊の世代が75歳以上となる2025（令和7）年までを対象期間に設定しています。

◆認知症施策推進大綱（2019〈令和元〉年6月18日認知症施策推進関係閣僚会議決定）

重症化を予防しつつ、住み慣れた地域の中で尊厳は守られ、本人が前向きに自分らしく暮らし続けることのできる社会を目指す。
運動不足の改善、生活習慣病の予防、社会参加による社会的孤立の解消や役割の保持により、認知症の発症を遅らせる。
予防に関するエビデンス*2を収集して普及。正しい理解に基づき、予防を含めた認知症へ備える取組みを促す。
70歳代での発症を10年間で1年遅らせることを目指す。
認知症の発症や進行の仕組みの解明、予防法、診断法、治療法などの研究開発を進める。

具体的な施策

認知機能の低下のない人、プレクリニカル期	認知機能の低下のある人（軽度認知障害〈MCI〉含む）	認知症の人
認知症発症を遅らせる取組み（一次予防）の推進	早期発見、早期対応（二次予防）、発症後の進行を遅らせる取組み（三次予防）の推進	認知症の人本人の視点に立った「認知症バリアフリー」の推進

①普及啓発、本人発信の支援
②予防
③医療、ケア、介護サービス、介護者への支援
④認知症バリアフリーの推進、若年性認知症の人への支援、社会参加支援
⑤研究開発、産業促進、国際展開

▶ 目指すべき社会
認知症の発症を遅らせ、認知症になっても希望を持って日常生活を過ごせる社会
期間：2025年まで

認知症の人や家族の視点の重視　上記①～⑤の施策は、認知症の人やその家族の意見を踏まえ、立案および推進する。

認知症施策推進関係閣僚会議資料（2019年）および公式テキストを参考に作成

◆「認知症施策推進大綱」における主なKPI（重要業績評価指標）目標

柱	区分	KPI／目標
①普及啓発、本人発信支援	(1) 認知症に関する理解促進	企業、職域型の認知症サポーター養成数UP（目標：400万人） 世界アルツハイマーデーなどにおける普及・啓発イベントの開催
	(2) 相談先の周知	広報紙やホームページなどによる認知症に関する相談窓口の周知（目標：全市区町村） 認知症の相談窓口について、認知症関係者の認知度2割UP、地域住民の認知度1割UP
	(3) 認知症の人（本人）からの発信支援	認知症本人大使（希望宣言大使〈仮称〉）の創設 キャラバン・メイト大使（仮称）の設置（目標：全都道府県） ピアサポーター[*1]による本人支援（目標：全都道府県）
②予防	(1) 認知症予防に資する可能性のある活動の推進	介護予防に資する通いの場への参加率UP（目標：8％）
	(2) 予防に関するエビデンス[*2]の収集の推進	認知症予防に関する事例集や取組みの実践に向けたガイドラインの作成 認知症予防に関するエビデンスを整理した活動の手引きを作成 科学的に自立支援や認知症予防などの効果が裏付けられたサービスの提示
	(3) 民間の商品やサービスの評価と認証の仕組みの検討	認知機能低下の抑制に関する機器やサービスの評価指標、手法の策定
③医療、ケア、介護サービス、介護者への支援	(1) 早期発見と早期対応、医療体制の整備	認知症初期集中支援チームにおける訪問実人数UP（目標：全国で年間4万件）、医療・介護サービスにつながった者の割合UP（目標：65％） 市区町村における「認知症ケアパス」作成率UP（目標：100％）
	(2) 医療従事者等の認知症対応力向上の促進	医療従事者に対する認知症対応力向上研修受講者数UP（目標：かかりつけ医9万人など）
	(3) 介護サービス基盤整備、介護人材養成、介護従事者の認知症対応力向上の促進	介護従事者に対する認知症対応力向上研修受講者数UP 認知症介護基礎研修（目標：介護に関わるすべての者が受講）
	(4) 医療や介護の手法の普及と開発	BPSD予防に関するガイドラインや治療指針の作成、周知
	(5) 認知症の人の介護者の負担軽減の推進	BPSD予防のための、家族や介護者対象のオンライン教育プログラムの開発、効果検証
④認知症バリアフリーの推進や若年性認知症の人への支援と社会参加支援	(1) 認知症バリアフリーの推進 ①バリアフリーのまちづくりの推進	バリアフリー法に基づく基本方針における整備目標の達成
	②移動手段の確保の推進	全国各地での自動車運転移動サービスの実現
	③交通安全の確保の推進	—
	④住宅の確保の推進	高齢者人口に対する高齢者向け住宅の割合UP（目標：4％）
	⑤地域支援体制の強化	本人や家族のニーズと認知症サポーターを中心とした支援をつなぐ仕組み（チームオレンジなど）を整備（目標：全市区町村）
	⑥認知症に関する取組みを実施している企業などの認証制度や表彰	認知症バリアフリー宣言件数、認証制度応募件数、認証件数UP
	⑦商品やサービス開発の推進	本人の意見を踏まえた商品やサービスの登録件数UP
	⑧金融商品開発の推進	全預金取扱金融機関の個人預金残高に占める後見制度支援預金または後見制度支援信託を導入済とする金融機関の個人預金残高の割合UP（目標：50％）
	⑨成年後見制度の利用促進	中核機関（権利擁護センターを含む）の整備（目標：全1741市区町村）
	⑩消費者被害防止施策の推進	消費者安全確保地域協議会の設置（目標：人口5万人のすべての市町）
	⑪虐待防止施策の推進	—
	⑫認知症に関するさまざまな民間保険の推進	認知症の人および監督義務者などを被保険者とする民間の損害賠償責任保険を販売している保険会社の数UP
	⑬違法行為を行った高齢者などへの福祉的支援	—
	(2) 若年性認知症の人への支援	若年性認知症支援コーディネーターが初任者研修やフォローアップ研修を受講（目標：全員）
	(3) 民間の商品やサービスの評価と認証の仕組みの検討	認知症地域支援推進員の活動を全国に展開
⑤研究開発、産業促進、国際展開	(1) 認知症の予防、診断、治療、ケアなどのための研究	認知症のバイオマーカーの開発と確立（目標：POC取得3件以上） 認知機能低下抑制のための技術、サービス、機器などの評価指標の確立
	(2) 研究基盤の構築	日本初の認知症の疾患修飾薬候補の治験開始 薬剤治験に即刻対抗できるコホート[*3]を構築
	(3) 民間の商品やサービスの評価と認証の仕組みの検討	—

＊1　ピアサポーター：同じ立場の当事者による支援。ここでは認知症の人が相談にのるなどの支援を行うこと。
＊2　エビデンス：証拠。実験の結果や統計的な検定を受けた数値として実証できる結果に基づくこと。
＊3　コホート：ターゲットとなる群と対照群（認知症群とそうでない群、投与群と非投与群など）を統計的価値が得られるだけ確保された群。仲間、ある共通点をもつグループの意味。
＊予防とは、「認知症にならない」という意味ではなく、「認知症になるのを遅らせる」「認知症になっても進行を穏やかにする」という意味。
＊共生とは、認知症の人が、尊厳と希望を持って認知症とともに生きる、また認知症があってもなくても同じ社会で共に生きるという意味。
認知症施策推進関係閣僚会議資料（2019年）および公式テキストを参考に作成

SECTION 1 福祉サービスの実際

障害者基本法

- ２度の改正を経て、障害者が等しく基本的人権を享有するかけがえのない個人として尊重されるものであることと、国や地方公共団体の責務が明確に示されました。
- 政府が障害者基本計画を策定し、都道府県と市区町村はそれぞれ上位の計画を基本としながら独自の基本的な計画を策定します。
- 障害者の自立や社会参加を支援する17の基本的施策が示されました。

障害者基本法とは

1993年にノーマライゼーション思想に基づき、日本の障害者に対する基本施策を定めた法律です。2011年に法律の目的や障害者の定義の範囲など抜本的な改革が行われました。「障害者基本計画」第4次計画（2018～2022年度）で共生社会の実現に向けたさまざまな取組みが進んでいます。

●基本理念

すべての国民が、障害の有無にかかわらず、等しく基本的人権を享有するかけがえのない個人として尊重されます。

●基本原則

必要な支援を受けながら、自らの決定に基づき社会のあらゆる活動に参加する主体として障害者をとらえ、以下の基本原則に基づき、障害者の自立や社会参加の支援などのための施策を総合的かつ計画的に実施します。

①地域社会における共生など
②差別の禁止
③国際的協調

障害者基本計画（第４次）

●施策の円滑な推進

①連携と協力の確保　②理解促進や広報啓発に関わる取り組みなどの推進

●分野別施策

①安全で安心な生活環境の整備
住宅の確保／移動しやすい環境の整備など／アクセシビリティに配慮した施設や製品などの普及促進／障害者に配慮したまちづくりの総合的な推進

②情報アクセシビリティの向上と意思疎通支援の充実
情報通信における情報アクセシビリティの向上／情報提供の充実など／意思疎通支援の充実／行政情報のアクセシビリティの向上

③防災、防犯などの推進
防災対策の推進／東日本大震災をはじめとする災害からの復興の推進／防犯対策の推進／消費者トラブルの防止と被害からの救済

④差別の解消、権利擁護の推進、虐待の防止
権利擁護の推進、虐待の防止／障害を理由とする差別の解消の推進

⑤自立した生活への支援と意思決定支援の推進
意思決定支援の推進／相談支援体制の構築／地域移行支援、在宅サービスなどの充実／障害児に対する支援の充実／障害福祉サービスの質の向上など／アクセシビリティの向上に資する福祉用具などの機器の普及促進、研究開発および身体障害者補助犬の育成など／障害福祉を支える人材の育成と確保

⑥保健と医療の推進
精神保健や医療の適切な提供／保健と医療の充実／保健と医療の向上に資する研究開発などの推進／保健と医療を支える人材の育成と確保／難病に関する保健と医療施策の推進／障害の原因となる疾病などの予防と治療

⑦行政などにおける配慮の充実
司法手続きにおける配慮など／選挙における配慮など／行政機関における配慮および障害者理解の促進など／国家資格に関する配慮など

⑧雇用や就業、経済的自立の支援
総合的な就労支援／経済的自立の支援／障害者雇用の促進／障害特性に応じた就労支援および多様な就業の機会の確保／福祉的就労の底上げ

⑨教育の振興
インクルーシブ教育システムの推進／教育環境の整備／高等教育における障害学生支援の推進／生涯を通じた多様な学習活動の充実

⑩文化芸術活動やスポーツなどの振興
文化芸術活動、余暇、レクリエーション活動の充実に向けた社会環境の整備／スポーツに親しめる環境の整備、パラリンピックなど競技スポーツに関わる取り組みの推進

⑪国際社会での協力と連携の推進
国際社会に向けた情報発信の推進など／国際的な枠組みとの連携の推進／政府開発援助を通じた国際協力の推進など／障害者の国際交流の推進など

↓

障害者基本計画関連成果目標

＊（内閣府「障害者基本計画〈第４次計画 平成30年度から５年間〉」〈2018年〉および公式テキストをもとに作成）

ZOOM UP

■障害者の権利宣言

1975年の国連総会において採択された決議。この宣言では、「障害を先天的か否かにかかわらず、身体的または社会的生活に必要なことを自分自身で完全にはできない、または部分的に行うことができないことを意味する」と定義し、そのような障害をもつ人たちに対する様々な権利が提起され、その後の障害者福祉の基本思想として、今日の多くの施策に反映されている。

■障害児・者の日常生活用具の給付・貸与の対象品

居宅生活動作補助用具（住宅改修）、浴槽、入浴補助用具、特殊便器、特殊尿器、移動用リフト、点字器、視覚障害者用ポータブルレコーダー、酸素ボンベ運搬車、電磁調理器、緊急通報装置、福祉電話、ファックス、携帯用会話補助装置、情報・通信支援用具、など。

KEY WORD

■自立支援給付

障害者総合支援法に基づく社会保障サービス。給付の種類によって「介護給付」「訓練等給付」「自立支援医療」「補装具」に分けられる。事業者との対等な関係のもと、障害者自らがサービスを選択し、契約によりサービスを利用する仕組み。原則１割の自己負担額を支払うが、所得に応じた限度額設定や減免措置がある。

SECTION 1 福祉サービスの実際

介護保険制度について

●介護保険制度とは、高齢者介護を社会全体で支えるため、40歳以上の人が保険料を納め、将来、常時介護が必要になった場合に、介護給付・予防給付などの保険給付（サービス）が受けられる制度です。
●保険給付を受けるには、原則として①事前に市区町村による要介護・要支援認定を受け、②ケアプラン（居宅サービス計画、介護予防サービス計画等）を作成する2段階のプロセスを経ることになります。

介護サービスの利用の手続き

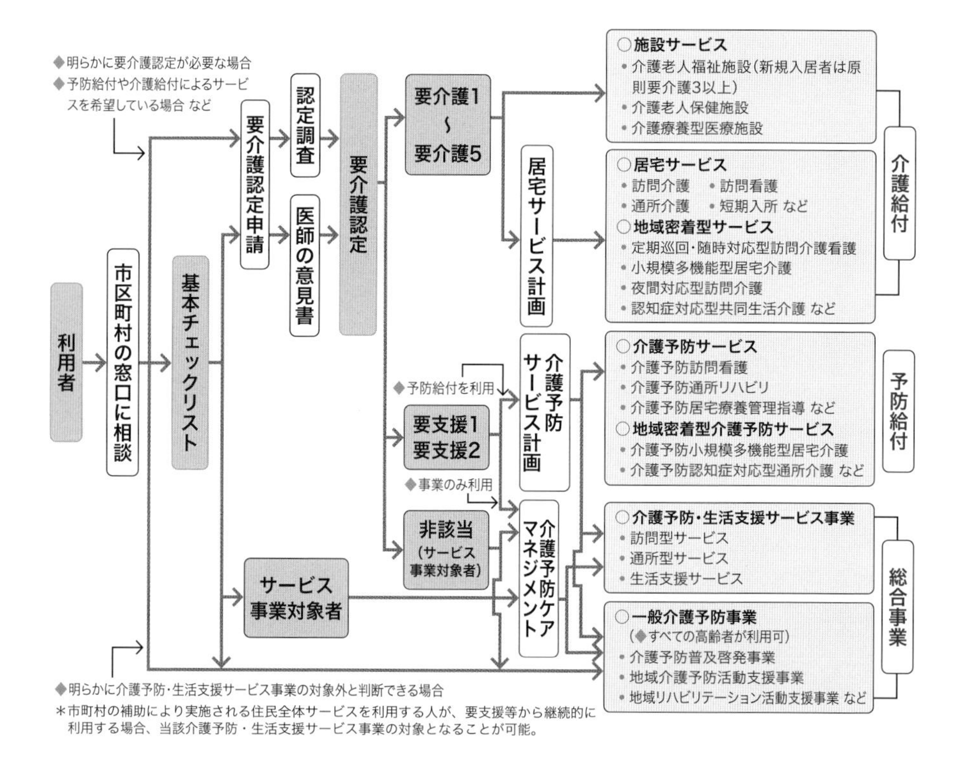

■市区町村における地域支援事業の見直しによる新しい介護予防・日常生活支援総合事業を実施している場合の例

（厚生労働省「公的介護保険制度の現状と今後の役割」〈2018年〉および公式テキストを参考に作成）

介護保険制度とサービス

急速な高齢化に伴い、介護が必要な高齢者が急増していますが、家族形態の変化や女性の社会進出などにより、家族だけによる介護には現実的に限界があります。

2000年に施行された介護保険制度は、高齢者の介護問題を社会全体で支え、仮に介護が必要になったとしても、できる限り自立し、尊厳のある生活を送れるように、利用者にとって必要なサービスを提供する仕組みです。

さらなる社会の高齢化をふまえて、2011年、2014年、2017年、2021年に介護保険制度が改正されました。2014年の改正は、地域包括ケアシステムの構築と費用負担の公平化が2つの大きな柱です。国が掲げる地域包括ケアシステムの構築は、団塊の世代が65歳になる2015年、75歳以上の後期高齢者となる2025年までの実施を目標にしています。

現行制度では、利用者の希望を尊重し、保健・医療・福祉の各サービスを総合的かつ効率的に受けられる仕組みになっています。

保険給付には、

①要介護者に対する「介護給付」
②要支援者に対する「予防給付」
③要介護状態・要支援状態の軽減・悪化の防止のための保険給付として、市区町村が条例で個別に定める「市区町村特別給付」

があります。

●費用負担の公平化

通常、財源の5割を占める公費に別枠で加算し、低所得者対策を行います。また、低所得の施設利用者に食費と居住費を補填するための要件に「保有資産」を加え、一定以上の所得のある利用者の自己負担率が上がることになりました。

ZOOM UP

■2021年改正の主なポイント

1.感染症や災害への対応力を強化
①日頃からの備えと、非常時の業務継続に向けた取組みを推進

2.地域包括ケアシステムの推進
①認知症への対応力向上に向けた取組みを推進
②看取りへの対応を充実化
③医療と介護の連携を推進
④在宅サービスの強化
⑤ケアマネジメントの質の向上と公正中立性の確保
⑥地域の特性に応じたサービスの確保

3.自立支援、重度化防止に向けた取り組みの推進
①リハビリテーション、機能訓練、口腔ケア、栄養管理への取組みの連携と強化
②介護サービスの質の評価と科学的介護への取組みを推進(科学的介護情報システムの運用開始)
③寝たきり防止など、重度化防止への取組みの推進

4.介護人材の確保、介護現場の革新
①介護職員の処遇改善や職場環境の改善に向けた取組みの推進
②テクノロジーの活用や、人員基準と運営基準の緩和を通じて、業務効率化、業務負担軽減を推進
③文書負担軽減や手続きの効率化により、介護現場の業務負担軽減を推進

5．制度の安定性と持続可能性の確保
①評価の適正化、重点化を推進
②報酬体系の簡素化を推進

介護保険の仕組みと介護サービスの種類

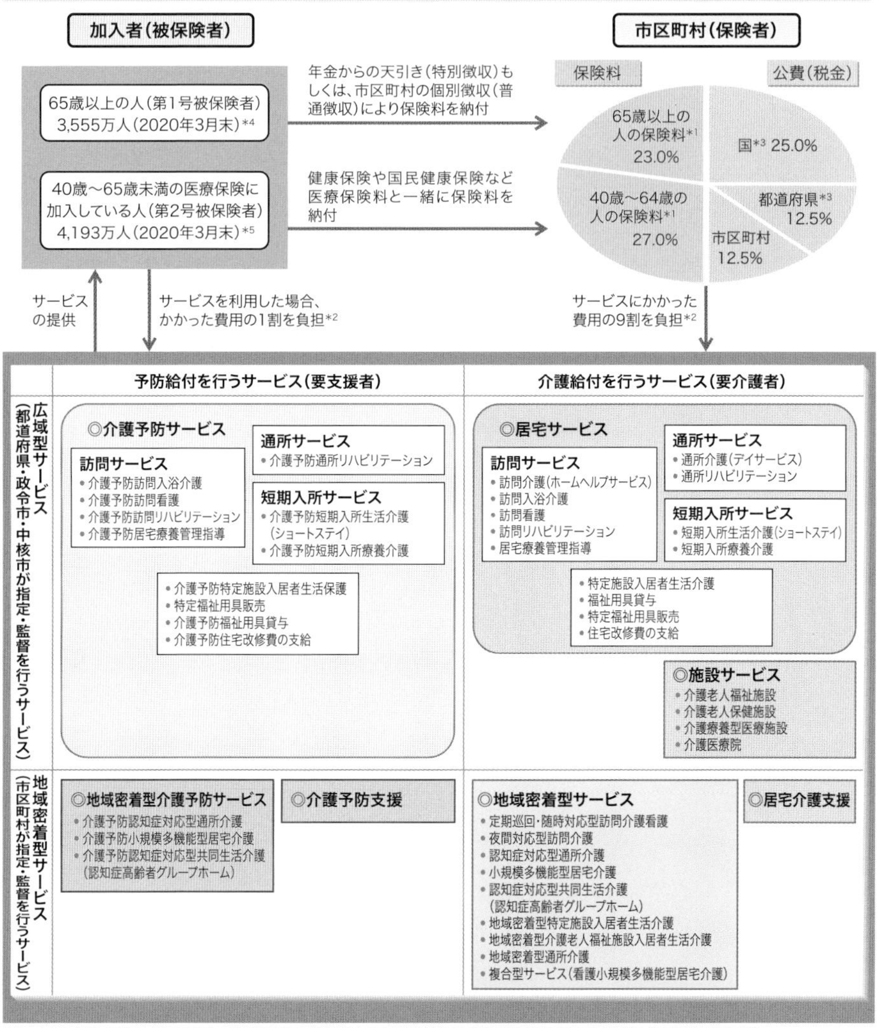

*1：人口比に基づき設定される2021～2023年度の予算全体に対する保険料の負担割合は、第1号被保険者23%、第2号被保険者27%
*2：一定以上所得者については、自己負担が2割、現役並み所得者の自己負担は3割
*3：都道府県指定の介護保険3施設および特定施設の給付費については、国20%、都道府県17.5%、市区町村12.5%
*4：「令和元年度介護保険事業状況報告年報」（厚生労働省）による
*5：社会保険診療報酬支払基金が介護給付費納付金額を確定するための医療保険者からの報告による。2019年度内の月平均値
（厚生労働省「介護保険制度の概要」〈2021年5月〉および公式テキストをもとに作成）

制度の概要

●介護保険制度の内容について

1．**趣旨**：高齢者介護に対する社会的支援システム（老後の安心を社会で支える仕組み）

2．**保険者**：運営主体（保険者）は市区町村・特別区とし、国や都道府県は財源および事務面から市区町村・特別区を支える。

3．**被保険者**：市区町村の区域内に住所を有する65歳以上の者（第1号被保険者）と40歳以上65歳未満の者で、公的医療保険の加入者（第2号被保険者）に該当する者は、当然に被保険者となる（強制適用）。

4．**保険料**：第1号被保険者は所得水準に応じて、年金からの天引き（特別徴収）または市区町村による個別徴収（普通徴収）で、第2号被保険者は医療保険の保険料と一括徴収される。

5．**利用者負担**：原則、定率1割負担*[1]。施設等の食費・居住費は、全額が利用者の自己負担となる。

6．**利用方法**：寝たきりや認知症などで常時介護を必要とする状態を「要介護状態」、日常生活を営むのに支援を必要とする状態を「要支援状態」とする。保険給付の介護サービスを利用するには、市区町村の要介護認定（要支援認定）が必要である。
被保険者から認定申請があると、市区町村は職員を申請者に面接させ、心身および医療の状況について調査を行う。
　その結果とかかりつけ医師の意見書をもとに介護認定審査会が審査・判定した結果を受けて、市区町村が要介護・要支援の認定あるいは不認定の決定を行う。

＊1：310ページ「介護保険制度」を参照。

ZOOM UP

■介護保険が適用される特定疾病

第1号被保険者は要介護、要支援の認定条件を満たせば保険給付を受けることができる。また、第2号被保険者に保険給付が認められるのは、政令で定められた下記の老化に伴う特定疾病に起因する場合に限られている。

①がん（医師が一般的に認められている医学的知見に基づき回復の見込みがない状態に至ったと判断したものに限る。いわゆる末期がん）
②関節リウマチ
③筋萎縮性側索硬化症（ALS）
④後縦靭帯骨化症
⑤骨折を伴う骨粗鬆症
⑥初老期における認知症
⑦進行性核上性麻痺、大脳皮質基底核変性症およびパーキンソン病
⑧脊髄小脳変性症
⑨脊柱管狭窄症
⑩早老症（ウェルナー症候群など）
⑪多系統萎縮症
⑫糖尿病性神経障害、糖尿病性腎症および糖尿病性網膜症
⑬脳血管障害
⑭閉塞性動脈硬化症
⑮慢性閉塞性肺疾患
⑯両側の膝関節または股関節に著しい変形を伴う変形性関節症

介護保険で利用できるサービス

◆介護給付と予防給付、地域支援事業の種類と内容

居宅サービス		介護給付	予防給付	地域支援事業	内容
訪問サービス	訪問介護（ホームヘルプ）	○		○	居宅において介護福祉士や訪問介護士が、入浴、排せつ、食事などの介護や、そのほかの日常生活を送る上で必要となるサービスを提供する
	訪問入浴介護	○	○		居宅において持参した浴槽などにより入浴援助を行う
	訪問看護	○	○		看護師、准看護師等が居宅を訪問し、療養に関る世話や必要な診療補助を行う
	訪問リハビリテーション	○	○		理学療法士（PT）、作業療法士（OT）、言語聴覚士（ST）などが居宅を訪問し、心身の機能の維持・回復、日常生活の自立等を促進することを目的としたリハビリテーションを提供する
	居宅療養管理指導	○	○		医師、薬剤師、歯科医師、歯科衛生士、管理栄養士などによる療養上の管理や指導を行う
通所サービス	通所介護（デイサービス）	○		○	老人デイサービスセンターなどで、入浴、排せつ、食事などの介護や、そのほかの日常生活を送る上で必要となるサービスと機能訓練を提供する
	通所リハビリテーション	○	○		介護老人保健施設、病院や診療所などでリハビリテーションを提供する
短期入所サービス	短期入所生活介護	○	○		介護老人福祉施設（特別養護老人ホーム）などの施設で入浴、排せつ、食事などの介護そのほかの日常生活上の世話や機能訓練を行う
	短期入所療養介護	○	○		介護老人保健施設などの施設で短期間生活してもらい、看護、医学的な管理が必要となる介護や機能訓練、そのほかに必要となる医療、日常生活上のサービスを提供する
居住系・施設系サービス	特定施設入所者生活介護	○	○		特定施設（有料老人ホーム、軽費老人ホーム、養護老人ホーム）の入居者に、入浴、排せつ、食事などの介護や、日常生活上の世話、機能訓練を行う
福祉用具利用・環境整備に関するサービス	福祉用具貸与	○	○		心身の状況、希望、環境を踏まえ適切な福祉用具を貸し出す援助、その取付けの調整を行う
	特定福祉用具販売	○	○		福祉用具のうち、入浴や排せつの際に用い貸与に適さないもの（特定福祉用具）を販売する
	住宅改修	○	○		手すりの取付けや、段差解消、床材の変更など住宅改修にかかった費用の支給

地域密着型サービス		介護給付	予防給付	地域支援事業	内容
訪問サービス	定期巡回・随時対応型訪問介護看護	○			定期的な巡回や通報により居宅を訪問し、入浴、排せつ、食事などの介護や療養生活を支援するための看護、そのほかの日常生活を送る上で必要となるサービスを提供する
	夜間対応型訪問介護	○			夜間の定期的な巡回などにより居宅を訪問し、入浴、排せつ、食事などの介護、そのほかの日常生活を送る上で必要となるサービスを提供する
通所サービス	地域密着型通所介護	○		○	老人デイサービスセンターなどで、入浴、排せつ、食事などの介護や、そのほかの日常生活を送る上で必要となるサービスと機能訓練を提供する
	療養通所介護	○			常時看護師による観察が必要な末期がん患者や難病などの重度要介護者を対象に、療養通所介護計画に基づき、入浴、排せつ、食事などの介護や、そのほかの日常生活上の世話と機能訓練を行う
	認知症対応型通所介護	○	○		老人デイサービスセンターなどで居宅の認知症の人に、入浴、排せつ、食事などの介護や、日常生活上の世話、機能訓練を行う
居住系・施設系サービス	認知症対応型共同生活介護（グループホーム）	○	○		予防給付は要支援2のみ対象
	地域密着型特定施設入居者生活介護	○			定員が29名以下の小規模な有料老人ホームなどの居宅者に入浴、排せつ、食事などの介護／洗濯、掃除などの家事／生活等に関する相談、助言／日常生活上の世話などを行う
	地域密着型介護老人福祉施設入居者生活介護	○			小規模な特別養護老人ホーム（定員29名以下）で、地域密着型施設サービスに基づいて介護などのサービスを提供する
複合型サービス	小規模多機能型居宅介護	○	○		居宅訪問やサービス拠点への通所、もしくは短期宿泊にて、入浴、排せつ、食事などの介護や、そのほかの日常生活を送る上で必要なサービスや、機能訓練を行う
	看護小規模多機能型居宅介護	○			居宅訪問やサービス拠点への通所、もしくは短期宿泊にて、入浴、排せつ、食事などの介護や療養生活を支援するための看護、そのほかの日常生活を送る上で必要なサービスや、機能訓練を行う

施設サービス（施設名）	介護給付	予防給付	地域支援事業	内容
介護老人福祉施設（特別養護老人ホーム）	○			入浴、排せつ、食事などの介護、そのほかの日常生活を送る上で必要となるサービス、機能訓練、健康管理および療養上のサービスを提供する
介護老人保健施設	○			看護、医学的な管理の必要となる介護、機能訓練そのほかの必要な医療、日常生活上のサービスを提供する
介護療養型医療施設	○			療養上の管理、看護、医学的な管理の必要となる介護、機能訓練そのほかの必要な医療を提供する（2024〈令和6〉年3月に廃止予定）
介護医療院	○			長期にわたる医療と介護のニーズを併せ持つ高齢者を対象とした介護保険施設

＊上記のほかに、ケアプランなどの作成に関するサービス（居宅介護支援、介護予防支援）がある。

介護保険制度の住宅関連サービス

●介護保険制度における介護給付のうち、住環境整備に関連したものは「福祉用具の貸与・居宅介護福祉用具購入費」と「居宅介護住宅改修費」の支給です。介護保険制度で貸与される福祉用具については、同じ機能の製品を利用者が適切に選択できるように、①国が全国平均貸与価格の公表、②貸与価格の上限を設定し、2018年10月から、③福祉用具専門員には貸与する際に機能や価格帯の異なる複数の掲示を行うことが義務付けられました。

福祉用具とは

福祉用具は、心身の機能が低下して、日常生活を営むのに支障のある要介護者などの日々の生活上の便宜を図るため、および要介護者などの機能訓練に用いられる用具・補装具のことです。

介護の必要度に応じた用具の交換が可能で、一人でも多くの人が利用しやすい仕組みにするため、原則貸与とされています。ただし、入浴に関連したものや排泄などに使用される用具など、貸与になじまないものは、購入費支給の対象となります。

福祉用具の具体例

介護保険制度で貸与される福祉用具と購入費が支給される福祉用具は、厚生労働大臣により、以下のように定められています(詳細は135～137ページ参照)。

●介護保険制度によって貸与される福祉用具

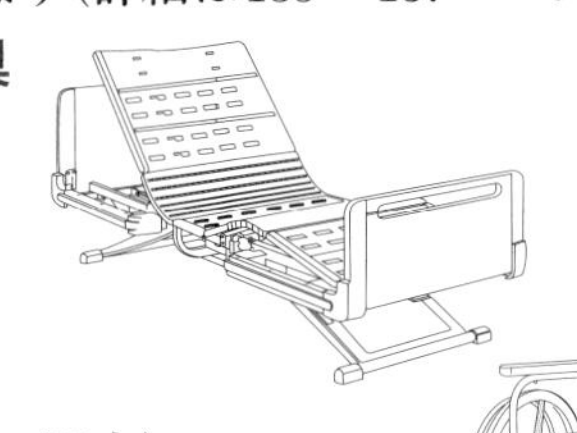

①車いすおよびその付属品
②特殊寝台およびその付属品
③床ずれ防止用具　④体位変換器
⑤手すり(工事を伴わないもの)
⑥スロープ(工事を伴わずに使用できるものに限定)
⑦歩行器(フレーム内に身体などの一部分が入る用具に限定)
⑧歩行補助杖(1本杖は対象外)　⑨認知症老人徘徊感知機器
⑩移動用リフト(吊り具の部分を除く)：段差解消機、浴槽用昇降座面
⑪自動排泄処理装置

＊要支援・要介護度別の支給限度基準額内であれば、1割(一定以上所得者は2割、現役並み所得者は3割)の自己負担で利用できる。

●介護保険制度によって購入費が支給される福祉用具

①腰掛便座
②特殊尿器（尿が自動的に吸引できるもの）
③入浴補助用具（入浴用いす、手すりなど）
④簡易浴槽
⑤移動用リフトの吊具の部分

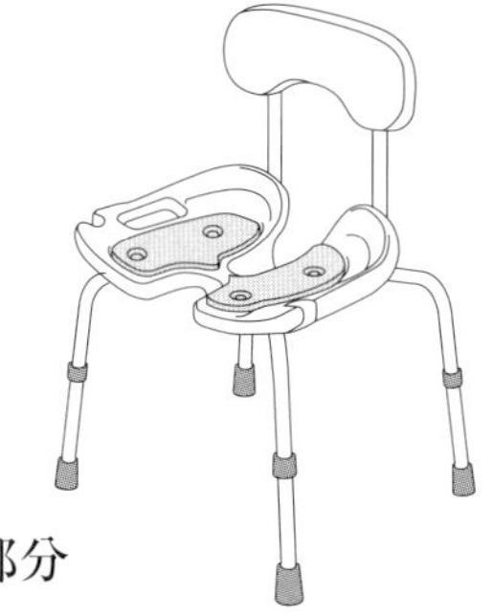

住宅改修費の支給

在宅の要介護者などが実際に居住する住宅について、手すりの取付け、段差の解消等の住宅改修を行うとき、事前に市区町村に申請し、市区町村が要介護者などの心身の状況や住宅の状況から必要と認めた場合に限り、住宅改修費が支給されます（詳細は134ページ参照）。

①手すりの取付け
②段差の解消
③滑りの防止および移動の円滑化などのための床または通路面の材料の変更
④引き戸等への扉の取替え
⑤洋式便器等への便器の取替え
⑥上記の住宅改修に付帯して必要な住宅改修

住宅改修費の給付方法は、被保険者が改修工事の費用を施工した事業者に支払った後に、市区町村から被保険者に改修費用の原則9割に相当する額が支給される償還払いの方式です。

＊支給限度基準額が設定されており、要支援・要介護状態区分にかかわらず定額20万円。1割（一定額以上の所得者は2割、現役並み所得者は3割）は自己負担のため実際の給付額は18万円（16万円、14万円）となり、それを超える費用は自費となる。
＊要介護状態区分が3段階以上あがった場合（1回限り）、もしくは転居した場合、一人の被保険者について、再度、支給限度基準額まで支給を申請できる。

ZOOM UP

■住宅改修費の支給申請の流れ

①住宅改修について、居宅介護支援事業所などに相談

②申請書類または書類の一部を提出・確認

利用者は、住宅改修の支給申請書類の一部を保険者（市区町村）へ提出。

保険者は提出された書類等により、保険給付として適当な改修かどうか確認する。

利用者の提出書類：支給申請書／住宅改修が必要な理由書／工事見積書／住宅改修後の完成予定の状態がわかるもの（写真や簡単な図を用いる）

③施工　→　完成

④住宅改修費の支給申請・決定

利用者は工事終了後、領収書等の費用発生の事実がわかる書類等を保険者へ提出。「正式な支給申請」が行われる。

保険者は、提出書類との確認、工事が行われたかどうかを確認し、当該住宅改修費の支給を必要と認めた場合、住宅改修費を支給する。

利用者の提出書類：住宅改修に要した費用に関わる領収書／工事費内訳書／住宅改修の完成後の状態を確認できる書類（便所、浴室、廊下等の箇所ごとに改修前と改修後の写真。原則として撮影日がわかるもの）／住宅の所有者の承諾書（住宅改修を行った住宅の所有者が当該利用者でない場合）

■福祉用具サービス計画の作成

介護保険では、福祉用具販売・貸与事業者に対し、「福祉用具サービス計画」の作成が義務付けられている。

＊計画書のサンプルのダウンロード先（ふくせん版福祉用具サービス計画書）
http://www.zfssk.com/sp/1204_monitoring/

◆表１　介護保険の対象となる住宅改修の種類

種類	内容
手すりの取付け	廊下・便所・浴室・玄関・玄関から道路までの通路などに転倒予防もしくは移動または移動動作を助けることを目的として2段式・縦付け・横付けなど適切な手すりを設置する（取付けに際し工事を伴わないものは除く）。
段差の解消	居室・廊下・便所・浴室・玄関などの各室間の床の段差と玄関から道路までの通路などの段差や傾斜を解消するための住宅改修をいう。敷居を低くする工事、スロープを設置する工事、浴室の床のかさ上げなど。ただし、取付けに工事を伴わないスロープや浴室内すのこを置くことによる床段差の解消や、昇降機・リフト・段差解消機など動力により段差を解消する機器を設置する工事は除く。
滑りの防止および移動の円滑化などのための床または通路面の材料の変更	居室では畳敷きから板製床材・ビニル系床材などへの変更、浴室では滑りにくい床材への変更、通路面では滑りにくい舗装材への変更など。
引き戸などへの扉の取替え	開き戸を引き戸・折戸・アコーディオンカーテンなどに取り替えるといった扉全体の取替えのほか、扉の撤去、ドアノブの変更、戸車の設置なども含まれる。ただし、引き戸などへの扉の取替えに合わせて自動ドアにした場合は、自動ドアの動力部分の設置は含まれず、その費用相当額は保険給付の対象とならない。また、床の段差解消に伴う扉の取替えや、低廉に抑えられる場合の引き戸の新設は給付対象となる。
洋式便器などへの便器の取替え	和式便器を洋式便器に取り替える場合や既存の便器の場合、位置や向きを変更するのが一般的。ただし、腰掛便座の設置は除く。また、和式便器から、暖房便座・洗浄機能などが付加されている洋式便器への取替えは含まれるが、すでに洋式便器の場合、これらの機能などの付加は含まれない。さらに、非水洗和式便器から水洗洋式便器または簡易水洗洋式便器に取り替える場合は、水洗化または簡易水洗化の工事部分は含まれず、その費用相当額は保険給付の対象とならない。
その他各住宅改修に付帯して必要となる住宅改修	手すりの取付けのための壁の下地補強、浴室の床の段差解消（浴室の床のかさ上げ）に伴う給排水設備工事、スロープの設置に伴う転落や脱輪防止を目的とする柵や床の立ち上がりの設置、床材の変更のための下地の補修や根太の補強または通路面の材料の変更のための路盤の整備、扉の取替えに伴う壁または柱の改修工事、便器の取替えに伴う給排水設備工事（水洗化または簡易水洗化に関わるものを除く）、便器の取替えに伴う床材の変更など。

「厚生労働大臣が定める居宅介護住宅改修費等の支給に係る住宅改修の種類」（平成11年3月厚生省告示第95号、最終改正：平成12年12月厚生労働省告示第481号）、「介護保険の給付対象となる福祉用具及び住宅改修の取扱いについて」（平成12年1月労企第34号、最終改正：平成28年4月老高発0414第1号）、「厚生労働大臣が定める特定福祉用具販売に係る特定福祉用具の種目及び厚生労働大臣が定める特定介護予防福祉用具販売に係る特定介護予防福祉用具の種目」及び「介護保険の給付対象となる福祉用具及び住宅改修の取扱いについて」の改正等に伴う実施上の留意事項について（平成21年4月10日 老振発企0410001号）および公式テキストをもとに作成

◆表２　介護保険で福祉用具購入費の対象となる特定福祉用具

種類	内容		備考
腰掛便座	次のいずれかに該当するものに限る	和式便器の上に置いて腰掛式に変換するもの	腰掛式に変換する場合に高さを補うものも含む。
		洋式便器の上に置いて高さを補うもの	
		電動式またはスプリング式で便座から立ち上がる際に補助できる機能を有するもの	
		便座・バケツなどからなり、移動可能な便器（水洗機能のある便器を含み、居室で利用可能なものに限る）	
自動排泄処理装置の交換可能部品	自動排泄処理装置の交換可能部品（レシーバー、チューブ、タンクなど）のうち尿や便の経路となるものであって、居宅要介護者などまたはその介護を行う者が容易に交換できるもの		専用パッド、洗浄液などの排泄のたびに消費するものや、専用パンツ、専用シーツなどの関連製品は除かれる。なお、利用者が継続して使用し続けることで、かえって利用者の有する能力に応じ自立した日常生活が営めなくなる場合や、廃用症候群が生じる場合も想定されるため、認定調査票の移乗と排便の項目が全介助であるなど特殊尿器が必要と判断される場合や、市区町村が必要性を確認した場合に対象となる。
入浴補助用具	座位の保持、浴槽への出入りなどの入浴に際しての補助を目的とする用具の内、次のいずれかに該当するものに限る	入浴用いす	座面の高さがおおむね35cm以上のものまたはリクライニング機能を有するもの。
		浴槽用手すり	浴槽の縁を挟み込んで固定できるもの。
		浴槽内いす	浴槽の中に置いて利用できるもの。
		入浴台 浴槽の縁にかけて利用する台で、浴槽への出入りのためのもの	浴槽の縁にかけて浴槽への出入りを容易にできるもの。
		浴室内すのこ	浴室内に置いて浴室の床の段差の解消を図れるもの。
		浴槽内すのこ	浴槽の中に置いて浴槽の底面の高さを補うもの。
		入浴用介助ベルト	居宅要介護者などの身体に直接巻き付けて使用するもので浴槽への出入りなどを容易に介助できるもの。
簡易浴槽	空気式または折りたたみ式などで容易に移動できるもので、取水または排水のために工事を伴わないもの		硬質の材質でも使用しないときに立て掛けることなどにより収納できるものを含む。 居室において必要があれば入浴が可能なもの。
移動用リフトのつり具の部分			身体に適合するもので、移動用リフトに連結可能なもの。

◆表3　介護保険で福祉用具貸与の対象となる福祉用具

種類	内容	備考
車いす※1	自走用(自操用)標準型車いす	日本産業規格（JIS）T9201:2006のうち自走用とパワーアシスト形に該当するものとこれに準ずるもの(前輪が大径車輪であり後輪がキャスタのものを含む)。座位変換型を含む。自走用スポーツ型と自走用特殊型のうち特別な用途(要介護者等が日常生活以外に専用することを目的とするもの)のものを除く。
	普通型電動車いす	日本産業規格（JIS）T9203:2010のうち自走用（自操用）に該当するものとこれに準ずるもの。方向操作機能については、ジョイスティックレバーとハンドルのいずれも含む。ただし、各種のスポーツのために特別に工夫されたものは除く。
	介助用標準型車いす	日本産業規格（JIS）T9201:2006のうち介助用に該当するものとこれに準ずるもの(前輪が中径車輪以上であり後輪がキャスタのものを含む)。
車いす付属品※1	クッション、電動補助装置などであって、車いすと一体的に使用されるもの*1に限る *1：一体的に使用されるものとは、車いすの貸与の際に併せて貸与される付属品またはすでに利用者が車いすを使用している場合に貸与される付属品をいう。	利用により、その車いすの利用効果の増進に役立つものに限る。その例は以下の通り。 ①クッションまたはパッド：車いすのシートまたは背もたれに置いて使用することができる形状のもの。 ②電動補助装置：自走用標準型車いすまたは介助用標準型車いすに装着して用いる電動装置で、その動力により駆動力の全部または一部を補助する機能を有するもの。 ③テーブル：車いすに装着して使用することが可能なもの ④ブレーキ：車いすの速度を制御する機能を有するもの、または車いすを固定する機能を有するもの。
特殊寝台※1	サイドレールが取り付けてあるものまたは取り付けることが可能なものの内、以下の機能のいずれかを有するもの ①背部または脚部の傾斜角度が調整できる機能 ②床板の高さが無段階に調整できる機能	サイドレールとは、利用者の落下防止に役立つものであるとともに、取付けが簡易で、安全の確保に配慮されたもの。
特殊寝台付属品※1	マットレス、サイドレールなど。特殊寝台と一体的に使用されるもの*2に限る *2：特殊寝台の貸与の際に併せて貸与される付属品、またはすでに利用者が特殊寝台を使用している場合に貸与される付属品。	利用により、その特殊寝台の利用効果の増進に役立つものに限る。その例は以下の通り。 ①サイドレール：特殊寝台の側面に取り付けることにより、利用者の落下防止に資するものであるとともに、取付けが簡易で安全の確保に配慮されたもの。 ②マットレス：特殊寝台の背部または脚部の傾斜角度の調整を妨げないよう、折れ曲がり可能な柔軟性を有するもの。 ③ベッド用手すり：特殊寝台の側面に取付けが可能で、使用者の起き上がり、立ち上がり、移乗などを容易にするもの。 ④テーブル：特殊寝台の上で使用することができ、門型の脚を持つもの、特殊寝台の側面から差し入れることができるもの、サイドレールに乗せて使用することができるもの。 ⑤スライディングボード、スライディングマット：滑らせて移乗・位置交換するための補助として用いられるもので、滑りやすい素材または構造のもの。 ⑥介助用ベルト：いすやベッドからの立ち上がりや車いすなどへの移乗の介助を容易にするためのベルト。通常は利用者の腰や臀部に装着し、介助者がベルトにある介助用の握りを使って、立ち上がりや乗り移り動作を助ける。介護保険制度では、入浴用介護ベルトは購入し、その他の介助用ベルトは特殊寝台の付属品として貸与される。
床ずれ防止用具※1	次のいずれかに該当するものに限る：送風装置または空気圧調整装置を備えた空気マット	送風装置または空気圧調整装置を備えた空気パッドが装着された空気マットで、体圧を分散することにより、圧迫部位への圧力を減ずることを目的とするもの。
	水などによって減圧による体圧分散効果をもつ全身用のマット	水、エア、ゲル、シリコン、ウレタンなどからなる全身用のマットで、体圧を分散することにより、圧迫部位への圧力を減ずることを目的とするもの。
体位変換器※1	空気パッドなどを身体の下に挿入することにより、居宅要介護者等の体位を容易に変換できる機能を有するもの（体位の保持のみを目的とするものを除く）	空気パッドなどを身体の下に挿入し、てこ、空気圧、その他の動力を用いることにより、仰臥位から側臥位または座位への体位の変換を容易に行えるもの。もっぱら体位を保持するためのものは除く。ただし、安全性の確保のため、転落などが予想されるベッド上での使用や、福祉用具が設計上想定しない場面での使用は行わないなどの留意が必要。

種類	内容	備考
手すり	取付けに際し工事を伴わないものに限る	次のいずれかに該当するもの ①居宅の床に置いて使用することなどにより、転倒予防もしくは移動または移乗動作に資することを目的とするもの。 ②便器またはポータブルトイレを囲んで据え置くことにより、座位保持、立ち上がりまたは移乗動作に資することを目的とするもの。
		ベッド用手すりは除く。
		取付けに際し工事（ネジなどで取り付ける簡易な工事を含む）を伴うものは除く（工事を伴う場合は住宅改修としての給付対象）。
スロープ	段差解消のためのもので、取付けに際し工事を伴わないものに限る	個別の利用者のために改造したものと持ち運びが容易でないものは含まない。
		取付けに際し工事を伴うものは除く。工事を伴う場合、住宅改修の段差の解消に該当するものは、住宅改修としての給付対象。
歩行器	歩行が困難な者の歩行機能を補う機能を有し、移動時に体重を支える構造を有するものの内、次のいずれかに該当するものに限る ①車輪を有するものは、体の前および左右を囲む把手などを有するもの ②四脚を有するものは、上肢で保持して移動させることが可能なもの	「把手等」とは、手で握るまたは肘を載せるためのフレーム、ハンドグリップ類。「体の前および左右を囲む把手等を有する」とは、これらの把手などを体の前と体の左右いずれにも有すること。 ただし、体の前の把手などについては、必ずしも手で握るまたは肘を載せる機能を有する必要はなく、左右の把手等を連結するためのフレーム類でも差し支えない。また、把手の長さについては、要介護者などの身体の状況などにより異なるものとして問わない。
歩行補助杖	松葉杖、カナディアン・クラッチ、エルボー（ロフストランド）・クラッチ、プラットホームクラッチ、多点杖	
認知症老人徘徊感知機器※1	認知症である老人が屋外へ出ようとした時など、センサーにより感知し、家族、隣人等へ通報するもの	認知症である老人が徘徊し、屋外に出ようとしたときまたは屋内のある地点を通過したときに、センサーにより感知し、家族・隣人等へ通報するもの。ベッドや布団等を離れた時に通報するものについても、給付対象。
移動用リフト（吊り具の部分を除く）※1	床走行式、固定式または据置式であり、かつ、身体を吊り上げまたは体重を支える構造を有するものの内、その構造により、自力での移動が困難な者の移動を補助する機能のあるもの（取付けに住宅改修を伴うものを除く）	床走行式：吊り具またはいすなどの台座を使用して人を持ち上げ、キャスタなどで床または段階などを移動し、目的の場所に人を移動させるもの。 階段などの斜め方向に移動できる階段移動用リフトについては、転落などの事故防止に留意し、利用者の家族などによって安全に使用されるように、所定の手続きなどを経る。車いす付属品として同様の機能を有するものについても、安全上の確保について同様に留意する。
		固定式：居室、浴室、浴槽などに固定設置し、その機器の可動範囲内で吊り具や、いすなどの台座を使用して人を持ち上げるものまたは持ち上げ移動させるもの。
		据置式：床または地面に置いてその機器の可動範囲内で吊り具またはいすなどの台座を使用して人を持ち上げるものまたは持ち上げ移動させるもの（エレベーターと階段昇降機は除く）。
自動排泄処理装置※2	尿や便が自動的に吸引されるもののうち、尿や便の経路となる部分を分割することが可能な構造で、居宅要介護者等や、その介護を行う者が容易に使用できるもの（交換可能部品〈尿や便の経路となるレシーバー、チューブ、タンクなどで、居宅要介護者等や、その介護を行う者が容易に交換できるものをいう〉を除く）	

注1　※1印の種目は、軽度者（要支援1・2および要介護1）については、原則として保険給付の対象とはならない。ただし、認定調査結果による状態像に応じて、種目ごとに次の条件に該当する者については、保険給付の対象とする。
（1）車いすおよび車いす付属品：①日常的に歩行が困難な者、②日常生活範囲における移動の支援が特に必要と認められる者（適切なケアマネジメントを通じて居宅介護支援事業者等が判断）
（2）特殊寝台および特殊寝台付属品：①日常的に起き上がりが困難な者、②日常的に寝返りが困難な者
（3）床ずれ防止用具および体位変換器：日常的に寝返りが困難な者
（4）認知症老人徘徊感知機器：意思の伝達、介護者への反応、記憶・理解のいずれかに支障があり、移動で全介助を必要としない者
（5）移動用リフト（つり具の部分を除く）：①日常的に立ち上がりが困難な者、②移乗が一部介助または全介助を必要とする者、③生活環境において段差の解消が必要と認められる者（適切なケアマネジメントを通じて居宅介護支援事業者等が判断）

注2　※2印の自動排泄処理装置については、要支援1・2および要介護1～3の人には原則として保険給付の対象とはならない。ただし、排便・移乗いずれにおいても全介助を必要とする人は、保険給付の対象となる。

注3　2つ以上の機能を有する福祉用具については次の通り取り扱う。
（1）それぞれの機能を有する部分を区分できる場合には、それぞれの機能に着目して部分ごとに一つの福祉用具とする。
（2）区分できない場合、特定福祉用具の種目に該当する機能が含まれているときは、福祉用具全体をその特定福祉用具とする。
（3）福祉用具貸与の種目と特定福祉用具の種目に該当しない機能が含まれる場合は、保険給付の対象外。ただし、その福祉用具の機能を高める外部との通信機能を有するもののうち、認知症老人徘徊感知機器において、その福祉用具の種目に相当する部分とその通信機能に該当する部分が区別できる場合には、その福祉用具の種目に相当する部分に限り給付対象とする。

「厚生労働大臣が定める福祉用具貸与及び介護予防福祉用具貸与に係る福祉用具の種目」（平成11年3月厚生省告示第93号、最終改正：平成30年3月厚生労働省告示第180号）、「厚生労働大臣が定める特定福祉用具販売に係る特定福祉用具の種目及び厚生労働大臣が定める特定介護予防福祉用具販売に係る特定介護予防福祉用具の種目」（平成11年3月厚生省告示第94号、最終改正：平成24年3月厚生労働省告示第202号）、「介護保険の給付対象となる福祉用具及び住宅改修の取扱いについて」（平成12年1月老企第34号、最終改正：平成28年4月老高発0414第1号）、「厚生労働大臣が定める特定福祉用具販売に係る特定福祉用具の種目及び厚生労働大臣が定める特定介護予防福祉用具販売に係る特定介護予防福祉用具の種目」および「介護保険の給付対象となる福祉用具及び住宅改修の取扱いについて」の改正等に伴う実施上の留意事項について（平成28年4月老高発第0414第1号）および公式テキストを参考に作成

SECTION 1　福祉サービスの実際

居宅介護を支援する仕組み

●要介護状態になってからのサービス提供ではなく、そうならないように予防するサービスの提供が重要となっています。介護保険制度の枠組みにとらわれず、地域ごとにサービスを提供する仕組みが大切です。
●高齢者が住み慣れた地域で暮らし続けることができるように、それぞれの地域の中で予防段階から継続して柔軟にサービスを提供する地域密着型サービスが創設されました。

介護予防と地域密着型サービス

介護保険制度には、居宅（在宅）介護の負担を軽減するためのさまざまなサービスがあります。要介護の場合は主に介護給付サービスの利用ですが、その前に、高齢者の状態が悪化しないよう予防することが重要です。介護保険制度には介護給付サービスと介護予防給付サービスがあり、予防重視型システムに移行しています（128ページ参照）。

●介護予防とは

介護保険制度における介護予防とは、高齢者が要介護・要支援状態になることをできる限り防ぎ、要介護状態になってもそれ以上に悪化しないように維持・改善を図ることを目的としています。

●予防給付とは

介護保険制度で認定された要支援者（要支援1・2）を主な対象とし、介護予防サービス、地域密着型介護予防サービス、介護予防支援を実施して、要支援状態の改善や重度化の予防を行います（130～131ページ参照）。

●地域密着型サービス

介護保険制度では、高齢者が住み慣れた地域で、安心して生活を継続していくために、地域の特性に応じた多様で柔軟なサービスを提供できる、地域密着型サービスが創設されました。介護給付対象の地域密着型サービスと予防給付対象の地域密着型介護予防サービスがあります（128ページ参照）。

●居宅介護支援の退院・退所加算（または老健などの入退所前連携加算）

2021年度の介護報酬改定で、退院や退所後に福祉用具の貸与が見込まれる場合には、必要に応じて福祉用具専門相談員や居宅サービスを提供する作業療法士などがカンファレンスに参加すること、と明文化されました。

◆地域密着型サービスの種類

①定期巡回・随時対応型訪問介護看護	日中・夜間を通じて、訪問介護と訪問看護が密接に連携をとり、定期巡回や通報によって、自宅を訪問するサービス。一つの事業所が訪問介護と訪問看護を提供する一体型と、訪問看護事業所との連携をはかって実施する連携型がある
②夜間対応型訪問介護	居宅要介護者が、夜間の定期的な巡回訪問または通報により、居宅で受ける入浴、排泄、食事などの介護その他の日常生活上の世話
③認知症対応型通所介護	認知症の居宅要介護者が施設などに通い、その施設で受ける入浴、排泄、食事などの介護その他の日常生活上の世話および機能訓練
④小規模多機能型居宅介護	居宅要介護者の選択に基づいて、居宅またはサービス拠点への通所・短期間宿泊により、その拠点において受ける入浴、排泄、食事などの介護その他の日常生活上の世話および機能訓練
⑤認知症対応型共同生活介護（認知症高齢者グループホーム）	認知症の要介護者（急性を除く）が、共同生活を営む住居で受ける入浴、排泄、食事などの介護その他の日常生活上の世話および機能訓練
⑥地域密着型特定施設入居者生活介護	有料老人ホームなどの特定施設のうち、入居定員29人以下の介護専用型特定施設に入居している要介護者が、サービスの内容や担当者が定めた計画に基づいて受ける入浴、排泄、食事などの介護その他の日常生活上の世話および機能訓練、療養上の世話
⑦地域密着型介護老人福祉施設入居者生活介護	地域密着型介護老人福祉施設*1に入所する要介護者が、地域密着型施設サービス計画に基づいて受ける入浴、排泄、食事などの介護その他の日常生活上の世話、機能訓練、健康管理、療養上の世話
⑧地域密着型通所介護	通所介護のうち、小規模な通所介護（利用者19人未満）のもの。食事、入浴、その他の必要な日常生活上の支援や生活機能訓練などを日帰りで提供
⑨複合型サービス	居宅要介護者について、一体的に提供されることが、とくに効果的かつ効率的となるものを組み合わせたサービス。小規模多機能型居宅介護と訪問介護の組み合わせ（看護小規模多機能型居宅介護）のみが認められている（2018年4月現在）

＊1：入所定員が29人以下の特別養護老人ホームで、地域密着型施設サービス計画に基づき、入所している要介護者に入浴、排泄、食事などの介護その他の日常生活上の世話、機能訓練、健康管理、療養上の世話を行うことを目的とした施設。

KEY WORD

■予防給付の対象サービス

○介護予防サービス
- 介護予防訪問入浴介護
- 介護予防訪問看護
- 介護予防訪問リハビリテーション
- 介護予防居宅療養管理指導
- 介護予防通所リハビリテーション
- 介護予防短期入所生活介護（ショートステイ）
- 介護予防短期入所療養介護
- 介護予防特定施設入居者生活介護
- 介護予防福祉用具貸与
- 特定介護予防福祉用具販売

○地域密着型介護予防サービス
- 介護予防認知症対応型通所介護
- 介護予防小規模多機能型居宅介護
- 介護予防認知症対応型共同生活介護（認知症高齢者グループホーム）*2

○介護予防支援
（130～131ページ参照）

＊2：要支援2のみ

■介護予防ケアマネジメント

日常生活の行為については、できる限り本人が行うことを基本とし、利用者の生活機能の向上に対する意欲を引き出し、具体的な日常生活における行為について目標を明確にし、セルフケアや地域の公的サービス、介護保険サービスを適切に利用する計画を作成し、達成状況を評価して必要に応じて計画の見直しを行う一連の過程をいう。

SECTION 1 福祉サービスの実際

高齢者や障害者向けの住関連施策

- 高齢者向けの住宅施策は、新築住宅についてはバリアフリー化の推進、既存住宅については改修支援が行われています。
- 高齢者が安心して生活できるように、公的住宅への入居支援やケア付き住宅の供給促進が進められています。法改正により、高齢者向け優良賃貸住宅（高優賃）、高齢者円滑入居賃貸住宅（高円賃）、高齢者専用賃貸住宅（高専賃）はサービス付き高齢者向け住宅（サ高住）に統合されました。

高齢者や障害者向け住宅制度

住宅制度	実施主体など	内　　容
特定目的公営住宅	公営住宅法に基づく制度	1971年から、車いすでも使用できる構造の心身障害者世帯向け公営住宅が制度化。1980年からは単身高齢者や単身障害者の入居が可能に。重度障害者の単身入居も認められつつある。
サービス付き高齢者向け住宅（サ高住）	一般財団法人サービス付き高齢者向け住宅協会、社会福祉法人、個人や民間法人の土地取得者	高齢者（60歳以上、または介護保険制度の要介護・要支援認定者）で、単身または夫婦などの世帯が対象。高齢者が安全・快適に居住できるバリアフリー対応の住宅。安否確認サービスと生活相談サービスが必須で、ほかにも介護・医療・生活支援サービスを提供可能。建設費と改修費の補助や融資、税制上の優遇措置などが受けられる。
シルバーハウジング（高齢者世話付住宅）	地方公共団体、都市再生機構、地方住宅供給公社など	60歳以上の単身または夫婦（夫婦のいずれかが60歳以上）、高齢者（60歳以上）のみからなる世帯などを入居対象者とする公共賃貸住宅。地域で自立した生活が営めるように、手すりの設置・段差の解消など高齢者向けに配慮した設備を設け、生活援助員（LSA）による生活支援サービスが提供される。
シニア住宅	都市再生機構、地方住宅供給公社、一定の認可条件を満たした民間法人	高齢者に配慮した設備・仕様と生活支援施設を備え、緊急時の対応や健康相談などのサービスを提供する住宅。入居時に一時払い終身年金保険に加入して、家賃の一時払いと月払いを併用し、安定した居住生活を保障するのが特徴。
ケアハウス（在宅介護対応型軽費老人ホーム）	公益法人、農業協同組合、医療法人、民間企業など	老人福祉施設で、軽費老人ホームの一形態。60歳以上（夫婦の場合はいずれかが60歳以上）で、自炊ができない程度の身体機能の低下した高齢者、在宅で独立して生活するには不安があり、家族の援助が困難な状態にある高齢者が入所できる契約型の施設。心身状態が車いす対応程度であっても生活できるような建物設備条件を備えている。一般的に食事、入浴、相談・助言、緊急時の対応などのサービスは提供されるが、介護を必要とするときは地域の在宅サービス、介護保険の居宅サービスを利用することになる。
認知症高齢者グループホーム（ケアホーム）	社会福祉法人、医療法人、民間企業など	5～9人の認知症高齢者がグループを構成し、小規模な居住施設において、介護職員とともに家庭的な環境で共同生活しながら食事・入浴、相談などの日常生活の援助と機能訓練を受けることができる。

住宅制度	実施主体など	内　容
グループホーム（ケアホーム）	市区町村（政令・中核市を含む	2014年にケアホームとグループホームが一体化され、障害支援区分にかかわらず利用が可能になり、日常生活の支援と利用者個々のニーズに合わせた介護サービスが受けられる。グループホーム事業者が自ら介護サービスを行う「介護サービス包括型」と、グループホーム事業者がサービスの手配のみ行い、その他は外部の指定居宅介護事業所に委託する「外部サービス利用型」（外部サービス利用型指定共同生活援助）。グループホーム事業者自らが常時の介護サービスを提供する日中サービス支援型（日中サービス支援共同生活援助）の3つの事業形態がある。
サテライト型住居	地方公共団体、社会福祉法人など	共同生活を営むグループホームの趣旨をふまえつつ、地域で障害者向けの多様な居住の場を増やすという観点から、1人暮らしを望む障害者のニーズに応え2014年に新設された。食事や余暇活動には共同生活住居（本体住居）の居間や食堂などの交流スペースを利用し、通常はサテライト型住居（本体住居から通常の交通手段を使い20分程度で移動できる距離）で暮らす生活スタイル*1。サテライト型住居では、従来のグループホームの1つのユニットに求められた設備基準が緩和される*2。

＊1：1つの本体住居につき、「サテライト型住居」2カ所（本体住居の入居者が4人以下の場合は1カ所）が上限。原則3年以内に一般住宅などへ移行できるように計画的な支援を行うことが求められている
＊2：日常生活を営む上で必要な設備と通報装置（携帯電話可）は必要

入居の支援

●高齢者・障害者向けの居住者支援

高齢者や障害者の賃貸住宅への入居には、さまざまな支援制度があります。都市再生機構（UR）の賃貸住宅には入居の優遇処置などがあります。

◆居住者支援

制度	内容
高齢者の住み替え支援制度	高齢者世帯が所有する一定基準を満たす住宅を、賃料を保証しながら借り上げ、子育て世帯に賃貸する仕組み。
あんしん賃貸住宅の登録・閲覧制度	高齢者、障害者など住宅に困っている人を入居させるなどの要件を満たした民間賃貸住宅の登録制度。地方自治体や不動産仲介業者と連携して、入居の円滑化を図る。
サービス付き高齢者向け住宅（サ高住）の閲覧制度	賃貸住宅の所有者がサ高住として指定登録機関に登録する制度。登録情報は市区町村の窓口や指定登録機関、ホームページなどで閲覧できる。
住宅入居等支援事業（居住サポート事業）	「障害者総合支援法」に基づく地域生活支援事業の相談支援事業。保証人がないなどの理由により公的賃貸住宅や民間賃貸住宅への入居が困難な障害者に対して、不動産業者への物件のあっせん依頼、家主などとの入居契約手続きや保証人に関する支援を行う。また、居住後の生活上の課題に応じ、関係機関から必要な支援を受けられるよう調整する。
民間賃貸住宅の情報提供、相談対応	「住宅セーフティネット法」に基づき、都道府県、市区町村、不動産関係団体、居住支援団体などが連携して、居住支援協議会を組織し、住宅の確保に特に配慮を要する高齢者や障害者などが民間賃貸住宅へ円滑に入居できるように、入居可能な民間賃貸住宅の情報提供や相談対応などを行う。
家賃債務保証制度	一般財団法人高齢者住宅財団による家主の不安を解消するための制度。入居中の家賃債務等を保証し、連帯保証人の役割を担うことにより、高齢者や 障害者などが民間賃貸住宅へ円滑に入居できるように支援する。

＊1：所得に応じた負担上限月額があり、高額納税者は支給の対象外。

ZOOM UP

■高齢者向けの住宅

サ高住やケアハウスは国の基準を満たす施設基準・人員配置を行い申請すれば、特定施設入居者生活介護施設として介護給付が受けられるようになる。

■福祉ホーム事業

住居を求めている障害者を対象とした地域生活支援事業。日常生活に必要な便宜を供与する施設で、居室その他の設備を低額な料金で利用することができる。

■都市再生機構（UR）の賃貸住宅の障害者・高齢者の入居優遇

UR賃貸住宅では、高齢者や障害者のいる世帯に対して募集時の当選倍率を優遇し、入居収入基準を緩和。また、UR賃貸住宅の居住者には、高齢や障害を理由に1階やエレベーター停止階への住み替えもあっせんする。さらに、特別整備改善住宅を整備し、障害者を受け入れている。

サービス付き高齢者向け住宅の登録基準

項目		基準
入居者の条件		高齢者（60歳以上の人、または要介護・要支援認定を受けている人）のうち、以下のいずれかに該当する場合。 ①単身高齢者 ②高齢者＋同居者（配偶者、60歳以上の親族、要介護・要支援認定を受けている60歳未満の親族、病気など特別な理由により同居が必要であると都道府県知事などが認める人など）
構造・設備等		各居住部分の床面積は原則25㎡以上（ただし、居間、食堂、台所その他の部分が高齢者が共同で利用するために十分な面積のある場合は18㎡以上で可）[*1] 原則として、各居住部分に台所、水洗トイレ、洗面設備、浴室、収納設備を備えていること（ただし、共用部分に共同で利用するために適切な台所、浴室、収納設備を備えている場合は、各居住部分はトイレ、洗面のみでも可）[*1] 一定のバリアフリー構造であること(段差のない床、手すりの設置、廊下幅の確保など)。[*1]
サービス		少なくとも状況把握（安否確認）サービス、生活相談サービスを提供すること。 ◆以下の要件を満たす職員を建物（隣接地の建物でも可）内に日中常駐させ、サービスを提供する[*1]。 ①医療法人、社会福祉法人、介護保険法の指定居宅サービス事業所などの職員。 ②医師、看護師、准看護師、介護福祉士、社会福祉士、介護支援専門員（ケアマネジャー）、介護職員初任者研修修了者（旧ホームヘルパー2級以上） ◆常駐しない時間帯は、緊急通報システムにより状況把握サービスを提供する。[*1] ◆状況把握サービスは、毎日1回以上、各居住部分への訪問その他、適切な方法により把握すること[*1]。
契約関連	全般	書面による契約であること。 居住部分が明示された契約であること。 敷金、家賃、サービス費の前払い以外に、権利金などの金銭を受領しないこと。 長期入院や心身状況の変化などの理由[*1]で、入居者の同意を得ずに事業者が一方的に住戸を変更したり、契約を解約することはできない。 工事完了前に敷金、家賃などの前払金を受領しないこと。
	前払金を受領する場合	家賃などの前払金について算定基礎、返還債務の金額の算定方法を明示すること。 入居後3カ月[*2]以内に契約解除、または入居者の死亡により契約が終了した場合、契約解除までの日数×日割計算した家賃などを除き、家賃などの前払金を返還すること。 返還債務を負う場合に備えて、家賃などの前払金に対して必要な保全措置を講じること。

＊1：都道府県知事が策定する高齢者居住安定確保計画に基づいて、告示で定める基準に従い、登録基準の強化や緩和ができる。
＊2：期間の延長のみ可。
「高齢者の居住の安定確保に関する法律」「同法施行令」「同法施行規則」および公式テキストをもとに作成。

KEY WORD

■生活援助員（LSA：ライフ・サポート・アドバイザー）

市区町村の委託により、シルバーハウジングやサービス付き高齢者向け住宅などに住む高齢者に対して、必要に応じて日常生活上の相談・指導、安否確認、緊急時の対応、一時的な家事援助などのサービスを行う人。生活相談員ともいう。

生活援助員の派遣事業は、介護保険法で定める地域支援事業のうちの、市区町村が地域の実情に応じて実施する任意事業の一つ。

バリアフリー化向け住宅資金貸付・助成制度

住宅のバリアフリー化を推進するためのさまざまな住宅資金貸付・助成制度があります。

住宅資金貸付・助成制度	管轄など	内　容
高齢者住宅整備資金貸付制度	厚生労働省	市区町村が60歳以上の高齢者世帯や高齢者と同居する世帯に、住宅を高齢者向けの設備・仕様にするための改修工事に必要な資金を低利で貸し付ける制度。
生活福祉資金貸付制度	厚生労働省	社会福祉協議会が国からの委託を受け、介護の必要な65歳以上の高齢者などのいる世帯に住宅の増改築・補修、保全に必要な資金や生業費、療養費などを低利で貸し付ける制度。
長期生活支援資金貸付制度	厚生労働省	社会福祉協議会が国からの委託を受け、65歳以上の高齢者世帯を対象に、持ち家の土地を担保として毎月の生活資金を低利で貸し付ける制度。
バリアフリー住宅工事割増融資	住宅金融支援機構	段差の解消など所定のバリアフリー工事を行う住宅の新築・購入、リフォームの際に、優遇金利の適用や割増融資が受けられる。
バリアフリーリフォームにおける高齢者向け返済特例制度	住宅金融支援機構	生存中は利息のみを毎月返済し、本人の死亡後に元金を一括返済する。 （リバースモーゲージ）
高齢者住宅改造費助成事業	厚生労働省	身体機能の低下により支援、介護を要する高齢者が住宅の改造を行うことにより、在宅で安全な生活が続けられるよう支援する制度。手すりの設置や段差の解消など、住宅の改修工事を行うための費用の一部を助成する。厚生労働大臣が定める住宅改修を行った場合、改修に伴う費用の9割（一定以上の所得者は8割）が支給される。

■エイジング・イン・プレイス（Aging in Place）

近年、ヨーロッパを中心に世界中に広まっている「地域居住」の考え方。高齢になっても尊厳を保ち、自立して、住み慣れた自宅や地域で暮らすこと。

■リバースモーゲージ

死亡時一括償還型融資。土地や住宅の資産を手放さずに、これらを担保として民間金融機関の融資を受ける制度。住宅改修費用やサービス付き高齢者向け住宅の前払金に利用できる。

利息のみを毎月返済し、元金は高齢者本人の死亡後に相続人が一括返済するか、担保の土地・建物を処分して返済する。

■親子リレー返済（ローン）

同居する子どもが連帯債務者になる場合、子どもの収入の一部も合算して収入基準にでき、返済期限も最長になるローン。

■三世代同居・近居の支援

少子化社会に対応した住宅施策として、三世代同居や近居に対する支援がある。三世代同居用や近居用の住宅の購入、新築・増改築工事への補助や低利融資を行う地方自治体もある。

■高齢者生活相談所の整備

公営住宅では、生活援助員などによるサービス提供の拠点となる高齢者生活相談所の整備が進んでいる。高齢者生活相談所では、居住する高齢者を中心に、生活相談や見守り活動、生活に関わる自立支援、サポートなどを実施。

◆新たな住宅セーフティネット制度の概要

①住宅確保要配慮者の入居を拒まない賃貸住宅の登録制度

②登録住宅の改修や入居への経済的支援

③住宅確保要配慮者のマッチングや入居の支援

[新たな住宅セーフティネット制度のイメージ]

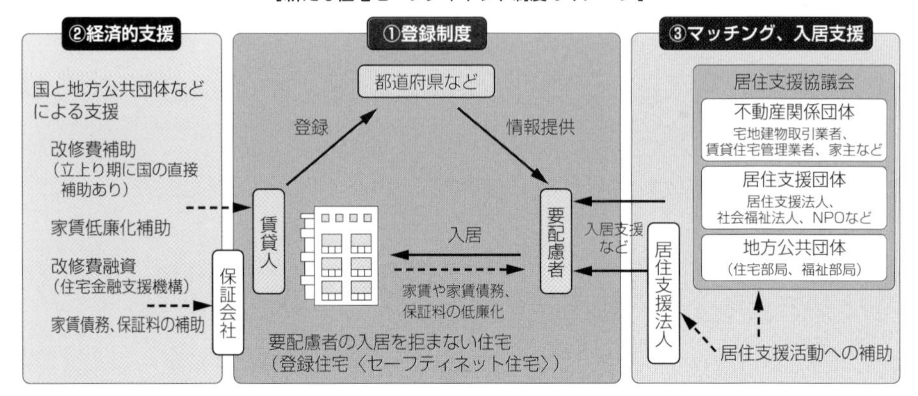

出典：国土交通省住宅局安心居住推進課「新たな住宅セーフティネット制度における居住支援について」(2021年3月) および公式テキストを参考に作成

◆高齢者・障害者の居住の安定確保のための主な施策

項目		内容	実施機関・団体等
高齢者・障害者の自立や介護に配慮した自宅などの住まいの環境整備	設計指針	高齢者が居住する住宅の設計に係る指針	国土交通省
	性能表示	「住宅品確法」に基づく住宅性能表示制度における「高齢者等への配慮に関すること」の等級(5段階)	国土交通省
	標準化	公的賃貸住宅においてバリアフリー仕様を標準化	都道府県、市区町村、都市再生機構、地方住宅供給公社
	介護保険制度	居宅介護住宅改修費(介護予防住宅改修費)の支給	市区町村
	助成	高齢者住宅改造費助成事業	市区町村
		長期優良住宅化リフォーム推進事業	国土交通省
		在宅重度障害者住宅改造費助成事業	市区町村
	融資	バリアフリー住宅の優遇(フラット35S)	住宅金融支援機構
		バリアフリー改修工事などにおける高齢者向け返済特例制度	
		高齢者住宅整備資金貸付制度	都道府県もしくは市区町村
		障害者住宅整備資金貸付制度	都道府県もしくは市区町村
		生活福祉資金貸付制度	都道府県社会福祉協議会
	相談、助言	地域包括支援センター	市区町村など
		在宅介護支援センター	
		居宅介護支援事業所	社会福祉法人、営利法人など
		都道府県、市区町村の窓口	都道府県、市区町村

<table>
<tr><th colspan="3">項目</th><th>内容</th><th>実施機関・団体等</th></tr>
<tr><td rowspan="11">高齢者・障害者の賃貸住宅への入居の円滑化、住み替え支援などに関する取り組み</td><td rowspan="5" colspan="2">入居優遇</td><td>単身高齢者の公営住宅への入居</td><td rowspan="4">都道府県、市区町村</td></tr>
<tr><td>公営住宅における高齢者、障害者世帯の優先入居</td></tr>
<tr><td>公営住宅における高齢者世帯の入居収入基準の緩和</td></tr>
<tr><td>地域優良賃貸住宅の供給</td></tr>
<tr><td>高齢者、障害者世帯に対する新規賃貸住宅募集時の当選倍率優遇、入居後の継続家賃の減額措置、高齢者等の階下への移転、高齢者世帯とそれを支援する世帯との近居支援、健康寿命サポート住宅、高齢者等向け特別設備改善住宅、高齢者等巡回相談業務</td><td>都市再生機構（UR賃貸住宅）</td></tr>
<tr><td rowspan="3" colspan="2">入居円滑化</td><td>住宅確保要配慮者円滑入居賃貸住宅（セーフティネット住宅）</td><td>営利法人、NPO法人など</td></tr>
<tr><td>セーフティネット住宅の入居者に対する家賃の減額</td><td>国、都道府県、市区町村</td></tr>
<tr><td>住宅確保要配慮者居住支援協議会による民間賃貸住宅などの情報提供、相談対応</td><td>住宅確保要配慮者居住支援協議会</td></tr>
<tr><td colspan="2">家賃債務保証</td><td>家賃債務保証制度</td><td>（一財）高齢者住宅財団など</td></tr>
<tr><td colspan="2">情報提供、相談対応</td><td>住宅入居等支援事業（居住サポート事業）</td><td>市区町村</td></tr>
<tr><td colspan="2">住み替え支援</td><td>マイホーム借上げ制度</td><td>（一社）移住、住みかえ支援機構</td></tr>
<tr><td rowspan="4">多様化するライフスタイルやライフステージに対応した住まいの供給</td><td rowspan="2" colspan="2">融資</td><td>リバースモーゲージ型住宅ローン</td><td>住宅金融支援機構</td></tr>
<tr><td>親子リレー返済（承継償還制度）</td><td>住宅金融支援機構</td></tr>
<tr><td rowspan="2">三世代同居、近居の支援</td><td>新築住宅</td><td>三世代同居、近居用の住宅の取得に関する費用の補助、低利融資、住宅ローンへの利子補給、不動産取得税の減免</td><td>市区町村</td></tr>
<tr><td>既存住宅</td><td>三世代同居のための増改築工事費用の補助、住宅ローンの低利融資</td><td>市区町村</td></tr>
<tr><td rowspan="8">高齢者・障害者の生活を支援する体制を備えた住宅の供給</td><td rowspan="2" colspan="2">国土交通省と厚生労働省が共管する高齢者向け住宅</td><td>サービス付き高齢者向け住宅</td><td>営利法人、医療法人、社会福祉法人、NPO法人など</td></tr>
<tr><td>シルバーハウジング</td><td>都道府県、市区町村など</td></tr>
<tr><td rowspan="6" colspan="2">厚生労働省が所管する高齢者向け住宅と施設</td><td>ケアハウス</td><td>社会福祉法人など</td></tr>
<tr><td>有料老人ホーム</td><td rowspan="2">営利法人、医療法人、社会福祉法人、NPO法人など</td></tr>
<tr><td>認知症高齢者グループホーム</td></tr>
<tr><td>グループホーム（共同生活援助）</td><td rowspan="3">社会福祉法人、医療法人、NPO法人など</td></tr>
<tr><td>サテライト型住居</td></tr>
<tr><td>福祉ホーム</td></tr>
</table>

障害者支援制度

- 障害者が基本的人権を享有する個人としての尊厳にふさわしい生活を営むために、必要な障害福祉サービスや地域生活支援事業を行います。
- 障害福祉サービスの支給を受けるには、障害者などの保護者が市区町村に支給申請を行い、支給決定を受ける必要があります。
- 支給決定では、障害程度区分やサービスの利用意向などにより、月単位で使えるサービス量が決定されます。

障害者総合支援法のサービス

2013年4月に施行された「障害者の日常生活及び社会生活を総合的に支援するための法律（「障害者総合支援法」）」では、「障害者基本法」をふまえて新たな基本理念を設け、①障害者の範囲に難病患者などを含めること、②重度訪問介護の対象者の拡大、③ケアホームをグループホームに一元化、などが追加されました。

障害者総合支援法に基づくサービスの実施主体は主に市区町村です。自立支援給付には介護給付費、訓練等給付費、特定障害者特別給付費、地域相談支援給付費、計画相談支援給付費、自立支援医療費、療養介護医療費、補装具費、高額障害福祉サービス等給付費があります。地域生活支援事業には市区町村地域生活支援事業と都道府県地域生活支援事業があります。

●自立支援給付の申請と支給決定の仕組み

障害者総合支援法では、支援の必要度に関する客観的な評価尺度として、障害支援区分を導入しています。障害支援区分は、障害者の心身の状態を総合的に示し、80の評価項目によるアセスメントの結果にしたがって認定されます。この区分をもとに、市区町村の職員（相談支援事業者への委託も可能）が面接により心身の状況、置かれている環境などについて調査し、医師意見書の一部項目を活用して評価を行います。

市区町村は、介護給付費や障害福祉サービス（自立支援給付）などの支援要否決定に必要な場合は、指定特定相談支援事業者が作成するサービス等利用計画案の提出を求め、これを勘案して支給を決定します。障害者自身がサービス等利用計画案（セルフケアプラン）を作成して市区町村に提出することもできます。

◆主な自立支援給付と地域生活支援事業

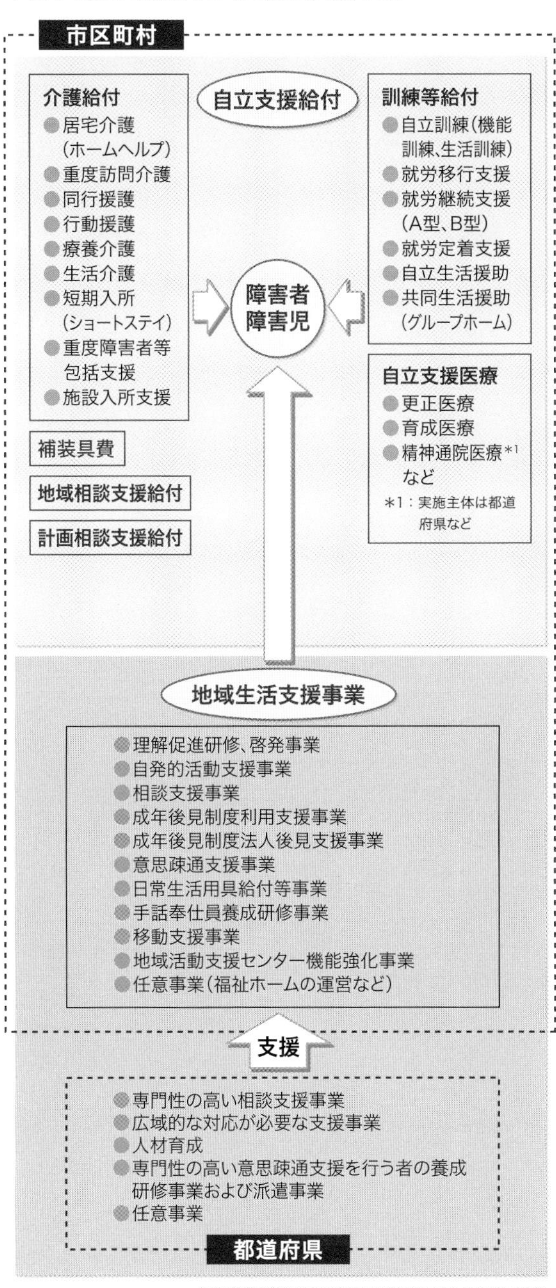

（厚生労働省資料〈2014年〉および公式テキストを参考に作成）

ZOOM UP

■「障害者総合支援法」改正の主なポイント

自立した生活を営むことができる（「自立支援法」）

↓

基本的人権を享有する個人としての尊厳にふさわしい生活を営むことができる（「総合支援法」）

○「制度の谷間」を埋めるために、障害者の範囲に難病患者などを追加＊2
○障害支援区分の創設
○重度訪問介護の対象拡大
○共同生活介護（ケアホーム）を共同生活援助（グループホーム）に一元化
○地域移行支援の対象拡大
○地域生活支援事業の追加
○サービス基盤の計画的整備

＊2：2022年3月現在、366疾病が指定されている。

◆表1　補装具支給制度の対象となる補装具（障害者総合支援法）

種目	内容		耐用年数[*2]
義肢	殻構造義肢	上腕義手、肩義手、肘義手、前腕義手、手義手、手部義手、手指義手、股義足、大腿義足、膝義足、下腿義足、果義足、足根中足義足、足指義足	0.5～5年
	骨格構造義肢	肩義手、上腕義手、前腕義手、股義足、大腿義足、膝義足、下腿義足	1～3年
装具	下肢装具	股装具、先天性股脱装具[*1]、内反足装具[*1]、長下肢装具（一部[*1]）、膝装具、短下肢装具、ツイスター、足底装具	
	靴型装具		
	体幹装具	頸椎装具（一部[*1]）、胸椎装具、腰椎装具、仙腸装具、側彎症装具	
	上肢装具	肩装具（一部[*1]）、肘装具、手関節背屈保持装具、長対立装具、短対立装具、把持装具、MP屈曲装具（ナックルベンダー）、MP伸展補助装具（逆ナックルベンダー）、指装具（指用ナックルベンダー、指用逆ナックルベンダー）、BFO（食事動作補助器）	
座位保持装置			3年
視覚障害者安全杖	普通用、携帯用、身体支持併用		2～5年
義眼	レディメイド、オーダーメイド		2年
眼鏡	矯正眼鏡、遮光眼鏡、コンタクトレンズ、弱視眼鏡		4年
補聴器	高度難聴用ポケット型、高度難聴用耳かけ型、重度難聴用ポケット型、重度難聴用耳かけ型、耳あな型（レディメイド）、耳あな型（オーダーメイド）、骨導式ポケット型、骨導式眼鏡型		5年
人工内耳	人工内耳用音声信号処理装置修理		―
車いす	普通型、リクライニング式普通型、ティルト式普通型、リクライニング・ティルト式普通型、手動リフト式普通型、前方大車輪型、リクライニング式前方大車輪型、片手駆動型、リクライニング式片手駆動型、レバー駆動型、手押し型、リクライニング式手押し型、ティルト式手押し型、リクライニング・ティルト式手押し型		6年
電動車いす	普通型（4.5km/h）、普通型（6km/h）、簡易型、リクライニング式普通型、電動リクライニング式普通型、電動リフト式普通型、電動ティルト式普通型、電動リクライニング・ティルト式普通型		6年
座位保持いす[*1]			3年
起立保持具[*1]			3年
歩行器	六輪型、四輪型（腰掛つき）、四輪型（腰掛なし）、三輪型、二輪型、固定型、交互型		5年
頭部保持具[*1]			3年
排便補助具[*1]			2年
歩行補助杖	松葉杖、カナディアン・クラッチ、エルボー・クラッチ（ロフストランド・クラッチ）、多脚杖（多点杖）、前腕支持型杖（プラットホーム・クラッチ）		2～4年
重度障害者用意思伝達装置	文字等走査入力方式、生体現象方式		5年

＊1：障害児のみ支給対象。
＊2：耐用年数は通常の装用、使用状態において当該補装具が修理不能となるまでの予想年数。耐用年数以内の破損および故障の際は原則として修理または調整を行う。年数に幅のあるものは内容ごとに耐用年数が異なるもの。
「補装具の種目、購入又は修理に要する費用の額の算定等に関する基準」（平成18年9月厚生労働省告示第528号　最終改正：平成30年3月厚生労働省告示第121号）および公式テキストを参考に作成
＊補装具は購入が原則だが、①身体の成長にともない短期間で交換が必要、②障害の進行により短期間の利用が想定される、③購入に先立ち複数の補装具などの比較検討が必要、という場合にのみ借り受けることが可能。対象種目は①義肢、装具、座位保持装置の完成用部品、②重度障害者用意思伝達装置の本体、③歩行器、④座位保持椅子。

◆表2　日常生活用具給付等事業の対象となる日常生活用具（障害者総合支援法）

種目	内容	想定される給付品目（例示）
介護・訓練支援用具	障害者などの身体介護を支援する用具ならびに障害児が訓練に用いるいすなどの内、障害者などおよび介助者が容易に使用できるもので、実用性のあるもの	特殊寝台、特殊マット、特殊尿器、入浴担架、体位変換器、移動用リフト、訓練いす、訓練用ベッドなど
自立生活支援用具	障害者などの入浴、食事、移動などの自立生活を支援する用具の内、障害者などが容易に使用できるもので、実用性のあるもの	入浴補助用具、便器、頭部保護帽、T字状・棒状の杖、移動・移乗支援用具、特殊便器、火災警報機、自動消火器、電磁調理器、歩行時間延長信号機用小型送信機、聴覚障害者用屋内信号装置など
在宅療養等支援用具	障害者などの在宅療法などを支援する用具の内、障害者などが容易に使用できるもので、実用性のあるもの	透析液加温器、ネブライザー（吸入器）、電気式たん吸引器、酸素ボンベ運搬車、盲人用体重計、盲人用体温計（音声式）など
情報・意思疎通支援用具	障害者などの情報収集、情報伝達、意思疎通などを支援する用具の内、障害者などが容易に使用できるもので、実用性のあるもの	携帯用会話補助装置、情報・通信支援用具、点字ディスプレイ、点字器、点字タイプライター、視覚障害者用ポータブルレコーダー、視覚障害者用活字文書読上げ装置、視覚障害者用拡大読書器、盲人用時計、聴覚障害者用通信装置、聴覚障害者用情報受信装置、人工咽喉、福祉電話、ファックス、視覚障害者用ワードプロセッサー、点字図書など
排泄管理支援用具	障害者などの排泄管理を支援する用具および衛生用品の内、障害者などが容易に使用できるもので、実用性のあるもの	ストーマ装具、紙おむつ、収尿器など
居宅生活動作補助用具（住宅改修費）＊1	障害者などの居宅生活動作などを円滑にする用具で、設置に小規模な住宅改修を伴うもの	居宅生活動作補助用具など

「障害者自立支援法第77条第1項第二号の規定に基づき厚生労働大臣が定める日常生活上の便宜を図るための用具」（平成18年9月厚生労働省告示第529号　最終改正：平成25年1月厚生労働省告示第6号）および公式テキストを参考に作成
＊1：利用者負担は市区町村によって異なるが、おおむねそれぞれの日常生活用具（住宅改修）の基準額の1割

◆表3　補装具費支給制度（障害者総合支援法）

①	障害者等が市区町村へ補装具費の支給申請を行う。
②	市区町村は更生相談所等の意見をもとに支給決定を行う。
③	利用者が補装具製作（販売）業者と直接契約を結び、購入・修理を受ける。
④	利用者は業者に購入（修理）費用を払うとともに、市区町村に費用の原則9割＊1を請求する。
⑤	市区町村は請求に応じて、補装具費を支給する。（148ページ参照）

＊1：所得に応じた負担上限月額があり、高額納税者は支給の対象外。

SECTION 2 住宅の基礎知識

住宅の建築計画の流れ

- 住宅の新築や改修をスムーズに進めるために、大まかな建築計画のプロセスを理解し、必要な事項については、事前に検討して準備しておくことが大切です。
- 住宅のある自治体によって、手続きが異なる場合があるので、事前にチェックしておくことが大切です。
- 法律や専門用語など、不明な点は専門家に確認して進めましょう。

建築計画のプロセス

福祉住環境整備を行うにあたっては、建物や福祉住環境整備の計画内容を建築主や設計者・施工者に的確に伝え、予定通りに計画を進めることが必要です。そのためには、計画の手順と流れを把握しておくことが大切です。

設計者が建物の計画方針や改修方針を建築主から受け、図面を描いてから建物ができあがるまでは、大体、151ページのプロセスで進められます。

●基本設計と実施設計

主に、基本設計は建築主と設計者との計画内容に関する打合せ、実施設計は設計者から施工者への指示が目的です。

基本設計の段階では、建築主と設計者との間で、造り方、改修場所や改修方法などの確認をします。この際、建築主がイメージしていることを整理し、すり合わせを行うことが大切です。次に、設計者は、計画方針や改修方針に基づく建築内容をまとめて、基本設計図に具体的に表します。また、内装や設備の大枠が決まったら、設計者が概算の工事費を算出します。

●建築的な業務の流れ

基本設計がまとまったら、設計者は実際に建物を造るための設計にとりかかります。基本設計図にしたがい、各部の寸法、形状、仕上げ材料、使用機材など、詳細を煮詰め、建物を造るために必要な事項をすべて決定し、実施設計図を描きます。そして、予定する工事費について詳細な積算を行い、実際の工事費と大きな金額の差が生じないように検討します。

また、工事にあたっては、建築工事の契約を行うことになります。契約の際は、契約書と工事内容を明確にするための実施設計図がセットになります。この図面を契約図といい、図面には契約の証が記されます。

◆建築計画の流れ

計画方針	建築主の要求に基づいて、実現可能な計画を立てて、提示する(基本構想)
↓	
基本設計	計画建築物の全体概要を、意匠面、技術面、法規への適合を検討して画定する作業
↓	
実施設計	工事の実施や施工者による施工図作成に必要な設計内容を画定する作業
↓	
確認申請 ＊1	着工前に建築主は、建築主事、国土交通大臣または都道府県知事が指定した指定確認検査機関へ、建築計画の内容が法令の規定に適合しているかどうかの確認を行う(建築確認)。なお工事の規模や内容により、確認申請を要しない場合がある
↓	
工事契約	工事の完成を目的とし、建築主と請負者間で交わす契約（契約文書には、工事名、工期、請負代金などを記載。一般に実施設計図を添付）
↓	
施　工	工事の実施
↓	
完了検査	
↓	
竣　工	工事の一切の完了

＊□は一定期間を要する建築行為
＊1 確認申請：確認申請後、自治体によっては、施工途中で中間検査が行われる場合がある。

ZOOM UP

■設計図書と図面

図面という用語のほか、設計図と設計図書がある。設計図は図面と同義だが、設計図書は図面のみではなく、次の①～⑥の図書全体をいう。一般に、上から順に優先順位が高い。

①現場説明に対する質問回答書
②現場説明書
③特記仕様書
④図面（設計図）
⑤標準詳細図（設計図の一部）
⑥共通仕様書

■図面と特記仕様書の優先順位に関する取り決め

建築計画の進行にあたっては、多くの図面や仕様書等が取り交わされるため、記載内容が相互に食い違ったり、不都合が生じる可能性も出てくる。特記仕様書と設計図が違う場合、一般には特記仕様書が優先される。たとえば、特記仕様書では、壁は下地のない石膏ボード貼りになっている場合、仮に、福祉住環境コーディネーターが、特記仕様書の記載に気づかずに壁に手すり取付けの指示をしても、木ネジを受ける下地がないことになる。このような間違いを防ぎ、工事を円滑に進めるために、通常は「すべての設計図書は、相互に補完するものとする。ただし、設計図書間に相違がある場合の優先順位は、○○○○とする」といった設計図書としての取り決めが、建築主と施工者の間で施工前に必ず行われる。

SECTION 2 住宅の基礎知識

住宅の構造と間取り

- 日本の住宅は木造在来工法やパネル工法による一戸建と、鉄筋コンクリート造や鉄骨鉄筋コンクリート造による集合住宅（マンション）が主流です。
- 住宅内部の空間は、基本的に４つに分かれ、その中でも用途に応じた部屋に分かれますが、家族構成やライフスタイルを念頭に置いて、それぞれの価値観に合わせた設計が必要です。

住宅の建て方と構造

日本の住宅は建て方によって独立住宅（一戸建て）と集合住宅（アパート・マンションなど）に大きく分けられます。1敷地に1棟の木造住宅と庭を持つのが独立住宅の基本で、日本の伝統的な住宅様式であり、多くは在来工法によって建てられていますが、ツーバイフォー（2×4）や鉄骨造のような新しい工法も増えています。集合住宅は、主として都市部での土地の高度利用を目的としたもので、2戸以上の住宅が壁を共有して横に連続する連棟住宅（テラスハウス）、壁や廊下、階段を共有して縦横に連続する共同住宅（マンション）といった形態があります。

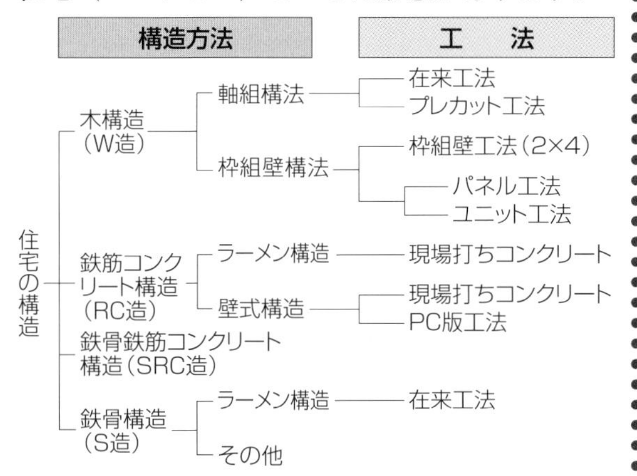

KEY WORD

■木構造
日本の伝統工法で気候風土に適している。木材の柱と梁で軸組を構成するのが軸組構法。

■ツーバイフォー工法
北米から入ってきた工法。２×４インチの規格材を基本とした枠材で枠組壁を構成する。壁が家を支える枠組壁工法。

■鉄筋コンクリート構造（RC造）
鉄筋コンクリートの長所を生かした一体構造。柱・梁・床・壁などを主体として構成する構造。

■プレカット工法
工場等で部材等をあらかじめ加工しておき、現場では組み立てるだけの工法。

■PC版
プレキャストコンクリートパネル。工場で事前に作成する。

共同住宅には1層だけのフラットタイプと2層にまたがるメゾネットタイプ、半階ずつをずらしたスキップフロアタイプなどがあります。

間取りと各室の役割

住宅は、そこに住む家族の構成やライフスタイルに応じてゾーニングを行い、間取りを決定していきます。それぞれのゾーンには目的に応じた構造や配慮が必要となります。また、家族は必ずしも一定ではなく、年代などによって変化していきますから、ゾーニングもそれに応じて変化させる場合もあり、そのための改修や新築が必要になる場合もあります。

住宅を構成する基本の空間は「公室空間」「私室空間」「設備空間」「動線空間」の4つで、それぞれの用途に応じた部屋やスペースが各種作られます。

■ゾーニング
住宅の中の空間（ゾーン）を生活領域に応じて分割、配置を考えること。

■動線
建築空間の中で、人や物が移動する軌跡のこと。無駄な動きや衝突を避けるために、交差したり複雑になることは避ける

■LDK
リビング、ダイニング、キッチンが1つの空間になったもの。家族が食事と団らんをともに過ごす空間となる。

公室空間	コミュニティゾーン：家族全員の共有空間	
	居間（リビング、L）	家族としての連帯感、一体感を強める団らんの場。 客間や食事室としての役割もある。
	食事室 （ダイニング、D）	食事をする空間。キッチンと隣接するの が望ましい。 リビングより重要。
	台所（キッチン、K）	食事を作る空間。機能性と収納性が重要。
私室空間	プライベートゾーン：団らんの場とは離れた家族個人がプライベートな時間を過ごす空間。 家族構成、家族のあり方によって何を重視するかが決まる。	
	主寝室	家族の中心である夫婦の部屋。
	子供室	子供の人数、年齢によって変化する。
	老人室	2世帯住宅として完全に分離させることもある。
設備空間	衛生ゾーン：水まわり	
	浴室	体を洗うだけでなく、精神がリラックスできる空間。
	洗面室	便所や浴室の近くにあり、脱衣所や洗濯機置き場を兼ねることも多い。
	便所	高齢者向けに車いすが入るようなスペースが必要。
動線空間	通路ゾーン	
	玄関	住宅の顔として重要視する場合もあるが、実用性を考えて作らないこともある。
	通路（廊下・階段室）	使い勝手や高齢者の安全を考えるとできるだけ広さが欲しいが、日本では難しい。

SECTION 2 住宅の基礎知識

住宅の設備

- 「水まわり」と呼ばれるトイレや浴室を中心として、日常生活で利用する給水やその排水、給湯に関することは住宅設備の知識として欠かせません。
- 寒暖差などで体調をくずしやすい高齢者のいる家庭では、居室、非居室にかかわらず、空調（換気・冷暖房）設備を充実させていく必要があります。

住まいの給排水と給湯

●住まいの給排水

人が使用する水の量は1日およそ200～250ℓとされています。住宅では用途に応じて右表の割合で使用されます。使用された水はほぼ同じだけ排水となって住宅外に出ていきますし、降雨による雨水も排水となります。

◆住まいの給水目的と割合

用　途	割合（%）
飲用・炊事	15～30
入浴	20～30
洗面・手洗い	5～15
洗濯	20～30
トイレ	10～20
掃除	5～10
洗車・散水	2～5

◆住まいの排水

汚　水	トイレ排水のこと。公共下水道が完備していればそのまま放流できるが、処理区域外では浄化槽で処理した後に排水する。
雑排水	キッチン、洗面、浴槽などからの一般的な排水のことを指す。キッチンなど油脂分を含んだ排水は排水管内への油膜沈着防止のため、流速が早くなるよう勾配をつける必要がある。
雨　水	建物の屋根や敷地内の降雨による水。

●給　湯

住宅における1人あたりのお湯の使用量は1日75～150ℓとされています。お湯を快適に使用するためには使用量、使用温度、給水環境、湯待ち時間を考慮しなくてはなりません。

●ガス配管

ガス配管は、上下水道管と同様、道路に敷設されている配管から敷地内へ引き込んでいます。原則として配管は1カ所から引き込むことになるので、改築・改修にあたっては従前の場所かその近くで、または設備配管の位置を変えなくてすむように考慮します。

住まいの電気

換気：住宅には「24時間計画換気システム」の設置が義務付けられ、つねに換気されるようになっています。密閉性が高くなっていることを考慮に入れ、居室の換気に配慮します。

冷暖房：高齢者や身体に障害のある人は、気温の急激な変化や激しい寒暖の差で体力を消耗することが考えられます。身体への負担を軽減するためにも冷暖房は不可欠です。各室によって適する機器は異なってくるので、コストと効果性を検討して選択する必要があります。

◆家電製品における電気の利用

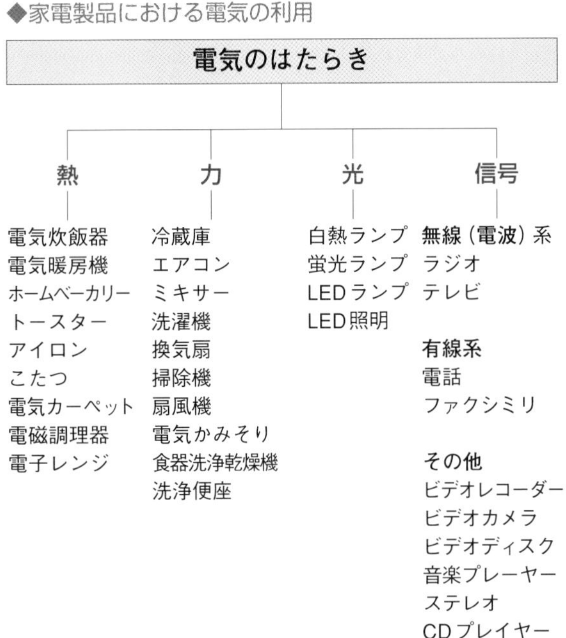

■ガス設備

ガス流量計には、安全上「自動停止装置」がついている。ガス器具を長時間消し忘れた場合や地震の揺れを感知した際に自動停止する機能。手動で復旧させることができるが、機能がついていること自体を知らない高齢者も多く、課題となっている。

■冷暖房設備

DKやLDKではキッチンを含めた部屋全体で冷暖房を考える。下の表はキッチンと居間・食堂の快適温熱環境を示している。

	キッチン	居間・食堂
作用温度（℃）	冬季 17.9～23.2 中間期 21.6～25.5 夏期 23.5～26.6	冬季 21.1～25.1 中間期 24.1～27.0 夏期 25.6～28.0
湿度	30～70%	
気流	0.15～0.25m/s	
室内上下温度差	床上10cmと110cmにおける温度差3℃以内。 頭寒足熱の場合6℃以内。	
床温度	19℃以上。 床暖房のピーク時29℃。	

＊作用温度は壁・床・天井などの表面温度の平均値と空気温度の相加平均である。したがって表面温度が高いと空気温度は低くてよく、逆に表面温度が低いと空気温度を高くしなければならない。[一般財団法人建築環境・省エネルギー機構、住宅水準向上に伴うエネルギー消費量の増加の抑制技術開発研究報告による]

SECTION 2 住宅の基礎知識

住宅の施工

●近年プレハブ住宅は、新築数の割合で在来工法とほぼ同程度まで伸びてきました。住宅建材が部品化、ストックされているために工期が従来より早く、品質精度が一定に安定するのがポイントです。
●工事の工程は、工法の多様化ともに少しずつ変化しています。

工法と工期

工期には、地域や工務店、建設会社、仕様などによって幅がありますが、右の表がおおむねの目安となっています。

工法など	期間
在来工法で、特別な造作を必要としない一般的な住宅（木造、鉄筋コンクリート造、鉄骨造共）	3～6カ月
在来工法で、特別な造作を必要とする住宅（木造、鉄筋コンクリート造、鉄骨造共）	6～9カ月
住宅メーカーによる、標準的な仕様による住宅	3カ月程度

工事の工程

下記に木造在来工法による住宅の一般的な工事の流れを示します。これは、あくまでも大きな流れで、実際の工事では、日程的に各種の工事が並行したり、状況に応じて行われるため、単純に整理された順序では進行しません。いろいろな職人が段取りよく入らないと、うまく工事が進行しません。また、改築の場合、工事期間中にも住み続けると生活も不便ですし、工期も長引きます。事前に仮住まいも検討しましょう。

地業工事
新築の場合は、地盤の状況に応じて基礎を支えるために基礎の下に杭などを打つ。
改築の場合は、工事部分の既存家屋を解体し、廃材を撤去する（取り壊し工事）。

基礎工事（基礎補強工事）
住宅の荷重を地盤に伝える下部構造の工事基礎部分を小型の建設機械などで溝状に数10cmの深さで掘り込む。ガス、上下水道の配管はこの時に行う。基礎部分に割りぐり石を敷きつめて充分に固めた後、配筋し、コンクリートを流し込んで基礎部分を完成させる。
改築の場合は、工事基礎部分の強度をチェックして補強する。設備配管も同様にみて処理する。

木工事

木材を組み立てる。まず柱と梁などで主要な骨組みをつくり、筋交いや間柱などの補強材を施し、細かい部分の工事に進む。通常2階建て住宅の屋根部分までの棟上げに1～2日かかる。

外装工事

屋根に防水および瓦などの仕上げがされる。柱などの骨組に室内外から仕上げ材が張られ、その隙間に断熱材が詰め込まれる。

設備工事

電気設備工事、給排水衛生工事、ガス設備工事が主な設備工事。電気、ガス、上下水道などの配線・配管工事が並行して行われる。

内部工事

室内側に耐火性があるせっこうボードなどが入れられる。
土台に根太などの横架材が渡され、床の下地材料が張られる。窓、玄関などの建具枠の取り付けが行われる。

仕上げ工事

内装では壁紙やクロスが貼られ、浴室ではタイル工事が行われる（最近多いユニットバスの場合は木工事の時点で備え付けられる）。室内建具の取り付けが始まり、外装ではセメントモルタルを下地として仕上げ材が貼り付けられる仕上げが多い。機器類に関わる設備工事もこの時点になって本格的に行われる。

外構工事

建物周りの工事。玄関までのスロープや駐車場などが作られる。

ZOOM UP

■住宅の引き渡しと保証期間

施工業務は、工事が終わって、引き渡しになったところで終了するわけではない。供給者側はアフターセールス、つまり利用者側に対して「維持・管理サービス」を提供する必要がある。引き渡し時点でわからなかった様々な問題点が出てきた場合、クレーム処理するのも供給者側の義務。最近では消費者保護のためのPL関係法の整備が進み、「住宅の品質確保促進法」などの施行により、10年、20年保証が話題になっているが、設備工事関連の保証は、内容と期間がそれぞれ違っているので注意が必要。

住宅の見積

- 住宅の新築、増改築の見積額は、地域や建設会社、工務店によって異なります。良い施工業者を選択するには、詳しい見積書を取り検討しますが、安価な見積額に惑わされないことが大切です。
- 住宅改修をする場合は、福祉用具の利用や助成金を申請するなど、綿密な見積を立て、金銭的に無理のない改修をするのが重要です。
- 設計と工事を混合しがちですが、使い勝手などは設計に左右されます。

見積と積算

施工者や設計者が、依頼された建築物を新築、増改築するのにどの程度費用がかかるのかを仕事や工事別に示したものを**見積**といいます。

設計料は、総工費の８～15％と言われますが、改築の場合は割合が高くなります。一括して受注する建設会社などでは工事費の中に盛り込まれているのが一般的です。

工事費は、最初にそれぞれの工事に必要な部材を調達し、組み立てたり設置する職人の仕事（手間）を算出します。これに人件費、会社の利益などを足して合計金額（見積）を出すことを**積算**と呼びます。

概算とコスト比較

見積を作成する前に、どの程度のグレードのものを要求するかで概算することができます。住宅の場合は、一般的に、1坪（約3.3m^2）あたりの単価で考え、これに基づいて資金計画を立てます。

しかし、キッチン、トイレなどの水まわりは、寝室などの一般居室に比べて設備機器や設備工事などの費用が余計にかかります。また土地の形状によって設備配管の費用、外溝工事も変わります。増改築の場合は、別に工事する部分の家屋を取り壊し、廃材を処理する費用がかかりますが、見積書にこれらが含まれていないこともありますので注意が必要です。

建築工事費用

建築のための費用がどのような内訳で使われるかは、わかりにくいものです。次項の表はあくまで標準的な項目と割合です。

◆建築工事費用の見積例

設計・監理料 総工事費用の8～15％程度が目安		設計料	建物の設計および図面作成にかかる費用。建設会社や工務店の場合は工事費に算入されている場合が多い。
		設計監理料	工事が図面通り行われるようにチェックする業務の費用。設計と工事が同じ会社だとチェックが甘くなる場合もある。
総工事総費用100％	①解体	取り壊し工事	増改築の場合、工事規模に応じて家屋を取り壊すための費用がかかる。
	②仮設（約3％）		建築後撤去される仮設物の費用。「足場」や現場で使用する用水、電力費用など。
	③構造体（約41％）		基礎工事の基礎コンクリートなど。木造住宅の場合、木材料の費用や大工手間を含む。
	④仕上げ（約35％）	屋根工事	瓦、軽量のコロニアルなどの屋根材料のほかに、軒樋、縦樋など樋も含まれる。
		外壁工事	パネル外装材のサイディング材など。
		金属建具工事	アルミサッシ、網戸など外部取り付けの金属の建具類。
		木製建具工事	障子、襖など室内で使用される建具。
		タイル工事	一般家庭ではユニット型の製品使用により浴室工事は減少。
		左官工事	和式新京壁（塗り壁）、外壁モルタル塗りなど。最近は少ない。
		塗装工事	外壁塗装（アクリルリシンなど）、内外塗装。最近は少ない。
		内装工事	クッションフロア、畳張り、壁クロス貼りなど、室内の内装と仕上げ。
		雑工事	浴槽、キッチンセット、ベランダなど。
	⑤設備（13％）	電気設備工事	配線器具、配線材料と工事費。居室内の照明器具はこれに含まれない。
		給排水衛生設備工事	給排水にかかる配管とボイラー、洗面台、便器など。
	⑥諸経費（8％）		事務経費を含むが、基本的に会社の利益。

■見積作成の注意点

見積は施主側が複数の施工者（建設会社・工務店）に依頼する（これをアイミツという）。通常見積作成に費用はかからない。

小住宅の建築や増改築の際、その改修内容などがはっきりわかっていても、できるだけ細かい見積書を取った上で契約するのが望ましい。材料などを細部までチェックすることができ、安い不良材料による手抜き工事を防ぐためにも材料の指定をしておくとよい。

■住宅改修の経費上の配慮

地方自治体の住宅改修補助金を活用する場合は、自治体ごとに条件などが異なるので、事前によく調べる。世帯の収入に応じて補助金額が異なる場合が多い。

■設計上の配慮

住宅改修において、身体機能にうまく適応していても、掃除や器具交換などが面倒だと、よい改修とはいえない。金銭面だけでなく、高齢者にも維持管理が容易な設計を目指すことが大切である。

■積算資料

積算するにあたって、毎月、部材や人件費について積算資料として「標準価格」が示される。しかし、同じ図面であっても地域によって人件費の単価が違ったり、建設会社、工務店によって部材などの仕入先、分量が異なることから、工事の積算価格には違いが出てくる。

SECTION 2 住宅の基礎知識

図面の表示方法と製図記号

●建物について人に正しく伝えるために、図面の表現方法には一定のルールがあります。日本産業規格（JIS）の作図法を元に、国際標準規格（ISO）との整合性を図る前の旧JISや慣習的な方法が混在しています。
●JISの中で主に建築図面に関連するものは、JIS Z 8310（製図総則、1984）、JIS A 0150（建築製図通則、1999）、JIS C 0303（構内電気設備の配線用図記号、2000）、JIS Z 3021（溶接記号、2000）です。

図面のルール

JISの建築図面の表現方法のルールは、「図面の種類ごとに決められた内容と縮尺」、「各図面を描画するための線と表示記号」に大別できます。

図面を表す縮尺には推奨尺度と中間尺度があり、できるだけ推奨尺度を使います。線は、3種類の線種と、2～3種類の線の太さを組み合わせて、適宜使い分けます。また、図面はかなり縮小して描かれるため、細部を省略・簡略化しても共通認識ができるように、縮尺に応じた表示記号が使われます。

◆線の種類と太さ

線の種類	主な名称	主な線の用途
太実線	切断面線	切断面の輪郭線を表す
中実線	外形線	見える部分の形状、出隅の線を表す
細実線	寸法線	寸法を記入するため
細実線	寸法補助線	寸法引出線として用いる
細実線	引出線	記述・記号を示すため
細実線	外形線	補助的なものの表に見える外形を示す
細実線	ハッチング	断面図など図形の特定の部分を示す

線の種類	主な名称	主な線の用途
中破線	強調線	見えない部分の形状、上または手前にあるもの、予定の位置を示す
細破線	かくれ線	見えない部分の形状、上または手前にあるもの、予定の位置を示す
中細の一点鎖線	敷地境界線	特別な指示の範囲を示す
細い一点鎖線	中心線	図形の中心を示す
細い一点鎖線	基準線	位置決定の基準点を示す
細い一点鎖線	参考線	断面位置、平面図に表せない対象物や扉の開き方向などを示す
細い二点鎖線	想像線	一点鎖線と区別する必要がある場合に用いる。可動部分の移動範囲などを示す

平面・立面表示記号

◆開口部平面表示記号

JIS A-0150「建築製図通則」

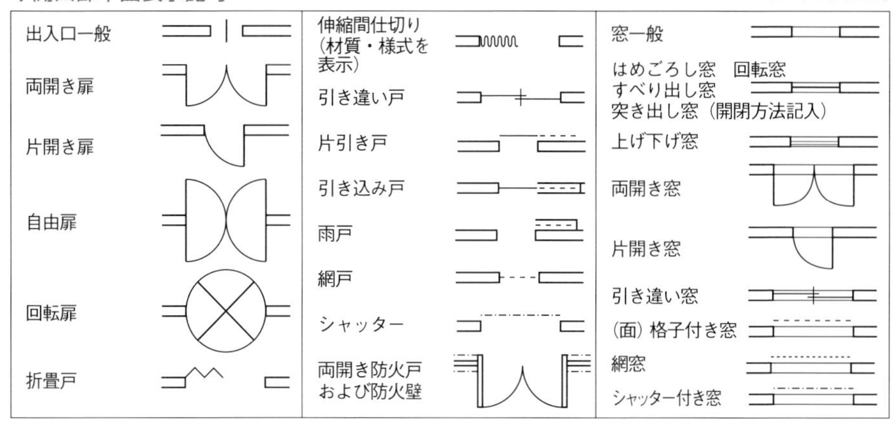

◆床面を表す平面表示記号

表示記号	意　味	表示記号	意　味
床仕上げ省略表記	床および階段などの長さを省略する際に使用	傾斜床 sec. (断面)	矢印で床の傾斜方向を示す。sec.はsectionの略で、断面を表す
階段 UP	矢印とUP、DNで、階段の上り下り方向を示す（左図は上がりの例）。段数が多い場合は省略記号で表す	スロープ 1/10 sec. (断面)　10　1	矢印でスロープの傾斜方向を示す。勾配は通常、1／○というように、水平距離に対する高低差の比で表す
床段差 50	床段差を表す。寸法を数値で書き込む		

◆建具立面開閉記号

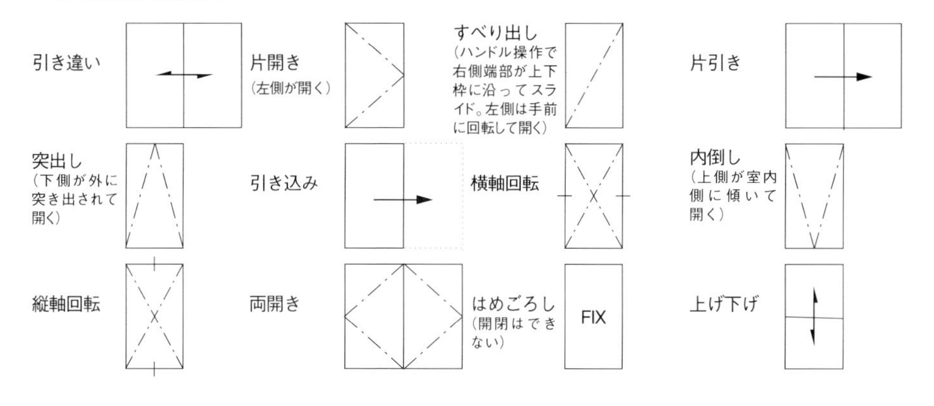

材料・構造表示記号

縮尺程度による区分 表示事項	縮尺1/100または1/200程度の場合	縮尺1/20または1/50程度の場合 （縮尺1/100または1/200程度の場合でも用いてもよい）
壁一般		
コンクリートおよび鉄筋コンクリート	（柱型が出るのはラーメン構造、なければ壁構造）	
軽量壁一般		
普通ブロック壁 軽量ブロック壁		
鉄筋		
木材および木造壁	管柱　真壁造 片ふた目　通柱 管柱　真壁造 片ふた目　通柱 管柱　大壁 間柱　通柱 （柱を区別しない場合）	化粧材 構造材 補助構造材 真壁造 大壁造
地盤		
割ぐり		
砂利・砂		材料名を記入
石材または擬石		石材名または擬石名を記入
左官仕上げ		材料名＋仕上げの種類を記入
畳		
断熱材・吸音材		材料名を記入
網		材料名を記入
板ガラス		
タイルまたはテラコッタ		材料名を記入
その他の材料		輪郭＋材料を記入

設備表示記号

JIS C-0303

電気通信設備

区分	記号	名称
照明器具		白熱灯一般
照明器具		ペンダント白熱灯
照明器具	CL	白熱灯シーリングライト（天井直付）
照明器具	( )	白熱灯（引掛シーリング）
照明器具	DL	埋込器具（ダウンライト）白熱灯
照明器具		ブラケット（壁付灯）白熱灯
照明器具		蛍光灯（ボックス付）
照明器具		壁付蛍光灯（横付）（最近少ない）
照明器具		蛍光灯
一般配線		天井隠ぺい配線
一般配線		床下隠ぺい配線
一般配線		露出配線
一般配線		接続点（丸印）
信号・通信設備		押しボタン
信号・通信設備	T	加入電話機
信号・通信設備	T	内線電話機
信号・通信設備	t	電話機形インターホン子機
信号・通信設備	t	電話機形インターホン親機
信号・通信設備		電話用アウトレット
機器図記号他	TV	テレビ用アウトレット
機器図記号他		換気扇
機器図記号他	RC	ルームエアコン
機器図記号他		配電盤
機器図記号他	Wh Wh	電力量計
消火設備	S	煙感知器
消火設備	B	警報ベル
スイッチ・コンセント		スイッチ一般
スイッチ・コンセント	3	3路スイッチ（2路以上は極数を傍記）配電盤
スイッチ・コンセント		スイッチ（ワイドハンドル形）
スイッチ・コンセント	3	3路スイッチ（ワイドハンドル形）
スイッチ・コンセント		調光器（一般形）
スイッチ・コンセント		コンセント（一般形）
スイッチ・コンセント	2 2	2口コンセント（一般形）
スイッチ・コンセント	E E	アース付コンセント（一般形）
スイッチ・コンセント	WP WP	防水コンセント（一般形）
スイッチ・コンセント		コンセント（ワイド形）
スイッチ・コンセント	2 2	2口コンセント（ワイド形）
スイッチ・コンセント	E E	アース付コンセント（ワイド形）
スイッチ・コンセント	WP WP	防水コンセント（ワイド形）

給排水ガス設備

区分	記号	名称
給水給湯		給水栓
給水給湯		給湯栓
給水給湯		混合栓
給水給湯		シャワー
給水給湯		散水栓
給水給湯		止水栓（バルブ）一般
排水		排水金具
排水		雑排水・雨水枡
排水		汚水枡
排水		格子枡
メーター	M	給水メーター
メーター	GM	ガスメーター
ガス		1口ガス栓
ガス		2口ガス栓
ガス		埋込ボックスコック
ガス		レバーコック
ガス		立上り管 立下り管
ガス		ガスカラン
配管		給水管
配管		給湯管
配管		排水管
配管		通気管
配管	— G —	ガス管

SECTION 2 住宅の基礎知識

図面の種類と役割

●建築図面には、建物の形状・高さ・広さ・仕上げ材などが表示された意匠図、建築物の構造設計に関して表示された構造図、配線や配管などの状況・機器や機具の種類が示された設備図があります。

●建物の規模が大きくなると図面枚数は増加します。見たい部分を容易に確認できるように、設計図全体の図面構成や各図面に描かれている内容など、基本を知っておくことが大切です。

主な設計図書の種類

	名称	主な縮尺	図面の役割	表示される主な内容
意匠図面	付近見取り図	1/500～1/3000	敷地の周辺状況を示す	方位、道路、目標となる地物など
	配置図	1/100～1/500	建物と敷地・道路との関係を示す。1階平面図・屋根伏図を兼ねることもある	方位、前面道路(幅員・形状・敷地との高低差)、敷地形状(境界杭、敷地境界線とその寸法)、建物位置(敷地境界からの距離と角度)、高低値、建物の計画地盤高など
	外構図	1/100～1/200	門扉、フェンス、通路、駐車スペース、テラス、庭などの敷地内の建物以外の外部の詳細を示す	周辺地形、敷地地形、階段・スロープなど主な通路、敷地各部の高さ、舗装、屋外工作物の位置と形状、照明、排水設備、植栽の位置や種類など
	平面図	1/50～1/200	各階ごとに、建物を窓の高さで水平に切り、切り口と上から見た床面を示す。全体像を把握しやすい基本となる図面。建物の面積、間取り、窓や玄関の位置を示す	間取り、各部・各室の用途、各室・通路・開口部などの平面寸法、柱と壁の状態、間仕切り・開口部の形式、駆体形状、取り付け部品、床仕上げ、設備機器、防火設備など
	屋根伏図	1/50～1/200	上空から見た屋根の姿で、屋根の大きさ、形状、構造、構成を示す。2階建ての1階の屋根は、2階平面図と一緒に表す	屋根の水平投影形状、仕上げ、勾配など
	立面図	1/50～1/200	建物の外観を横からみた壁面の姿。開口部の位置、大きさを示す	東西南北の4面ごとに、開口部の位置と大きさ、主な外部仕上げ材、軒高、階高、床高など
	断面図	1/50～1/200	建物を垂直に切った切り口の姿図。内外部の高さ寸法を示す	主要箇所を複数作成。軒高、庇の高さ、階高、天井高、床高と地面のレベル、屋根勾配、基礎の状態など
	矩計(かなばかり)図	1/20～1/50	断面図の詳細図で、構造、下地の寸法・形状を示す	建物の代表的な断面における、各部の高さ寸法の詳細、断面の詳細、主要構造部・下地・仕上げ材の詳細、階段の詳細など
	平・断面詳細図	1/20～1/50	平面図・断面図の施工に必要な部分を拡大して、詳細を示す	寸法、形状、収まり、材料、仕上げ方法を詳細に指示する
	各部詳細図	1/2～1/20	特別な収め方、必要な部分、家具などの詳細を示す	平・断面詳細図をさらに拡大し、詳細に指示したもの
	展開図	1/50～1/100	各部・各室の壁面を水平に見て、室内の様子を壁面ごとに示す。断面図を兼ねた展開断面図もある	仕上げ材、開口部の種類と仕上げ、補強下地、壁面に取り付ける部品、設備機器や造作家具の位置と形状など
	天井伏図	1/50～1/100	天井を上から透かして見た向きの姿図。天井仕上げと構成を示す	天井の水平投影形状、仕上げ、勾配、吊りフックやその下地、照明器具・空調設備などの位置関係など
	床伏図	1/50～1/100	床面を上から見た姿図。構造図とは違い、主に下地材を示す	床の水平投影形状、仕上げなど

	名称	主な縮尺	図面の役割	表示される主な内容
意匠図面	建具表	1/50～ 1/100	外部・内部のサッシ・戸・ふすま等の姿図、仕上げ、建具金物などすべての建具をリスト化する	建具の材料、大きさ、型式、開き勝手、金物、塗装の指定、取り付け位置の指定など
構造図面	杭伏図	—	杭打ちの部分を水平に切って、形状や構造、構成を示す	地質調査との関係、杭の位置と大きさなど
	基礎伏図	1/100～ 1/200	基礎の部分を水平に切った姿図。基礎の形状や構造、構成を示す	木造では、布基礎形状、アンカーボルト・床下換気口の位置など
	床伏図	1/100～ 1/200	床の構造部分を水平に切った姿図。床の構造、構成を示す	木造では、床のかけ方、部材の位置や間隔、部材寸法など
	梁伏図	1/100～ 1/200	梁のある構造部分を水平に切った姿図。梁の構造、構成を示す	主にS（鉄骨）造で梁記号を表示
	小屋伏図	1/100～ 1/200	屋根を架ける構造部分を水平に切った姿図。屋根の構造、構成を示す	木造では、小屋組部材のかけ方、部材の位置や間隔、部材寸法など
	軸組図	1/100～ 1/200	建物を垂直方向に切って、建物の構造部材の構成を示す	木造では、柱・間柱・同差し・筋交など、部材の位置や間隔、部材寸法など
	断面リスト	1/20～ 1/40	床、天井、屋根などを垂直方向に切って、構造部分の構成を示す	床、梁、床版、壁などの断面寸法・構成材など
	詳細図	1/5～ 1/20	特殊な収め方の詳細を示す	構成、寸法、材料など
設備図面	電気設備図	—	電気設備の配線・配管系統と機器・器具の関係を示す	照明器具、換気扇、スイッチ、コンセント、分電盤、TV、インターホン、電話などの配線系統や位置。機器の器具メーカー名、品番、姿図。緊急通報装置の各種操作ボタンの種類、通報先など。（盤結線図、配置図、系統図、平面図、各部詳細、機器・機具一覧）
	給排水 衛生設備図	—	給排水・給湯やトイレなどの機器・器具の位置と配管を示す	給水栓、排水口、ガス栓、各種メーター、ガス漏れ警報設備などの位置と配管。水栓等の機種、器具メーカー名、品番など（計算書、配置図、系統図、平面図、各部詳細、機器・機具一覧）
	空気調和 設備図	—	空調機器・器具の位置と配線・配管を示す	吹き出し口やコントローラーなど機器・器具の位置や種類、メーカー名など（熱計算書、配置図、系統図、平面図、各部詳細、機器・機具一覧）
	換気設備図	—	換気機器の位置と配線・配管を示す	配置図、系統図、平面図、各部詳細、機器・機具一覧
	ガス設備図	—	ガス機器・器具の位置と配管を示す	
	防災設備図	—	防災機器・器具の位置と配線等を示す	
	昇降機設備図	—	昇降機の位置と配線等を示す	平面詳細図、断面図、機器表
仕様書ほか	建築概要書	—	意匠図に添付。規模、階数、構造、設備の概要	
	面積表	—	意匠図に添付。面積算出の根拠、面積集計表、建築面積、延べ床面積など	
	仕様書	—	工法、材料、仕上げの方法について指示や指定	
	特記仕様書	—	意匠、構造、設備とも、共通仕様書に記載がない工法、材料、仕上げ、メーカー等を指定	
	仕上げ表	—	内部と外部に分けて作成し、意匠図に添付。仕上げ材料の仕様や性能の概略を示す	外部は屋根・外壁など、内部は部屋ごとに天井・床・壁の下地・仕上げを示す

SECTION 2 住宅の基礎知識

各図面の読み方

●建物の各所を表すさまざまな建築図面の記載を確認して、福祉住環境整備に必要な情報を正しく読みとることが大切です。
●現場は図面どおりとは限りません。必ず実際に現場を見て確認しましょう。
●建築図面の縮尺には、推奨尺度が使われることが多く、表現したいことが適切に描けない場合は、その中間にあたる中間尺度が使われます。

図面の読み方

各図面は、建築物のすべてを表しているわけではないので、住環境整備に必要な情報を得るためには、複数の図面を見る必要があります。

●図面を見る手順

①図面リストから設計図全体の図面構成を把握する
②案内図や配置図から建物の立地条件や周辺状況を把握する
③配置図や外構図から敷地の高低差や建物の配置を把握する
④各階平面図と断面図・立面図から、建物の全体構成や歩行動線などを把握する
⑤図面リストの図面名称・縮尺から、確認する必要がある複数の図面をリストアップする
⑥平面詳細図を中心に、確認する部分の断面詳細図、建具表、展開図、伏図など、関連部分を立体的に理解する
⑦平面、断面、部材構成等が理解できたら、仕上げ表、特記仕様書を見て、仕上げ材料の確認や特別な部品、仕様の有無を確認する

図面から部分を探すときは、手順の④から始めます。

◆各図面を読むポイント

<table>
<tr><th>図　面　例</th><th>福祉住環境整備面からの活用例</th></tr>
<tr><td>

配置図

</td><td>道路の幅員、敷地、道路、隣地に高低差があるかどうかなどを確認する。</td></tr>
<tr><td>

外構図

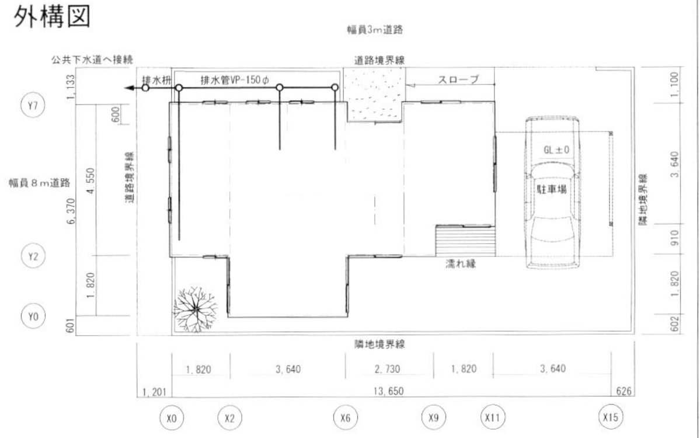

</td><td>道路と敷地の高さや位置関係を読みとり、道路から玄関へのアプローチ、スロープの設置、段差解消機の導入を検討。門扉や塀などの外構変更、排水管・水道管の移設や敷地境界線からの距離・方位を把握し、増築スペースなどを検討。</td></tr>
<tr><td>

平面図

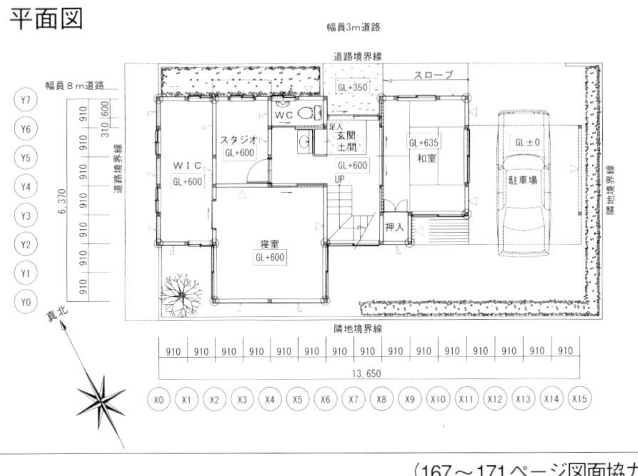

</td><td>床・壁・柱など構造躯体の位置、間取り、窓・開口部の位置や寸法、設備など建物の概略を把握。要望や問題点を元に、間仕切り・間取り・開口部の変更、壁の撤去など、全体計画を検討する。トイレ・浴室・キッチンの位置や使い勝手も検討。</td></tr>
</table>

（167～171ページ図面協力：デザイン工房M2一級建築士事務所）

図　面　例	福祉住環境整備面からの活用例
断面図 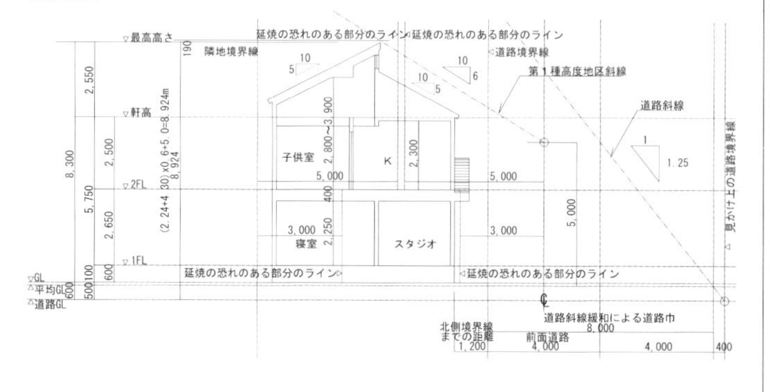	天井走行式リフトの設置に必要な天井高さ、屋根勾配による増築の際の天井高への制約、ホームエレベーター上部のオーバーヘッドや下部のピットの高さがとれるか、などを検討。
立面図 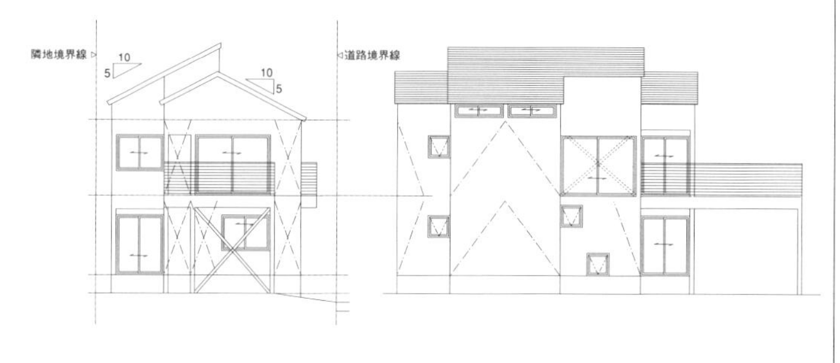	玄関の外部のスロープや階段など地面に接する部分について他の図面より読みとりやすい。掃き出し窓からの屋外スロープの勾配・長さ・床下換気口との関係、外階段の蹴上げや踏面の寸法・段数、屋外段差解消機の庇の出などを検討。
展開図 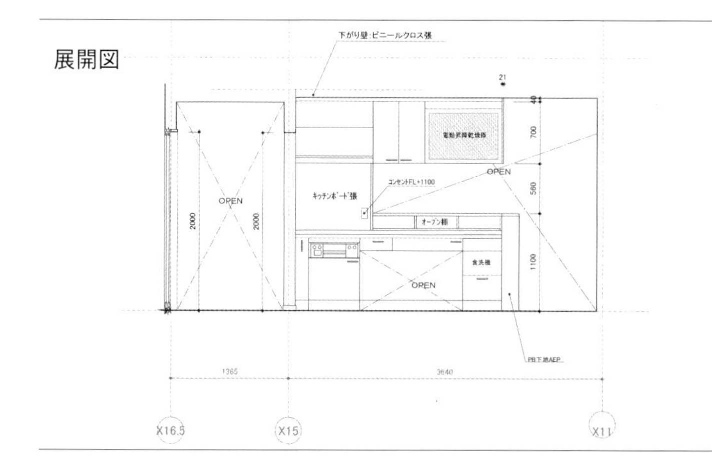	平面図やキープランに示されている部屋の向きを確認。手すりの位置や下地材、ドアや開口部の変更、床材の変更、床段差の解消、浴槽・便器・キッチンセットを検討。

図面例		福祉住環境整備面からの活用例
屋根伏図		屋上を利用する陸屋根の場合、屋上出入り口の段差解消法や床面仕上げの防滑性を、矩計図・断面詳細図などと合わせて確認。屋根の形状を把握して、増築の際の屋根のかけ方を検討。
天井伏図		平面図と合わせて確認。照明の位置の変更、天井裏の下地や下がり壁を把握して、天井走行式リフト設置などの検討。
建具表		建具の操作性や安全性の観点から確認。建具形式(開閉方式、額・ガラリの有無など)、寸法(幅、引き残し、操作具の設置高さなど)、仕上げ(表面仕上げ)、ガラス(種類、厚さ、断熱・防音性能など)、付属金物(開閉操作具、防犯金具など)を確認して改修を検討。
仕上げ表		仕上げ表に書かれている内容だけでは、仕上げ材料の仕様や性能を把握することは難しい。床の素材の種類、表面の仕上がり状態などを特記仕様書などと合わせて確認。
各部詳細図・部品図		特殊な部分や共通で使う部品の取り合いなど詳細を確認。玄関ドア段差の収め方、玄関ベンチの造作などは詳細図で確認。補助手すりなどの住宅内装部品や、ユニットバスなどの住宅設備機器は部品図で確認。
構造図		建物の構造の違いにより、図面は全く異なる。改修の際、隣室と一体にしたり出入り口を確保する上で、撤去できない壁や筋交いの位置を確認。
各種設備図	電気設備図	平面図で改修に必要な照明器具、スイッチ、コンセントの位置を確認。照明器具図の器具メーカー名、品番、姿図を確認。緊急通報装置の各種操作ボタンの機種、位置、通報先などの確認。
	給排水設備図	平面図で改修に必要な給水・給湯の箇所、ガス栓の設置箇所などを確認。器具表の水栓などの器具メーカー名、品番を把握し、操作方法の確認。ガス漏れ警報設備などの設置方法の確認。
	換気設備図	平面図の換気グリルの取付箇所、位置などを確認。器具表で器具メーカー名、品番を把握し、操作方法や換気扇の運転騒音や性能の確認。
	空気調和設備図	平面図の吹き出し口やコントローラーなどの取付箇所、位置などを確認。器具表で器具メーカー名、品番を把握し、コントローラーの操作性などを確認。

筋交いの表示の読みとり方

住環境整備で壁の撤去を検討する場合、筋交いの位置を把握する必要があります。平面図、立面図、構造図（軸組図）に表示されています。

◆各図面ごとの筋交いの表示方法

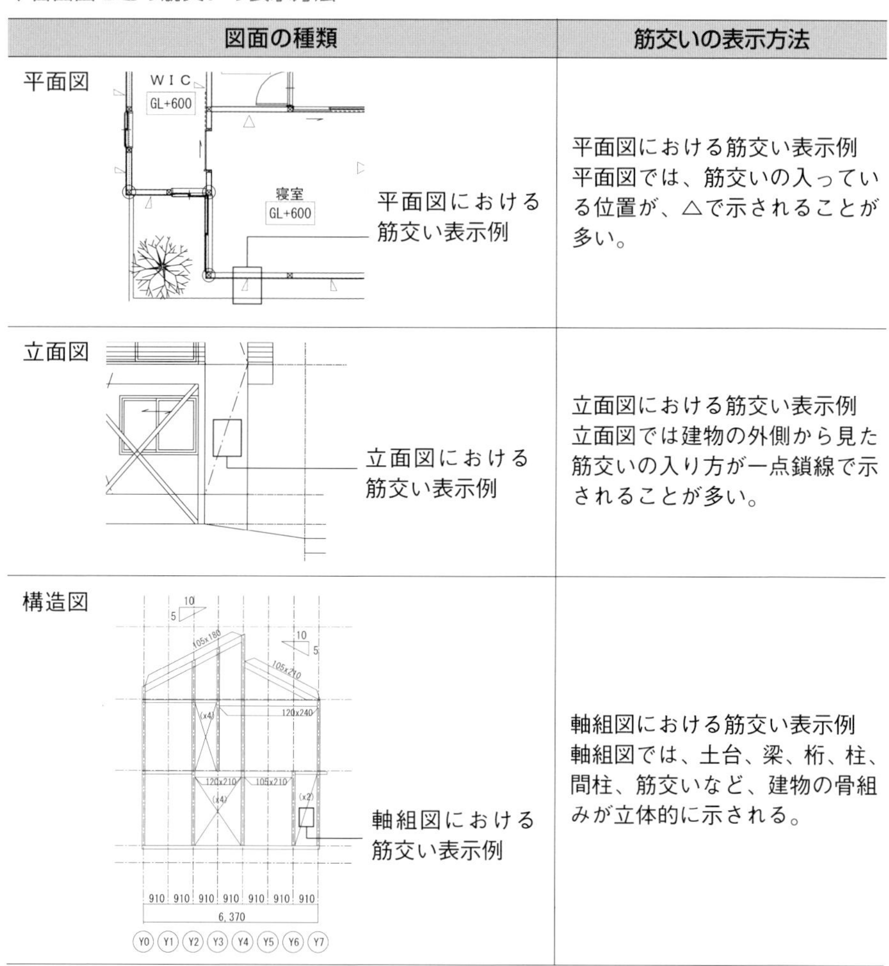

図面の種類	筋交いの表示方法
平面図 平面図における筋交い表示例	平面図における筋交い表示例 平面図では、筋交いの入っている位置が、△で示されることが多い。
立面図 立面図における筋交い表示例	立面図における筋交い表示例 立面図では建物の外側から見た筋交いの入り方が一点鎖線で示されることが多い。
構造図 軸組図における筋交い表示例	軸組図における筋交い表示例 軸組図では、土台、梁、桁、柱、間柱、筋交いなど、建物の骨組みが立体的に示される。

◆平面図の筋交いの表示例

筋交いの設置のみを示す記号		
▽	片筋交い　両筋交い	片筋交い　両筋交い
	片筋交い　両筋交い	片筋交い　両筋交い

縮尺の違いによる表示の違い

各図面は、同じ箇所を表現する場合でも、縮尺によって表現や表示記号が変わります。縮尺を確認して情報を正しく読みとりましょう。

◆縮尺の違いによる表示例

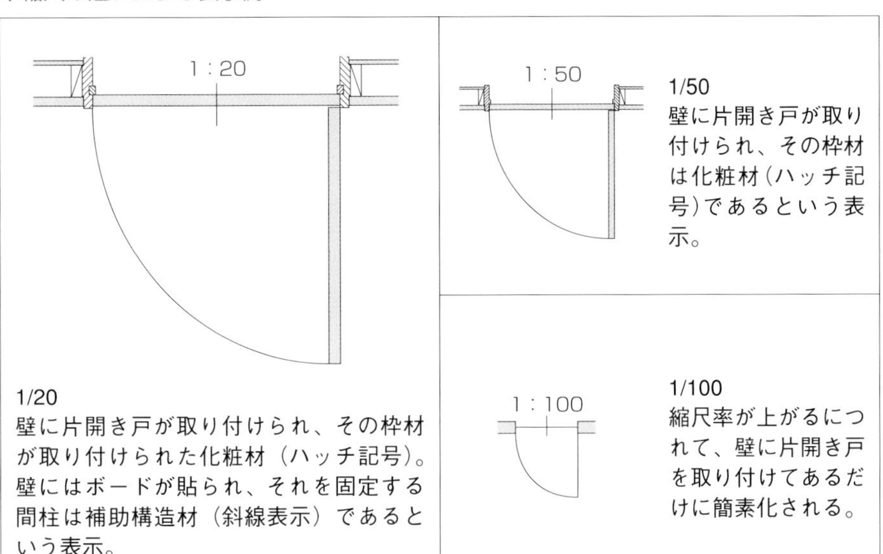

ZOOM UP

住宅の平面図・立面図・断面図は、1/50や1/100で描かれることが多い。詳細図は、1/20で描かれることが多い。

推奨寸法	1/2			1/5	1/10
	1/20			1/50	1/100
	1/200			1/500	1/1000
	1/2000			1/5000	1/10000
中間尺度	1/1.5	1/2.5	1/3	1/4	1/6
	1/15	1/25	1/30	1/40	1/60
	1/150	1/250	1/300	1/400	1/600
	1/1500	1/2500	1/3000	1/4000	1/6000

＊色数字はよく使われる尺度

SECTION 3 / 福祉住環境整備に関わる法制度

建築基準法

●住宅の新築・改修の際、建築関係者に計画内容を正しく伝える必要が生じます。「建築基準法」は、建築物を建てる上で基本となる法律です。
●建築基準法には、建築物の周りの環境を良好に保つための集団規定（敷地と道路の関係など。（準）都市計画区域内に限り適用）と、建築物を安全かつ快適にするための単体規定（建築物の構造や設備。全国一律適用）、用語の定義や諸手続を定めた総則があります。

建築基準法の構成

建築基準法は、単体規定と集団規定を中心として次のような構成になっています。

◆建築基準法の構成

規　定		規定の概要
用語の定義		建築物、特殊建築物、建築設備、居室、主要構造部、延焼のおそれのある部分、設計、工事監理者、設計図書、建築、大規模の修繕、大規模の模様替など
建築等の諸手続き		確認申請、計画通知*1、完了検査*2、検査済証*3など
単体規定	構造規定	構造材料*4、構造部材*5、構造耐力、構造計算など
	防火規定	耐火構造、防火構造、防火区画、避難施設など
	一般構造規定	採光・換気、居室の性能、階段・傾斜路、汚物処理など
	建築設備規定	電気設備、給水・排水その他の配管設備、昇降機など
集団規定	建築物・敷地と道路等の関係	敷地等と道路の関係、道路内や壁面線による建築制限など
	用途地域	定められた用途地域内に建てることができる建築用途など
	建築物の面積・高さ・敷地内の空き地	容積率、建ぺい率、斜線制限、日影規制など
	防火地域・その他の地域	建築物の防火・耐火制限、美観地区・地区計画区域内の制限など
その他		型式適合認定*6等、建築協定*7など

＊1　計画通知：確認申請は要しないが、それに代えて、計画内容を建築主事に通知して審査を受けること。
＊2　完了検査：建築確認を受けた建築物が完成したとき、4日以内に建築主が完了検査申請を建築主事または、指定確認検査機関に出す。これをもとに、法に適合しているかを検査すること。
＊3　検査済証：完了検査により、法に適合していると交付される。
＊4　構造材料：建築物の基礎、主要構造部などに使用する建築材料のこと。木材は日本農林規格（JAS）、コンクリート、鉄筋、鉄骨は日本産業規格（JIS）に規定されるものか、または同等の性能を有するものを用いる。
＊5　構造部材：柱、梁、筋交いなどの構造耐力上主要な部分に用いる材料。腐食、腐朽を防ぐ措置を講ずることとされている。
＊6　型式適合認定：国土交通大臣が申請により、建築材料、または主要構造部、建築設備その他の一連の規定に適合するものであることの認定。たとえば、ハウスメーカーなどが独自に開発した部材や工法を用いた住宅などは、確認審査時には、これらの認定図書と照合することで建築確認審査が簡略化される。
＊7　建築協定：土地の所有者や地上権・借地権をもつ者が、自分たちの街をよくするために、たとえば自分たちの地域では塀をなくす、土地の伝統を守った形にするなどの約束ごとを決める。建築協定を締結することができる旨を、条例で定めている市区町村において可能である。

建築基準法の主な内容

◆集団規定

敷地の接道義務	建築物の敷地は、道路に2m以上接していなければならない。道路とは幅員4m（6m）以上の道をいうが、みなし道路も含む。
容積率	延べ床面積（各階の床面積の合計）を敷地面積で割った比率。ただし、敷地が接する前面道路の幅員が12m未満の場合は前面道路の幅員に住居系7地域では4/10を、それ以外では6/10を乗じて得た数値と都市計画の指定数値を比べ、低いほうの数値が上限となる。容積率の大きい建築物が立ち並ぶことにより、日照や通風、災害時の避難の妨げになることを防ぐ目的がある。
建ぺい率	建築面積（建築物自体を水平に地盤面に投影した時の投影面積。通常、1階の床面積にあたる）を敷地面積で割った比率。
斜線制限	道路の反対側または隣地の建築物の日照・採光・通風の確保を目的に、前面道路の反対側または隣地境界線から敷地の内側に斜線を引いて建築物の高さをその斜線内に押さえようとするもの。住居系地域の道路斜線の傾斜の数値は1.25。
日影規制	隣地に落とす日影を一定時間内に制限しようとするもので、商業・工業・工業専用地域を除く用途地域および無指定地域のうち、地方公共団体が条例で指定した区域に適用される。
用途地域	土地の利用目的（用途）を定めるもので、7つの住居系地域、2つの商業系地域、3つの工業系地域があり、用途制限に適合しない建築物は原則として建てることができない。
高度地区	用途地域内において、市街地の環境を維持し、または土地利用の増進を図るため、建築物の高さの最高限度または最低限度を定める地区。
防火地域 準防火地域	市街地における火災の危険を防止し、建築物を守る目的がある。防火地域のほうが建築物の耐火性などの制限が多い。

◆単体規定（住宅の場合）

天井高	空気の循環、視覚的側面を考え、居室（リビング、寝室、キッチンなど）において2,100mm以上必要。天井が傾斜するなど、高さが異なるときは、各高さの平均が天井高。
階段	蹴上げ（1段分の高さ）230mm以下、踏面（1段の奥行き）150mm以上が必要。
採光面積	健康のために採光が必要とされ、居室においては床面積の7分の1以上の採光有効面積が必要。 採光有効面積＝実際の窓面積×採光補正係数
内装制限	住宅で2階建て以上の場合、最上階以外にある台所には壁と天井に不燃の材質が必要。

ZOOM UP

■階段

規定の階段はかなり急なため、現在はほとんど使われていないのが実状。一般に住宅では、1階床から2階床まで上がる階段には、奥行き方向に2,700mmの長さが必要とされる。ただし高齢者の安全な利用には、3,600mm程度の長さにするのが理想的。

SECTION 3　福祉住環境整備に関わる法制度

その他の建築関連法規

●住宅の新築・改修を実行する上で、建築関係者に計画の内容を正しく伝える必要が生じます。
●その際に、「建築基準法」に加え、建築に関連する基本的な法規について理解し、対処する必要があります。ここでは住宅建築に関する基本的な法律事項を挙げています。

さまざまな建築関連法規

◆さまざまな建築関連法規

建築物であれば必ず関わる法規	**「建築基準法」「消防法」「都市計画法」「民法」など** 「建築基準法」は、国民の生命、健康や財産を守るため、建築物の敷地、構造、設備や用途などに関する最低の基準を定めたもの。 「消防法」は、火災を予防し、災害による被害を軽減することを目的とし、建築に関しては、防火対象物の用途・規模に応じて「消防用設備など」の設置を義務づけた規定がある。 「都市計画法」は都市の健全な発展と秩序ある整備などを目的とし、区域や地区を定め、そのなかでの建築物などの規制がある。 「民法」は私権に関する基本法で、建築に関しては、隣地使用権、排水権や距離保存権などを定めている。
建築物の用途により関わる法規	**「医療法」「公衆浴場法」「老人福祉法」など** 病院や診療所は「医療法」、公衆浴場は「公衆浴場法」、老人福祉施設（老人デイサービスセンター、老人ホーム、老人介護支援センターなど）は「老人福祉法」というように、建築物の用途によって、各法で床面積、階段、廊下や避難口の構造設備などの基準を定めている。
公共性の高い建築物などに関わる法規	**「高齢者、障害者等の移動等の円滑化の促進に関する法律」（バリアフリー法）、「住生活基本法」「住宅確保要配慮者に対する賃貸住宅の供給の促進に関する法律（住宅セーフティネット法）」など** 「バリアフリー法」は、高齢者、障害者などの自立した日常生活と社会生活を確保するために定められた法律。公共交通機関、建築物、道路、路外駐車場、都市公園などが整備の対象。ユニバーサルデザインに基づいた施設整備の実現を目指し、2020年度末までのバリアフリー化の整備目標を定めている。 「住生活基本法」は国民の豊かな住生活の実現のため、住生活の安定確保や向上の推進に関して、その基本理念、国等の責務、住生活基本計画などの基本事項について定めたもの。「住生活基本法」に基づき、住生活の安定向上を図る施策を推進するため、国と都道府県が住生活基本計画を定めている。 「住宅セーフティネット法」は、高齢者や障害者をはじめ、低額所得者、被災者、子供を育成する家庭などを対象とした法律。公的賃貸住宅の供給促進、民間賃貸住宅への円滑な入居の促進、賃貸住宅に関する適切な情報提供と相談の実施などの施策が行われている。

制度の根拠となる法規	**「高齢者の居住の安定確保に関する法律（高齢者居住法）」** **「住宅の品質確保の促進等に関する法律（住宅品確法）」など** 「高齢者居住法」は、高齢者向け住宅の効率的な供給を促進するとともに、高齢者の入居を拒まない住宅の情報を提供・整備を図り、高齢者が安心して生活できる居住環境を実現することを目的としている。 「住宅品確法」は、住宅の品質の向上を目的とし、併せて住宅建築に伴うトラブルの防止および欠陥などが生じた場合の紛争などが速やかに適正に解決できるよう定めた法。これらは安定して、欠陥のない住宅に住む、という住生活の根底に関わる法規といえる。

安全関連法規

●消防法

火災の予防および、警戒・鎮圧を目的とした法律です。消防法の規制の対象は、高層建築物、商業施設、地下街などの「防火対象物」で、内装・警報・避難設備などが規定されています。

コンロなど火を用いる設備に関しては、各地方自治体が定める条例によって規制されます。

設備関連法規

●水道法

衛生的な水が安価に豊富に供給されるための法律です。水道の敷設や水道事業の保護育成を目的とします。

●下水道法

下水（排水〈汚水〉と雨水）道の整備を目的とした法律です。都市の公衆衛生と水質の保全を図るものです。

●電気事業法

電気使用者の利益保護と公共の安全確保などを目的とした法律です。電気事業、電気関連工事の運営、維持を規制します。

●ガス事業法

ガス使用者の利益保護と公共の安全確保などを目的とした法律です。ガス関連工事の運用、ガス用品の販売などを規制します。

ZOOM UP

■法令の体系

建築関連のさまざまな法規は、法律、政令、省令、告示の体系に沿って制定されている。建築基準法の例では、この法律の一部規定を詳細に規定した建築基準法施行令（政令）、さらにその一部規定を細かく規定した告示などとなる。

法令	全国適用				地方公共団体の区域内のみに適用	
	建築基準法	建築基準法施行令	建築基準法施行規則	○○省告示第○○号		
	法律	政令	省令	告示	条例	規則
法令の概要	国会の可決を経て定められる	内閣が制定する命令（法律の規定を具体的に定める規定）	各省大臣が発する命令（主に手続き関係）	各省大臣が一般に知らせるもの（法令規定の補足）	地方公共団体の議会の可決を経て定められるもの	地方公共団体の長が発する命令（主に手続き関係）

SECTION 3　福祉住環境整備に関わる法制度

福祉住環境整備関連法制度

●高齢者や障害者が暮らしやすい住宅の整備を進めるため、「長寿社会対応住宅設計指針」や「高齢者住まい法（高齢者居住安定法）」などが定められています。
●「品確法」の中の住宅性能表示制度の一つとして、高齢者などに関する配慮の項目もあります。

長寿社会対応住宅設計指針

1995年に当時の建設省によって定められた高齢者などの住宅に対する指針です。具体的な寸法や仕様などを示してあり、これが現在の高齢者や障害者の住宅マニュアルの骨子となっています。

1．対象

建て替えを含む新築住宅

2．主な内容

①玄関、トイレ、浴室、居間、高齢者等の寝室はできる限り同一階に配置
②住戸内の床は、原則として段差のない構造
③階段、浴室には手すりを設置または設置準備
④通路、出入り口は介助用車いすの仕様に配慮した幅員
⑤階段の勾配、形状等の安全上の配慮
⑥トイレ、浴室は、できる限り介助の可能な広さを確保

品確法

正式名称は「住宅の品質確保の促進等に関する法律」です。

2000年に施行された住宅の品質を確保し、消費者を保護するための法律です。この法律の大きな柱の一つが住宅性能表示制度で、国が住宅の一部の性能（構造耐力、省エネルギー性など）について一定の基準を定め、この基準が施工段階でも確保されるよう国指定の評価機関の評価を経て、住宅性能を表示し、この制度を利用して住宅を建設した消費者が、紛争や欠陥工事から保護されることになりました。住宅性能表示基準の9項目の一つとして、「高齢者等配慮対策等級」が次のように定められています。

◆品確法に定められた高齢者等配慮対策等級

等級	対策内容
5	a．移動等に伴う転倒、転落等の防止に特に配慮した措置が講じられていること。 b．介助が必要となった場合を想定し、介助用車いす使用者が基本生活行為を行うことを容易にすることに特に配慮した措置が講じられていること。
4	a．移動等に伴う転倒、転落等の防止に配慮した措置が講じられていること。 b．介助が必要となった場合を想定し、介助用車いす使用者が基本生活行為を行うことを容易にすることに配慮した措置が講じられていること。
3	a．移動等に伴う転倒、転落等の防止のための基本的な措置が講じられていること。 b．介助が必要となった場合を想定し、介助用車いす使用者が基本生活行為を行うことを容易にするための基本的な措置が講じられていること。
2	移動等に伴う転倒、転落等の防止のための基本的な措置が講じられていること。
1	移動等に伴う転倒、転落等の防止のための建築基準法に定める措置が講じられていること。

「高齢者等配慮対策等級」では、高齢者の水平移動・垂直移動・姿勢変化などの行為に着目した「移動等」に伴う転倒・転落等の防止のための措置、介助用車いすの通行の補助、浴室における浴槽への出入り・身体の洗浄、寝室における介助用車いすからベッドや便器への移乗、衣服の着脱および排泄後の処理の各動作の「介助行為」に関わる安全性等に配慮して講じられた対策を、住宅評価を希望する建築主に対し、５段階で評価しています（等級が高くなるほど上の評価）。公式テキストでは、住環境整備におけるトイレ、階段、手すりなどの基準値を高齢者等配慮対策等級（専用部分）の等級5に適合させています（詳細は178～179ページ参照）。

高齢者住まい法

「高齢者住まい法」では高齢者専用賃貸住宅、高齢者向け優良賃貸住宅、高齢者円滑入居賃貸住宅の3つを統合した「サービス付き高齢者住宅（サ高住）」が規定されています（2011年4月改正）。ケアの専門家による安否確認や生活相談サービスの提供が義務付けられ、必要に応じてほかの介護・医療・生活支援サービスなどが受けられます（住宅により付帯条件はさまざまです）。都道府県・政令都市・中核市に登録し、都道府県・政令都市・中核市が事業者へ指導・連絡を行います。

サ高住として登録されるには、住宅の床面積が原則25m²以上で、バリアフリー仕様であること。また、台所や水洗トイレ、収納設備、洗面設備、浴室の設置が必要です（詳細は142ページ参照）。

◆高齢者等への配慮に関する評価基準（専用部分）の日常生活空間に関する主な内容（品確法）

項目＼等級	5	4	3	2	1
部屋の配置	特定寝室、玄関、便所、浴室、洗面所、脱衣室、食事室は同一階に配置	特定寝室、便所、浴室は同一階に配置	特定寝室、便所は同一階に配置	同左	以下、建築基準法に準ずる
部屋の配置（緩和）	ホームエレベーター（開口有効幅750mm以上）を設置する場合は等級3レベルの対応に緩和	同左			
段差（原則すべての床）	段差なし（5mm以下）	同左	同左	同左	
段差／玄関（勝手口）／下記以外	段差があってよい	同左	同左	同左	
段差／玄関（勝手口）／日常生活空間内／くつずりと玄関外	高低差20mm以下	同左	同左	同左	
段差／玄関（勝手口）／日常生活空間内／くつずりと玄関土間	高低差5mm以下	同左	同左	同左	
段差／玄関（勝手口）／日常生活空間内／玄関上がりがまち	110mm以下（接地階においては180mm、踏み段を設ける場合360mm以下）	同左	規定なし	規定なし	
段差／浴室出入口／下記以外	段差があってよい	同左	同左	同左	
段差／浴室出入口／日常生活空間内の浴室（高齢者利用の1つ）	段差なし（5mm以下）	20mm以下の単純段差	20mm以下の単純段差または、浴室内外の高低差120mm以下・またぎ段差180mm以下で手すりを設置	同左	
段差／バルコニー／下記以外	段差があってよい	同左	同左	同左	
段差／バルコニー／日常生活空間内のバルコニー（高齢者利用の1つ）	180mm以下の単純段差	戸建住宅: ①180mm以下の単純段差 ②250mm以下の単純段差で手すり設置 ③180mm以下のまたぎ段差で手すり設置	戸建住宅:規定なし	同左	
		共同住宅: 180mm以下の単純段差	共同住宅: ①180mm以下の単純段差 ②250mm以下の単純段差で手すり設置 ③180mm以下のまたぎ段差で手すり設置	同左	
段差／明解段差／日常生活空間外の室内（室の部分の床とその他の部分の床）	90mm以上の段差	同左	同左	同左	
段差／明解段差／日常生活空間内（室の床とその他の部分の床）	300mm以上450mm以下（ただし、介助用車いすの移動の妨げとならないこと、面積3㎡以上9㎡〈当該居室の面積が18㎡以下の場合にあっては、当該面積の1/2〉未満であること、間口1,500mm以上、その他の部分の床より高いこと）	同左	同左	同左	
		同左	同左	同左	
階段（すべて）／勾配	6/7以下	同左	22/21以下	同左	令第23～27条に適合（以下、抜粋） 【令第23条】 階段の幅、蹴上げ・踏面の寸法 幅：750mm以上、蹴上げ(R)：230mm以下、踏面(T)：150mm以上
	550mm≦2R+T≦650mm R: 蹴上げ T: 踏面	同左	同左（踏面195mm以上）。勾配45度を超える場合は両側に手すり（踏面先端から700～900mmの高さ）設置。回り部分は踏面狭端から300mmの位置の寸法（寸法規定適用除外あり）	同左	

項目			等級 5	4	3	2	1
階段（すべて）	形状		最上段の通路などへの食い込みや最下段の道路等への突出部分を設けない。回り階段等は用いない	同左	回り階段も可	同左	【令第24条】踊場の位置及び踏幅。高さ4mを超えるものは4mごとに踊場（踏幅1.2m以上）を設置【令第26条】階段に代わる傾斜路・勾配1/8以下・すべりにくい仕上げ
階段（すべて）	形状		蹴込みは30mm以下で蹴込み板を設置	同左	蹴込みは30mm以下	同左	
階段（すべて）	形状		すべり止めは踏面と同一面	規定なし	同左	同左	
階段（すべて）	形状		段鼻を出さない	規定なし	同左	同左	
階段（すべて）	（緩和）		ホームエレベーターを設置する場合は等級3の基準に緩和	ホームエレベーターを設置する場合および日常生活空間外の場合は等級3の基準に緩和	ホームエレベーターを設置する場合は等級1の基準に緩和	同左	
手すり	階段（すべて）	設置箇所	両側手すり*1	片側手すり*2	片側手すり*3	同左	【令第25条】階段の手すり 階段の両側に側壁等がない場合は、手すりを設置
手すり	階段（すべて）	手すり高さ	踏面先端から700～900mm	同左	同左	同左	
手すり	日常生活空間	便所	立ち座りのための手すり設置	同左	同左	同左	
手すり	日常生活空間	浴室	浴室出入り、浴槽出入り、浴槽内立ち座り、姿勢保持、洗い場の立ち座りのための手すり設置	浴槽出入りのための手すり設置	同左	同左	
手すり	日常生活空間	玄関	上がりがまちの昇降、靴の着脱のための手すり設置	同左	同左	同左	
手すり	日常生活空間	脱衣室	衣服の着脱のための手すり設置	同左	衣服の着脱のための手すり設置準備	同左	
通路・出入口の幅員（日常生活空間内）	通路		有効幅員850mm以上（柱等の箇所は800mm以上）	有効幅員780mm以上（柱などの箇所は750mm以上）	同左	規定なし	
通路・出入口の幅員（日常生活空間内）	玄関の出入口		有効幅員（建具厚み、引き残し、戸当たりを除いた幅）800mm以上	有効幅員750mm以上	同左	規定なし	
通路・出入口の幅員（日常生活空間内）	浴室の出入口		有効幅員（建具厚み、引き残し、戸当たりを除いた幅）800mm以上	有効幅員650mm以上	有効幅員600mm以上	規定なし	
通路・出入口の幅員（日常生活空間内）	その他の出入口		幅員（建具枠の内幅）800mm以上（工事を伴わない撤去による確保でもよい）	幅員750mm以上（工事を伴わない撤去による確保でもよい）	幅員750mm以上（軽微な改造による確保でもよい）	規定なし	
広さ（日常生活空間内）	浴室	内法寸法	短辺1,400mm以上	同左	戸建住宅：1,300mm以上 共同住宅：1,200mm以上	規定なし	
広さ（日常生活空間内）	浴室	面積	2.5㎡以上	同左	戸建住宅：2.0㎡以上 共同住宅：1.8㎡以上	規定なし	
広さ（日常生活空間内）	便所	内法寸法	短辺1,300mm以上又は便器の先端に+500mm以上（工事を伴わない撤去による確保でもよい）	短辺1,100mm以上、長辺1,300mm以上、又は便器前方及び側方に+500mm以上（軽微な改造による確保でもよい）	長辺1,300mm以上又は便器前方か側方に+500mm以上（軽微な改造による確保でもよい）	規定なし	
広さ（日常生活空間内）	便所	便器形状	腰掛け式	同左	同左	規定なし	
広さ（日常生活空間内）	特定寝室（1つ）	内法寸法	12㎡以上	同左	9㎡以上	規定なし	

＊転落防止のための手すりは省略　＊表中の用語は品確法に準拠

＊1：勾配45度以下（基準適合含む）でホームエレベーターを設置する場合は片側　＊2：勾配45度を超える場合（適用除外あり）は両側

＊3：勾配45度を超える場合（適用除外あり）は両側（ホームエレベーターを設置する場合は等級1の基準に緩和）

国土交通省住宅局住宅生産課監修『必携　住宅の品質確保の促進等に関する法律（改訂版）』（2006年）および公式テキストを参考に作成

分野別練習問題

（解説は監修者が作成しています）

解答・解説は189～190ページにあります

問1 **次の①～⑤の記述の中で、その内容が誤っているものを一つだけ選び、解答用紙の所定欄にその番号をマークしなさい。**

① わが国で木造住宅を建てるときは、地域によって若干寸法が異なるにせよ、伝統的に3尺（910mm）というかつての尺貫法を基準に造られてきた。この寸法は建築材料の製作、建築部材の製作等に今でも深くかかわっており、メートル法に変わった現在でも、尺をメートルに換算しているものもある。

② わが国では、床座といって、畳などの床面に座って生活動作を行うことを基本にしてきた。たとえば、畳の上で布団を敷いて就寝する高齢者はまだ多いが、床からの立ち座り動作は高齢者には不向きである。

③ わが国では、限られた住宅面積のなかで、生活の洋式化に伴う家具類の使用が多くなってきたことなどにより、介護を必要とする高齢者、福祉用具を使用する高齢者や障害者の室内移動を困難にしている。

④ 高齢者が家庭内事故の犠牲者となっていることはよく知られている。事故の内容は転倒、転落、墜落の他に、最近特に注目を集めているのは浴槽内の溺死であり、家庭内事故死の50％を超えている。

⑤ 介護においては、高齢者や障害者の生活支援を毎日継続的に行わなければならないので、介護者にも身体的・精神的休息が必要となる。従って、介護の有無や軽減は、家族関係の円滑化にも大いに影響がある。

問2 次の介護保険制度のサービスの利用に関する①～⑤の記述の中で、その内容が誤っているものを一つだけ選び、解答用紙の所定欄にその番号をマークしなさい。

① 介護保険制度のサービスは、介護支援専門員（ケアマネジャー）が作成する介護サービス計画（ケアプラン）に基づいて提供される。

② 介護保険サービスを利用した時は、原則として、かかった費用の１割（一定以上所得者は2割、現役並み所得者は3割）が利用者負担となる。

③ 要介護状態が「要介護１」である場合、居宅サービスは受けられるが、施設サービスは受けることができない。

④ 居宅サービスの中の一つに、認知症対応型共同生活介護（認知症高齢者グループホーム）がある。

⑤ 施設サービスの中の一つに、介護老人福祉施設（特別養護老人ホーム）がある。

問3 次の①～⑤の記述の中で、その内容が誤っているものを一つだけ選び、解答用紙の所定欄にその番号をマークしなさい。

① 「ADA」とは、障害のあるアメリカ人が社会に参加する権利を保障し、そのために必要な建築・交通・通信などを利用できるように整備することを目的に、1990年にアメリカで制定された法律のことである。

② 「福祉用具の研究開発及び普及の促進に関する法律」とは、福祉用具の研究開発及び普及のための基盤を整備することによって、高齢者や障害者の心身特性をふまえた福祉用具の研究開発を促進し、さらに、利用者一人ひとりにその心身の状況に適合した福祉用具の普及が図られることを目的とした法律のことである。

③ 「消費生活用製品安全法」とは、消費生活用製品による一般消費者の生命または身体に対する危害の発生の防止を図り、一般消費者の利益を保護することを目的とした法律で、しばしばPL法と呼称される。

④ 「製造物責任法」とは、製品の欠陥によって生命、身体または財産に損害を被ったことが証明された場合に、被害者は製造会社などに対して損害賠償を求めることができることを定めている法律である。

⑤ 「住宅の品質確保の促進等に関する法律（品確法）」とは、住宅の品質確保の促進、住宅購入者などの利益の保護、住宅に係る紛争の迅速かつ適正な解決を図ることを目的とした法律のことである。

問4 次の①〜⑤の記述の中で、その内容が正しいものを一つだけ選び、解答用紙の所定欄にその番号をマークしなさい。

① 高齢者が安心して居住できるようにバリアフリー化され、緊急時対応サービスの利用が可能で、建設費や家賃の一部が補助の対象となる良質な賃貸住宅を「シルバーハウジング」といい、日常生活支援サービスや介護サービスの提供を行うこともできる。

② 単身または夫婦世帯などの高齢者向けの公共賃貸住宅で、高齢者などの生活特性に配慮した設備・仕様に加えて、生活援助員（LSA）による安否の確認、緊急時の対応、一時的な家事援助などの日常生活支援サービスが提供される住宅を「サービス付き高齢者住宅」(サ高住) という。

③ 高齢者が居住する住宅をバリアフリー化するための融資制度で、生存中は毎月利息のみを返済し、元金は高齢者本人が死亡後に相続人が一括返済するか、あらかじめ担保として提供された土地・建物を処分して返済を行うリバースモーゲージという仕組みを「バリアフリーリフォームにおける高齢者向け返済特例制度」という。

④ 自炊ができない程度の身体機能の低下が認められるか、高齢のため独立して生活するには不安があり、家族の援助を受けることが難しい高齢者が、食事や入浴などの生活サービスなどを受ける老人福祉施設を「有料老人ホーム」という。

⑤ 一人以上の高齢者を入居させ、食事の提供、介護の提供、洗濯・掃除などの家事、健康管理のいずれかを提供する高齢者向けの居住施設で、介護や食事などのサービスが付いた介護型、食事などのサービスが付いた住宅型、食事などのサービスが付かない健康型の施設を「ケアハウス」という。

問5 次の①〜⑤の記述の中で、その内容が最も不適切なものを一つだけ選び、解答用紙の所定欄にその番号をマークしなさい。

① 「社会福祉士及び介護福祉士法」によれば、介護とは高齢者や障害者等に対して入浴、排泄、食事などの日常生活行為への手助けを意味する。

② 介護保険制度における介護支援サービスは、サービス提供者が上に立つことなく、利用者の立場に立った利用者本位のものでなければならない。

③ 身体状況と住環境が適合していないために発生する生活上の不便・不自由を解決する住環境整備の方針は、「福祉用具の活用」、「住宅改造（住宅改修)」、「福祉用具の活用と住宅改造の併用」の3分類になる。

④ 福祉住環境コーディネーターは、担当した住宅改造ならびに福祉用具の使用後しばらく

の間は、時々電話をかけたり訪問調査を行って、住環境整備がうまく機能しているかどうかの確認を行う。

⑤　ピアカウンセラーは、同じ疾患や障害をもつ人に対して、自分の過去の経験を通して相談・助言者となることが有効であるとされ、それを行う人のことを指す。

問6　**次の(a)～(e)の記述について正しいものを○、誤っているものを×としたとき、正しい組み合わせを①～⑤から一つだけ選び、解答用紙の所定欄にその番号をマークしなさい。**

(a) 介護保険制度による住宅改修費の支給に係る住宅改修の種類は、手すりの取付け、段差の解消、滑りの防止及び移動の円滑化等のための床または通路面の材料の変更、洋式便器などへの便器の取替え、その他これら4項目の住宅改修に付帯して必要となる住宅改修のみである。

(b) 介護保険制度による福祉用具貸与に係る福祉用具の種類は、車いす、車いす付属品、特殊寝台、特殊寝台付属品、床ずれ防止用具、体位変換器、手すり、歩行器、歩行補助杖、認知症老人徘徊感知機器、拡大読書器、移動用リフト（吊り具の部分を除く)、自動排泄処置設置である。

(c) 介護保険制度による福祉用具購入費の支給に係る福祉用具の種類は、腰掛便座、特殊尿器、入浴補助用具、簡易浴槽、移動用リフトの吊り具の部分である。

(d) 住宅改修費の支給と福祉用具貸与は、介護保険制度によるサービスのなかでも特に居宅生活、施設生活を支援する根幹的支援策である。

(e) 住宅の品質確保の促進等に関する法律では、住宅内の移動の安全性や介護の容易性等に配慮した「高齢者等配慮対策等級」を策定し、住宅評価を希望する建築主に対して5段階の評価を行っている。

①　(a) ×　(b) ×　(c) ○　(d) ○　(e) ×
②　(a) ○　(b) ○　(c) ×　(d) ×　(e) ○
③　(a) ○　(b) ×　(c) ×　(d) ○　(e) ×
④　(a) ×　(b) ○　(c) ○　(d) ×　(e) ×
⑤　(a) ×　(b) ×　(c) ○　(d) ×　(e) ○

問7 次の文中の［　］部分に下記の語群から最も適切な用語を選び、解答用紙の所定欄にその番号をマークしなさい。

介護保険制度の運営主体である［ア］は、［イ］と東京23区で、［ウ］と［エ］が加入する。［ウ］は40歳以上65歳未満の医療保険加入者で、［エ］は65歳以上の住民である。受けられる介護サービスと保険料との関係を明確にするため、［オ］の仕組みを取り入れている。

【語　群】

① 国	② 都道府県	③ 市町村	④ 厚生労働省
⑤ 国民	⑥ 保険者	⑦ 被保険者	⑧ 第１号保険者
⑨ 第２号保険者	⑩ 第３号保険者	⑪ 第１号被保険者	⑫ 第２号被保険者
⑬ 第３号被保険者	⑭ 生命保険	⑮ 社会保険	⑯ 火災保険
⑰ 介護支援専門員	⑱ 損害保険	⑲ 社会福祉法人	⑳ 医療法人

問8 次の①～⑤の記述の中で、その内容が最も不適切なものを一つだけ選び、解答用紙の所定欄にその番号をマークしなさい。

① 介護保険制度における福祉用具貸与の対象となる車いすは、自走用（自操用）標準形車いすと介助用標準形車いすのみである。

② ベンチ型シャワーいすは、浴槽への出入りの際に使用する福祉用具である。浴槽縁にベンチの片側を取り付け、反対側の脚を洗い場に置くものを、介護保険制度では入浴台として扱う。

③ 浴槽縁に挟んで簡易に取り付ける浴槽用手すりは、浴槽縁を立ちまたいで入る際に有効な手すりで、介護保険制度の福祉用具購入費の支給対象である。

④ バスボードは、浴槽縁の両側に渡して用いる板で、板の上に腰を下ろして浴槽内の出入りに使用する。介護保険制度では入浴台として扱い、福祉用具購入費の支給対象である。

⑤ 介護保険制度における福祉用具貸与の対象となる歩行補助杖は、松葉杖、エルボー・クラッチ（ロフストランド・クラッチ）、多脚杖（多点杖）など歩行機能を補完するものに限られる。

問9 **次の(a)～(e)の記述について正しいものを○、誤っているものを×としたとき、正しい組み合わせを①～⑤から一つだけ選び、解答用紙の所定欄にその番号をマークしなさい。**

(a) 福祉用具には、介護保険制度の福祉用具の貸与や購入費の支給、障害者総合支援法による日常生活用具給付等事業や補装具費支給制度により、提供される機器や装具が含まれる。

(b) 介護保険制度による福祉用具貸与を行う事業所については、福祉用具専門相談員の配置が義務づけられている。

(c) 福祉用具プランナーは福祉用具に関する適切な知識と、適用に関する技術を有する者であり、ケアプランの策定も行う。

(d) 介護保険制度による住生活関連施策には、居宅サービスのうち、住宅改修費の支給、福祉用具貸与、福祉用具購入費の支給がある。

(e) 介護保険制度による福祉用具貸与とは「入浴又は排せつの用に供する福祉用具その他の厚生労働大臣が定める福祉用具」の貸与のことである。

① (a) ○ (b) × (c) ○ (d) × (e) ×
② (a) ○ (b) ○ (c) × (d) ○ (e) ×
③ (a) × (b) ○ (c) × (d) ○ (e) ×
④ (a) ○ (b) ○ (c) × (d) ○ (e) ○
⑤ (a) × (b) × (c) ○ (d) × (e) ○

問10 **次の(a)～(e)の図に示す歩行に用いる福祉用具において、下表のように並べた時、最も適切な組み合わせを①～⑤の中から一つだけ選び、解答用紙の所定欄にその番号をマークしなさい。**

[表] **使用者の下肢の支持性や歩行の耐久性に関する能力**

	最も低い人が使用するもの ⟷ 最も高い人が使用するもの
①	(c) < (e) < (a) < (b) < (d)
②	(c) < (d) < (e) < (b) < (a)
③	(c) < (e) < (b) < (d) < (a)
④	(e) < (d) < (c) < (a) < (b)
⑤	(e) < (b) < (c) < (a) < (d)

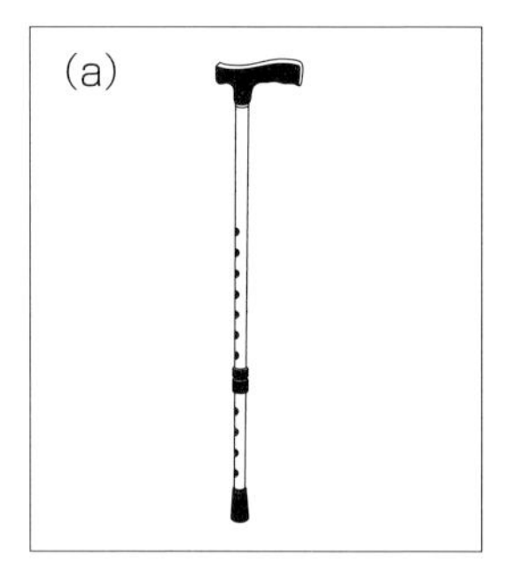

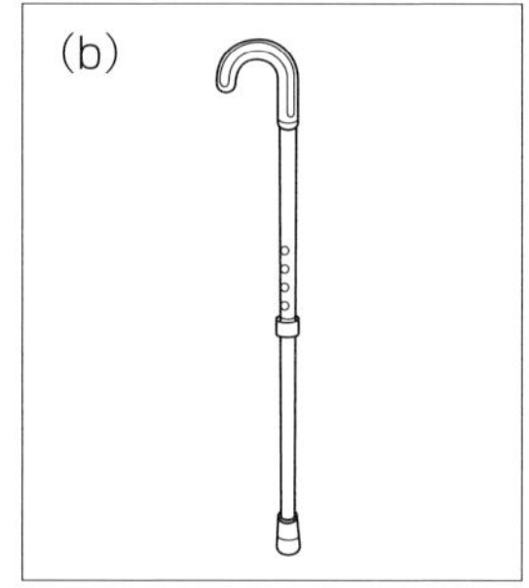

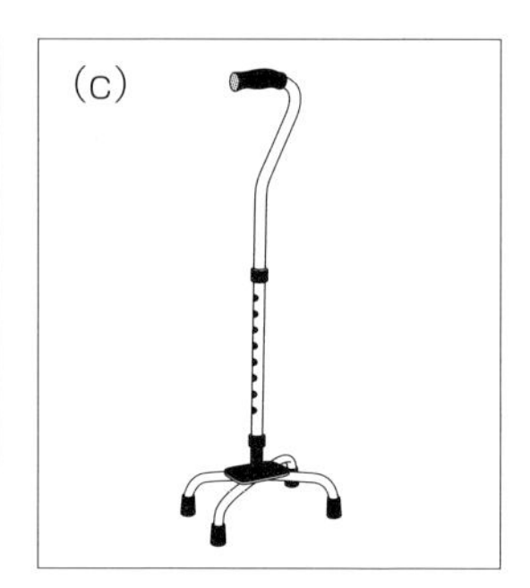

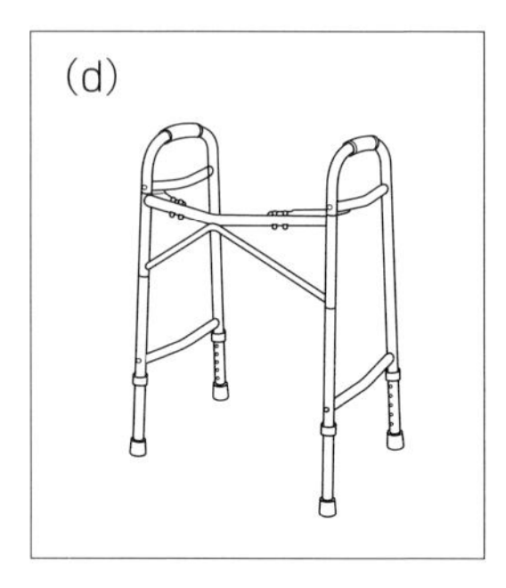

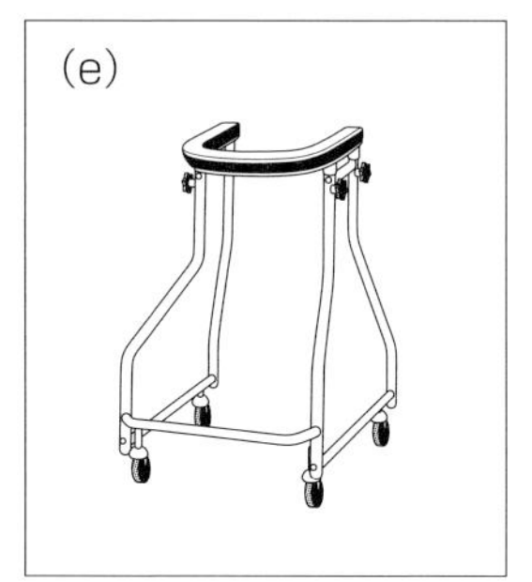

問11 **次の①～⑤の記述の中で、その内容が誤っているものを一つだけ選び、解答用紙の所定欄にその番号をマークしなさい。**

① 建築基準法における道路とは、幅員が4m以上のものをいうが、建築基準法適用以前からある4m未満の道路で、建築基準法第42条2項の規定により指定を受けたものは建築基準法における道路とみなすことができる。

② 建築基準法第42条2項の規定により指定を受けた道路では、道路の中心線から2mずつまでは、自分の敷地であっても建築物を建築することはできない。しかし、門や塀などは建築することができる。

③ 都市計画法で定める市街化調整区域とは、市街化を抑制する区域であり、むやみに開発などが行われないようにしている。この指定を受けた区域では、指定された時点ですでに建っていた住宅は建て替えることができるが、原則として新たに住宅を建てることはできない。

④ 高度地区とは、建築物の高さの最高限度、または最低限度を定めたものである。最高限度は、周辺地域の環境が悪化しないよう市街地の環境維持を目的とする。最低限度は、当該地域において建築物を高層化し、積極的に土地利用の促進を図ることを目的とする。

⑤ 都市計画法で定める用途地域とは、地域を目的用途に応じて分類し、そこに建築できる建築物と建築できない建築物を定めたものである。第2種低層住居専用地域では、主として低層住宅に係る良好な住居の環境保護を目的とするが、小規模な店舗は建築できる。

問12 **次のような条件の敷地において、住宅の建築が計画されている。建築基準法で認められる(a)、(b)、(c)の各点の最大高さとして正しいものの組み合わせを次の①〜⑤から一つだけ選び、解答用紙の所定欄にその番号をマークしなさい。ただし、道路斜線制限以外の斜線制限は受けないものとし、建築物は道路境界線に接して建てられているものとする。**

【条　件】

第1種低層住居専用地域

前面道路幅　4 m

この敷地に対する高さ制限　12m

	(a)	(b)	(c)
①	(a) 5.0 m	(b) 12.0 m	(c) 12.5 m
②	(a) 6.0 m	(b) 12.0 m	(c) 12.0 m
③	(a) 5.0 m	(b) 12.0 m	(c) 12.0 m
④	(a) 6.0 m	(b) 15.0 m	(c) 15.0 m
⑤	(a) 5.0 m	(b) 12.5 m	(c) 12.0 m

問13 **下図のような敷地に建つ2階建て（地階なし）住宅の2階部分に、バルコニーの設置が検討されている。設置するバルコニー面積を建築基準法で認められる最も大きな面積とした場合における、バルコニーの寸法Aの長さを、次の①〜⑤から一つだけ選び、解答用紙の所定欄にその番号をマークしなさい。ただし、柱の太さは考慮に入れなくてよいものとする。**

敷地面積　110m²

1階部分の床面積　32m²（8 m × 4 m）

2階部分の床面積　18m²（6 m × 3 m）

（1階部分の水平投影面積から突き出た2階部分はない）

前面道路幅　4 m

この敷地における建ぺい率は　40%

この敷地における容積率は　60%

バルコニーは長方形で一辺の長さは6 mとする

① 2 m

② 3 m

③ 4 m

④ 5 m

⑤ 6 m

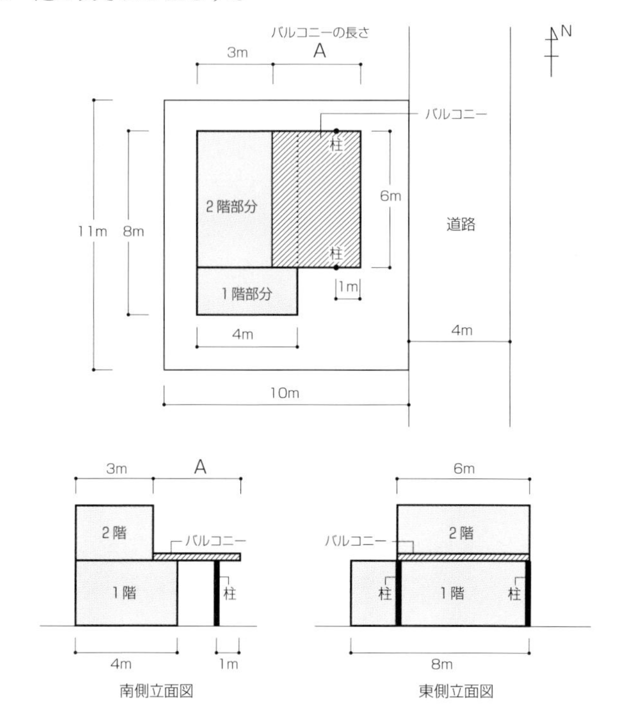

問14 **次の「要介護認定」に関する①～⑤の記述の中で、その内容が誤っているものを一つだけ選び、解答用紙の所定欄にその番号をマークしなさい。**

① 要介護認定とは、介護サービスの必要度を判定することである。

② 介護保険制度において、被保険者が要介護・要支援に該当するかを審査・判定する機関を介護認定審査会といい、原則として市区町村に設置されている。

③ 要介護状態区分は要介護1、要介護2、要介護3、要介護4、要介護5、の5つに分類されている。

④ 要介護状態区分に応じて、介護保険の給付額が決まってくる。

⑤ 要介護認定は原則として、6カ月ごとに見直される。

解答・解説

■問1■　正解4

④　誤り。高齢者の家庭内事故死に関して溺死は注目すべき点であるが、2014（平成26）年度の人口動態統計によれば、溺死は全体の39.9％となっている。

■問2■　正解3

③　誤り。要介護者の場合、状態区分にかかわらず施設サービスを受けることができる。施設サービスを受けることができないのは、要支援者。

■問3■　正解3

③　誤り。PL法は製造物責任法の呼称として使用されている。

■問4■　正解3

①　誤り。本肢は「サービス付き高齢者住宅」に関する記述である。

②　誤り。本肢は「シルバーハウジング」に関する記述である。

③　正しい。設問のとおり。

④　誤り。本肢のような軽費老人ホームの一形態である老人福祉施設を「ケアハウス」という。

⑤　誤り。本肢は「有料老人ホーム」に関する記述である。なお、健康型の場合、介護が必要になると、契約を解除して退去しなければならない。

■問5■　正解3

③　不適切。身体状況と住環境が適合しないために発生する生活上の不便・不自由を解決する住環境整備の方針は、①模様替え（原則として工事を伴わない）、②福祉用具の活用（原則として工事を伴わない）、③住宅改修（工事を伴う）、④福祉用具の活用と住宅改修（工事を伴う）の併用の4分類となる。

■問6■　正解5

(a) 誤り。記述の4項目の他に、引き戸などへの扉の取替えがある。

(b) 誤り。記述のうち、拡大読書器は対象となっていない。また、スロープと自動排泄処理装置は対象となる。

(d) 誤り。居宅生活を支援するためのもので、施設では使えない。

以上から、(a) ×　(b) ×　(c) ○　(d) ×　(e) ○　となり、⑤が正解。

■問7■　正解ア-6　イ-3　ウ-12　エ-11　オ-15

■問8■　正解1

①　不適切。福祉用具貸与の対象となる車いすは、記述のほかに、普通形電動車いすなどもある。

■問9■　正解2

(c) 不適切。福祉用具プランナーは、ケアプランの策定は行わない。

(e) 不適切。福祉用具貸与とは、「居宅要介護者等について行われる福祉用具のうち厚生労働大臣が定めるもの（車いす、特殊寝台など）の貸与のことである。貸与になじまない尿器や便器などは「購入費支給」となっている。

以上から、(a) ○　(b) ○　(c) ×　(d) ○　(e) ×　となり、②が正解。

■問10■　正解4

(a) T字型杖：虚弱高齢者や、関節リウマチのある者も使うが、脳血管障害による片麻痺者に多く使われる。

(b) C字型（彎〈湾〉曲型）杖：虚弱高齢者や、脳血管障害などにより、下肢の支持性が低下している場合に多く使われる。

(c) 多脚杖（多点杖）：脳血管障害による片麻痺の場合に多く使われる。

(d) 固定型歩行器：骨折などにより下肢に運動機能障害がある者に多く使われる。

(e) 肘当て付き四輪歩行車：加齢や骨折、脳血管障害などにより、歩行の耐久性が低い者、下肢の運動機能障害の者に多く使われる。

■問11■　正解2

② 誤り。特定行政庁の指定したみなし道路の中心線から2mの線がその道路の境界線とみなされる。道路とみなされた部分は、自分の敷地であっても、門や塀を含め、建築物などを建てることはできない。

■問12■　正解3

第1種低層住居専用地域なので、斜線の数値は1.25が採用され、(a)点の高さは、4m × 1.25 = 5mとなる。(b)(c)点は、この敷地に対する高さ制限が12mなので、いずれも最高12mとなる。

■問13■　正解3

敷地は、幅4m以上の道路に2m以上接しているので、境界線の移動は無視して考えられる。

建ぺい率は、建築面積／敷地面積の比率。建築面積とは、建築物自体を水平に地盤面に投影したときの投影面積で、通常は1階の面積だが、1階より2階部分が出っ張っている場合、またはピロティのように1階部分が空いている場合はその分の面積が含まれる。また、ひさし、バルコニー、屋根などが1mを超えて出っ張っている場合は1mを超えた部分が建築面積として参入される(建築基準法第53条)。

したがって、ここでは、

建ぺい率＝建築面積／敷地面積

$0.4 = \{32 + (A - 2) \times 6\} \div 110$

計算すると、

$6A = 44 - 32 + 12 = 24$

$A = 4$

次に容積率は、延べ床面積／敷地面積の比率。延べ床面積とは各階の床面積を合計したものだが、特定目的のないバルコニーとポーチは算入されない。つまり、バルコニーの長さは容積率によって制限されない。そこで上記の計算のとおり建ぺい率の制限によって、バルコニーの長さAは最大4mとなる。

■問14■　正解3

③ 誤り。要介護状態区分は、要支援1～2、要介護1～5までの7段階に区分されている。

PART 4

福祉住環境整備の基本

SECTION1　福祉住環境整備の基礎知識

SECTION2　福祉住環境整備の進め方

SECTION 1 福祉住環境整備の基礎知識

ケアマネジメントと福祉住環境整備

●高齢者や障害者が住み慣れた家で安全に自立した生活を送り、家族等の介護負担を軽減するには、住宅改修や福祉用具の導入により不便・不自由な生活空間を改善し、居宅生活の基盤を整備することが重要です。ここに福祉住環境コーディネーターの存在意義があります。
●要介護者等とその家族の生活を十分に把握したうえでプランを検討するために、まずケアマネジメントの流れをつかむことが大切です。

ケアマネジメントの基本

現在の介護には、さまざまな分野から多彩なサービスが提供されます。その中から必要なサービスを適切に選択し利用するために、要介護者やその家族に代わってサービスを選択し、実施計画を立てて手続きを行い、その実施過程を見守る活動をケアマネジメント（介護支援サービス）といいます。また、そのケアマネジメントを行う人を介護支援専門員（ケアマネジャー）といいます。

ケアマネジメントのプロセスと福祉住環境コーディネーターの仕事を関連させてわかりやすくすると、右ページの図のようになります。

住環境整備を円滑に進めるポイント

1．要介護者の自宅に出向く

要介護者や家族が抱えている問題点や要望を聞き出すために、自宅を訪れ相談します。これにより、要介護者のADL（日常生活動作）が把握でき、解決すべき生活目標のニーズを明らかにすることができます。

2．住み方の工夫、福祉用具の導入、住宅改修を総合的に検討する

利用者の心身の状況に合わせ、トイレに近い部屋に寝室を移すなどの住み方の工夫、起居動作を補助する特殊寝台などの福祉用具の導入、さらに段差の解消や洋式便器等への便器の取替えといった使い勝手が悪い住宅箇所の改修など、バランスをとりながら総合的に検討する視点が大切です。

3．将来像への配慮

住宅改修後の生活状況を確認するとともに、利用者と家族の状況が将来どのように変化していくのかまでにも十分な配慮が必要となります。

ケアマネジメントのプロセス

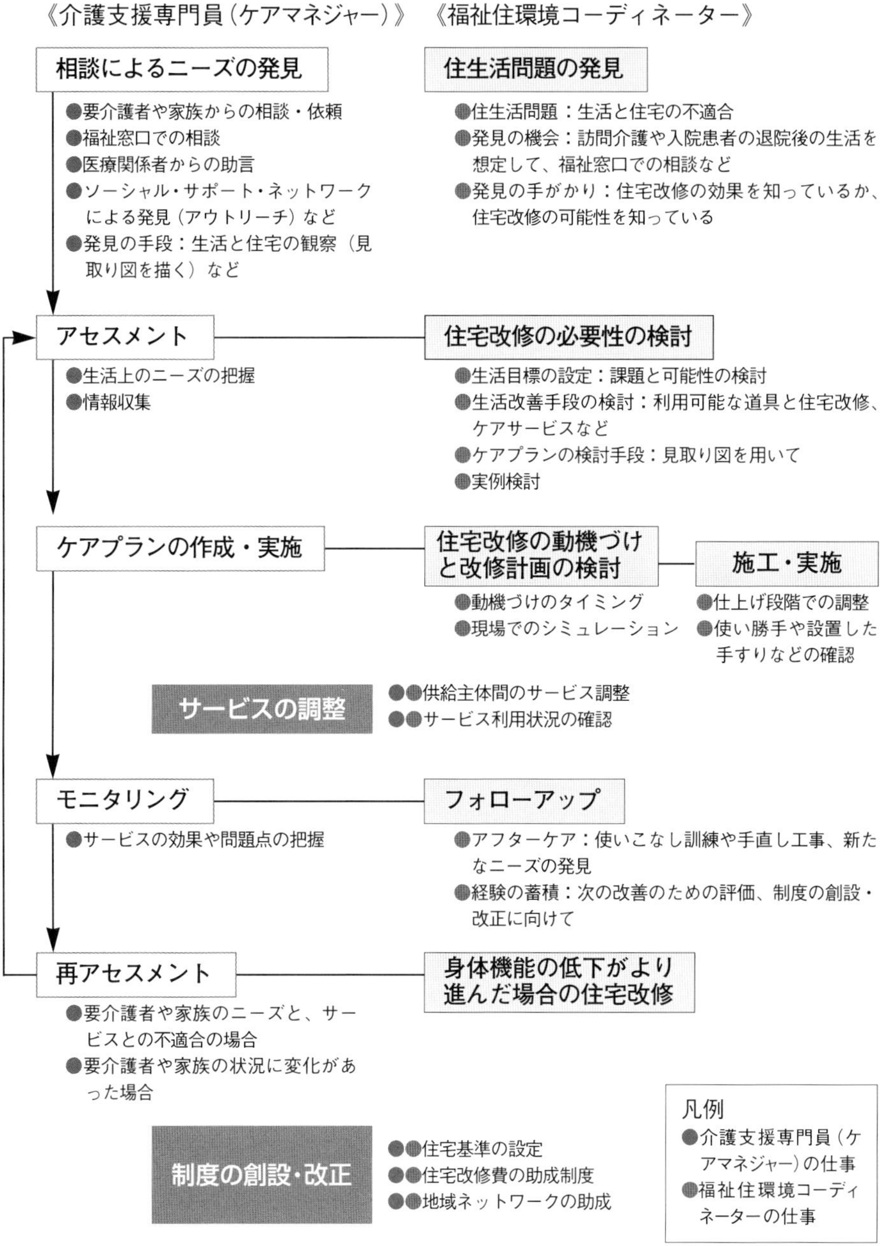

《介護支援専門員（ケアマネジャー）》　《福祉住環境コーディネーター》

相談によるニーズの発見
- 要介護者や家族からの相談・依頼
- 福祉窓口での相談
- 医療関係者からの助言
- ソーシャル・サポート・ネットワークによる発見（アウトリーチ）など
- 発見の手段：生活と住宅の観察（見取り図を描く）など

住生活問題の発見
- 住生活問題：生活と住宅の不適合
- 発見の機会：訪問介護や入院患者の退院後の生活を想定して、福祉窓口での相談など
- 発見の手がかり：住宅改修の効果を知っているか、住宅改修の可能性を知っている

↓

アセスメント ― **住宅改修の必要性の検討**
- 生活上のニーズの把握
- 情報収集

- 生活目標の設定：課題と可能性の検討
- 生活改善手段の検討：利用可能な道具と住宅改修、ケアサービスなど
- ケアプランの検討手段：見取り図を用いて
- 実例検討

↓

ケアプランの作成・実施 ― **住宅改修の動機づけと改修計画の検討** ― **施工・実施**
- 動機づけのタイミング
- 現場でのシミュレーション

- 仕上げ段階での調整
- 使い勝手や設置した手すりなどの確認

サービスの調整
- 供給主体間のサービス調整
- サービス利用状況の確認

↓

モニタリング ― **フォローアップ**
- サービスの効果や問題点の把握

- アフターケア：使いこなし訓練や手直し工事、新たなニーズの発見
- 経験の蓄積：次の改善のための評価、制度の創設・改正に向けて

↓

再アセスメント ― **身体機能の低下がより進んだ場合の住宅改修**（→アセスメントへ戻る）
- 要介護者や家族のニーズと、サービスとの不適合の場合
- 要介護者や家族の状況に変化があった場合

制度の創設・改正
- 住宅基準の設定
- 住宅改修費の助成制度
- 地域ネットワークの助成

凡例
- ●介護支援専門員（ケアマネジャー）の仕事
- ●福祉住環境コーディネーターの仕事

SECTION 1　福祉住環境整備の基礎知識

福祉住環境整備相談の対応の原則

●相談援助とは、面接により要介護者等の要望を聞き、生活を不自由にさせている問題を見出し、解決してニーズを満たす支援をいいます。
●要介護者等の身体状況やニーズの変化、また、その家族の生活状況などに合わせて、速やかな対応が望まれます。
●住宅改修のメリットを理解してもらうことが、要介護者や家族のニーズを明確にすることにつながります。

福祉住環境整備のメリット

住み慣れた自宅であっても、加齢に伴なう身体機能の低下によって、わずかな段差につまずき転倒して骨折したり、玄関から道路までの動線が整備されていないと、閉じこもりがちになることもあります。

住環境整備の目的は、不便・不自由の原因を解消して要介護者等の日常生活の利便性を高めることで、在宅での自立した生活と活動、さらに社会参加を促すことにあります。さらに、介護者の介護負担を軽減し、家族にも安全で快適な生活が送れることを理解してもらうことが重要です。

住宅改修プランはケアプランをもとに要介護者と家族、保健・医療・福祉・建築などの専門職を交えて、総合的に十分に検討したうえで、要介護者と家族が最終的に決定することにより実施するという姿勢が最も大切です。

福祉住環境整備のメリットを整理すると、次のようになります。

①住み慣れた住宅や地域での生活を、長期化あるいは持続させる。
②安全な住環境の確保により、安心感のある生活が送れる。
③家族はもちろん、外出しやすい住環境により地域住民との交流が保たれる。
④家族や介護者の負担を軽減させ、家族関係が円滑になることが期待できる。
⑤人的サービスを抑えることができ、ケアに必要な経済的負担を軽減できる。
⑥要介護者等の生活を能動的あるいは自由なものにすることで、身体的・精神的・社会的能力を維持する、または改善する。
⑦要介護者等の生活空間を広げることで、療養者としての圧迫感から開放し、健常者と変わらない生活が送れる。さらに社会参加の方策を追求する。

相談援助の基本と留意点

福祉住環境コーディネーターは、住環境整備の相談を受ける時には、要介護者や障害者の日常生活を不自由にしている問題点を把握するために、相談援助の基本的視点を理解しておく必要があります。

●個別化の視点をもつ

同じような障害をもつ人でも、障害の原因や程度、日常生活動作などが一人一人異なります。パターン化された住環境を提供するのではなく、個々の価値観や要望などを把握して、住環境整備に反映させる必要があります。

●自己決定のプロセスを重視する

援助者と要介護者等が信頼関係に基づいて、要介護者等が抱える問題を自分で解決していけるよう、自己決定のプロセスを援助者が支援していくことが重要です。

●プライバシーの保護と守秘義務の堅持

相談援助の過程で知りえた個人情報が漏れると、信頼関係に基づく援助関係にも影響を及ぼしかねません。守秘義務を遵守し、プライバシーの侵害にならないように個人情報の管理に注意します。

●キーパーソンを決めておく

相談では、生活を不自由にしている問題や要望を直接聞くなど、本人を中心に行います。しかし、体調が悪かったり、あるいは介護サービスの制度、福祉用具の機能、住宅改修の費用や契約など改善のための提案が専門的であったりすると、対応できずに本人の負担になることもあります。必要に応じて、本人を補佐する相談者（キーパーソン）を決めておくことや、援助の終了後のフォローアップも大切です。

ZOOM UP

■感染症の大規模流行下における相談援助

○感染防止への取組み
- 情報収集や相談はリモート（遠隔）方式を併用。
- 訪問前に対象者や家族の感染防止に関する考え方を確認し、納得の得られる方法で対応。
- 自宅訪問の際は感染防止に留意。

○ニーズの変化への対応
- 福祉住環境整備の相談や工事は減少。
- 在宅時間の増加により自宅の不便さが表面化。
- 家族の在宅時間が増加し、対象者の不便な生活状況と改修の必要性について家族全員の理解が深まり、改修に向けた動きが進む場合も。

○正しい知識と対応
- 病気に対する正しい知識と予防。
- 対象者への感染防止と訪問者自身の安全確保。

KEY WORD

■インテーク面接

利用者と面接者が相談目的のために設定された場面で初めて会い、援助を必要とする状況と課題を確認し、機関や制度の提供できるサービスと突き合わせて、その後の援助の計画を話し合って契約を結ぶ過程を総称する語。受理面接、受付面接ともいう。

■インフォームドコンセント

「十分な説明に基づく同意」などと訳される。医師が患者に診療の目的と治療内容などを十分説明したうえで、患者の同意を得て治療すること。

福祉住環境コーディネーターにもこうした考え方に基づいた活動が望まれる。

相談を受けるときの基本姿勢

●相談者が話しやすい環境作りを

来所相談では、相談室の広さ、色彩、外部との遮蔽性、照明といった物理的な環境を整備し、話しやすい空間にします。相談者とは適切な距離をおき、真正面に向かい合うことを避け、適切な対面角度を保ちます。また、威圧感を感じさせないように、目線を同じレベルに合わせるように心がけます。

●相談者の話をよく聞くこと

相談者の話を理解するために、真摯な態度で耳を傾ける傾聴の姿勢が大切です。うなずく、相づちを打つ、整理する・要約する・言い換えるなど話の内容を確認しながら、重要な点を引き出します。さらに、相談者自身が問題を整理し、解決の方法を発見できるよう、自然な形で導いていきます。

●よき観察者となるように

相談者の態度、姿勢、表情、動作やしぐさ、服装などもしっかり観察し、理解を助ける重要な情報として活かします。相談者の意識的、無意識的あるいは非言語によるメッセージを正確に捉えることも重要です。

●「説明と同意」を必ず守る

相談者に理解しやすい形で説明を行います。自己決定のプロセスを無視して、同意なしに勝手に事を進めないことが大切です。認知症や知的障害などで判断能力が十分でなく、自己決定に介助が必要な場合は、その権利を代行できる人を交えて、必ず「説明と同意」を行います。

相談のまとめ方

●相談の形態と体制づくり

相談はインテーク面接（初回の相談受け入れ）から始まり、相談が進むにしたがって、相談内容の質や専門性にかかわる難易度によって、関連する各種の専門職とのチームワークが必要になります。必要に応じて連携を図り、対応していくためのネットワークシステムの整備が欠かせません。

電話相談	相談者の住環境に詳しい専門家がいて、相談員との連携がスムーズにいく場合は、ある程度の対応は行えるが、複雑な内容や増改築場所の現況確認が必要な場合は相談に応じにくい。容易な内容か単純な増改築に限られる。
来所相談	増改築の方法を図面や写真で確認するのに、必要となる。ただし、相談日は相談者が来所しやすい夜間や休日に設定することも必要となる。
訪問相談	大がかりで複雑な工事の場合には、住宅へ直接足を運ぶ訪問相談が必要。本人が来所できない場合、身体状況の把握のためには、保健・医療・福祉関係のスタッフが自宅を訪問して直接本人に会うのが望ましい。ただし、相談者の通院・通所している医療機関や福祉施設から十分な情報が得られる場合は、それに代えてもいい。

社会福祉専門職との連携	保健・医療職との連携
高齢者や障害者を支援する制度の知識、その利用のための調整、家族関係や社会生活の観察、カウンセリングなどを実施する力をもっており、これらの情報や助言を得ることができる。	保健・医療制度の知識やその利用のための調整、病気や障害の内容や程度を判定・評価したり、リハビリの必要性や内容を判断する力を持っており、これらの情報や助言を得ることができる。

住環境整備についての相談の特徴は以下の通りです。

◆住環境整備の相談の特徴

①要介護者と家族の生活状況や、住宅改造に対する意向が確認しにくい	障害を持ちながら自宅で生活を送るイメージがつかみにくく、身体や障害の状況と住環境との接点が見出しにくいためと思われる。
②積極的な態度を示さない	家族への配慮や住宅改修費用への心配などから、特に高齢者に多くある。また、住み慣れた住宅に手を加えたり、環境が変わることへの抵抗感もある。
③障害の進行への対応が必要である	加齢による進行、また進行性の疾患によって、身体機能の低下が見られる。このような事情を相談者がどのようにとらえているか、また住宅改修にどのように反映させるかを慎重に検討する必要がある。ときには医療機関から適切な情報を得ることも必要。
④改修費用と実施の有無の判断	住環境整備による快適な生活は、なかなかイメージしにくいものである。したがって、計画通り実施するか否かの判断は経済的理由によって左右されることもある。最善の方法だけでなく、費用が比較的少なくてすむ方法などの別案も提示して、生活の向上目的につなげる。

住環境整備の相談

住環境整備についての相談を受ける際に注意すべき留意点を下表に掲げます。

◆住環境整備の相談の留意点

①相談者にとって、よき理解者になる	相談者が適切に自分の考えや要求を説明できるとは限らない。どのような条件で、どのような要求を持って、どのようなものを実現しようとしているのかを洞察する。
②要求の内容を、深く掘り下げる	どのような根拠から相談者の考えが出てきたものなのかを確かめておく。 短絡的に結論を導き出している場合も多くある。
③指導的な態度にならないようにする	相談の過程で修正すべき点は修正し、新しいプランは積極的に取り込んでいく柔軟な姿勢が大切。
④最終決定権は相談者にあることを忘れない	相談者が改善方針を決定する判断材料を、わかりやすく説明する姿勢が大切。

ZOOM UP

■IADL

Instrumental Activities of Daily Living. 応用的な日常生活動作。日常生活を自立して送るための、炊事、洗濯や清掃などの家事、買い物、電話、公共交通機関の利用などのADLより幅広い動作群。

■障害により、相談のとき留意すべきこと

車いすの場合は、目線の位置に配慮し、見下すような位置関係にならないように。白内障の高齢者の場合、明るい窓際に座らせて、まぶしい思いをさせないようにする。

SECTION 2　福祉住環境整備の進め方

福祉住環境のプランニングと基本

●「暮らしやすさ」を左右する、要介護者の身体状況やその家族の生活状況、ライフスタイルなどの的確な把握から住環境整備は始まります。
●要介護者や家族の「住生活問題（生活ニーズ）の発見」のための、具体的なチェック方法を身につけましょう。
●チェックシートにある項目だけに目を奪われることなく、利用者の話をよく聞き取り、整理しながら記録をしていくことが大切です。

チェックシートの必要性

住環境整備のプランニングは、要介護者やその家族の住生活全般へのニーズ、身体状況、現在の住環境、家族状況、経済状況などの情報を、もれなく、正確に収集・把握することから始まります。また、住環境整備の対象と目的が、高齢者や障害者の生活支援のため、特に「対象者の身体や疾病の状況」や「介助を行う家族の存在」などの状況に、建設的に対応する可能性を検討する知識や情報を必要とします。そして、それらを順序立てて理解し、利用者といっしょに方針を考えていくのが一般的です。

こうした複雑かつ大量の情報を効率的に収集・把握するために「チェックシート」を利用するのは、非常に有効です。

生活目標

要介護者（高齢者や障害者）と、その家族の生活目標（生活パターン）は、住宅改修のプランニングの基本になります。

①要介護者を含めた、家族一人一人の生活パターンを把握する。
②その人の1日の生活目標（生活パターン）が、本人が自ら好んで選択しているのか、あるいは改善を必要と考えているのかを確かめる。
③要介護者が病院やリハビリテーションセンターなどに入院・入所していて、退院・退所するときのために住宅改修を計画している場合。入院・入所前の自宅における生活を思い出してもらいながら、住宅改修後の生活目標を、聞きとった話の中から整理していく。

以上のことから、要介護者を含めた家族それぞれの部屋の位置関係や、介助者の居室、家族共通の居間の位置、トイレ・浴室などの水回り関係の位置・使用形態などが、少しずつイメージされてきます。

チェックシートは、こうしたイメージを作り出すための基礎になります。

●身体機能のチェックポイント

チェックシートでは、健康状態が良好か、あるいは生活に影響を及ぼしているかどうか、身体障害の有無、障害がある時の障害名、身体障害者手帳の有無、障害等級などを記入します。また、介護保険制度の認定の有無、認定を受けていれば、要介護度・要支援度の程度、居宅サービスの利用状況を記入します。

日常生活動作では、移動・排泄・入浴・更衣・食事・調理の各動作についてそれぞれ自立、見守り、一部介助、全介助のいずれかを記入します。これらは身体機能や日常生活動作の評価に役立つと共に、住宅改修の程度、福祉用具の導入を考慮する際の基礎資料となります。

■歩行レベル差による自立度

屋外歩行レベル（Jランク）

多少の障害はあるがほとんど不自由さを感じない。日常生活は自立していて独立で外出する。

屋内歩行レベル（Aランク）

屋内での生活は概ね自立しているが介助なしに外出しない。筋力低下や軽度の疾患により無理な運動負荷をかけられないなどのため伝い歩きが見られる。

車いすレベル（A～Bランク）

中程度の運動麻痺があるがベッド上で座位を保つことが可能で、介助があれば車いすで外出し近隣を散歩できる。

座位移動レベル（A～Bランク）

床に座った姿勢で手と膝ではって屋内の平面移動が可能な状態。

寝たきりレベル（Cランク）

重度の運動麻痺、長期臥床による拘縮で運動制限などがある。1日中ベッド上で過ごし、排泄、食事、着替に介助が必要。

移動能力	「歩行」「車いす使用」「床上座位移動」「寝たきり」の4段階のレベルに分けられる。さらに、「自立」「介助」の場合が考えられる。
視機能	「明暗順応」「視野狭窄」「色覚の異常」など、行動の安全性に関係する。
日常生活動作	日常生活が、どの程度自分自身でできるか。どのような環境で「自立」できるのか。あるいは「介助」が必要な場合は、具体的にどのような動作に対して、どのような「介助」が必要なのか。また、現在使用している福祉用具も調べる。

チェックシートを利用するときの注意事項として、①できるだけ記入もれのないように、すべての項目に記入する、②なぜ身体機能や経済状態などの質問に答えなければならないか、質問項目の必要性を項目ごとに説明する、ことがあげられます。次ページにチェックシートの一例を掲げます。

◆福祉住環境チェックシートの一例

住環境調査票　　　　　　　　　　　　　　　　　　　調査日　　年　　月　　日

●基本事項		記入者
氏　　名		性別　　年令
住　　所	〒 電話（　　　）　　―	
主な来訪目的	1．建築工事（新築・改築）（概要） 2．設備、機器などの導入（概要） 3．その他（概要）	
●身体状況と日常生活動作		
身体障害	1．なし　2．あり　あるときの障害名（　　　） 障害者手帳の有無　あるときの障害等級　　級 視覚や聴覚の障害（　　　）	
健康状態	日常生活への影響　1．良好・問題なし　2．生活に影響がある、問題がある 問題があるときの疾病名（　　　） 医師から指示されている生活上の制限（　　　）	
介護保険	要介護：認定なし　申請中　認定　1．2．3．4．5	
	要支援：認定なし　申請中　認定　1．2	
移動動作	寝た姿勢からの起きあがり	1．なにも使わずに一人でできる 2．道具を使えば一人でできる　どのような道具か（　　　） 3．介助が必要
	いすなどに座っている	1．数分間でも一人で座っていられる 2．背もたれなどがあれば、数分間一人で座っていられる 3．介助が必要
	いすなどから立つ	1．杖などを使わずに立つことができる 2．杖を使ったりつかまるところがあれば立てる 3．介助が必要 4．立つことはできない
	歩行する 手すりの使用 杖や歩行器の使用 越えられる段差	1．一人で歩ける 2．一人で歩けるが、危険がないか見守ってもらう必要がある 3．歩行には、介助が必要 4．歩行はできない 1．あり　　2．なし 1．あり（種類　　　）　2．なし （　　　mm）
	階段を上がる 手すりの使用 杖や歩行器の使用	1．一人で上がれる 2．一人で上がれるが、危険がないか見守ってもらう必要がある 3．階段歩行には、介助が必要 4．階段歩行はできない 1．あり　　2．なし 1．あり（種類　　　）　2．なし
	車いす使用（あるとき記入）	1．屋外を自力走行できる 2．室内だけなら自力で走行できる 3．移動には、介助が必要
	台などへの乗り移り動作	1．一人でできる 乗り移り可能な台の高さ（車いす座面からの高さ）（　　　mm） 2．できない
	その他の移動方法	1．はって移動　2．座り姿勢のままで移動 3．あお向けのままで移動　4．その他（　　　）
	外出形態	1．自立　2．介助が必要　3．車いす（自走　　介助　　）

排泄動作	排尿　1．自立　2．見守り　3．一部介助　4．全介助 具体的な方法・機器（　） 排便　1．自立　2．見守り　3．一部介助　4．全介助 具体的な方法・機器（　）
入浴動作	洗体　1．自立　2．見守り　3．一部介助　4．全介助 具体的な方法・機器（　） 浴槽への出入り　1．自立　2．見守り　3．一部介助　4．全介助 具体的な方法・機器（　）
更衣動作	1．自立　2．見守り　3．一部介助　4．全介助 具体的な方法・機器（　）
食事動作	1．自立　2．見守り　3．一部介助　4．全介助 具体的な方法・機器（　）
調理動作	1．自立　2．見守り　3．一部介助　4．全介助 具体的な方法・機器（　）

●家族情報

続柄	年令	同居・別居	備考（介助）	続柄	年令	同居・別居	備考（介助）

●住宅状況

所有形態	1．持ち家　2．民間賃貸　3．民間借間　4．公共住宅　5．給与住宅　6．その他
建築形態	1．一戸建て　2．集合住宅（居住階数　階・居住年数　年）
建築概要	主要構造　1．木造　2．鉄筋コンクリート造、鉄骨・鉄筋コンクリート造 3．鉄骨造　4．その他（　）

●改造の希望場所と検討事項

	希望内容	検討事項
浴　室		手すり　すのこ　移乗台　給湯器の交換 シャワーの取り付け　その他
トイレ		手すり　敷居段差解消 便座（便座補高、便座交換）　その他
玄　関		入り口の拡大　建具交換　手すり 敷居段差解消　その他

●予算、資金、融資・補助等の見込み

予算総額		（　）万円
資　金	手持ち資金	（　）万円
	介護保険補助限度額	トイレ（　）万円　浴室（　）万円
	総額と補助割合（　）万円	その他建築工事（　）（　）万円
	融資見込み額	融資先（　）（　）万円

●居宅サービスの利用状況

サービス名	現在利用中	今後利用予定
訪問介護（ホームヘルプサービス） 通所介護（デイサービス） 訪問リハビリテーション 通所リハビリテーション 短期入所生活介護 訪問入浴、訪問看護 福祉用具（購入・貸与） その他（　）		

SECTION 2 福祉住環境整備の進め方

福祉住環境整備のプロセス

- ●福祉住環境の整備の必要性を理解してもらったあと、動機づけ、目標設定へと進めます。
- ●住環境整備の相談の特徴を知り、留意すべき点に注意をはらい、スムーズに住宅改修までつなげましょう。

福祉住環境整備決定までのプロセス

要介護者やその家族の住環境に対するニーズを十分に把握し、住宅改修の必要性を十分に理解してもらったあと、動機づけまでのプロセスを次に示します。

1 何のために住宅改修を行うのか、目的意識を明確にする

具体的に、どのような点で困っているのかをはっきりさせます。そのうえで、住宅改修によってそれらがどのように変わるか、変えられるかを検討します。このとき、住宅改修だけではなく、福祉用具の活用などの手段も検討します。

2 要介護者本人と家族の間の話し合いを十分に行う

要介護者だけが理解していて、家族は理解していないケースや、選択した方法に賛同しないケースが見られます。これとは逆のケースもあり、いずれにしても意見が異なる場合は、住宅改修をしても十分な効果は得られません。家族間の意見が統一されるまで根気よく調整を図ります。

3 相談者側のキーパーソンを決める

相談者側のキーパーソンを相談時に判断するか、その場で決めておきます。そして、相談に関する連絡はそのキーパーソンを通じて行います。このことで、一通り相談を進めたあと、別の人の意見によって決定が変更されることが少なくなります。
相談者側に適当な人がいない場合は、福祉事務所のソーシャルワーカーなどがその任にあたることもありえます。

4 人生目標・生活目標を確認する

要介護者にとっても、一般の人と同じように、これからの人生をどう過ごしていくのかは重要なことです。この人生目標・生活目標を確認することで、相談者が考えている生活を送るためには、どのような方法があるかを考えることができます。

5 住宅改修に対する判断をする

相談は、まず相談者が漠然と住宅改修の必要性に気づいた段階で行われることが多いようです。そのため、相談の過程で、費用のことや効果のことが次第に明確になっていきます。そうして、依頼内容が大幅に変わったり、住宅改修の必要がない、また必要ではあるが社会的、経済的、建築的理由からあきらめざるを得ない場合が起こってきます。

6 明確な動機づけをする

以上のようなプロセスを経て、住環境整備の必要性が初めて認識され、家族全体で住宅改修という大事業に取り組む動機づけができます。こうした明確な動機づけが行われないままに話を進めていくと、その後の過程で何度となく設計内容の変更が行われたり、最悪の場合、工事自体の中止・停止といった場面を招くことにもなりかねません。

●住環境整備を決定するポイント

実際に決定する前に、要介護者とその家族が居住している、また居住予定の住宅状況を実態調査します。

①建築、経済条件から、どの程度の住宅改修ができるか。
②住宅改修方針案が、実際に可能か。
③敷地内に増築スペースがあるか。
④改修しようとする部分の壁や柱の位置は変更できるか。
⑤高齢者が改修方針案を持っている場合は、その実現は可能か。
⑥できるかぎり住宅全体の間取りを把握する。改修方針案の変更などの過程で必要になる。

SECTION 2 福祉住環境整備の進め方

フォローアップ

●住宅改修は一度行ってしまうと、元に戻したり、新たに改修することは、経済的な理由などによって、容易なことではありません。
●機能的にすぐれていても維持管理費が高かったり、維持が面倒であれば、よいものとはいえません。長期的な視点に立って、そこに住む要介護者や家族の生活の変化などをつかむことです。

フォローアップの必要性

改修によってどれほど機能的にすぐれた住宅になっても、維持管理費（メンテナンス費用）が高かったり、維持が大変であったら、よい住環境整備とはいえません。特に高齢者のみの世帯であれば、なおさら、経済的にも、保守管理能力の面でも大きな問題になります。

メンテナンスが容易な設計の工夫によってこのような問題を回避するためには、次のような点に配慮が必要です。

●空調機器関連

給湯器などの水まわりやエアコンなどの空調機器関連です。保守しやすい位置に設置します。

●機器のメンテナンス

福祉機器・用具にはメーカーとメンテナンス契約を結ぶ必要があるものがあります。イニシャルコスト（初期費用）のほかに、電気代やメンテナンス費用などのランニングコスト（経常費用）も十分考慮します。あらかじめこうした費用を見込んだ額を概算して提示しておきます。

●手直し工事

水まわりスペースとの床段差をなくしたり、身体機能に合った細かい寸法合わせが必要です。また、メンテナンスが必要な福祉用具の導入などにより、細部にわたって注意を要する特殊な工事が少なくありません。

そのために工事中や完成後にも、使い勝手の面から細かい調整や修正の工事が必要になることがあります。

一般には、工事が始まってからの手直し工事は、工期の遅れや追加費用を招きますので、できるだけ避けるようにしなければなりません。もし、そのようなことが起こっても不信感が生じないように、事前に、設計者や施工者に了解を得ておく必要があります。

また、工事関係者に対しても、細かな修正・調整工事までを含んだ契約を行い、費用分担などの責任を明確にしておきます。

●使い勝手の確認

工事終了時に、設計者、施工者、利用する本人と家族や支援者で、工事各部位を図面および仕様書を基に確認します。その際には、実際に利用者がそこで行う動作をしてみて、使い勝手を確認することが大切です。

また、住み始めてみて初めて計画段階での誤りや見落とし、身体状況の変化、図面と異なった仕上がりなどの理由により、使い勝手の悪さが判明することがあります。こうした問題が発生したときには、できるだけ早く設計者に連絡をとって現場を確認したうえで、手直し工事などによる解決に努めます。

●使い勝手の変化に対応

高齢者や障害者、特に進行性の疾病を持つ障害者は、身体機能の低下により、使い勝手が変化します。たとえば、トイレの手すりの位置なども、事前に壁の補強範囲を広めにしておくと、使いやすい位置にずらすことが容易になりますので、こうした配慮も大切です。

身体機能の変化が考えられる場合は、本人の了解を得たうえで、担当医師や理学療法士、作業療法士などの医療スタッフと相談して、今後の身体機能の変化の可能性をある程度把握し、配慮したうえで、中・長期的な視点に立って住環境整備のプランニングにあたります。

KEY WORD

■メンテナンス

建築物や設備の価値や効率の低下を防ぐために行う点検・補修などの管理作業。

メンテナンス（維持管理）は大きく分けて掃除と補修。こまめに手入れすることで、破損なども小さなうちに発見でき、長持ちする。

費用は材質によって異なり、水にふれる部分は特に注意が必要。必要な時期にメンテナンスをすることを前提に材料や設計仕様を決めることが大切。

ガス、電気設備など危険を伴うメンテナンスはプロにまかせる。

■イニシャルコスト

初期費用。建築物などを建てたときにかかる、設計費や工事費などの当初費用。

■ランニングコスト

使用に際してかかる費用やメンテナンスに必要な費用。

■保守管理

メンテナンスとほぼ同義だが、電気、空調、給排水、ガス、環境衛生など専門性を必要とする建物の設備の管理に使われることが多い。機器の故障による大きなトラブルを防ぐために、定期的な保守点検、故障時の修理や部品交換などを行い、管理することをいう。

分野別練習問題

（解説は監修者が作成しています）

解答・解説は208ページにあります

問1 福祉住環境コーディネーターが住環境整備を進めるとき、次の①～⑤の記述の中で、その内容が最も不適切なものを一つだけ選び、解答用紙の所定欄にその番号をマークしなさい。

① 要介護者の障害内容やニーズを明らかにし、作業療法士や理学療法士など、障害内容を正確に把握できる専門家の助言や意見を十分に聞くことが重要である。

② 住宅内で問題となる場所を特定し、計測して数字で記録する。この記録の方法は、作業療法士や理学療法士、住環境整備の専門家などと、十分に相談すべきである。

③ 具体的な整備方針を検討し、住環境整備プランを立てる。このプランづくりは可能な限り作業療法士や理学療法士、住環境整備の専門家などと、詳細に相談すべきである。

④ 関係職種間の連絡調整は綿密に行う。この場合、ケアマネジャーがいたとしても、ケアマネジャーは多忙なので、福祉住環境コーディネーターは率先して全体の中心となり、ケースカンファレンスを積極的に進行する立場にある。

⑤ 住環境整備プランの実施に必要な経費、支払い方法、介護保険制度の活用などを検討し、整備の施工者に見積書を依頼する。また、自治体独自の住宅改修助成事業や融資などがある場合は、プランを立てる段階で申請する。

問2 次の福祉住環境整備の相談に関する①～⑤の記述の中で、その内容が誤っているものを一つだけ選び、解答用紙の所定欄にその番号をマークしなさい。

① 住環境整備の経験を積んでいくと、慣れにより無意識のうちに極端な類型化をしたり、「人を全人的にみないで、相談事項や障害といった局部に限定して着目してしまう」という誤りを犯しやすい。「個別的、全人的な人間理解」を身につけることが必要である。

② 相談では、相談者側のキーパーソンは、本人に代わり相談員が提示した住環境整備方針の理解や、工事の段取りの説明や指示を理解して、書類の作成などを担う。キーパーソンが対応すれば情報も得られるので、本人の立ち会いを求める必要はない。

③ 相談では、記録を残すのが通常であるが、認知症など知的障害があって自己選択や自己決定に介助が必要な人の場合は、その権利を代行する人を交えて説明と同意が行われなくてはならない。このような場合は文書によりこれらの行為が確認できるようにする。

④ 電話による相談では、複雑な内容や増改築場所の現況確認が必要な相談には応じにくいので、基本的には容易な内容か単純な増改築に限られる。ただし、高齢者や障害者の住環境整備に詳しい専門家がいて、相談員との連携がスムーズにいく場合には、電話でもある程度の対応を行えることがある。

⑤ 高齢者は、住環境整備にそれほど強い意志を示さない理由に同居家族、特に住環境整備の費用を支払う人への遠慮がある。このような考えに対し、住環境整備は本人のためだけでなく、家族や介護をする者にとって介護負担の軽減などのメリットがあることを説明する。

問3 次の文中の□の部分に下記の語群から最も適切な用語を選び、解答用紙の所定欄にその番号をマークしなさい。

福祉住環境コーディネーターによる福祉住環境整備の相談は、［ア］から始まる。相談が進むにしたがって、相談内容の質や専門性にかかわる難易度によって、保健、医療、福祉、建築等の各種専門家とのチームワークが必要となる。日ごろからこれらの人々と［イ］をつくっておき、必要に応じて連携しあい、対応していく［イ］システムの整備が不可欠である。

社会福祉関連職種の専門性は、高齢者や障害者を支援する制度の知識やその利用のための調整、あるいは家族関係、社会生活の観察や［ウ］、ケースワークなどを実施する力をもっていることである。また、保健・医療関連職種の専門性は、保健・医療制度の知識やその利用のための調整、疾患・障害の内容や程度の［エ］、［オ］サービスの必要性や内容を判断する力をもっていることである。

【語　群】

① 薬剤投与	② カウンセリング	③ ケアマネジャー	④ 要介護認定
⑤リハビリテーション	⑥ ネットワーク	⑦ インテーク	⑧ シミュレーション
⑨ 入浴サービス	⑩ インフォームド・コンセント		⑪ ADL
⑫ APLD	⑬リハビリテーションプラン		⑭ 介護保険制度
⑮ 事例	⑯ QOL	⑰ 判定・評価	⑱ キーパーソン

問4 次の(a)～(e)の記述について適切なものを○、不適切なものを×としたとき、正しい組み合わせを①～⑤から一つだけ選び、解答用紙の所定欄にその番号をマークしなさい。

(a) 福祉住環境コーディネーターは、積極的に相談者の話を聞くという態度で、相手の話にうなずいたり話の要点を要約するなどの態度が重要である。

(b) 福祉住環境コーディネーターは、相談者の表情や動作などの相談場面での様子を十分に観察することが重要である。観察はアセスメントの重要な構成要素となる。

(c) 福祉住環境コーディネーターは、相談者が話をしやすいように照明、部屋の広さ、色彩、外部との遮蔽性といった物理的条件の整備と雰囲気づくりに配慮すべきである。

(d) 福祉住環境コーディネーターは、現場で相談を受ける経験を長く積むことで相談事項や障害内容について相談者への対応方法を類型化することが重要である。

(e) 福祉住環境コーディネーターは、相談者にとってよい援助者となるべきで、解決策となるような選択肢を助言することが重要である。相談者がなかなか解決ができない場合、命令口調で指示を与えるようにするとスムーズに解決ができる。

① (a) ○ (b) ○ (c) × (d) × (e) ×
② (a) ○ (b) ○ (c) ○ (d) × (e) ×
③ (a) × (b) ○ (c) ○ (d) ○ (e) ×
④ (a) × (b) × (c) ○ (d) ○ (e) ○
⑤ (a) ○ (b) × (c) ○ (d) × (e) ×

解答・解説

■問1■ 正解4

④ 不適切。ケアマネジャーがいる場合、PT、OT、その他の関連職種、施工者等との必要なケースカンファレンスは、ケアマネジャーが中心となって行う。

■問2■ 正解2

② 誤り。住環境整備に必要な情報を正確に得るには本人の意見や要望を聞くことが望ましい。相談内容を具体的にするためにも、できるだけ本人の立ち会いを求めるべきである。

■問3■ 正解ア-⑦ イ-⑥ ウ-② エ-⑰ オ-⑤

■問4■ 正解2

(d) 不適切。相談者の生活史等も十分に参考にして、個別的、全人的な理解の仕方を身につけていくことが必要。

(e) 不適切。決定をするのはあくまで相談者自身。その自己決定が適切にできるよう手助けできる人が、よき援助者である。

PART 5

福祉住環境整備の実際

段差をなくす

- 段差の解消は、高齢者・障害者のための住宅内外の対策として、各場所に共通する重要なポイントです。
- 段差につまずいた高齢者の転倒事故は多く、高齢者や身障者の自立を助けるためにも、段差の解消が求められています。
- 屋内外の一連の動線を考えて、総合的な見地から、それぞれの場所に適切な方法を選択することが大切です。

段差の種類と特徴

日本の住宅の内外は意外に段差が多いものです。屋外では門扉周辺、アプローチ、玄関ポーチ、玄関戸下枠、屋内では玄関上がりがまち、和洋室の床段差、建具の敷居段差、浴室の出入り口段差などです。健常者にはあまり気にならない段差も、高齢者・障害者にとっては歩行を困難にしたり、つまずいて転倒しやすくなったり、車いすでの移動を困難なものにしたりします。

住宅においての段差の解消は住宅のバリアフリー化の基本ともいえます。

●床面と敷居の段差

住宅内の段差解消は、転倒・つまずき防止や車いすでの移動のため、とくに重要です。したがって、床面と敷居の段差はないのが最善ですが、実際の工事では段差を完全になくすことは困難です。品確法の規定に基づく「日本住宅性能表示基準」でも、5mm以下の段差は「段差なし」として許容しています。建築主は「段差なし＝段差0mm」と思いがちなので、工事完成後に苦情が生じることを避けるため、5mm以下は「段差なし」の意味合いであることを建築主に説明し、了解を得ておくことも必要です。

屋外との段差解消方法

●スロープの設置が望ましい

車いすの利用を考えると、地面から1階床面までスロープにすることが望ましいといえます。しかし建築基準法で、床下の通気をよくするため、1階居室の木造床は原則として直下の地面から450mm以上高くするように決められています。この高さまで1／12の勾配をつけようとすれば、水平距離で5,400mm（1／15なら6,750mm）が必要となります（231ページ図参照）。

また、道路での危険性や玄関ドアの開閉、車いす操作を考えると、その前後に1,500mm四方程度の余裕が必要ですが、敷地によって十分なスペースが確保できない場合も考えられます。

KEY WORD

■上がりがまち
玄関の土間と室内の床との間にある段差。屋外と室内で靴を着脱する日本の習慣から生まれた様式。室内への風雨の侵入を防ぐ役目もある。

●スロープが設置できない場合は

①床下部分に防湿土間コンクリートを敷設すれば、標準より床の高さを低くすることが可能です。
②階段の設置。高齢者や障害によってはスロープよりも緩やかで段差の少ない階段のほうが適している場合もあります。必ず手すりを設置します。
③スロープも階段も設置できない場合には、段差解消機やホームエレベーターを設置します（274、277ページ参照）。

屋内の段差解消方法

●玄関上がりがまち

靴を着脱することで、動作が一旦停止するため、事故の起こる危険は少ないので180mmまでの段差は許容します。それ以上の段差、あるいは180mmの段差の昇降が困難な場合は、式台などで補います（232～233ページ参照）。

●和洋室の床段差

和室は通常、洋室より10～40mm程度床面が高くなっています。この段差の解消には下記の方法があります。

	方　法	設置方法	
ミニスロープ（すりつけ板）	①敷居の洋室側にミニスロープ（すりつけ板）を設置し、和室の床高さにそろえる。 ②両側の端部でつまずかない工夫が必要。	簡便に設置できる。	改装向き
和洋室の床面をそろえる	①洋室の高さを根太で上げる。 ②和室の床高さを床束を短くして下げる。 ③和室の畳をはずし、フローリングにする（敷居を削る）。 ④合板などで洋室の床のかさ上げをする。	大がかりな工事が必要。	新築向き

●建具の敷居段差

引き戸の敷居には、床面にフラットレールを取り付ける方法（221ページ参照）や、V溝レールを埋め込む方法があります。

◆ミニスロープ（すりつけ板）

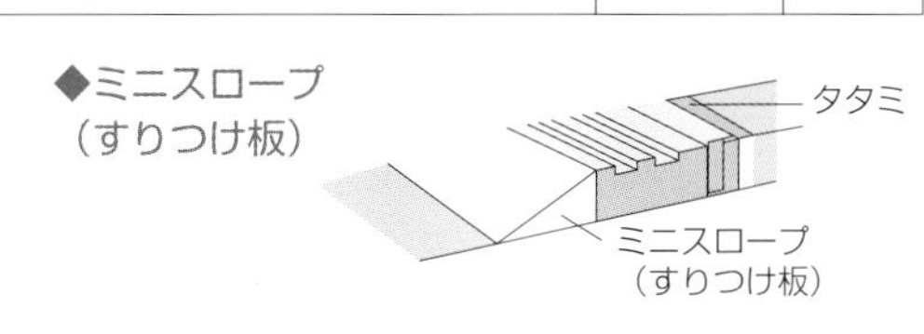

◆V溝レール

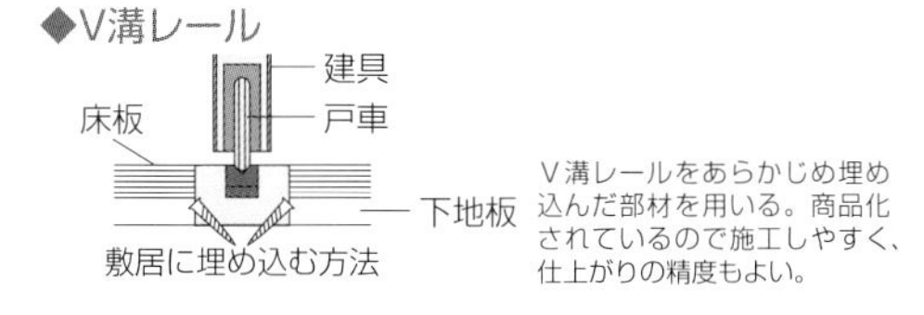

V溝レールをあらかじめ埋め込んだ部材を用いる。商品化されているので施工しやすく、仕上がりの精度もよい。

●浴室の出入り口段差

①グレーチング（245ページ参照）による段差解消。
②すのこによる段差解消。

●屋内外の段差の特徴と解消法

<table>
<tr><th></th><th>場　所</th><th>段差の特徴</th><th>推奨寸法「長寿社会対応住宅設計指針」より</th></tr>
<tr><td rowspan="5">屋外</td><td>門扉周辺</td><td rowspan="2">地形のほか、床下の通気を図って地面からの湿気を防ぎ、居住者の健康を守るため、1階の木造床は原則として、直下の地面より450mm以上高くするよう建築基準法で決められているため</td><td rowspan="2">段差なし（5mm以下）</td></tr>
<tr><td>アプローチ</td></tr>
<tr><td rowspan="2">玄関ポーチ</td><td rowspan="2">雨水の浸入防止のため</td><td>①段差なし（5mm以下）</td></tr>
<tr><td>②やむを得ず残す場合、くつずりとポーチの段差は20mm以下、くつずりと玄関土間の段差は5mm以下</td></tr>
<tr><td>玄関戸下枠</td><td>室内へのすきま風などを防ぐ生活の知恵による段差</td><td>段差なし（5mm以下）</td></tr>
<tr><td rowspan="8">屋内</td><td rowspan="3">玄関上がりがまち</td><td>①1階居室の木造床は直下の地面より450mm以上高くするという建築基準法の規制</td><td>靴の履き替えを行うので、完全なバリアフリーは要求しない</td></tr>
<tr><td rowspan="2">②靴の履き替えのために一旦停止する場所</td><td>180mm以下の段差で等分する</td></tr>
<tr><td>住宅周辺が舗装してあるかどうか、積雪地かどうかによって解消法を検討する</td></tr>
<tr><td>和洋室の床段差</td><td>和室と洋室の住宅構造的な違いによって生まれる段差。畳床とフローリング床との厚さが異なるため、一般的に和室は洋室より10～40mm程度高い</td><td>段差なし（5mm以下）
畳コーナーは150～180mmの単純段差、または腰掛けられる300～450mmの単純段差
通過動線上にない部屋の段差は90mm程度</td></tr>
<tr><td>建具の敷居段差</td><td>室内へのすきま風などを防ぐ生活の知恵による段差</td><td>段差なし（5mm以下）</td></tr>
<tr><td rowspan="2">浴室の出入り口段差</td><td rowspan="2">洗場で多くの湯水を使う日本独特の入浴法を考慮した、水仕舞いのための段差</td><td>①20mm以下の単純段差（介助用車いすで通れる上限）</td></tr>
<tr><td>②やむを得ず超える場合は、浴室内外の高低差を120mm以下、またぎ段差を180mm以下にして手すりを付ける。1階の場合は120mm以下</td></tr>
<tr><td>その他の段差</td><td>スキップフロアなど</td><td>移動の方法を確保する</td></tr>
</table>

状　況	段差解消法
①使いやすいスロープの勾配がとれない場合 ②現在は歩行可能でも、将来、車いす移動が考えられる場合 ③十分なスペースがとれる場合 ④やむを得ず段差を残す場合 ⑤敷地の高低差が大きくスロープや階段がとれない場合	①床下部分に「防湿土間コンクリート」を敷設して、建物全体を地面近くまで下げる（新築の場合） ②現在の階段に加え、将来、スロープもしくは段差解消機を設置できるスペースの確保を考えておく ③スロープを設ける ④緩やかな3段以上の階段を設ける ⑤段差解消機などの機械力を検討
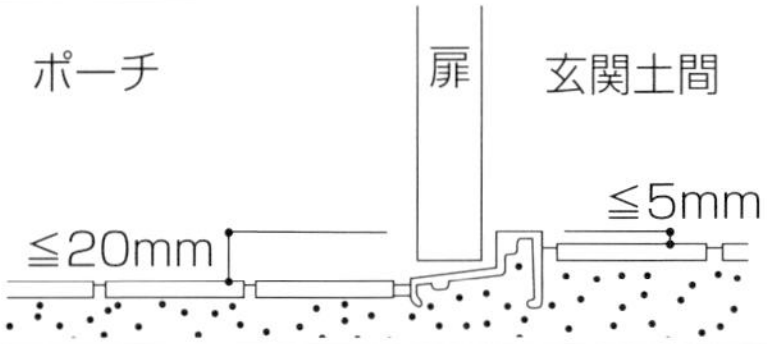 ポーチ　扉　玄関土間 ≦5mm ≦20mm	・ポーチに段差をもうけず、段差をくつずりのみにとどめる ・玄関ポーチや深い庇を設けるなど、雨水の浸入対策を検討する
車いすの場合も歩行の場合も共通	高齢化対応商品で、下枠段差なしで大開口の玄関ドアも市販されている
①高齢者や障害者で身体機能が低く180mmの上がりがまちの段差の昇降が困難な場合	① ②式台を置いて、大きな段差を分ける
②180mmを超える段差の場合	
③車いす利用で十分なスペースがとれる場合	③スロープを設置する
④屋外ですべての段差部分を解決できるスペースがある場合	④玄関土間をかさ上げする
⑤上がりがまちの寸法が大きかったり、玄関のスペースが狭いとき	⑤段差解消機を設置する
①改装の場合	①「すりつけ板」の設置
②新築の場合	②多用な方法が選択可能 ・床束で調整 ・根太で高さ調整
①引き戸	床面にフラットレールを取り付ける、 V溝レールを埋め込むなど
①段差なしにする場合	①浴室の床面を洗面脱衣室に合わせる ②市販の段差なしサッシの使用 ③排水溝を設け、グレーチングをかぶせる
②単純段差にする場合	洗い場の床全面にすのこを敷く
③段差解消の改造が困難でまたぎ段差の場合	「すりつけ板」の設置
スキップフロアの場合	階段昇降機・段差解消機の設置
2階への階段の場合	ホームエレベーター・階段昇降機の設置

手すりを付ける

- 移動や使用の方法に合わせて、縦横に必要な手すりを選択します。
- 住まいの既存の構造に応じた方法で、壁下地を補強し、強度を確保できるように取り付けます。
- 場所別に、使用者の動作や姿勢をよく理解して、適正な手すりを取り付けます。

手すりの種類と特徴

手すりは歩行の補助や立ち上がり、起立姿勢の補助のために必要なものです。高齢者や障害者が、家の内外で、快適に暮らすために、その移動を助ける手すりは大きな役割を果たします。それぞれの場所で行う移動や動作によって、適正な手すりを設置することが大切です。

●手すりの設置場所

手すりは、屋外アプローチ、玄関、廊下、階段、洗面・脱衣室、浴室、トイレなどに設置されます。

●手すりの目的の違い

手すりは目的別に、大きく下記のような2種類に分けられます。

手すりの種類	場所	特徴	手すりの円形断面の直径	注意点
ハンドレール（Hand Rail）	階段・廊下	身体の位置を移動させるときに、手を滑らせながら使う手すり。通常はしっかり握らない。広い空間で使うため、ある程度の太さをもった安定感が必要。	32～36mm	端部は壁側に曲げ込む。エンドキャップを取り付ける方法は、端部に衝突してけがをしたり、衣服の袖口を引っかける危険がある。手すりが途切れる所で端部間の距離は400mm以下。
グラブバー（Grab Bar）	トイレ、浴室、洗面脱衣所など	身体の位置はそれほど移動しないが、移乗やからだの上下運動にともなって、しっかりとつかまる手すり。握りやすさが大切で、指先が軽く触れる程度がいいといわれる。	28～32mm	すべりにくい材質

手すりの形状と取り付け位置

●手すりの断面形状

手すりの断面は円形が基本ですが、リウマチ等で手指がうまく動かないときは、握らずに単に手や肘をのせて移動する平型手すりなど、把持動作を考えて、適切な形状を検討することが大切です。

◆手すりの円形断面の直径

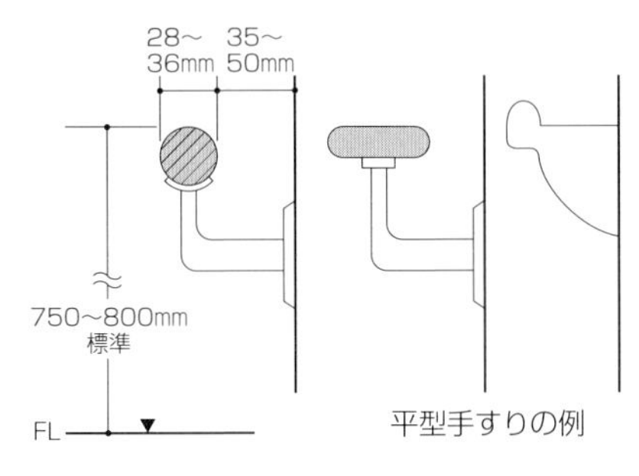

●手すりの端部の形状

手すりの端部は壁側に曲げ込むのが基本です。

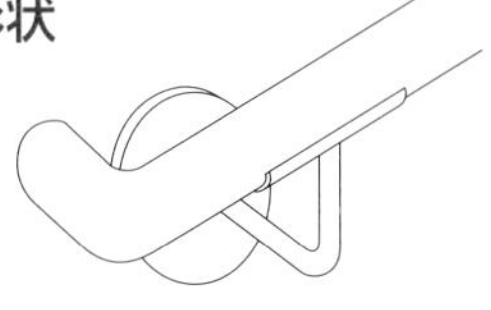

◆手すり形状による種類

形　　状	設置方法	用　　途	主な日常動作行為
横手すり	床面に対して水平に取り付ける。	身体が床面を移動するとき、重心位置を平行に移動させる。	歩行、車いすから便器への移乗など
縦手すり	床面に対して垂直に取り付ける。	身体が上下に動くことを補助する。	トイレの立ち座りなど
L字型手すり	横手すり・縦手すりを組み合わせたもの。	連続する複合的な動きに対応。	トイレの立ち座りと座位保持用など
肋木的手すり	横手すりを平行に複数取り付けたもの。	両手で握り、両足を揃えて昇降するような場合。	床からの立ち上り、玄関式台部分での2足1段昇降（1段ずつ両足をそろえながら昇降する）など
斜め設置	手すりを斜めに取り付けたもの。	斜めに移動する動きに対応。	スロープや階段の昇降

◆基本の位置（廊下・階段）

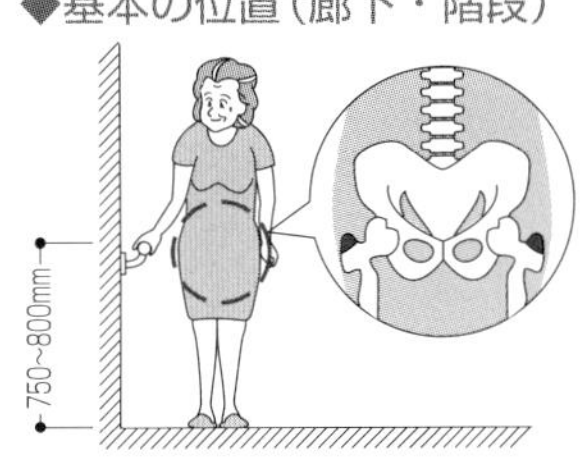

手すりの高さは、大腿骨付け根の大転子（だいてんし）の高さが最適。手すりを持った時に肘が150°くらいの角度になるようにする。750～800mmを標準とするが、使用する人が決まっている場合は、その人に合わせる。

◆トイレ

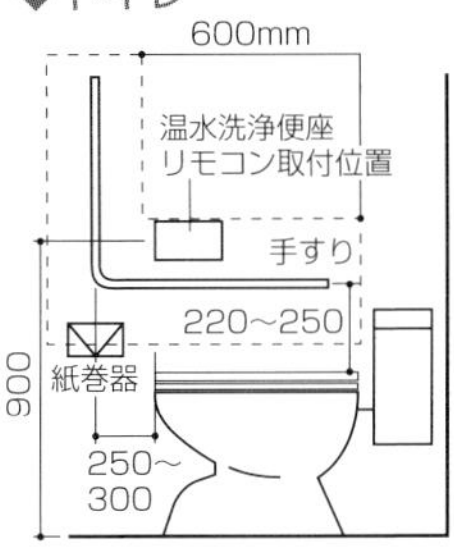

手すりの取付下地は将来の移設も見越して取り付け位置に余裕を持たせておく（単位mm）

◆浴室

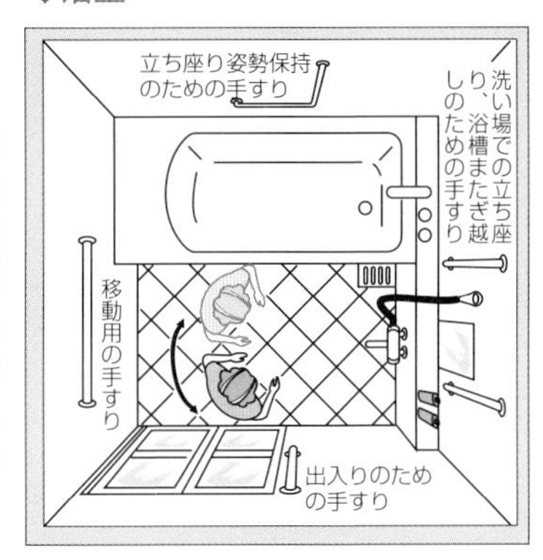

●場所別の手すり設置の注意

	場所	要求	設定方法
屋外	アプローチ	スロープや階段の少なくとも片側に連続して設置する	耐候性に優れた手すりを使用。温度に配慮し、金属が露出したものは避ける 幅が十分な場合は中央に1本設ければ、昇降に使える 被覆樹脂仕上げなど感触の良い市販手すりもある
屋内	玄関上がりがまち	①上がりがまち部の壁には安全に昇降するために手すりを設置する ②やむを得ない場合は設置準備	かまちの鉛直直線上に縦手すりを設置 握力が不十分の場合： ①段差の傾斜に沿った形に斜めに設置し、端部を床面に沿って水平に延長させる ②横手すりを上下2段に設置し、壁面の手すりに向かって両手で手すりを握って水平移動する 式台の段なりに階段手すり状のものや、2～3段程度水平に設けた肋木的な手すりなど
屋内	廊下	移動動作をより安全にするために、できる限り連続した手すりを設置	①手すり端部間の空き距離は900mm以内 ②建具を開閉しても衝突しない位置に設置
屋内	階段	①45度以下の勾配：少なくとも片側に設置、設置しない側に設置準備 ②45度を超す勾配：両側に設置準備	①高齢者の場合、下りるときの利き腕側に連続して設置する。片麻痺の場合は両側に設けるが、後ろ向きに降りる場合は上がる時の健側に設置する ②壁面を切り欠いて設置し有効幅を確保する方法もある ③連続できないときは端部間の空き距離は400mm以内
屋内	洗面脱衣所	①浴室との段差が20mmを超える場合は出入り口に設置 ②脱着衣用に設置	出入り口に寄せて設置し、両用できるようにする
屋内	浴室	①出入り口に設置 ②浴槽内での立ち座りや姿勢保持、洗い場の立ち座りのための手すりを設置する	①廊下や階段の手すりと違って全体重をかけるように使われるため、取り付け用の木ネジが効くように下地合板とその下の木桟（補助桟）に止め付ける ②浴槽内での立ち座りや姿勢保持のための手すりや洗い場での立ち座り用の手すりの設置も準備して、最低でも壁面裏に壁下地補強をしておく ③浴槽縁への簡易型はめ込み手すりなら、工事不要で設置できるが、十分な強度があるかを確認しておく ④金属製・合成樹脂製・樹脂被膜製がよい。スライド式シャワーフックを縦手すりの位置に取り付けて兼用する工夫もある
屋内	便所	便器からの立ち上がり、移動動作の安定を助ける手すりの設置	廊下や階段の手すりと違って全体重をかけるように使われるため、取り付け用の木ネジが効くように下地合板とその下の木桟（補助桟）に止め付ける
屋内	居間・食堂	設置準備	主要な動線に面した壁面。下地壁補強の範囲は床仕上げ面から600～900mmの位置
屋内	寝室	設置準備	（同上）

形　状	用　途	設置位置	寸　法	その他の注意点
斜め手すり	スロープ	斜面床から手すり上端まで750～800mm	把手の直径32～36mmを目安	2～3段の段差でも設置する
	階段	段鼻より手すり上端まで750～800mm		
縦手すり	靴を脱着するときの重心の上下移動を助ける	手すりの下端が土間床面から750±100mmの位置。上端は室内側に立った対象者の肩の高さより100mm上	長さ800mm以上	設置設備として壁の広範囲に縦手すり用の下地補強をしておく
①斜め手すり		段鼻より手すりの上端まで750～800mm		
②上下2段 横手すり		土間床面から750mmの高さを下端、上端は室内側に立った対象者の肩の高さより100mm上。それぞれの段から上端まで750～800mm		
階段手すり 肋木的手すり	式台との移動を助ける	基準に則して、使用者と式台の配置によって決める	把手の直径32～36mmを目安	広範囲に壁補強する
横手すり	部屋から部屋への水平移動を助ける	床仕上げ面から750～800mmの位置。使用者の大腿骨大転子の高さに合わせる	把手の直径32～36mmを目安	床面から600～900mmの範囲で下地補強を全て行い、部分的に補強
斜め手すり	階段での昇降を助ける	①端部はできるだけ200mm以上水平に延ばし､壁側に曲げ込む ②階段の段鼻（階段先端）から750～800mmの位置。使用者の大腿骨大転子の高さに合わせる	・できるだけ連続させる ・把手の直径は32～36mmを目安に	突出部が100mm以内なら階段の有効幅員に含められる。（建築基準法施行令第23条）
縦手すり	浴室出入りを助ける	手すりの下端が床仕上げ面から750～800mmの位置が標準	長さ800mm以上 把手の直径は28～32mm目安に	洗い場での立ち座り用の手すりと、浴槽出入り用の手すりと兼用することは難しい
	着脱衣を助ける			
縦手すり	浴室出入りを助ける			
縦手すり	洗い場の立ち座りを助ける	それぞれの手すりの使い勝手を検討して必要な箇所に設置する		
横手すり	洗い場の移動を助ける			
縦手すり	浴槽またぎ越しを助ける			
L字型手すり	浴槽内立ち座り、姿勢保持を助ける		長さ800×600mm以上	
L字型手すり	立ち座り・座位保持用	L型の水平部の上端が便座上面から220～250mm、垂直部の芯が便器の先端から200～300mmの位置	長さ800×600mm以上	足腰が弱まるにつれて、縦手すり位置は便器から遠く、低い位置が使いやすくなる。 車いすや介助を行う時邪魔にならない可動手すりもある
縦手すり	立ち座り用	便器の先端より200～300mm前方側面。上端は立位の肩峰高＋100mm程度上、下端は横手すりの高さまで	長さ800mm以上 把手の直径は28～32mm目安に	
横手すり	座位保持用	便器の中心線から左右に350mm振り分けた位置（手すりの芯-芯で700mm）で左右対称に。便器の座面から220～250mm上方		
横手すり	車いすからの移乗用	車いすのアームサポートと同じ高さにする		将来の家具の配置を考慮しておく
横手すり	移動用	床仕上げ面から750～800mmの位置が標準		

SECTION 1 福祉住環境整備の基本技術

スペースへの配慮

- 日本の在来工法による木造住宅は、尺貫法（1尺＝約30.3cm）によるモジュール（基準寸法）でできているため、特に共通の水まわりや通路など、介助者のスペースを確保することが困難な広さです。
- 十分なスペースを確保するためには、寸法を考慮した改修計画が大切です。
- 新築か部分的な改修かによって、「モジュールをずらす方法」か「壁・柱を取り外す方法」を選択します。

モジュールと尺貫法

従来の日本の住まいは、尺貫法に基づくモジュール（基準となる寸法）で構成されています。昔は地域差がありましたが1尺を303mmとして、この3倍の3尺が標準的な基本寸法となっています。畳が3尺×6尺というように関連の部材や建具もこれに基づいた寸法で作られています。モジュールを採用することによって、設計の効率化、施工の簡便化、質の向上などが図れます。

すなわち廊下などは柱と柱の中心（芯）を結んだ寸法が約910mm＝3尺ですから、有効幅員は最大で780mmしかありません。これは健常者が動作するには十分ですが、介助を伴ったり、車いすや床走行式リフトで移動するにはスペースが足りず、不具合が生じます。

高齢者の日常に必要なスペースを確保する方法としては、

①モジュールをずらす方法
②壁・柱を取り外す方法

が考えられます。

●標準モジュールによる各所の寸法の例

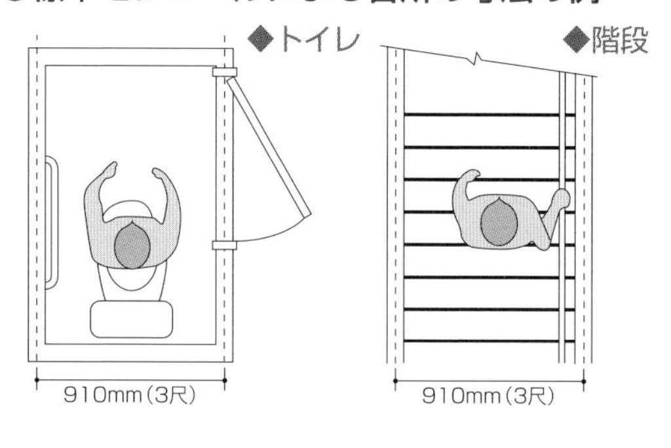

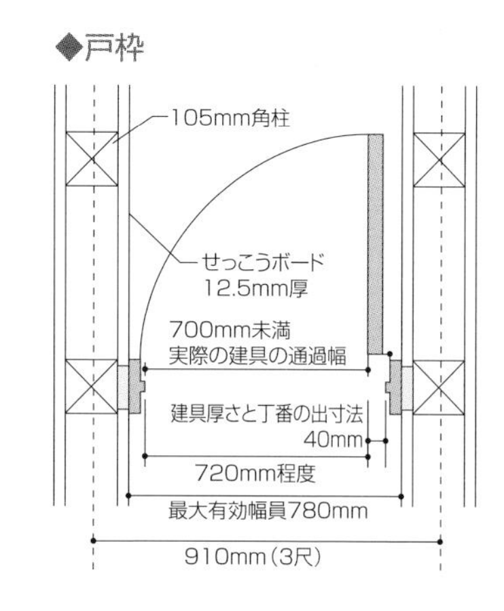

モジュールをずらす方法

主に新築や大規模な増改築の際に採用されます。

①左ページの図のように、廊下・階段・トイレの標準的な幅は芯－芯で3尺(約910mm)です。

②柱間には壁仕上げ、戸枠、金具、建具などが収まります。通常、戸枠の外－外で最大780mm、内－内で720mm程度なので、建具を取り外した実際の有効幅員720mmでは、介助つきの移動や自走用（自操用）車いすの通行は困難です。

③そこで高齢者が使用する部屋や動線などについては（同図の「3尺」部分)、モジュールをずらし、広くして設計します。

④一般の住宅部材は3尺を基準に作られているため、モジュールをずらした部分は部材の半端が生じ、コストが上昇することに留意しておくことが大切です。

壁・柱を取り外す方法

部分的な増改築に適しています。

①軸組み工法の木造住宅は、構造上取り外せない筋交いの入った壁や柱と、取り外せる補助的な柱(間柱)や壁からできています。

②設計者や施工者に図面を見せて、取り外せる補助的な壁や柱を確認してから住宅改修計画を行います。

③改造する部分に上階があると、壁・柱の撤去や移動の困難な場合が多いです。

④日本では特に細かく分かれているトイレ、浴室、洗面脱衣所も、間仕切っている壁を取り外すことで広いスペースを確保することができます。ただし、同居家族も共有する場合は、音、臭い、気配などの問題を家族間で話し合う必要があります。

ZOOM UP

■既存の空間モジュール

モジュールとは建築では設計の基準となる寸法。日本では古来から尺貫法が採用されている。身体の寸法をもとにしたなごりか、地方によって差があったが、明治に統一された。柱や梁、床板、合板といった建築部材もこれに基づいた寸法で作られている。

1間＝6尺＝約1,820mm
1尺＝303mm
1寸＝1/10尺＝約30mm

在来木造住宅は、階段や廊下・トイレの幅は3尺、浴室幅はその1.5倍の4尺5寸、など、3尺をもとにした寸法で考えられている。

一方、ハウスメーカーのプレハブ住宅や輸入住宅には900～1,200mmモジュールなど、独自の寸法体系を持っているところも見られる。

■部屋のつながり

高齢者の使用する基本的な生活空間は、すべて同一階に配置することが望ましい。しかし、上下階にわたる場合には、将来的に移動を助けるホームエレベータ、階段昇降機の設置への考慮が必要。

日常生活において寝たきりでない場合は、昼間は居間・食堂、夜間は寝室が行動の拠点となる。またトイレに行く頻度が最も高くなるので、寝室とトイレ、洗面所、居間・食堂は、なるべく近接して配置するとよい。

SECTION 1 福祉住環境整備の基本技術

建具への配慮

●日本の在来工法による木造住宅の建具は、尺貫法（1尺＝約30.3cm）によるモジュール（基準寸法）でできているため、使用する福祉用具や介助に必要なスペースや通行幅を確保するのは困難です。
●実際に使用できる幅は建具によって変わります。建具の構造を理解して、介助に必要なスペースや通行幅を確保します。

建具とは

建具とは、ドアや戸、窓など建物の開口部にある開閉可能部分を総称して指します。910mm（3尺）をモジュールとする標準的な住宅では、引き戸であっても十分な通行幅が確保できない場合があり、またドアの場合にはさらに利用できる幅が狭くなります。

通行幅の確保は、手すりの設置や車いす使用にとって大きな課題となります。住まいの基本構成に関わりますから、あらかじめ確認しておきます。

一般的な在来工法による木造住宅の寸法は910mmのモジュールをもとにした、柱・梁、建具によって決まっています。住まいの構造を支える柱の位置を常に意識して、高齢者や障害者の動き、使用する福祉用具に必要なスペースや通行幅を確保することが大切です。

求められる条件	対応の原則
①安全かつ容易に開閉できること	①建具は開閉のしやすい安全なものにする。
②安全かつ容易に通過できること	②建具の把手や引き戸は使いやすい形状のものにし、適切な高さに取り付ける。

◆建具の種類と特徴

開閉方式	長所	短所
開き戸	気密性・遮音性がよく、施錠が容易。	開閉時に衝突したり、手を挟む危険がある。 把手の操作が複雑。 開閉に大きなスペースが必要。 風による影響がある。
引き戸	開閉に必要なスペースが少ない。	気密性や遮音性が悪い。 引き込み用の壁が必要。
折れ戸	開閉操作に必要な身体の動きが少ない。	気密性や遮音性が悪い。開閉操作が複雑。 開口部の有効幅員（有効寸法）が狭くなる。

◆使用介護用具による寸法

<table>
<tr><th>介護用具</th><th>既存廊下の内法寸法</th><th>通過可能幅（正体した場合）</th><th>廊下有効幅員</th><th>開口有効幅員</th></tr>
<tr><td>介助用車いす</td><td rowspan="4">780mm</td><td rowspan="2">750mm</td><td colspan="2">780mm</td></tr>
<tr><td>シャワー用車いす</td><td>800mm</td><td>750mm</td></tr>
<tr><td rowspan="2">自走用（自操用）車いす</td><td rowspan="2">800mm</td><td colspan="2">850mm</td></tr>
<tr><td>900mm</td><td>800mm</td></tr>
<tr><td colspan="5">備　考</td></tr>
<tr><td colspan="5">戸の周辺に転回できるスペース。
1,500×1,500mm、1,350×1,600mm以上があれば通過は容易になる。</td></tr>
</table>

建具の構造

通常流通している建具は品質も安定していますが、新規に従来より大きめの建具を作る場合は、特注となるので、建具が反らないように施工者や建具屋に注意を促すことが大切です。

把手の種類

開き戸用	ノブ：握って回し、戸を押し引きして開閉するため、握る力が弱い高齢者には使いにくい。 レバーハンドル型：レバーを下げて、戸を押し引きして開閉するため、高齢者でも使いやすい。 プッシュ・プル式：戸を押し引きして開閉できるので、握力が弱い人でも使いやすい。
引き戸用	彫り込み型：引き戸、障子などに使われるが、指先に力が入らない人には使いにくい。 棒型：棒状でつかみやすく、力の弱い人でも使いやすい。戸を開けたときに引き残しがあるため、有効幅員は多少狭くなる。

ZOOM UP

■建具の有効幅員（寸法）

建具を開放したときに、実際に通過できる幅（幅員）のこと。ただし把手などの突出部の寸法は算入しなくてよい。また、取り外しても日常生活に支障のない、居間などのようにプライバシーが求められない場所の建具は、取り外した状態で有効幅員が確保できればよいことになっている。

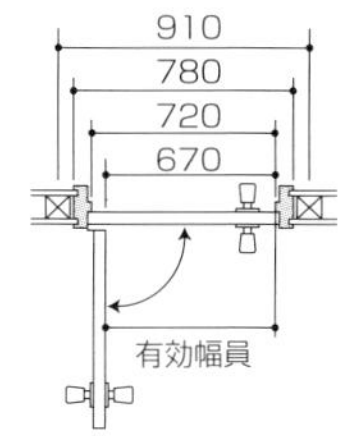

■引き残し

引き戸の場合、把手の形状によって、引き残し寸法分だけ有効幅員がせまくなる。下図の寸法が求められる。

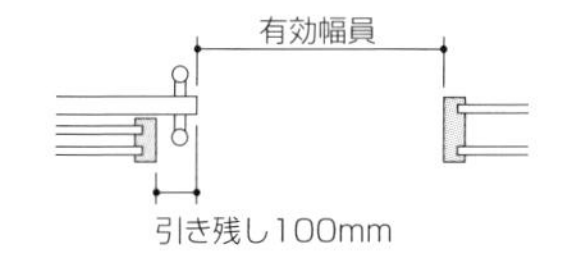

■フラットレール

敷居の床段差を減らすための工夫。床板上に建具のレールを取り付けるので、工事が容易で誤差が生じにくい。床面に出るレール厚さ（5mm弱）分の凸部が、生活者に支障がないか確認する。

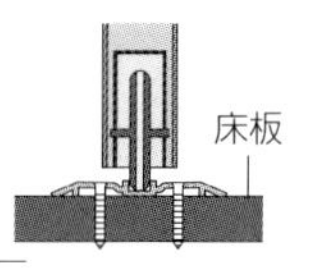

ATTENTION

■介護保険制度の住宅改修項目

開き戸から引き戸への変更、把手の変更、開閉方向の変更、戸の撤去などのほか、扉位置の変更等に比べ費用が低廉に抑えられる場合の引き戸などの新設が含まれる。

SECTION 1 福祉住環境整備の基本技術

設備機器への配慮

●住宅内にある設備機器の構成を理解しましょう。
●高齢者が日常的に使う機器は、安全と使いやすさ、メンテナンス性を考えて選択します。
●部屋と部屋との温度差が高齢者の血圧の上昇に影響するため、室温には十分な配慮が必要です。冷暖房による適切な温度調整を行い、夏季は熱中症を防ぐために、室温を28度以下に保つことが重要です。

住宅設備の構成

◆住宅設備

住宅はさまざまなエネルギーを取り入れ、図のように多様な設備から構成されている。

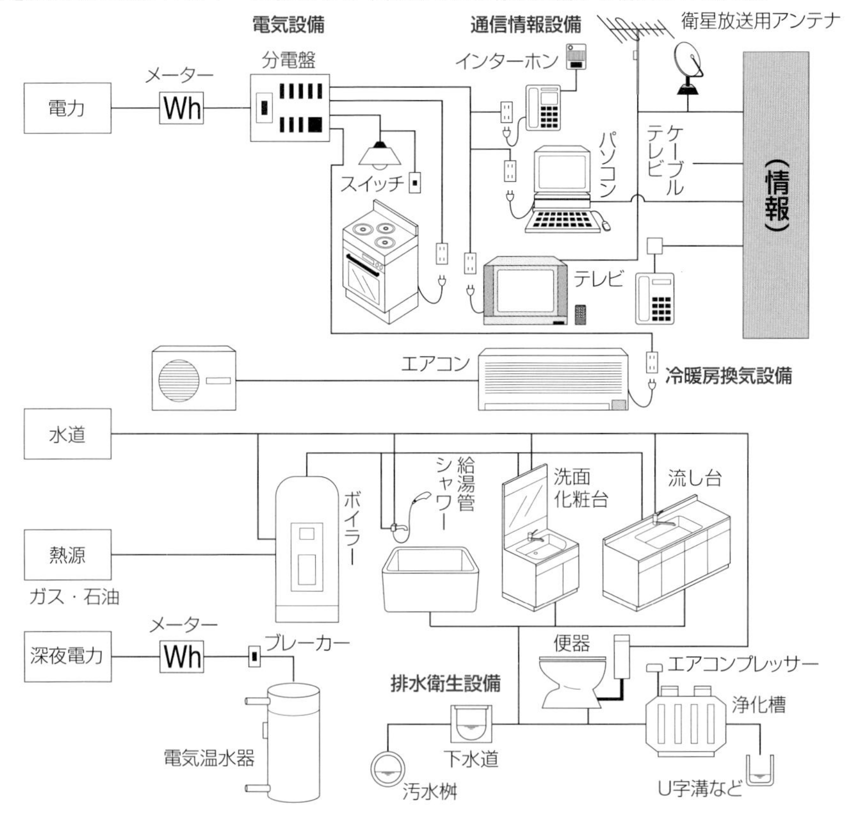

設備機器に求められること

住宅の設備は、生活を安全で快適にするために大きな役割を果たします。下表のような条件が求められています。

求められる条件	対応の原則
①操作が安全かつ容易なこと	①使用方法や表示がわかりやすく、誤操作防止の機能を持った機器にする。
②高齢者の感覚機能の低下を補完する	②高齢者が快適性を享受できる、十分なレベルの性能を備えた機器。
③維持管理が容易なこと	③メンテナンスや消耗品の交換が容易なこと。

●給排水・衛生設備

台所や浴室、洗面所では、操作しやすいレバー、自動制御または安全制御されて、安全に湯温調節ができる水洗金具を選択することが大切です。

◆電気設備の注意点

照明（224ページ参照）	十分な照度を確保した照明設備にする。
調理設備	点火が容易で、火力調節がわかりやすいもの、火災の危険度が低いもの。
安全設備	火災などに備えて、台所には自動消火装置、住宅用スプリンクラーなどを備える。
通報装置（226ページ参照）	台所にはガス漏れ検知器、火災警報機などを設置。 トイレ、浴室、高齢者の寝室には非常通報装置を設置。
空調設備	室内の急激な温度変化を緩和し、各室の温度差をできるだけなくすように断熱や換気に配慮。長時間過ごす場所に安全な暖房設備、冷房設備を設置する。
スイッチ・コンセント	使いやすい高さに設置する。

●ガス設備の注意点

ガス調理器具は、立ち消え安全装置付きのものにします。

●情報設備

最近の住まいの情報設備は、電話、インターホン、TVのほかに、コンピュータ、インターネットや衛星放送、セキュリティシステムなど多彩です。

◆スイッチとコンセント

設備器具	設置位置（床仕上げ面から）（原則的に使用者の使いやすい位置）	注意点
コンセント	400mm以上	日常頻繁に抜差しするコンセントは、かがまなくても容易に抜差しでき、足を引っかけない位置に設置。
	高い位置の場合	コードに足を引っかけた際にマグネットがはずれてコンセントが抜けるマグネットキャッチ式コンセントもある。
スイッチ	900～1,000mm（中心まで）	できるだけ明かり付きスイッチやワイドスイッチを使用。どの器具かわからなくなるので1カ所に3つ以下とする。
インターホン	1,250mm程度（中心まで）	非常用の通報装置（屋内）に外に連絡できるシステムに対応したインターホン式を採用する工夫もある。

照　明

- 高齢者の視覚機能の低下を補うために、十分な照度をもった照明設備を設置することが大切です。
- メンテナンス性のよさ、操作性、適正な位置や角度に配慮して、器具を選択しましょう。
- 住まいのそれぞれの場所における行為をもとに、十分な照度をもった全体照明と必要な場所への局部照明を設置します。

照明への配慮

加齢により、視覚機能が低下します。玄関、脱衣所、浴室、トイレ、階段では、照度が低いために、しばしば事故が発生しています。これらの場所の照度を全体的に上げるとともに、部分的に必要な場所に照明を配慮します。

分類	非居室				居　室				水まわり									外部
場所	玄関	靴着脱*	廊下	階段	収納	寝室	読書*	居間	食堂	食卓*	台所	調理台・流し台*	洗面脱衣室	ひげ剃り・洗面・化粧	洗濯	トイレ	浴室	バルコニー
ルクス	200	450	100	100	100	40	1000	100	150	700	150	700	200	700	450	150	200	100

＊については局部照明でこの照度を得てもよい。ただし全体照明を局部照明の1/10以上は確保する。

●照明器具の選び方

安全に暮らすために十分な照度の照明を確保します。JIS照度基準の中間値の2倍程度の照度の確保(約200ルクス)が推奨されています。高齢者の目の水晶体は、たんぱく質が変質して混濁化し、光が入ると乱反射して、とてもまぶしく感じますから、照明器具は、光源が直接目に入らないシェード付きのものを設置します。

また、メンテナンス性を考慮し、

①取り外ししやすいカバー

②購入・形状・止め方・位置の面から、ランプの交換しやすい器具

③長寿命の照明器具(LED照明など)

を選択することが大切です。

場所別照明の注意点

	場所	要求	状況	対応
屋外	アプローチ	階段には、段鼻、踏み面がはっきり認識できるように、複数の照明を設ける 照度・角度・位置を考慮して設置する 動線部分の明るさは均一にする できるだけ一つのスイッチで点滅できるように	①階段でのつまずきを防ぐ場合	①階段の段鼻部分は材質や色などを変えて注意を促す
			②夜間でも段差を確認できるようにする場合	②夜間でも段差を容易に確認できるように照明や足もと灯を設けたり、部分的に色を変える
			③アプローチから玄関まで距離が長く暗い場合	③屋外灯、高照度の足もと灯の設置 アプローチやカーポートの照明は、カーポートと室内から点滅できる3路または4路のスイッチとする
屋内	玄関上がりかまち	他の居室同様に照度を上げる（約200ルクス） 玄関ホールとポーチは特に十分な照度を確保する	①上がりがまちの段差への注意を喚起する	①上がりがまち部分には足もと灯を設置する 真上の天井灯など照明器具を増やす
			②式台がある場合	②式台と土間との段差の壁面には足もと灯を設置する
	廊下	一般的に、居住室と比較して照度が低く、常時点灯していないので、適度な明るさを確保した照明器具を検討する	①加齢に伴い生理機能が低下して、就寝中にトイレに行く回数が増える	①寝室からトイレまでの廊下、出入り口付近に、適度な明るさを確保した照明器具、足もと灯など常夜灯を設ける
			②明るいところから暗がりに入って目が慣れる（暗順応）まで時間がかかる	②照度の調整可能なスイッチ、明るさ感知式スイッチや明かり付きスイッチ、人感スイッチを有効利用する
			③夜間、廊下の薄明かりを確保する場合	③長い廊下には複数の足もと灯を設ける
	階段	階段には、段鼻、踏み面がはっきり認識できるように、複数の照明を設ける 取り替えやすさを考慮する	①複数の照明、足もと灯が設置できない場合	①昇り口と降り口の1段目の真上200～300mmに足もと灯を付ける
			②昇降の際に直接光源が目に入らない配慮が必要	②照度・角度・位置を考慮して設置する 取り替えやすい器具、位置、高さに配置する 上下で点灯できる大型3路スイッチが便利 2カ所以上の照明を設けると足もとに影が出ない
	洗面脱衣所	十分な照度を確保する	他の居室同様に照度を上げる（約200ルクス）	ひげ剃り・洗面・化粧・洗濯など各部に必要な明るさを確保
	浴室	十分な照度を確保する	他の居室同様に照度を上げる（約200ルクス）	自動点灯型（人感スイッチ）
	トイレ	十分な照度を確保する	他の居室同様に照度を上げる（約200ルクス）	深夜は明るくなりすぎないように常夜灯などを工夫する 自動点灯型（人感スイッチ）や、照明器具と換気扇の連動スイッチも検討する
	居間・食堂	自然光を十分取り込み、部屋全体を明るくする	他の居室同様に照度を上げる（約200ルクス）	窓の配置・照明器具を検討する 吊戸棚下灯のスイッチには、自動点灯型（人感スイッチ）もある
	寝室	照度・角度・位置を考慮して設置する	ベッドの上で過ごす時間が長い場合	ベッド上で照明の光源が直接見えないような工夫をする

安全性や省エネを考慮して、調光機能付きの器具や人感センサー付きスイッチなどを有効に利用しましょう。

人感センサー付き照明：人が近づくと自動点灯するセンサー付きのもの
明るさ感知式照明：周囲が暗くなると自動点灯するセンサー付きのもの
保安灯：停電時に点灯する照明器具

SECTION 1　福祉住環境整備の基本技術

非常時の対応

- 高齢者が住む住宅では、さまざまな緊急事態の発生に応じた緊急通報システムを備える必要があります。
- 暮らし方、周囲の環境によって、通報方法や通報先を選択します。
- すべての住宅で（高齢者の寝室や階段を中心に）住宅用火災警報器の設置が義務付けられています。感知部分の清掃を定期的に行い、本体は10年をめどに交換することが目安とされています[*1]。

緊急通報システム

高齢者が住む住宅では、さまざまな緊急時の発生が考えられます。身体機能が低下してくれば、通常以上に緊急事態の発生に備える必要があります。家族や周囲の人と相談して、どのように緊急事態を知らせるか、事前に検討しておくことが大切です。

緊急通報には防災用と防犯用があります。

●防災システム

緊急コールのうち、防災に関わるものは下記のものです。

種　類	注意点
火災感知	ホームスプリンクラーや消火装置との関係を検討する。
ガス漏れ感知	ガス会社の感知時に警報と同時にガスを遮断するサービスも検討する。
緊急コール	体調不良時の対応が主。防犯コールと混同されることが多いので注意。

●防犯システム

緊急コールのうち、下記は防犯に関わるものです。

種　類	注意点
電気錠	防犯に限らず2階リビングや3階建てでも効果的。 テレビドアホンと併用し、来訪者を確認して解錠できる。
窓防犯装置	雨戸やシャッターのない大窓のある家は検討する。 機器の操作が複雑で、幼児などいる場合は誤作動も多い。
防犯コール	住宅内に侵入者がいた場合を想定し、警備会社に通報する。警備会社のシステムや、契約によって異なるので、警備会社がどの程度の早さでどのように対処してくれるか確認が必要。

＊1：感知部分の清掃は1年に一度が目安。電池式の場合には、電池容量に留意する（容量が不足すると、ランプが自動的に点滅）。2019年4月1日以降、適合品以外の販売などはできない。

配線方法

配線式は通報装置のシステムとして組まれたもので専門工事を必要とし、ワイヤレス式は工事の必要はありません。

	ワイヤレス式	配線式
長所	コールボタンからの信号を受信機が受けて警報音で知らせる。 電気店で購入して電池を入れるだけで作動する。 設置が容易で、工事不要。	定期的にチェックの必要項目が少ない。 距離および電波障害に配慮せずにすむ。
短所	定期的に電池残量のチェックをする必要がある。 マンションのコンクリート壁のように壁厚があったり、送受信機の距離が10ｍを超えると電波が届かない場合がある(微弱電波方式)。	専門的な工事が必要。 増改築で設置する場合、コードが露出したり大工事になりやすい。

高齢者対応緊急コール

高齢者の暮らしている環境に応じて、必要な通報方法を選択することが大切です。

■GPS機器を使った安全対策

高齢者がGPS（全地球測位システム）通信機能を内蔵したスマートフォンを携帯することで、本人の所在地を確認できて便利。既定の地域外に出ると通知する機能を持つ機種もあり、遠隔地からの高齢者の安否確認などに役立つ。

■緊急時の対応

緊急時は関係者が動揺する。冷静・敏速に行動できるために、緊急時の対応について下記のような覚え書きを作っておくと安心である。

①緊急の通報が入った
②誤報かどうかの確認の電話をかけ、
③電話に応答しない場合は、119番する
④現場に駆けつける
⑤住居のドアや窓が施錠され、中に入れない場合があるので、破っていい窓位置をあらかじめ指定しておく

導入場所	連絡先	方法と特徴	注意点
住居内	同居家族	緊急事態の発生をインターホンにより、コールスイッチを活用して住居内の家族に知らせる。 通報装置には配線式とワイヤレス式があり、音を鳴らして緊急を知らせるものや通報者と会話できるものなどがある。	ワイヤレス式の導入は容易だが、定期的に電池交換などの手間がかかる。通報装置を設置した場所に電波が届くかどうか、事前に確認する必要がある。
住居外	親戚、知人、外出中の家族など	緊急時に、高齢者に持たせたスマートフォンなどの通報機器のサービスによる通報。同時に複数のスマートフォンなどに配信でき、外出先からも確認ができて便利。	通知があった場合や施錠時の対応などについて、あらかじめ関係者内で取り決めておく必要がある。
	地方公共団体	主に独居の高齢者などを対象とする見守りサービスの一貫とした、緊急時にも対応してくれる多様なサービスを提供している。	自治体独自の見守りサービスのため、各自治体ごとで内容が異なることに注意。
	民間の警備会社やサービス事業者	24時間対応で緊急時に対処してくれる多様なサービスがある。防犯用や防災用の警報装置もセットになっている。	設備のイニシャルコスト(設置費用)に加えて、定期的に支払うランニングコスト(整備などを含めた維持費用)も考慮する必要がある。

SECTION 2 部屋・場所別の環境整備の方法

アプローチ・外構計画

●家と社会の接点であるアプローチ・外構計画では、高齢者の円滑で安全な移動を助けるように配慮して計画することが大切です。
●使用者の症状や性格、また将来を理解して、適した移動方法（階段・スロープ）を確保し、仕上げにします。（231ページ参照）
●高齢者や障害者を精神的に助ける外構計画を立案します。

アプローチへの配慮

高齢者の住生活を充実したものにするためには、室内だけでなく、地域社会とつながるアプローチ部分に配慮をして、屋内と屋外の移動をスムーズにすることが大切です。

求められること	対応の原則	設計指針
①安全かつ容易に移動できること ②将来の歩行補助具や介助用車いすによる移動が安全かつ容易に行えること ③感覚機能（視力）の低下を補完すること	①アプローチは段差なし(5mm以下)とするか、段差が生じる場合はスロープなどで処理する*。 ②水に濡れても滑りにくい床材とする。 ③足もとが暗がりにならないように十分な照度を確保する。	①住戸へのアプローチ・通路などは歩行や車いす利用に配慮した形状・寸法にする。 ②屋外階段は、勾配、形状などを昇降の安全上支障のないものにする。 ③屋外の照明設備は安全性に配慮して十分な照度を確保する。

＊スロープよりもゆるやかな階段のほうが安全な場合も多い

仕上げ

玄関までのアプローチ部分が暗かったり、両手に荷物を持っていると段差の確認は困難なので、安全な移動に配慮した仕上げにします。

●**床仕上げ**

①飛び石を使うような仕上げは避ける
②凹凸のない平坦な形状にする
③置き敷きは避け、コンクリートなどで堅固に固定する

×

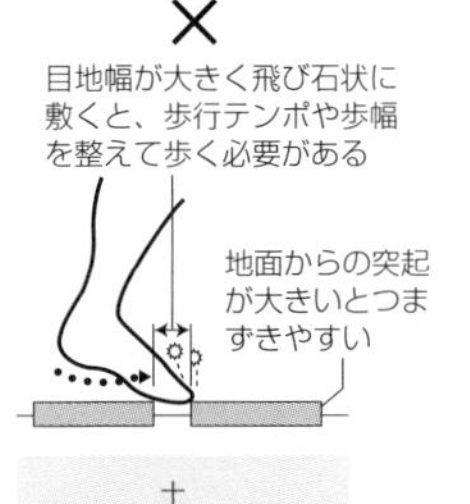

雨が降ると地盤が緩み置き敷きの踏み石がガタつくことがあり危険

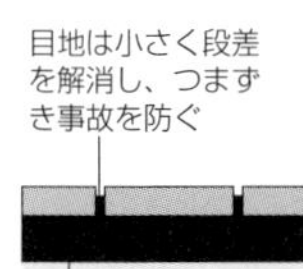

踏み石などはコンクリートで堅固に仕上げ、歩行時にぐらつかないようにする

●壁仕上げほか

①バランスを崩して手や身体をついたとき、けがをしないように滑らかにする
②安全に歩行できるような植栽にする

住宅の床高さ

●敷地の形状とアプローチ

敷地の形状と道路の関係によって、スムーズにアプローチできる方法を考えます。

道路に沿って傾斜している敷地は、玄関や寝室等、出入り口の位置を検討し、その地点の道路面との高低差を把握します。

●建築基準法による床の高さ

建築基準法では、1階居室の木造床は原則として、直下の地面（地盤面）から450mm以上にするように規定されているため、屋外と屋内に高低差が生じます（ZOOM UP参照）。

●階段とスロープ

道路面と玄関までの高低差を解消するには、緩やかな階段またはスロープ（231ページ参照）を設置します。利用者の身体状況の変化を見据えて、できる限り併設するようにします。

外部の階段は、蹴上げ110～160mm、踏面300～330mm程度の寸法が望ましく、手すりを床面から手すりの上端まで750～800mmを目安に設置して、安全性を確保します。

ZOOM UP

■住宅の床高さ

建築基準法では、日本の気候風土に応じて地面からの湿気を防ぐため、1階居室の木造床は原則として、直下の地面（地盤面）から450mm以上にするように規定されているため、特に指示がない限り、日本の住宅はこの寸法で建てられている。

このため、一般的に、住宅では屋内外に床の高さ分の段差が生まれている。高齢者住宅を設計するときは、室内の段差解消に意識が行くため、屋内外の段差解消が見落とされることも多い。高齢者や障害者の外出・社会参加を助けるために、屋内外の段差解消は重要なファクターである。新築ならば、はじめから屋内外の段差を解消する方向に設計する。改装においては、既存の床段差をどう解消するかが課題となる。

■積雪・寒冷地では…

住宅のアプローチ部分の雪の処理は、「玄関風除室」「無落雪屋根」「雁木やフードによるカバード空間の設置」などの建築計画による対策を行う。また、融雪機能のある「ロードヒーティング」はスロープにも有効で採用されることが多い。

ただし、融けた雪の水の処理が不十分だと、路面凍結を部分的に起こしてしまう。

外構計画

障害の程度が重く、活動度が低い場合には、次の2点に配慮します。

●植栽：ベッドの上からでも庭を眺めて四季を感じられるように、窓の位置、高さ、ベッドからの視線を考慮した植栽を計画します。

●デッキ・テラス：外出頻度の減少を補うため、安全に出入りできる掃き出し窓まわりのデッキやテラスを計画します。花の手入れができる環境づくりなどで、高齢者や障害者の気分を和らげます。

SECTION 2 部屋・場所別の環境整備の方法

玄関

- 家と社会の接点である玄関には、日本の伝統、気候風土によって上がりがまち段差があります。高齢者のすみやかな移動を助けるように配慮して計画することが大切です。
- 場合によっては、段差を許容しながら安全性を確保していく必要があります。(232ページ参照)
- 車いすの使用の有無によって、改修の方針が大きく異なります。

玄関への配慮

高齢者が通院、買い物、散歩などに出かける外出手段の確保が大切です。その通過点となる玄関は、床高さの解消、段差など、室内と屋外の移動をスムーズにすることに配慮して計画します。敷地や住宅構造上の制約から、玄関の使用が困難な場合は、ベランダや寝室からの出入りも考えます。

◆玄関に求められること

求められる条件	対応の原則	設計指針
①安全かつ容易に移動できること ②靴の着脱が安全で容易にできること ③感覚機能（視力）の低下を補完すること	①玄関戸の下枠とポーチの段差は20mm以下、下枠と玄関土間の段差は5mm以下が望ましい。 ②玄関戸の有効幅員を確保する。 ③開き戸を引き戸にし、レバーハンドルなど把手の形状を考慮する。 ④手すりを設置し、ベンチが設置できるスペースを確保する。 ⑤足もとが暗がりにならないように十分な照度を確保する。 ⑥水に濡れても滑りにくい床材を選ぶ。	①玄関の出入り口に生じる段差は、安全に配慮したものにする。 ②できる限りベンチなどが設置できる空間を確保する。 ③上がりがまちの段差は、安全上支障のない高さとし、必要に応じて式台を設置する。 ④できる限り高齢者などの寝室などと同一階に配置する。

車いすの使用

車いすの通行幅員や移乗動作だけでなく、戸の開閉、靴の着脱、上がりがまちの昇降動作などを考慮したスペースを確保します。

	状　況	対処方法
車いすを使用しない場合	独歩・つかまり移動・介助歩行	介助者が移動できるスペースを確保。
	手すりを取り付ける	手すりの下端は土間床面より750～800mm程度。
	玄関土間・ホール部分にベンチや式台、介護者スペースを設ける	玄関戸の幅は壁芯 - 芯で910mm(有効寸法750mm程度)、玄関土間の間口は壁芯 - 芯で1,820mm（有効寸法1,650mm程度）。
	靴の脱着、装具の装着など、介助動作が必要	疑似動作を行ってもらって、必要な広さを実測。
車いすを使用する場合	室内はつかまり移動・介助歩行だが、屋外は車いす	玄関の土間部分に車いす1台分のスペースを確保。移乗・介助には、土間玄関の間口は最低でも壁芯 - 芯1,820mm(有効寸法1,650mm程度)が必要。
	屋内外とも同じ車いすを利用	車いすがスムーズに通行できる壁芯 - 芯1,365mm(有効寸法1,200mm)を確保。土間奥行きを有効幅員1,200mm以上確保。(自走用車いす全長を1,100mmとして100mmのクリアランスを考慮)
	屋内と屋外で違う車いすを利用	車いすの回転スペースとして、ホールの奥行きは最低でも1,500mmを確保。ホールに車いすを置くスペースを考慮して、間口は最低でも壁芯 - 芯1,820mm（有効寸法1,650mm程度）を確保。

◆屋外スロープの設置

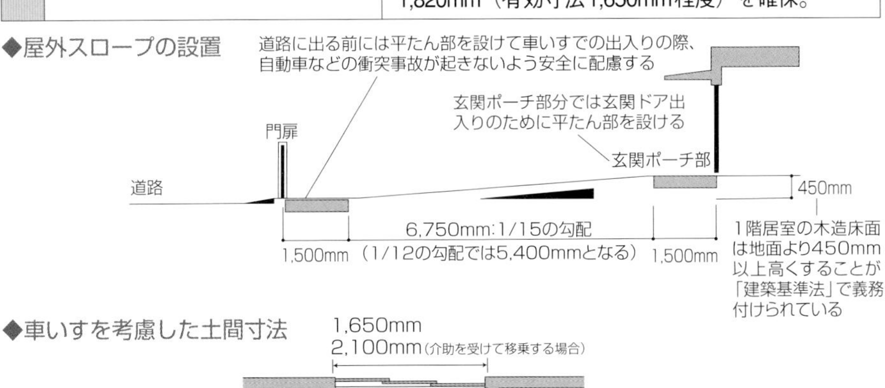

◆車いすを考慮した土間寸法

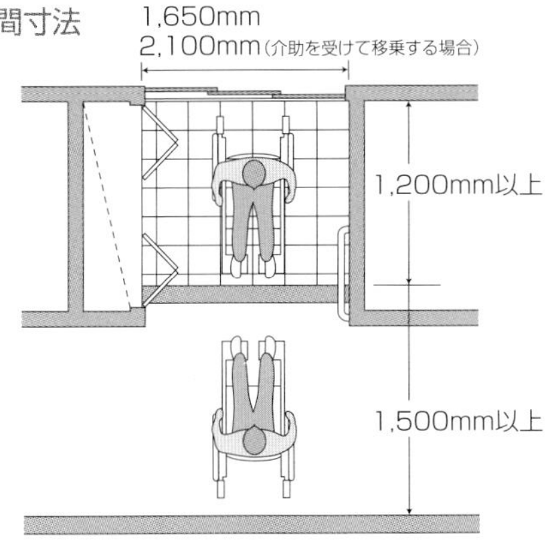

玄関の上がりがまち

「住宅の品質確保の促進等に関する法律（2000年）」（品確法）で、上がりがまち段差180mm以下が推奨され、以降の比較的新しい戸建て住宅では段差が180mm以下のものが多くなっています。しかし、古い戸建て住宅では300mm程度の段差があることも多く、これを住宅改修で解消することは困難です。玄関の上がりがまち段差はそのままにして、下記のような方法で対処します。

状　況	対処法	特徴・注意点		寸　法
歩行移動	手すりの設置	昇降を補完する手すりを設置する。		式台の奥行きは400mm以上確保。 2足1段の昇降方法の場合は500mm以上の幅を確保。
180mmの段差の昇降が困難な場合	式台の設置	狭い場合	2段程度の小さな段差に分割して昇降しやすくする。	
		広い場合	屋内床と式台の仕上げを合わせて土間部分で靴の脱ぎ履きを行う。	
車いす利用	簡易スロープの設置	狭い場合	勾配が急になり介助の必要、スロープ自体が家族の使用の邪魔になることがある。可動式スロープの使用。	1/15より緩やかな勾配 玄関土間の奥行きは車いすの全長に100mmのクリアランス（余裕）を加える。
		広い場合	規定のスロープを設置。 （231ページ参照）	

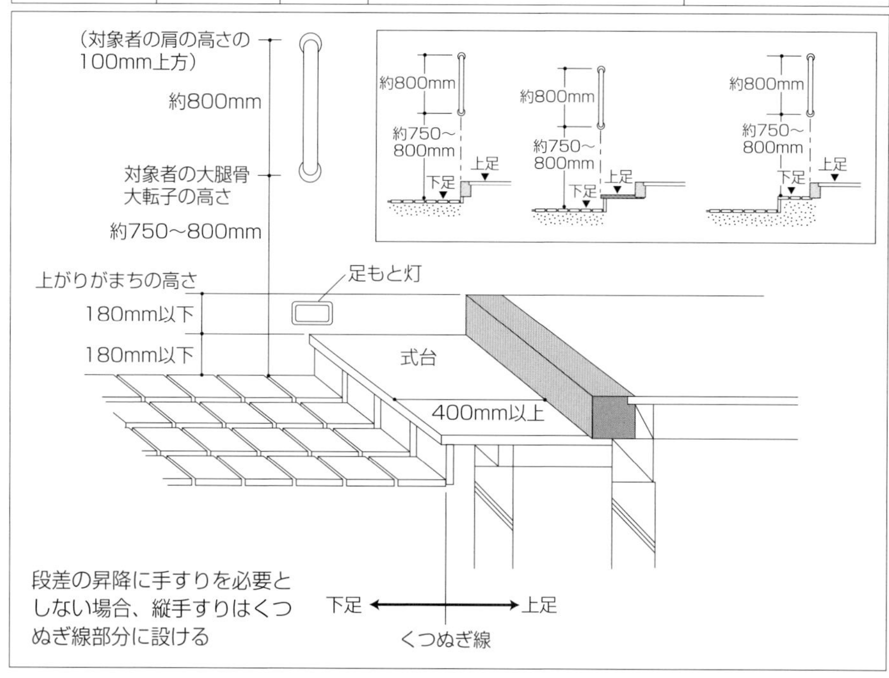

ベンチの工夫

玄関ベンチは、トイレ、階段、浴室への手すり設置と並んで、高齢者に配慮した住宅として象徴的な工夫です。

ベンチの用途を使用者とよく相談し、靴の脱着を行うなど動作を試して、上がりがまちとベンチの位置関係、土間とベンチとホール（室内床）の高さ関係を確認します。

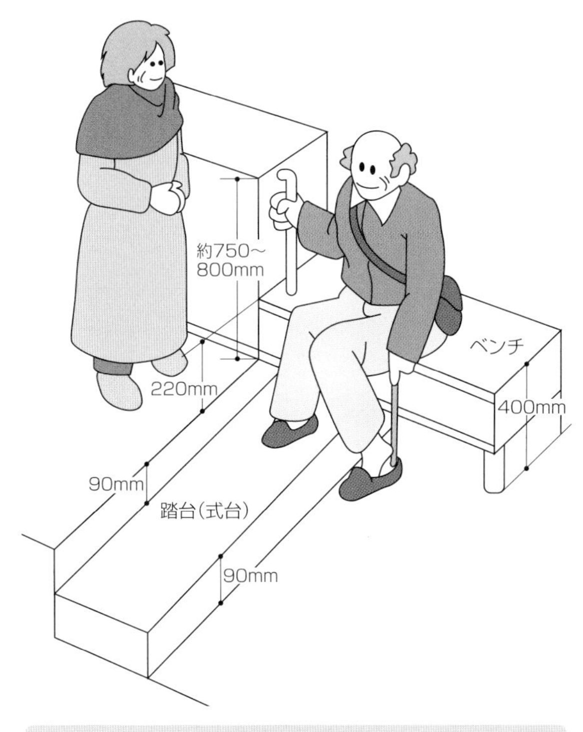

仕上げ

弱視であったり高齢者の場合は視力が低下するので、段差などの見分けがつきにくくなります。そのため、黒色—青色や白色—黄色など組み合わせによっては見分けがつきにくいこともあるので、配色には十分注意します。

KEY WORD

■掃き出し窓
床面まであり、出入りのできる窓のこと。

■踏台（式台）
玄関先の一段低くなった板敷き。客の送迎の際、礼をする所。
福祉住環境整備では主に、上がりがまち段差を解消するために、玄関土間に設置する踏み台を指す。上がりがまち段差を小さな段差に等分割して、昇降しやすくする。

■壁の芯ー芯
壁の中心から中心まで。建築では寸法の基準となる。

■幅員
建物などの横の長さ。はば。

■２足１段の昇降方法
１段ずつ両足を揃えながら昇降する方法。式台は幅500mm以上を確保する。

■可動式スロープ
玄関の敷居をまたいで一気に玄関ポーチとの段差まで解決する、玄関の戸の開閉時に取り外し式のスロープなど。玄関周辺に収納場所をあらかじめ決めておく。アルミ製が多いが、体力的に運搬できるか購入時に検討が必要。

SECTION 2 部屋・場所別の環境整備の方法

廊 下

- 高齢者や障害者が住宅内の各室を結ぶ廊下を自由に移動できないと、生活動作そのものに大きな支障が生じます。
- 特に車いすを使用する場合には、廊下の幅員と廊下に面した開口部の寸法に十分な配慮が必要です。
- 床や壁の仕上げには安全性を確保し、傷の目立たない仕上げを選択します。

廊下の寸法

高齢者や障害者がスムーズに廊下を移動するためには、手すりの設置や車いすの使用を考えて、十分な幅員を確保することが第一です。そのうえで段差をなくし、床材は滑りにくく、傷のつきにくいものを選びます。

高齢者は夜間にトイレに行くことが多いので、照明にも配慮します。

求められる条件	対応の原則	設計の原則
①安全かつ容易に移動できること ②将来の歩行補助具や介助用車いすによる移動が安全かつ容易に行えること ③感覚機能（視力）の低下を補完すること	①廊下は段差なし（5mm以下）。 ②歩行補助具や介助用車いすが通行できる有効幅員を確保する。 ③手すりを設置、または設置準備する。 ④足もとが暗がりにならないように十分な照度を確保する。 ⑤滑りにくい床材を選ぶこと。 ⑥床の直張りを避け、衝撃吸収性のよい床材を選ぶこと。	住戸内の廊下等の通路や出入り口は、できる限り歩行補助具や介助用車いすの使用に配慮した幅員を確保する。

◆一般通路部幅員

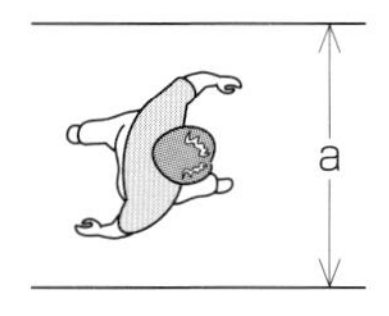

◆柱型、建具枠など突出部のある部分（浴室を除く）

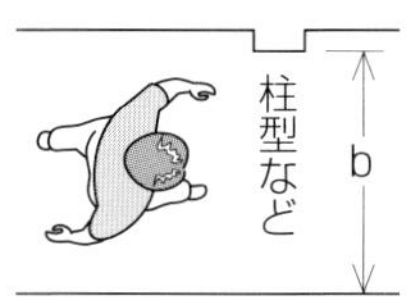

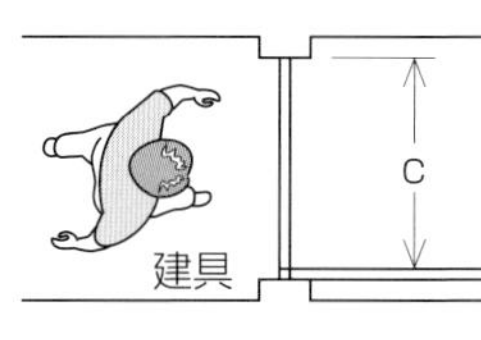

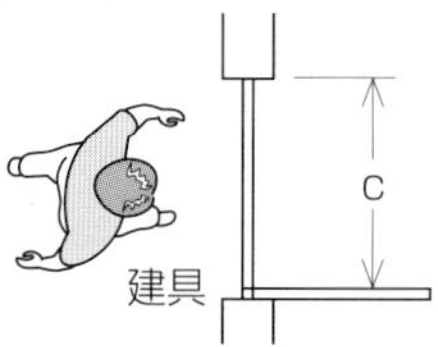

品確法では、
①廊下の幅（図中a）は有効で780mm以上、部分的に柱が出ている箇所（図中b）では750mm以上が基本。前者が850mm以上、後者が800mm以上であればなおよい。
②出入口の幅（図中c）は原則750mm以上。浴室は650mm、やむを得ない場合は600mm以上とすると定められている。

◆通行する（車いす）

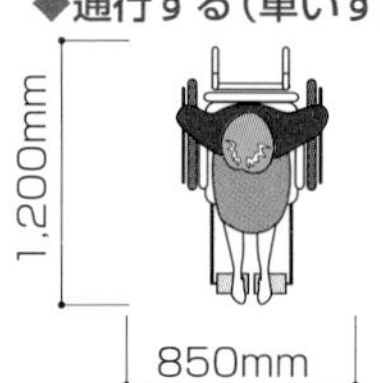

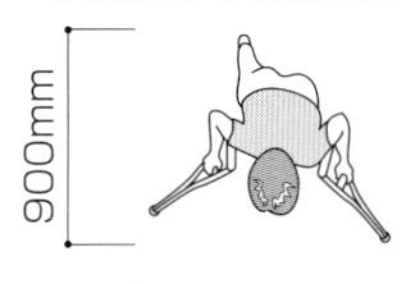

●車いすの使用と幅員

「長寿社会対応住宅設計指針」や「品確法」では介助用車いすの通行をもとに有効幅員が決められていますが、使用する車いすや介助用車いすの大きさによっては、廊下や開口の幅員を広げる工夫が必要となります。

状況	間口	寸法・幅員	備考
伝い歩き	手すりの設置の検討。	通常の壁芯一芯910mm（有効寸法750～780mm程度）の通行幅でよい。	手すりは床から750～800mmが目安（212ページ～参照）。
介助歩行	介助者は、後方から身体を支え、前方を確認しやすいように半身横にずらして歩行する場合が多い。	1.5人分の幅が必要。通常の通行幅で可。	広いほうが歩行しやすい。
自走用車いす使用	自走用車いすの全幅は通常620～630mm程度、全長1,100mm程度。	直進：＋100～150mm 直角に曲がって部屋の出入り：廊下有効幅員・開口有効幅員とも850mmまたは900mmと800mm	車いすの寸法もコンパクトに改善されつつある。 電動車いすの場合、特に車種や操作能力によって、相当回転スペースが異なる。
介助用車いす使用	介助用車いすの全幅は通常530～570mm程度、全長890～960mm程度。	直進：＋100～150mm 直角に曲がって部屋の出入り：廊下有効幅員・開口有効幅員とも780mmまたは780mmと750mm	この寸法はあくまで基本で、実際に動かして決定する。

施工上の注意

車いす使用の場合は、フットサポートや主輪車軸が壁面や開口部戸枠周辺を傷つけるため、通常60～80mmの幅木を床面から350mm程度の高さまで張ります。床面は転倒を防ぎ、転倒したときもけがをしないように、滑りにくく、弾力性のある仕上げにします。現在は車いすでない場合も将来に備えて壁補強は行います。

壁仕上げは身体をこすりつけても安全な仕上げを選択します。あらかじめ腰板を張った仕上げにしておくと、手すりの設置に便利です。

状況・目的	床仕上げの注意点
転倒の危険性を避ける	廊下と玄関ホールなどの床仕上げ材をそろえる
杖歩行の場合	歩行音や衝撃音を吸収するタイルカーペットのような床仕上げにする。毛足の長いじゅうたんはつま先を引っかけやすいので避ける
座位移動の場合	床面の弾力性と温かさに配慮して床材を選ぶ

ZOOM UP

■弾力性の確保

コンクリート構造の場合、床下に転がし根太を入れて床仕上げするとある程度の弾力性が確保できる。

KEY WORD

■自走用（自操用）車いす

自分で車輪の両側にあるハンドリムを回して移動する車いす。介助用車いすより一回り大きいスペースが必要。

■介助用車いす

介助者に押してもらって移動する車いす。

■根太（ねだ）

床板を支えるため、床の下に渡す横木。

■フットサポート

車いすの足をおく部分。足台。

SECTION 2 部屋・場所別の環境整備の方法

階　段

- 階段の昇降は日常生活で最も危険を伴う動作なので、安全に利用できる勾配と有効幅員を計画し、片側または両側に段鼻から取り付け高さ750～800mmを目安に手すりを設置します。
- 形状による特徴と注意点を理解して、選択します。
- 安全な昇降のために、階段の踏み面と蹴上げの寸法、ノンスリップの設置を検討します。

階段の設置

安全や生活の利便性、介助などを考えると、高齢者や障害者の生活空間は1階にすることが望まれますが、やむを得ず2階以上にある場合は、階段の設置については、①安全かつ容易に昇降できる勾配、幅員などにする、②踊り場などを設けて、転落した際の転落距離を短くする、③踏面、段鼻（階段先端）を認識しやすいよう工夫する、といった点に特に配慮します。

また、トイレ、寝室、階段の位置関係に注意し、少なくとも寝室とトイレは同一階にし、その間に階段の降り口がこない配置にします。

求められる条件	対応の原則	設計指針
①安全かつ容易に移動できること ②感覚機能（視力）の低下を補完すること	①安全かつ容易に昇降できる勾配等にする。 ②踊り場等を設けて転落した際の転落距離を短くする。 ③踏み面、段鼻は認識しやすいように配慮する。 ④足もとが暗がりにならないように十分な照度を確保する。	階段の勾配、形状等は昇降の安全上支障のないように配慮する。

階段設置の注意

●蹴上げと踏面

階段は一般的に緩やかな方が昇降しやすく、安全で理想的な傾斜は7/11といわれています。この場合、通常の階高の住宅で、水平投影距離が4m以上になります。

◆踏面と蹴上げ寸法の関係

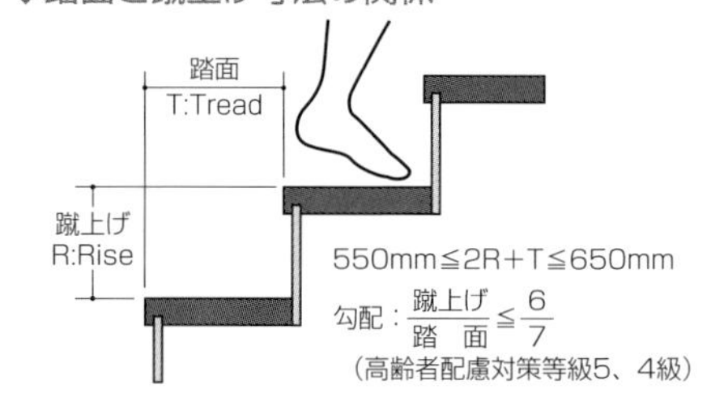

	注意点
降りる時	テンポが狂うと転落の危険。
昇る時	加齢によって脚を上げる力が弱まり、段鼻部に足先を引っかける危険。蹴込み板を設け、蹴込み寸法を30mm以下、できれば10mm以下にする。

◆段鼻部分の収まりと安全性

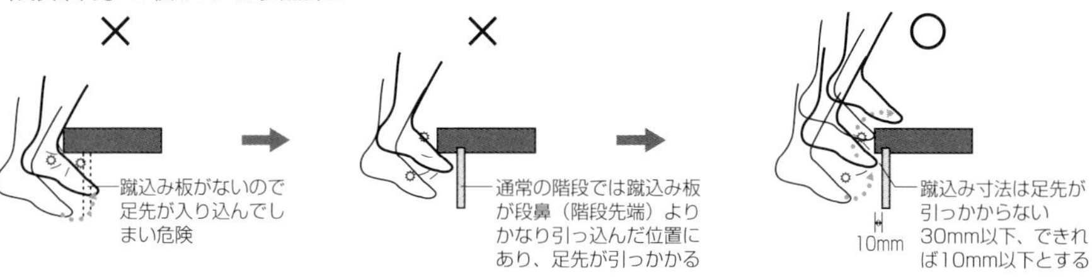

◆階段形状による違い

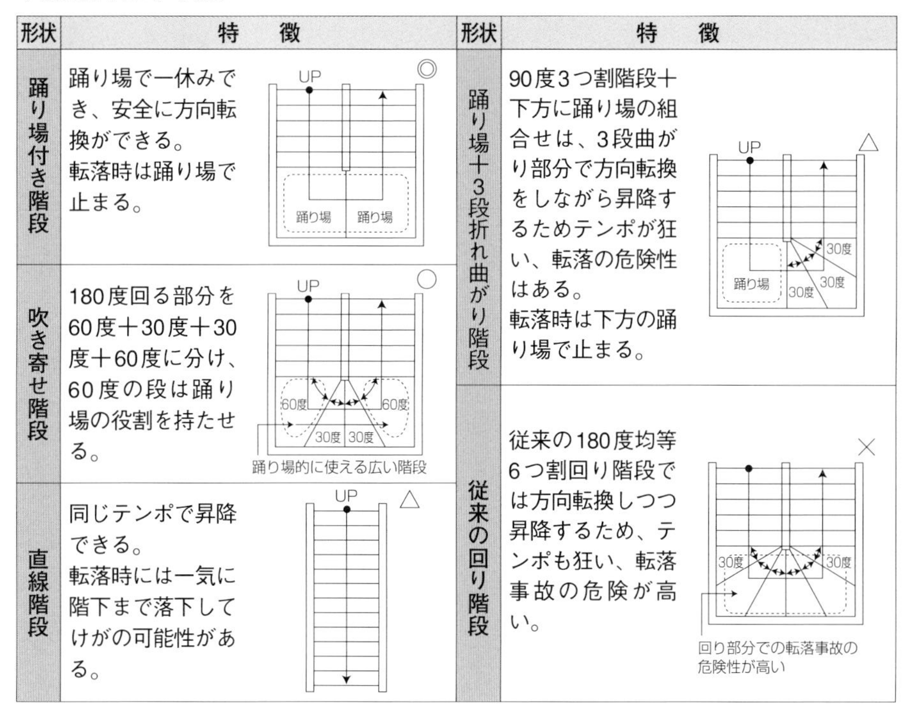

形状	特徴	形状	特徴
踊り場付き階段	踊り場で一休みでき、安全に方向転換ができる。 転落時は踊り場で止まる。	踊り場＋3段折れ曲がり階段	90度3つ割階段＋下方に踊り場の組合せは、3段曲がり部分で方向転換をしながら昇降するためテンポが狂い、転落の危険性はある。 転落時は下方の踊り場で止まる。
吹き寄せ階段	180度回る部分を60度＋30度＋30度＋60度に分け、60度の段は踊り場の役割を持たせる。	従来の回り階段	従来の180度均等6つ割回り階段では方向転換しつつ昇降するため、テンポも狂い、転落事故の危険が高い。
直線階段	同じテンポで昇降できる。 転落時には一気に階下まで落下してけがの可能性がある。		

●仕上げと色彩

転落防止のために、段鼻部分にノンスリップを設置します。踏面よりノンスリップが突出するとつまずく危険があるので、薄型のものを使用します。また、壁の色と階段の色、蹴上げと踏面、段鼻と踏面の色を変え、コントラストをつけると見分けやすく安全です。

SECTION 2 部屋・場所別の環境整備の方法

トイレ

●加齢にともなって、足腰が弱まり、バランス感覚が低下すると、和式便器での排泄は困難になり、洋式便器への交換が必要になります。
●昼夜を問わずトイレの使用回数が増えるため、安全に移動しやすい配置とスペース、機器の選択を心がけます。
●トイレは在宅生活の円滑化のために重要な場所で、個人の尊厳と大きく関わることを認識し、排泄行為がスムーズに行えるように計画します。

トイレ設置の注意点

求められる条件	対応の原則	設計の原則
①移動や立ち座りが安全かつ容易であること ②出入りや排泄行為が安全かつ容易であること ③設備機器は安全で操作性がよいものにする ④温熱感覚機能の低下を補完する ⑤非常の際の対策がなされていること	①出入り口は段差なし（5mm以下）、濡れても滑りにくい床材を選択。 ②立ち座り、移動、姿勢の安定のために手すりを設置あるいは設置準備。 ③夜間も含めて日常頻繁に使用するので、高齢者の寝室に近い位置に配置すること。 ④安全で操作性のよい機器を使用する。 ⑤暖房設備の組み込み、暖房設備用コンセントの設置などを行う。 ⑥できるだけ通報装置を設置。緊急時に外からの救出が容易にできるようにしておく。 ⑦便所が複数設置されている場合は、基本生活空間内のトイレが条件を満たすこと。	①できるだけ介助可能な広さを確保する。 ②トイレの出入口は緊急時の救助に支障のない構造にする。 ③便器は腰掛け式とする。

●トイレの配置とスペース

1. 配置

高齢者はトイレの使用頻度が高いので、寝室とトイレの距離をできるだけ短くし、移動・介助を楽にします。ポータブルトイレやおむつの使用は適切な移動手段を得られないことが主な原因です。

2. スペース

右ページの表のように目安の寸法が決まっていますが、一人一人の身体状況は異なるので、使用者に適した寸法や操作を設定します。

状　況	壁芯 - 芯寸法（有効寸法）mm			備　考
	間　口	奥行き	ドアの幅員	
歩行可能 排泄が自立	910 (750)	1,365 (1,200)	600	奥行きが1,820mmあれば立ち座りをゆったり行える。
伝い歩き	910 (750)	1,365 (1,200)	600	むやみに広げない。
自走用(自操用)車いす	1,820（1,650）	1,820（1,650）	800	便器を中央に設置しない。
介助が必要	1,515（1,350）	1,515（1,350）	800	便器の側方と前方に500mm以上の介助スペースが確保できる寸法。
介助用車いす	1,820（1,650）	1,820（1,650）	750	

介護のしやすいトイレ

トイレの間口、介助スペースの位置など、使用者や介助者、同居の家族状況や症状に応じて検討します。現在不要でも、将来に備えて、トイレと洗面脱衣所を隣接させたり、可動壁で間仕切ったり工夫しておくと、間の壁を撤去すればすむので、後の改修が便利です。下図は手洗いを撤去する例です。

◆自走用車いすの便器へのアプローチ

①側方アプローチ

①-1 便器の側方方向

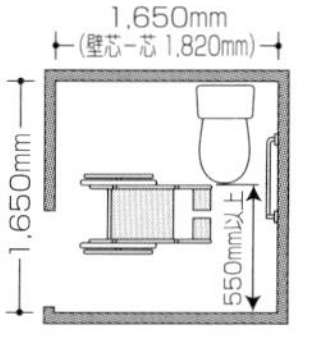

①-2 便器の斜め前方方向

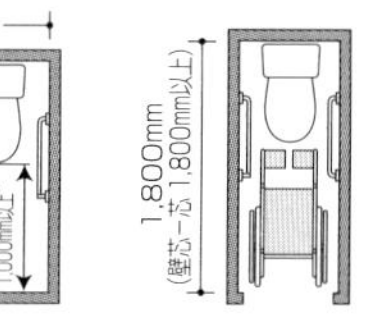

②前方アプローチ

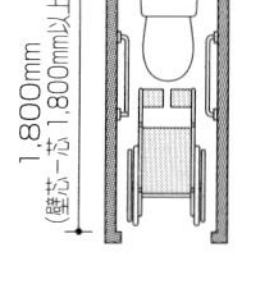

③横方向アプローチ

③-1トランスファーボード使用

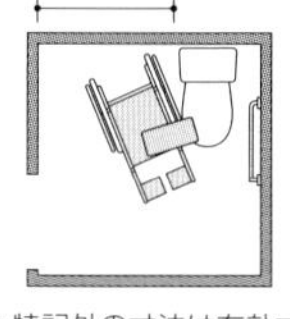

③-2 便器を前方に移動

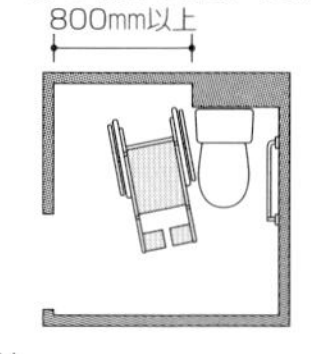

③-3 移乗台の設置

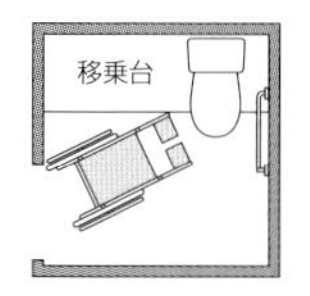

＊特記外の寸法は有効寸法

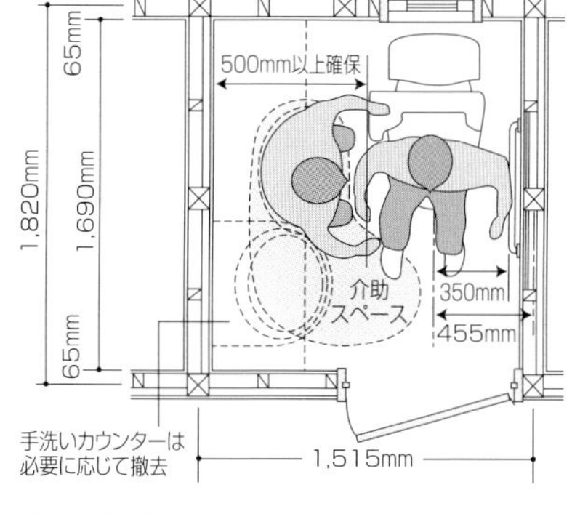

介助は側方から行う。便座に座って介助する場合には、前屈姿勢をとることが多く、介助者の臀部が突出するので、便器側方に介助スペースを有効寸法で500mm以上確保する。

ZOOM UP

■自走用（自操用）車いすの便器へのアプローチ

便器の側方からアプローチするには、便器先端と前方壁面との距離は最低550mm以上確保する。斜め前方からでは最低1,000mm以上確保する。いずれも、壁芯 - 芯1,820mm四方のスペースを確保し、車いすと便器がほぼ直角になるよう出入り口と便器の配置を考慮する。前方からアプローチするには、便器の前方に一般的な自走用車いすの全長の1,100mmのスペースをとると、奥行きは壁芯 - 芯1,800mm必要となる。側方からの場合は、便器の側方に800mm程度のスペースを確保する。

トイレの出入り口

建具敷居の段差をなくし（5mm以下）、車いすの使用に応じて、廊下同様、開口の有効幅員を通常の600mmから広げることが必要です（239ページの表参照）。表の数字は目安なので、車いすを利用する場合は、実際に試して、車いすの寸法や操作方法に合わせて決定します。

間口を広くとるときは、便器のどちらの側から介助する必要があるのかを使用者や介護者に相談して、出入り口や便器の位置を決めます。

戸は、トイレ内での事故に備えて、引き戸か外開き戸が望ましいとされます。外からでも解錠できる錠にします。

トイレの設備機器ほか

●便器

排泄のしやすさを考慮して、便器の座面の高さ（通常床上370～390mm）を決めることが重要です。便器内側を白色にすると、便の色で健康チェックがしやすくなります。

状　況	特　徴	便器の高さ	対処法
立位歩行可能	立ち座りが楽になるようにする。	少し高め	高めの機器にするか、既存の便器の下部に建築工事で台を作って高くする。
関節リウマチ等	膝の曲げのばしが困難。	少し高め	
車いす	車いすで十分に近づきにくく、フットサポートが接近しにくい。	車いす座面と同じ高さ（約450mm）	下部のくびれやスペースが大きい便器は車いすで接近しやすく、掃除も容易。

◆手すりの取り付け

縦手すり	立ち座り動作を補助する縦手すりは、便器の先端から200～300mmほど前方の側面に設置する。長さは800mm程度を目安に、上端は利用者の肩より100mm程度上方、下端は横手すりの高さとする。
横手すり	座位保持を補助する横手すりは、便器の中心より手すりの芯まで350mmを目安に、左右対称の位置に同じ高さで設置する。車いすのアームサポートの高さにあわせ、便座から220～250mm上方の高さとする。片方を水平可動手すりかはね上げ式手すりとすると、トイレの側方にスペースがない場合に有効であり、車いすからの移乗や介助に邪魔にならない。
L型手すり	縦手すりの長さは800mm、横手すりの長さは600mmを目安に、便器への移乗や立ち座り動作の補助に設置する。横手すりは便座の高さから220～250mm程度上方を目安に、車いすのアームサポートの高さにあわせる。縦手すりは便器の先端から200～300mmほど前方に設ける。

◆便器かさ上げの工事例

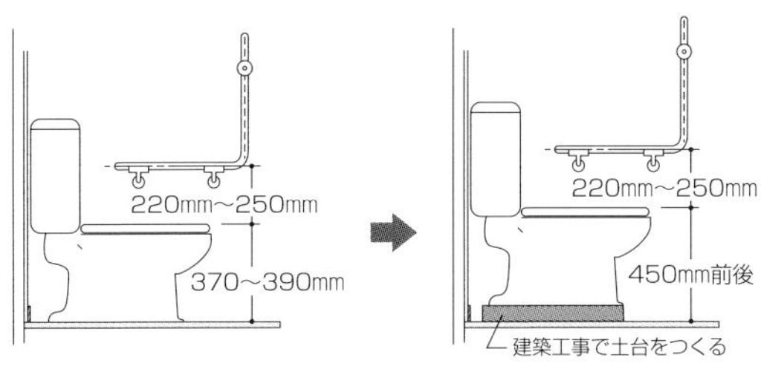

一般市販の便器にも座面高さが床面より450mm前後のものがあるので、便器選定の際には座面高さにも留意して選択する。

●温水洗浄便座

①使い心地がよく、②血行をよくし、③後始末を簡略化できるので高齢者に適しています。下半身に麻痺がある場合は、肛門への温水の当たり具合の確認が難しく、慣れるまでに時間を要します。リモコン操作やスイッチの取付位置も含め、事前に確認しましょう。

●暖房設備

高齢者や障害者は排泄に時間がかかることが多く、冷え切ったトイレでの心臓発作（ヒートショック）なども頻発しているので、必ず暖房設備を設置します。

暖房設備としては暖房便座と室内暖房を併用します。暖房便座は、温熱感覚に異常がある場合は、低温やけどを起こす危険があるので温度設定に注意します。

パネルヒーターのような輻射暖房を足元付近に設置します。高齢者などの動作や掃除の便を考えて、支障のない位置に設置しましょう。

●その他

寝室と隣接する場合は特に、消音型便器の採用、換気・消臭機能付きの便器を検討します。

壁埋め込み型の即熱温風器は、場所をとらないので便所などの暖房器として適している。

ZOOM UP

■手洗い器

室内幅があって手洗いカウンターなどを設置できれば、必要に応じて取り外して介助スペースにできるメリットがある。手洗い器付きロータンクは手洗い時に前屈みになって使いにくいため、スペースがない場合は壁埋め込み式も有効。水洗金具は自動水栓など操作しやすいものにする。

■通報装置

できるだけ非常の際に通報できる装置を操作しやすい位置に設置する。床に倒れた状態でも操作できるように配慮する。

■電気設備

できるだけワイドスイッチや明かり付きスイッチ、あるいは人感センサー付き照明器具を利用する。

■仕上げ

濡れても滑りにくい床仕上げにする。

■ペーパーホルダー

通常は便器先端から100～150mmほど前方、便座から250～300mmほど上方（便座に腰掛けたときの肘の高さ）に取り付ける。ただし、立ち座り用の縦手すりや座位姿勢を保持するための横手すりと重なる場合は、手すりの取り付け位置を優先する。手すりを握るのに邪魔にならない位置にする。横手すりの直下に取り付ける場合は、50mm以上離すと使いやすい。

SECTION 2 部屋・場所別の環境整備の方法

洗面・脱衣室

- 立つ姿勢を保つのが難しくなったときに、洗顔、歯磨き、衣服の着脱などの日常行為に使いやすいスペースの洗面・脱衣室を計画します。
- 身体を支える手すりや使いやすい水洗金具を設置し、段差をなくして浴室への移動をスムーズにします。
- 他室で衣服の着脱を行う場合は、移動方法や暖房設備を検討します。

洗面・脱衣室の環境

洗面・脱衣室には下記のようなことが求められます。

求められる条件	対応の原則	設計指針
①安全かつ容易に移動できること ②洗面や脱衣行為が安全かつ容易にできること ③設備機器は安全で操作性がよいものにする ④温熱感覚機能・視力の低下を補完する	①洗面所・脱衣室は段差なし（5mm以下）。 ②水に濡れても滑りにくい床材にする。 ③移動や衣服の着脱が安全で容易にできるために手すりを設置あるいは設置準備。 ④他室とのつながりに配慮する。 ⑤安全な暖房器具と適切な照明を配慮する。 ⑥複数設置されている場合は、基本生活空間内の洗面・脱衣所が条件を満たすこと。	①手洗いなどの利便に配慮する。 ②脱衣所は、衣服の着脱などの安全性に配慮する。

●広さと寸法

洗面脱衣室では、腰掛けて洗面や衣服の着脱ができる広さを確保します。狭い場合はトイレとのワンルーム化も有効ですが、好まない人もいることを考慮して検討します。

状況	寸法（壁芯 - 芯）	
	間口	奥行き
スペース	1,820mm（有効寸法1,650mm以上）	1,820mm（有効寸法1,650mm以上）
出入り口	有効幅員750mm以上	—

◆ゆったり使える洗面スペース

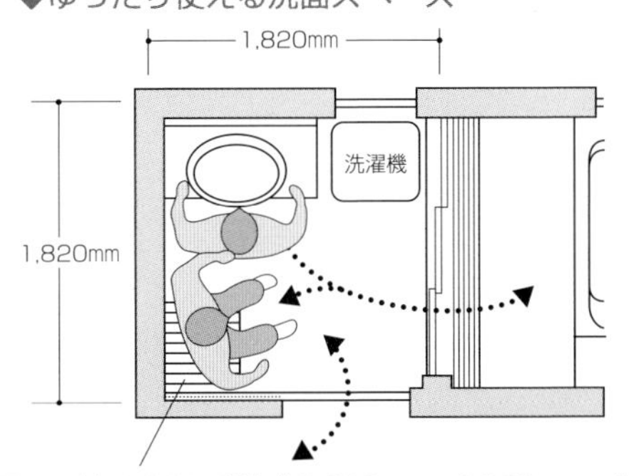

間口、奥行きともに壁芯-芯1,820mm×1,820mm、内法寸法1,650mm以上のスペースがあれば着脱衣用のベンチを置くことも可能。
ただし、出入り口の位置や動線計画などあらかじめ検討しておく。衣服やタオルなどの収納にも配慮しておく。
着脱衣用の縦手すりは800mm以上の長さにし、下端が床上750～800mm程度の高さで設置する。手すりについては214～215ページを参照。

設備機器の設置

●洗面カウンター

カウンター式の洗面台を設置すると、片麻痺の人は寄りかかって片手で動作ができ、周囲に物が置けて便利です。車いす対応の場合は、アームサポートや膝がぶつからないように高さ（一般に720～760mm）を工夫し、薄型にします。下部の排水管は車いすやいす座で膝が当たらないように空きスペースを確保します。

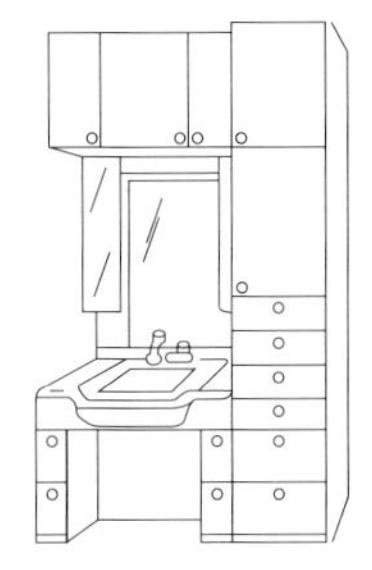

洗面器下部に、空きスペースがあることが望ましい。

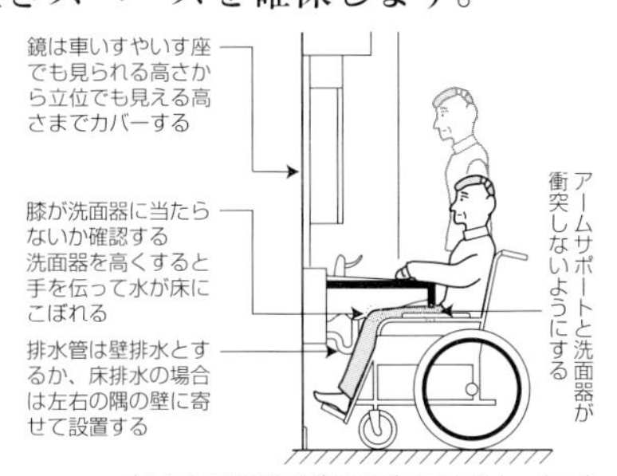

車いす用の薄型洗面器を用いると、深く腰かけて洗面することができる。車いすのアームサポートの形状も合わせて検討する

●洗濯機・乾燥機

洗濯機はドラムの底から洗濯物が取り出せるように、使用しやすい高さを検討します。

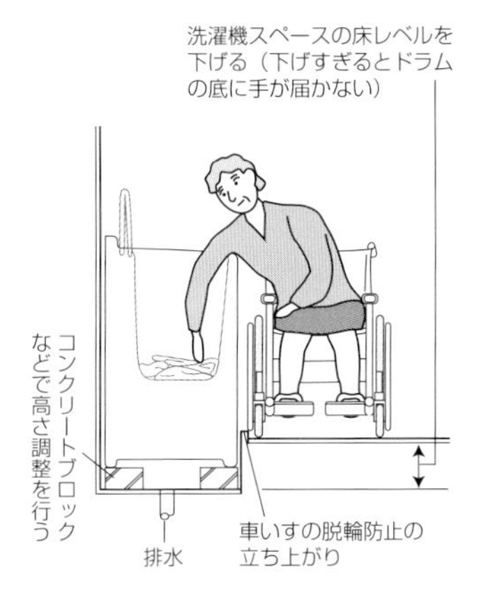

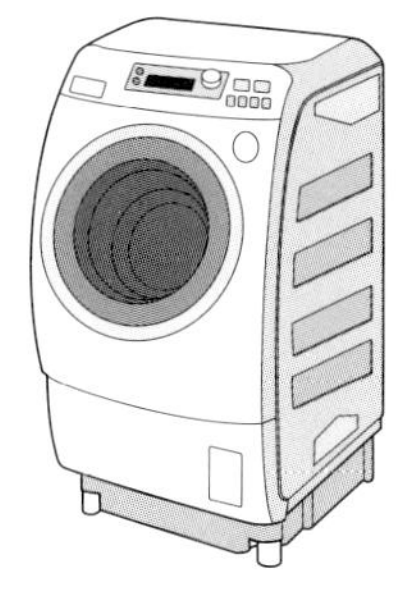

扉が前面上部に付いたドラム式の全自動洗濯乾燥機の例

ZOOM UP

■床仕上げ

浴室との段差を解消すると床面が濡れやすくなるので、下地には水に強い耐水合板、仕上げは水に強いビニールシート系にする。事前に水濡れした際の滑りやすさを確認する。

■横ドラム式の洗濯・乾燥機

洗濯物の出し入れが容易にできる。高齢者や車いす利用者はかさ上げしてドア位置を少し高くするか、ドラムが斜めに傾斜したものを選ぶとよい。

■収納

鏡より上方の吊り戸棚は使いにくいが、大きな収納スペースが必要なので使用頻度の低いものを収納する。日常的に使うものは、洗面カウンター左右の壁埋め込み式収納などを適切な高さに設置して利用する。目安として手元に届く1,500mm以下に設置すると使いやすい。

■鏡

防露型の鏡を壁面に沿って垂直に取り付ける。いすに座っていても、立っていても上半身が映る程度の大きさとして、床上800～1,750mm程度の範囲を映し出せるように取り付ける。

■水洗金具

シングルレバーの混合水栓付きで、レバーが長く、使用者が操作しやすいタイプを選択。湯温調節機能付きの設備を導入する。

■その他

汚物下洗い用流し、専用回路で邪魔にならない壁埋め込み式などの暖房器具を設置。

SECTION 2 部屋・場所別の環境整備の方法

浴　室

- 浴室は、転倒や熱湯によるやけどなど、階段同様、不慮の事故が多い場所なので、配置、仕上げ、機器など安全性に配慮します。
- 浴室の改修は容易ではないので、身体が弱ったときに使いやすく、将来的に一人で入浴できなくなった際への対応も考え、あらかじめ広いスペースをとっておきます。
- 浴室での動作は複雑なので、動作を慎重に検討して対応します。

浴室の環境と広さ

浴室には下表のことが求められます。

求められる条件	対応の原則	設計指針
①浴室への出入り、入浴動作が安全かつ容易にできること ②設備機器は安全で操作性がよいものにする ③温熱感覚機能・視力の低下を補完する ④非常時の対策を行う	①出入り口は段差なし（5mm以下）とする。 ②浴室への出入り、浴室内での移動や立ち座りが安定で容易にできるために手すりを設置する。 ③安全で操作性のよい機器を使用する。 ④できるだけ通報装置を設置し、緊急時には外からの救出が容易にできるようにしておく。 ⑤複数設置されている場合は、基本生活空間内の浴室が条件を満たすこと。 ⑥水に濡れても滑りにくい床材にする。	①できるだけ介助可能なスペースを確保。 ②出入り口に段差が生じる場合は、安全上支障のない形状とし、出入り口に縦手すりを設置する。 ③出入り口の建具は安全性に配慮し、緊急時の救助に支障のない構造とする。 ④浴槽は安全性に配慮した形状、寸法とする。

●浴室の広さと寸法

1,600mm（壁芯－芯で1,820mm）四方もしくは間口1,800mm、奥行き1,400mm（壁芯－芯で間口2,020mm、奥行き1,620mm）程度の広さが望ましく、シャワー用車いすなどの福祉用具の使用や介助入浴が可能となり、出入り口の間口を広くすれば、車いすで浴室に入ることもできます。高齢者等配慮対策等級の5、4では「内法短辺1,400mm以上で、かつ面積2.5㎡以上」を基準としています。

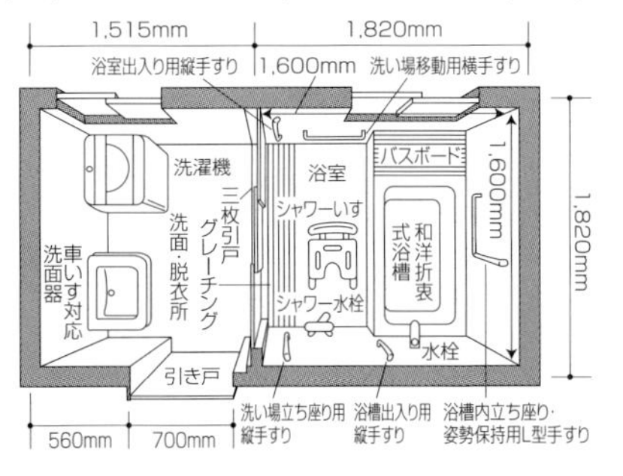

屋内は座位移動で入浴が自立していれば、間口1,200mm、奥行き1,600mmの広さでも動作は可能となります。

浴室の段差解消

●出入り口の段差解消

洗い場で湯水を流すため、日本の浴室の出入り口には大きな段差があります。水処理、仕上げ等にも配慮して下記の方法で段差を仕上がりで5mm以下におさえます*。

出入りの戸は、介助者が容易に出入りできるように3枚引き戸にします。やむを得ず開き戸にする場合は、緊急時に外部から開放できる構造の扉にします。いずれも割れて危険なガラスなどの材料は用いずに敷居段差は解消します。

●グレーチング

出入り口の洗い場側に（できれば洗面・脱衣室側にも）排水溝を設けて、洗い場の湯水が脱衣室側に流れ出ないように、床レベルにグレーチングを施設します。出入り口と逆側に水勾配をとります。細い角パイプを平行に並べた形状のグレーチングにします。

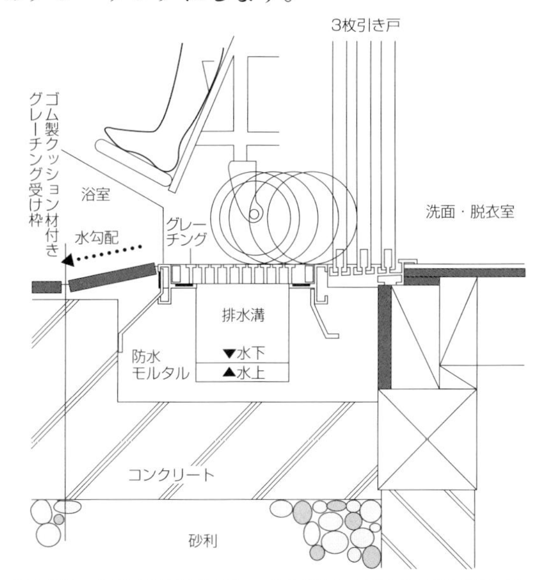

＊自立歩行・介助歩行の場合は20mmの段差まで、介助用車いすを使用する場合は5mm以下に抑えたい（品確法　高齢者等配慮対策等級、段差の項）。

ZOOM UP

■工事の留意点

①市販の高齢化対応の段差なしサッシを使えば、車いすでも楽に浴室に出入りできる。
②出入り口段差を解消したら、出入り口の洗い場側に排水口を設けて洗い場の水が流れ出ないように工夫する。
③脱衣室側に湯水が流れないように、水勾配は出入り口と逆側に設ける。
④洗い場が狭ければ、湯水やシャワーを使って洗うと洗面・脱衣室の床を濡らしやすいため、排水の工夫が必要。
⑤出入り口の洗い場側にシャワーカーテンを設置すると湯水の流出を防げるが、定期的なメンテナンスが必要。
⑥仕上げや下地の交換を予測して、取り外しやすい収まりにしておく。

■グレーチングの形状

ステンレス板に穴をあけたパンチング型は水切れが悪く、上部を人が通るとたわむことがあるので上部を車いすが通ってもがたつかない角パイプ状やT型バー状のグレーチングを選ぶ。

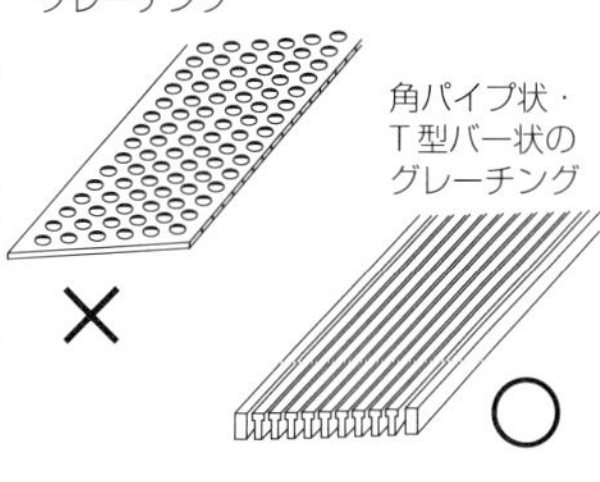

●すのこによる解消

経済的ですが、下記の注意が必要です。

①清掃やメンテナンスのため、すのこを小割りにして取り外しを容易にする。

②取り外しやすいように手かけ部分を設ける。

③敷き詰めたときにがたつかないように、レベルを合わせて脚部にゴムを貼り付ける。

④浴槽の縁は、すのこを敷いた状態で立位でまたぎ越しやすい400mm程度の高さにする。

⑤すのこの間隔は10mm未満とし、角を落とす。

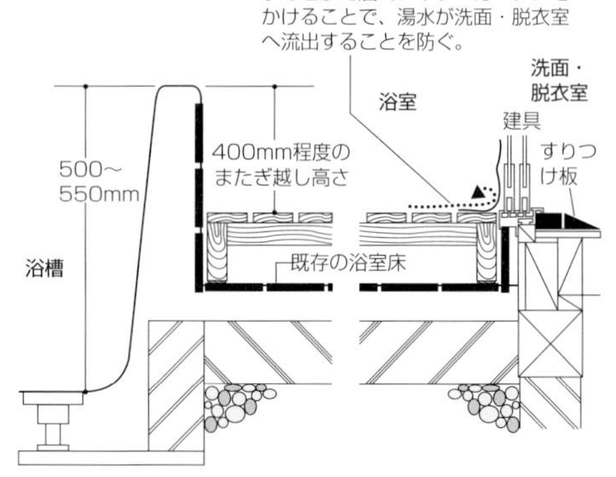

浴　槽

浴槽は、入浴かシャワー浴か、車いす、シャワー用車いすを使用するかによって異なるので、体験して決定します。一般に、和洋折衷式の浴槽は、高齢者や障害者が出入りしやすく、安定した姿勢保持に適しています。

◆使いやすい和洋折衷式浴槽の外形寸法

	寸法	
長　さ	標準	1,000～1,400mm
	高齢者・障害者用	1,100～1,300mm
横　幅	700～800mm	
深　さ	500～550mm	
浴槽縁高さ	400mm程度	車いす使用の場合は座面の高さに合わせる

●浴槽への出入り

座位で浴槽へ入るには、縁にバスボードを架け渡すか、洗い場側に移乗台を置くなどします。浴槽上のバスボードに腰掛けてまたぐ場合は、奥の壁の手すりやバスボードのグリップ状の握りに手をかけて、動作を安定させます。浴槽の縁に置いた移乗台に腰掛けてまたぐ場合は、奥の壁の手すりに手が届かなかっ

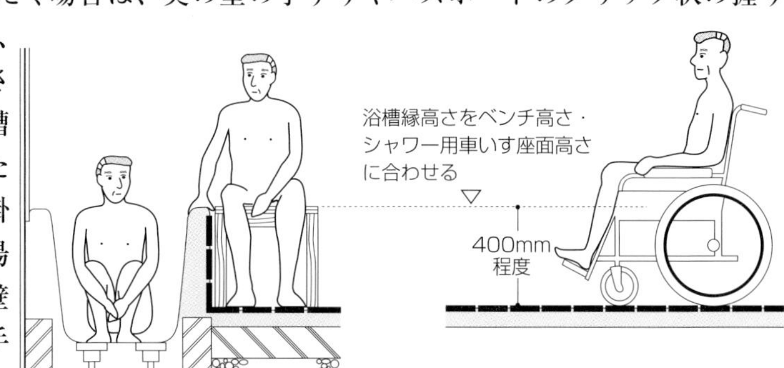

たり、浴槽の底に足が届きにくいことがあるので、姿勢保持に工夫が必要です。

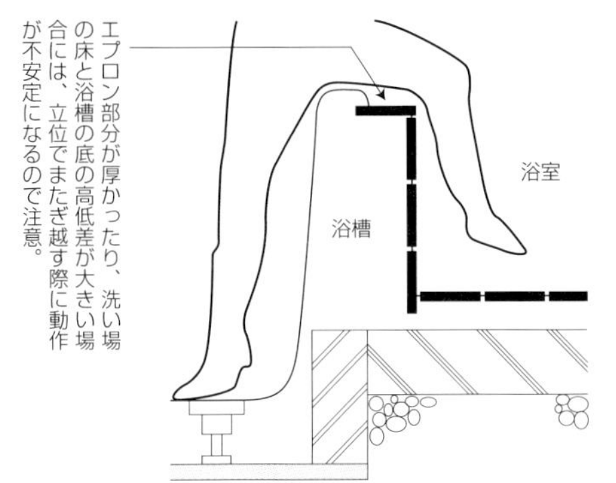

その他の設備機器

●水洗金具

洗い場用のレバー式混合水栓は種類が少ないので、方式にこだわらず、手指のかかり具合など操作性のよいものを選びます。

シャワー水栓は、急に熱いお湯や冷水を体にかけてしまわないように、適度な湯音に調節できるサーモスタット付き水栓にします。

介助入浴を考慮し、通常の洗い場用と介助入浴の際に介助者が使いやすい場所に複数設けることも検討します。

●洗面器置き台

入浴用いすに座り、床の洗面器を前かがみで使うと、バランスを崩して倒れたりする危険があるので、洗面器を楽な姿勢で使えるような高さの洗面器置き台を備えます。

●暖房・換気

浴室用暖房乾燥機などであらかじめ浴室を暖めておき、室温の急激な変化による身体負担を軽減します。洗面所・脱衣所にも暖房装置を備えます。換気扇は浴室内の暖気を外に排気しないように熱交換型にします。

ZOOM UP

■高齢化対応ユニットバス

あらかじめ手すりや段差や浴槽縁高さを考慮した浴槽。自立歩行が可能な人を対象にしているので、障害があったり、介助が必要な人は実用性を確認する必要がある。

■スライド式シャワーフック

スライド式シャワーフックの強度を上げて、縦手すりと同様の位置に取り付け、手すりと兼用する工夫もある。

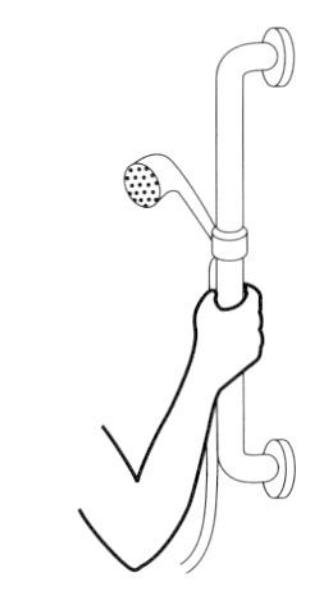

■レバー式水洗金具

レバー式水洗金具は指のかかり具合や湯温調整が容易か確認して選ぶ。

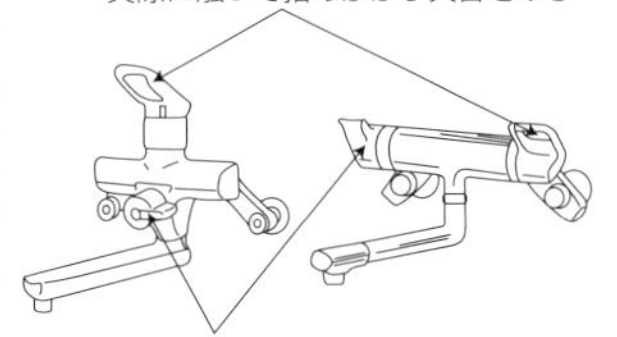

■通報装置

洗い場と浴槽内と両方で使用できるように、設置場所を決める。インターホン式の通話型や外にも連絡できるシステムに置き換えられるものも多い。

SECTION 2 部屋・場所別の環境整備の方法

キッチン

●調理動作は複雑で危険を伴う動作ですから、高齢者や障害者がどこまで調理作業を望むか、車いす使用の有無などを確認し、安全性や操作性に配慮して計画します。
●作業動線や身体機能を考慮して、レイアウトや器具の配置を決めます。
●使用者の状況に応じて、機器の高さやスペースを設定します。

キッチンの環境

求められる条件	対応の原則
①安全かつ容易に移動できること ②調理などが安全かつ容易に行えること ③設備機器等は安全で操作性のよいものを設置する ④温熱感覚機能・嗅覚・視力の低下を補完する ⑤非常時の対策を行う	①出入り口まわりはできるだけ段差なし（5mm以下）とし、濡れても滑りにくい床材にする。 ②作業の安全性が確保され、楽に作業できるもの。 ③安全で操作性のよい機器を使用する。 ④食堂などとのつながりに配慮する。 ⑤ガス漏れ・熱感知器などの警報装置を設置する。

キッチンの配置とレイアウト

キッチンは食堂との作業動線を短くして、家族とのコミュニケーションがとりやすい配置にします。

壁や建具ではなく、いすに座っての調理下準備や配膳作業に便利で、突然の来客にも適度に視線を遮るハッチやカウンターで仕切ります。

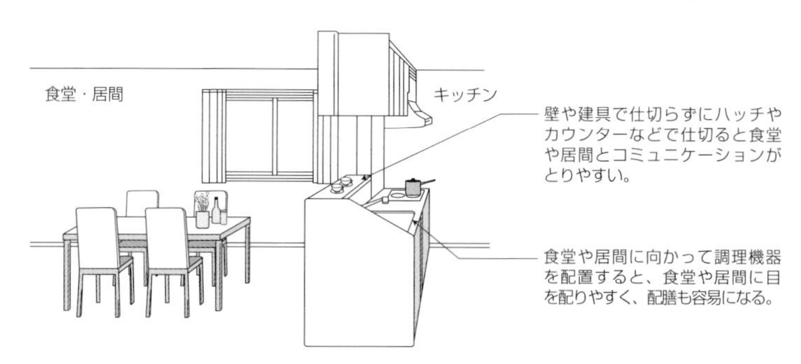

作業動線への配慮

調理手順に沿って、冷蔵庫、調理台、シンク、コンロを配置し、その延長線上に配膳スペースや食堂を配置します。

●ワークトライアングル

冷蔵庫、シンク、加熱調理機器の前面中心を頂点とする三角形「ワークトライアングル」が、キッチンの作業動線をチェックするポイント。

ワークトライアングルの3辺の合計が移動距離の元になります。各辺が長すぎると、動きに無駄が出て、疲れやすいキッチンになり、各辺が短すぎると、配膳や収納などのスペースが不足します。

I型では動線が一直線になりますが、このときは2,700mmが適当な長さとなります。

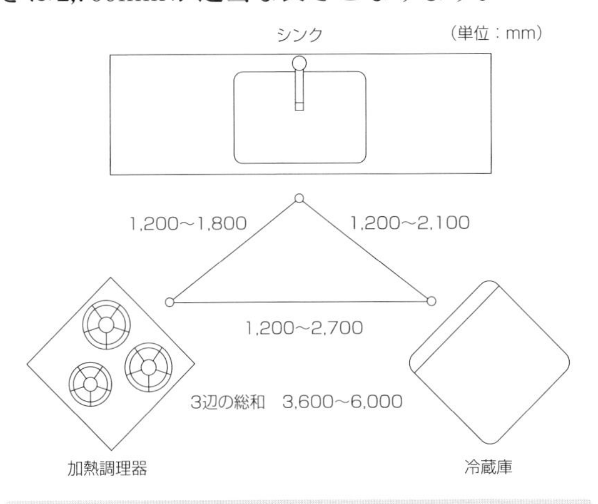

調理器具の寸法

調理台、シンクなどの調理機器の高さは、一般的に850mmと800mmの2種類があり、使いやすい高さに合わせて台輪部分である程度の高さ調整が可能です。使用者の使い慣れた器具を基本として、事前に体験し安全性を考慮します。

ZOOM UP

■作業動線に配慮したキッチンのレイアウト

ワークトップと設備機器のレイアウトのパターンには、壁面に沿った配列（ウォール型）としてI型、2列型、L型、U型の4種類があり、それを発展させた、ペニンシュラ型、アイランド型がある。

高齢者や車いす利用者にはI型よりも移動距離が少ないL型がよいとされている。

I型

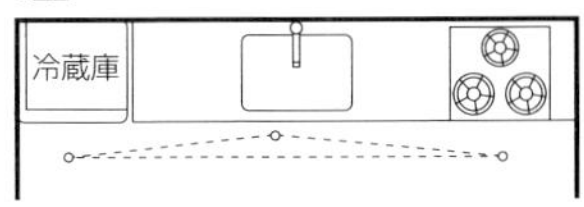

2列型

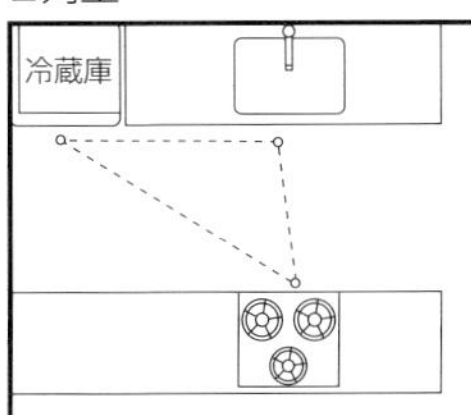

L型

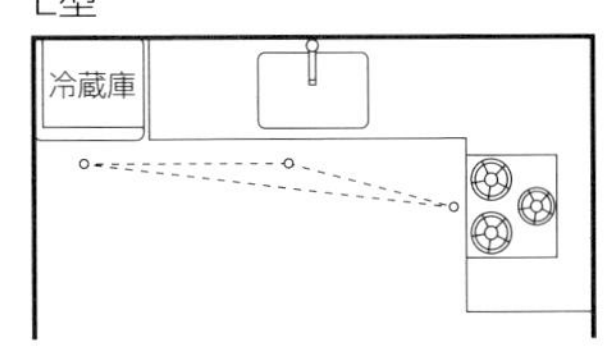

U型

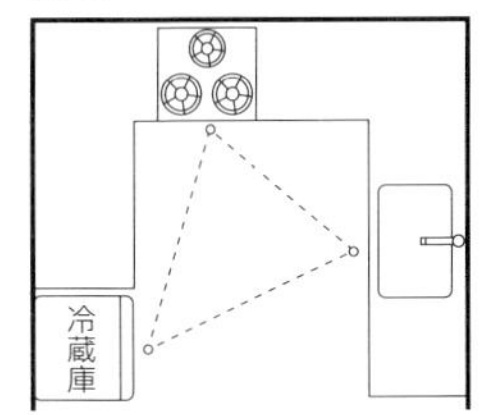

◆使用状況に応じた対処方法

状　況	目　的	対処法
立位困難者	調理機器に寄りかかる	サポートバーを付ける。
	いす座で調理	シンク下部に膝入れスペースのある調理機器を使用。
現段階は健常	将来的な変更	シンク下部の収納部分を簡単に膝入れスペースに改造できる工夫をしておく。
車いす使用	車いすで調理	カウンターの高さは740～800mm程度とし、車いすに座ったときの膝の高さ、アームサポートの高さを測り、膝入れスペースの奥行きを決める。
		必要に応じてシンク深さを通常の180～200mmから120～150mm程度の浅いものにし、水栓を泡沫水栓に変更して水はねを防止する。

◆高齢者や車いすに対応したキッチンカウンター

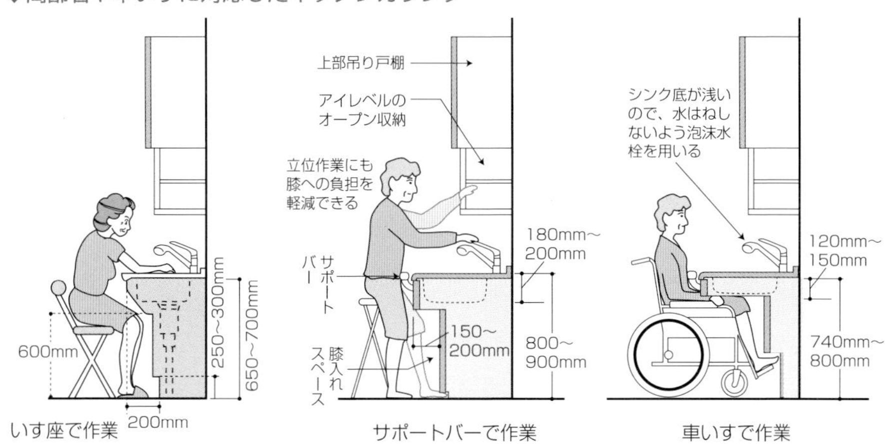

◆加熱調理機器の種類と特徴

優先事項	機　器	特　徴
調理の安全性	電磁調理器 （IHクッキングヒーター）	電磁気の作用で鍋自体が発熱するので、天板の熱は少なく安全だが、鍋を下ろした直後の加熱部分は鍋の余熱で熱いので注意が必要。 鍋が制限される機種の場合は、鉄、ホーロー、ステンレス製など、適応した鍋に限られる。
	電子レンジ	料理手順に沿った位置、使いやすい高さに配置。
	電気調理器	天板の加熱部分が加熱され、底が平らであれば鍋の種類は問わない。止めた後も数分間余熱が残る。
ガスコンロの使用	五徳部分だけが段落ちしたガスコンロ	鍋の滑らし移動が可能。調理油過熱防止装置と立ち消え安全装置付きが標準。 天ぷら火災防止機能付きやセイフルコンロを検討。
その他	グリル	ガス・電気両者の長所と短所を説明する。

収納・ほか

調理をする人の身体状況と調理作業の手順を考慮して、収納場所を決めます。収納棚の高さは、利用者の目線の高さを上限とし、立位の場合は1,400～1,500mm程度、車いすやいす座で使用する場合は900～1,000mm程度とします。

車いすやいす座の利用者には収納棚の上部や下部への出し入れが困難になります。

上部へは、電動または手動で手の届く位置に下ろせる昇降式吊戸棚を導入すると、普段は高い位置に上げておき、調理中は必要に応じて目の前にスライドさせて活用できます。

下部の収納は出し入れが容易になるように引き出し式の収納にして、身体への負担を軽減します。

冷蔵庫全体をかさ上げし、下部には使用頻度の低いものを収納したり、調味料などは見やすく薄い棚に配置するなど、使いやすい収納を心がけます。

◆目線の高さに配慮した収納寸法

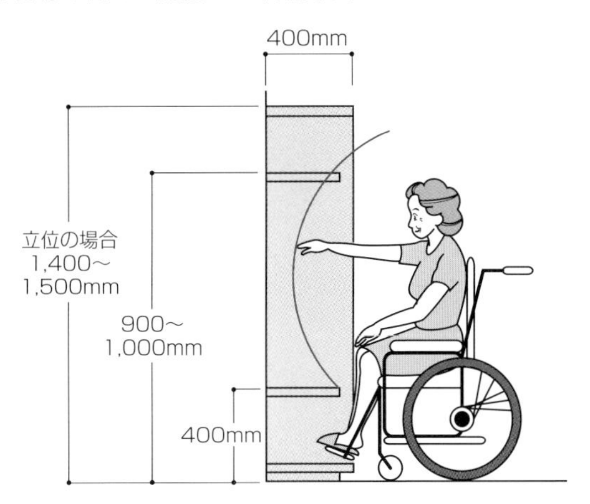

KEY WORD

■着衣着火
調理時の不注意により身につけている衣類に着火すること。これを原因とする死亡事故が高齢者を中心に発生している。ガスコンロの使用時には特に留意が必要。

■天ぷら火災防止機能
立ち消え安全装置と天ぷら火災防止装置を備えたもの。

■セイフルコンロ
天ぷら火災防止機能に加え、鍋温度を一定に保ったり、空だき防止の機能が付いたもの。

■換気扇
通常はレンジフードの脇についているので、手元で操作しやすい配線を行う。

■自助具
高齢者や障害者にとって手指の細かい調理作業を助ける福祉用具。市販品の数も増えている。

■台輪
キッチンキャビネットの扉や下板の下方にある100mm程度の高さ調節用の枠。

台輪部分を改造してキッチンの高さを調整した例

SECTION 2 部屋・場所別の環境整備の方法

寝　室

- 個人の生活スタイルに合わせて、プライバシーを重要視し、慎重に検討します。車いす利用の場合、ベッド上面の高さを車いすの座面と同じ高さにすることを検討します。
- 体が弱ってくると特に長時間過ごす場所なので、身体にできるだけ負担をかけず、介護にも対応できるように配慮します。
- 身体機能の低下や介護への対応を考慮し、ベッドを基本とします。

寝室の環境

生活習慣の変更は難しいですが、身体機能の低下で、床からの立ち座りや布団の上げ下ろしが困難になるので、ベッドでの就寝を基本にします。

求められる条件	対応の原則	設計の原則
①移動と生活動作が安全かつ容易にできること ②生活様式の変化に対応できること ③快適な室内環境	①寝室内と出入り口は段差なし（5mm以下）とし、滑りにくい床材にする。 ②起居様式の変化に対応できるようにする。 ③他室とのつながりに配慮する。 ④冷暖房設備の設置、最低設置準備は行う。	介助に必要なスペースを確保し、遮音性能や避難のしやすさに配慮する。

寝室の配置

基本生活空間と同一階にして、ベッドの位置、車いすの乗降スペース、介助者の立つ位置など、生活動作を検討し、非常時に避難しやすい位置に配置します。浴室を近くするなど汚物処理のしやすい環境を整えます。

使用者の性格	配　置	効果・注意点
誰かと一緒にいる雰囲気を好んだり、家族が目を離せない心身状況の場合	寝室と居間は基本的に隣接させる。建具は遮音性のある引き分け戸にして、全開すると1,600mm以上の開口にしておく。	①居間とワンルーム感覚がもててコミュニケーションが図りやすい。 ②生活時間帯のずれた同居家族がいると生活リズムを乱される。
自分自身の生活は侵されたくない場合	寝室を家族の生活と切り離して独立。真上には生活音を発する部屋を設けない。遮音性の高い床材を使用。	①プライバシーが保たれる。 ②静かで生活リズムを守りやすい。

寝室に必要なスペース

基本生活空間と同一階にして、ベッドの位置、車いすの乗降スペース、介助者の立つ位置など、生活動作を検討します。

どうしても和室がよい場合は、将来、洋室に変更しても床高さがそろう工夫が必要です。

	広　さ
1人用	6〜8畳（車いす使用の場合は8畳）
2人用	8〜12畳

●収納の注意点

日常使用する収納スペースは手の届く範囲に設け、収納部分に足を踏み入れて物の出し入れができるように、床と収納との間に段差を設けないようにします。消毒や後始末に必要なものは使いやすい場所に保管します。

	注意点
扉	原則として引き戸。または折れ戸。
奥行きが910mm以上の収納	車いすでも内部まで入れるように建具の下枠をなくす。
押入の中棚	通常の床上800〜900mmを750mm程度まで低くすると使いやすい。
高さの目安	床上1,500mm以下。
その他	家族の写真や思い出の品を並べる棚や壁面スペースの提案も合わせて行う。

ZOOM UP

■窓

ベッドの上から屋外の景色が楽しめるように、車いすでの出入りできる有効幅員を確保した掃き出し窓を設置する。通常の芯−芯1,820mmのサッシでは自走用（自操用）車いすでは出入りが難しい。市販の高齢化対応のサッシは屋内外の段差解消も可能。ただし、サッシ外側に屋内床と同じレベルのデッキを設置するなどの工夫がいる。またサッシには、大きな手掛けやクレセントなど開閉操作がしやすい工夫をする。

■設備機器

警報装置：現在は必要なくても安心感のために、緊急時に備えてインターホンやコールスイッチを設ける。

冷暖房設備：少なくとも設置準備をしておく。就寝中に温風や冷風が直接当たらない位置に、空調取り付け用のインサート等を設置。

■雨戸

軽くて操作しやすいものにする。電動シャッターも検討。

ATTENTION

■ベッド上の照明

ベッド上で過ごす時間が長くなるため、ベッド上で直接光源の見えない工夫が必要。

①間接照明により光源が見えない

②照明の光源が直接見えてまぶしい

③シェードがついて光源が直接見えない

④同じ照明器具でも位置により直接光源が見えない

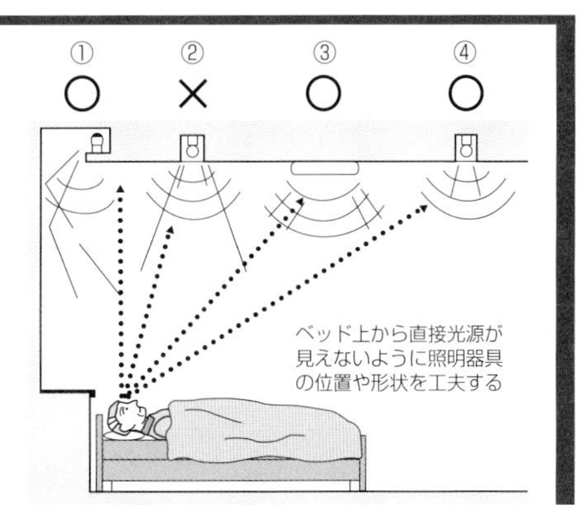

SECTION 2 部屋・場所別の環境整備の方法

家具とインテリア

●家具類は、実際の生活動作を左右しますから、生活の利便性や安全性を助ける家具を選択します。
●高齢者に適したインテリア空間の研究はまだ発展途上ですが、毎日の精神面での安定性や快適感に大きな影響を与えます。
●危険な場所には青・黄色系を使った同系色の曖昧な配色は避け、コントラストのはっきりした色彩計画を考えます。

家具の配置と選択

●家具の配置

身体機能の低下や障害によって、これまでの家具が使用できなくなることもあります。

動作や生活動線に配慮し、所有している家具、床置き小物類、新規購入家具の寸法を確認し、下記の点に注意して配置計画を行うことが大切です。

①生活動線に無理はないか
②通行幅員は広く確保できるか
③動線上に床置き小物などつまずきの原因になるものはないか

●家具の選択

使い勝手を考えて、高齢者や障害者が主に寝室やリビング、ダイニングで使用する家具を選択します。事前に実物を使用して確認することが大切です。近年、デザイン性と機能性が十分検討された「ユニバーサルデザイン」の家具もたくさん市販され、大手メーカーでは高齢者福祉施設向けの収納家具やテーブルを制作しています。

インテリア計画

細部の仕上げや家具の配置などは、使用者の意見を尊重して設計者がまとめていくことが大切です。

本人の気持ちがリラックスし、楽しい雰囲気を醸し出す工夫はインテリア計画の重要な要素です。大きな姿見を寝室の出入り口付近に掛け、身だしなみを整えて、誰かに会いたい気持ちになる、といった生活にメリハリが出て楽しくなるような演出が求められています。

照明計画

明るさは、人の精神面に大きな刺激となり、生活に活気やメリハリを与えます。外出頻度の少ない高齢者や障害者、敷地状況から室内に十分な日照が得られない場合は、高齢者の座る場所にアクセントとなる晴天時の昼間に近い高照度の照明をつける工夫もあります。常時点灯すると費用もかかり、適した光量でないと目が疲労しますから、使用上注意が必要です。

色彩計画

高齢者向けというと落ちついた色調の内装を思いがちですが、住宅全体をそれでまとめると変化に乏しい重い雰囲気になります。壁面を何カ所か明るい色彩で仕上げるだけで、精神的に明るくなり、快適に生活動作ができます。

また、高齢者は、加齢によって色彩の識別能力が低下してきます。明確な配色を使用して、安全に暮らせる色彩計画を行います。

◆高齢による視力低下と色彩の注意

原　因	症　状	対　応
加齢とともに目の水晶体の混濁化が進み、短波長帯の透過率が低下。	青・黄色系統の色彩の微妙な区別がつきにくくなる。	段差付近や突起物など危険を伴う箇所に、青・黄系統の微妙な色違いでの配色は避ける。
加齢により白濁による光量減少。	色彩全般の識別能力が低下する。	①明暗差の大きい配色を心がける。 ②室内環境を明るく保つ。
床面に反射した光が眼球内で乱反射してまぶしい。	疲労の原因になる。	床面など広い面積には、反射率の高い艶のある仕上げは避ける。
かなり視力が低下している場合。	床段差を間違える可能性あり。	同一床面で、無意味に仕上げを変化させない。

■色の三要素

色相：
いわゆる「色味」のこと。十種類に分割したものを「10色相環」といい、円環状に一巡する。

彩度：
色の鮮やかさの度合い。同じ色相の中で最も彩度の高い色をその色相の「純色」という。無彩色に彩度はなく、無彩色に近い色ほど彩度は低い。

明度：
色の明るさの度合い。明度の最も高い色が「白」であり、最も低い色が「黒」である。

■色のイメージ

寒色・暖色・中性色：
主に色相に関する温度感覚のイメージ。

色調：
色相と、彩度と明度の組み合わせによるイメージ。彩度・明度がともに高いと派手に、ともに低いと地味に感じられる。

進出色・後退色／膨張色・収縮色／興奮色・鎮静色：
主に色相に依存するイメージ。距離感、大きさの感覚、気持ちに影響する。

重量感・硬軟感：
主に彩度・明度に依存するイメージ。明度が高いと軽く、柔らかく見え、彩度が高いと軽く、硬く見える。

SECTION 3　福祉用具の基礎知識

福祉用具の意味

- 福祉用具とは、心身の機能低下によって、日常生活に支障がある高齢者や障害者、その家族をサポートするためのものです。
- ①家庭で家族介護の負担を減らす器具、②高齢者や障害者の自立をサポートする器具、③その他、治療・訓練のための器具の大きく３つに分類されます。
- 超高齢化社会を迎え、介護ロボットの開発が進んでいます。

福祉用具とは

●「福祉機器」から「福祉用具」へ

1975年の「心身障害研究報告書」(旧厚生省）で「心身障害者や寝たきり老人等の日常生活を便利また容易ならしめる機器、心身障害者や寝たきり老人等の治療訓練を行う機器、喪失した機能を代償する機器、心身障害者の能力開発を行う機器」を総称して「福祉機器」と定義されました。その後、1993年「福祉用具の研究開発及び普及の促進に関する法律」(通称：「福祉用具法」、旧厚生省・通産省）により福祉機器の定義とほぼ同じ内容で、はじめて福祉用具が法的に定義されたのです。

福祉用具法における「福祉用具」の定義

心身の機能が低下し、日常生活を営むのに支障のある老人または心身障害者の日常生活上の便宜を図るための用具及びこれらの者の機能訓練のための用具ならびに補装具をいいます。

●福祉用具の範囲

従来の福祉機器をはじめ、身体の欠損や機能の障害を補う義肢や装具などの補装具、整容・更衣・食事・家事などの日常生活動作を容易にできるように工夫された自助具、日常生活をスムーズに行うための日常生活用具、介護者の負担を軽減する介助用補助具、機能の維持・改善を図る機能回復訓練機器、共用品、なども福祉用具法により福祉用具の範囲に含まれています。

◆共用品の範囲

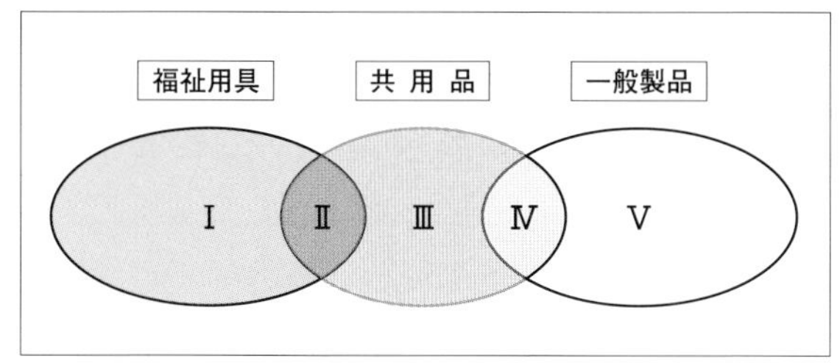

Ⅰ：専用福祉用具　特定の障害者や高齢者を対象とした狭義の福祉用具
Ⅱ：共用福祉用具　もとは専用の福祉用品だったが、高齢者や障害者人にも使いやすいように設計・デザインされた製品
Ⅲ：共用設計製品　もとは専用の福祉用品だったが、一般の人にも普及するように設計・デザインされた製品
Ⅳ：バリア解消製品　一般製品をベースに、高齢者や障害者が利用する際にバリア（障壁）となる部分を解消するために設計・デザインされた製品
Ⅴ：一般製品　高齢者や障害者の使用について配慮されていない製品
Ⅱ＋Ⅲ＋Ⅳ：共用品
Ⅰ＋Ⅱ＋Ⅲ＋Ⅳ：広義の福祉用具

福祉用具支援の基本姿勢

福祉用具を利用する目的は、自立の促進、介護負担の軽減にあります。福祉用具の導入においては、数多くの種類の中から適切な用具を選択し、個々の利用者の身体状況・日常生活に合わせて調整し、個々に合わせた使い方を利用者に伝える必要があります。一般的に、利用者や家族に福祉用具の選択・使い方に関する十分な知識や技術があることは少なく、下記の手順で十分な情報伝達に基づいて決定することが必要になります。

①利用者と家族の福祉用具導入の意向を基本に、利用者の心身の状況、生活目標やニーズ、家族の介護力などの必要な情報を集める。

②利用者と家族が抱える問題点を抽出し、解決のために必要な福祉用具の導入を検討。

③問題点を解決するために導入した福祉用具により目標が達成されるか、利用者の意向と同じかどうかを確認。

④福祉用具を導入した結果、利用者の目標が達成され、生活改善にどのような効果があったのかを確認。達成されなかった場合は、どこに問題があったのかなどの課題を継続的に検討していく。

ZOOM UP

■介護ロボット

「ロボット技術を応用した利用者の自立支援や介護者の負担の軽減に役立つ介護機器」のことを介護ロボットと呼び、介護の分野でロボットの活躍が期待されている。厚生労働省は経済産業省とともに「ロボット技術の介護利用における重点分野」を6分野13項目定め（2017〈平成29〉年10月改訂）、その開発と導入を支援している。

＊6分野：①移乗介助、②移動支援、③排泄支援、④排泄見守りとコミュニケーション、⑤入浴支援、⑥介護業務支援

SECTION 3 福祉用具の基礎知識

福祉用具選択のポイント

●福祉用具を選択・導入する際には、本人の心身機能やニーズ、生活環境などの情報を収集し、適切な福祉用具を導入します。
●福祉用具を導入した後、問題点は解消したか、本人の生活改善の目標に達する効果があったか、満足度はどうかなどを確認します。
●現在の家族や本人の状況だけではなく、加齢や病気の進行に伴う将来を見すえた選択が必要です。

福祉用具選択の留意点

1．総合的に検討する

利用者と家族の意向に配慮し、利用者の心身の状態、介護者の有無とその能力、さらには住環境の状況や住宅改修の可能性も考慮して、どの福祉用具をどのように利用するか、総合的に検討しなければなりません。

◆福祉用具活用を決める要因

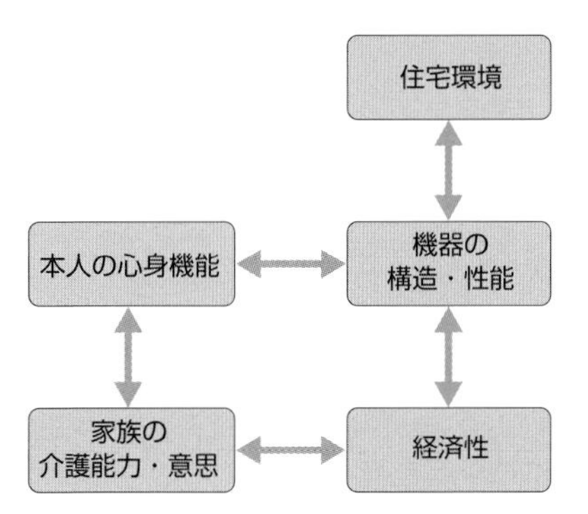

2．利用者の選択性を確保する

福祉用具についての情報を他の専門職とも連携し、提供する必要があります。費用、機能、操作性、問題の改善に役立つことなどを理解した上で、利用者が選択できるように配慮します。

3．住環境整備の一環と考える

福祉用具を使いやすくするため、住宅改修が必要な場合もあります。また、福祉用具を導入しても利用者の抱える問題が解決するとは限りません。さまざまな医療・居宅サービスを組み合わせて利用することも検討します。

4．導入時期を見極める

退院してこれから在宅生活を始める、日常生活の自立を促す、地域での交流を持つ時期など、時期によって必要となる福祉用具は異なるので、時期に適したものを見極めます。さらに利用者も介護者も加齢や病気の進行に伴い、体力や身体機能が落ちてきますから、将来を見通した選択も必要です。

●福祉用具の性能保証

福祉用具の製品の性能保証には、以下のようなものがあります。利用に際しては、マークを確認し、付いているものを選ぶのが望ましいのですが、大部分の福祉用具には性能保証の基準が決められていません。

福祉用具選定にあたっては、個々に評価して決定することが重要です。

■SGマーク

製品安全協会が定めた認定基準に適合した生活用品に与えられたマーク。福祉用具の一部の商品には、このマークの基準を満たしたものも出ている。選択の際のひとつの判断材料にできる。

呼称とマーク	制度などの名称	マークの意味・性格など	対象となる品目	関連法規
JISマーク	日本産業規格	統一規格に適合した製品に付けられる（2019年7月に名称、法律名が変更）	車いす	産業標準化法
SGマーク	製品安全協会の認定	Safety Goods（安全な製品）の略号。参加は任意で、賠償責任保険に加入する	介護用ベッド、車いす、棒状杖、簡易便器、腰掛け便座	——

福祉用具の評価項目

福祉用具を導入する前と導入した後での利用効果を具体的・正確に評価するためには、①福祉用具の機能性、②配慮すべき事項、③供給体制、④印象について、客観的に評価することが必要です。

これらの福祉用具の利用効果の評価については、福祉住環境コーディネーターがPT、OT、介護支援専門員、福祉用具専門相談員などの専門職種と連携、協議しながら行うことが求められます。

①**福祉用具の機能性**：福祉用具を使用することで、利用者のQOLに及ぼす影響と効果を把握し、使用目的の達成度、利用時の操作性、可搬性・移動性、収納性など福祉用具のもつ機能性を総合的に評価する。

②**配慮すべき事項**：利用者の福祉用具の使用にあたって、操作手順の説明などマニュアルがわかりやすいか、操作が容易か、安全対策・注意事項は何か、耐久性能の維持、保守・管理のしやすさなど、継続的に評価する。

③**供給体制**：福祉用具の価格が経済的負担をかけることはないか、納期まで時間がかかるのか、故障した場合などの保守・管理体制や保証・保険制度などの供給体制が整備されているどうかを評価する。

④**印象**：福祉用具についての情報の多寡、選択の余地はあるのか、使用にあたって違和感はないか、外見やデザインはどうかなど、利用者の感じた印象について評価を行う。

SECTION 3 福祉用具の基礎知識

入浴

- 日常生活場面でも最も多くの難易度の高い動作を必要とするので、脱衣、浴室への移動、浴槽への出入り、浴槽内での立ち座り、洗体動作、着衣など、多くの場面を想定した介助具や自助具が必要です。
- 補助したい動作、介助負担の軽減など、目的を明確にして選定します。
- 片麻痺用のタオルからリフトまで、小さなものから大がかりな機器まで、障害の程度によって、さまざまな用具を組み合わせて使います。

入浴補助用具の実際

＜寝室や居室から浴室への移動＞

心身の状態が悪いときは、居室や寝室で脱衣して、シャワー用車いすでの移動となります。段差があったり、扉の幅や浴室が狭いと利用できないので、住宅改修との組み合わせが必要になる場合もあります。

用具名	対象者	利用法
シャワー用車いす	自力では移動困難な人を、居室や寝室から浴室へ移動させるのに使う。	防水性を配慮した車いすで、脚にはキャスターがつき、浴室内で座ったまま洗体ができる。 その多くは座面が便座型をしたトイレ兼用タイプ。

＜入浴時の安全確保＞

和洋折衷の浴槽	またぎやすい高さに設定した和洋折衷の浴槽が適している。
転倒防止用すべり止め	安全面の確保のため、洗い場用の転倒防止用マットも有効。

＜浴槽への出入り＞

①立ち上がりや、しゃがみ込みの際の不安定さを解消する用具が必要です。

②浴槽内いすや浴槽内すのこは、浴槽の出入りのほか、浴槽内での姿勢の保持や立ち座りを助けます。浴室内すのこは、浴室入口の段差や浴槽縁までの高さを調整して、歩行が不安定な人や車いすでの移動を助けます。

③浴室内での移動、浴槽の出入り、浴槽内の立ち座りの介助には、入浴用介助ベルトで入浴時の身体を保持すると容易です。

用具名	対象者	利用法
浴槽用手すり	立位保持は可能だが、平衡機能や筋力が低下し、体重を少し支えたい人	縁を挟んで固定し、利用者が浴槽の縁をまたぐ際の助けとなる。浴槽フタの利用を妨げない形状がよい。
浴槽内いす	いす：股や膝関節など下肢の関節の痛みや可動制限域があり浴槽底に座れない人、片麻痺や筋力低下などで、いす座位からは立ち上がれるが床座位からは困難な人 踏み台：筋力や平衡機能の低下で、またぐ時に浴槽底に足が付かない人	浴槽内に置き、浴槽内での姿勢を保持するいすや、浴槽の出入りを助ける踏み台として利用。浴槽底に吸着させる吸盤式、浴槽底に置く据え置き式、浴槽上縁面に吊り下げる浴槽縁式がある。
バスボード	下肢に関節可動域制限、痛み、筋力の低下があり、立位バランスが不安定な人	浴槽の縁の部分に図のように橋を渡して設置。いったんこのバスボードに腰掛けて、体をずらして浴槽に脚を入れて出入りする。うすいものがよい。
入浴台	バスボードと同様	片方の端を浴槽の縁にかけてあり、腰をずらすだけで、バスボードとしても、シャワーいすとしても使える。
ターンテーブル	浴槽の縁に腰かけられるが、体の向きを変えるのが困難な人	円形のボードが回転して、体の向きを変えてくれる。
浴槽内昇降機（浴槽設置式リフト）	自力では浴槽の中で立ったり、しゃがんだりするのが困難な人	シートに腰掛けて、浴槽の出入りに使う。図は固定式だが据え置き式もある。 介助者が浴槽内から対象者を引き上げるときの負担が軽減する。
入浴用固定式リフト	自力で浴槽内で立ったり、しゃがんだりするのが困難な人	図は、吊り具で吊り上げて浴槽の上を旋回し、浴槽に下ろす床固定式リフト（このほか、天井や壁に固定するタイプや工事不要のタイプもある）。

＊取付工事を要しない入浴用リフトや浴槽内昇降機は、移動用リフトとして介護保険の福祉用具貸与の給付対象。

＜洗体時の補助＞

以下の福祉用具の利用時には、手すりなどを設置して、立ったり座ったりするときの動作を補助する必要があります。

用具名	対象者	利用法
入浴用いす	下肢の筋力低下や麻痺、膝・股関節の痛みなどにより立ち座りが困難な人	一般的な入浴用いすより座面が高く、高さ調整機能付きが多い。立ち座りや座位姿勢の保持、洗体・洗髪動作を助ける。座面は平ら、両端が上向きにカーブ、U字にカットされているなど多様。

ATTENTION

■福祉用具の素材

入浴に使われる福祉用具には、水がかりへの耐久性のある素材が使われている。多くは熱に強い強化プラスチックやアルミ合金やステンレススチール製。

SECTION 3 福祉用具の基礎知識

排 泄

- 排泄は、介助される側にとって、羞恥心など精神的な負担の大きい行為なので、できる限り自立を支援し、トイレでの排泄を目標にします。
- トイレ以外での排泄を余儀なくされる場合には、利用者の尊厳を保持しながら、排泄関連用具を活用する支援計画を立てることが大切です。
- 排泄関連の福祉用具は、多種類で広範囲にわたり、尿意や便意があるか、排泄をコントロールできるか、などによって、用品が異なります。

便座・便器の補助用具

排泄は、介護状況や1日の生活の流れの中でも対応が変わってくるものです。1つの排泄用具での対応に決めず、利用者の状況に応じ、柔軟にさまざまな用具を組み合わせて使いましょう。

用具名		対象者	利用法
腰かけ便座	補高便座（取り外し型）	下肢の麻痺、筋力の低下、痛みなどにより、膝や股関節の動きに制限があり、通常の便器からの立ち座りに困難がある人	洋式便器にセットし、通常の便座よりも高くすることによって、立ち上がりや座り込みの動作を楽にする。
腰かけ便座	立ち上がり補助便座（昇降機構付き便座）	下肢の麻痺、筋力の低下、痛みなどにより、膝や股関節の動きに制限があり、通常の便器からの立ち座りに困難がある人	通常の洋式便器に取り付け、電動式などで便座部分を動かすことで、立ち上がりを補助する。
腰かけ便座	据置式便座 和式用（床置き式補高便座）	下肢の麻痺、筋力の低下、痛み、平衡機能の低下で、膝や股関節を大きく曲げてしゃがみ込む和式便器の利用が困難な高齢者や障害者	和式便器や両用便器の上にかぶせ、立ち座りの楽な洋式便器として使えるようにする。身体が180度反対を向くので、立ち座り用スペースがあるか確認。
トイレ用手すり		下肢の麻痺、筋力の低下、痛みや平衡機能障害のある高齢者や障害者	①立ち座りや排泄姿勢の保持を助ける。 ②便器に挟んで固定したり、突張り金具で壁に固定するなど、工事なしで簡易に設置できる。 ③外れやすい手すりなので、安全に使用できるか確認する。 ④住宅改修ができない借家などで使用する。

ベッドサイドの排泄用具

用具名		対象者	利用法
ポータブルトイレ （室内便器） 標準形 （アームサポート、 バックサポート付）		居室や寝室からトイレまでの移動が困難な人、失禁などの排泄機能障害がありトイレが間に合わない場合	①尿や便をためる容器が組み込まれ、ベッドサイドなどに置いて使う。 ②時間帯で使い分ける場合も多い。 ③標準形には、木製いす型、コモード型もある。サポートなしのスツール型もある。
便器用具	身障者用便器	車いすから前方への移乗だけができる人	導尿や座薬の挿入が容易となる形状のものや、車いすから移乗しやすいものがある。
便器用具	差し込み便器	寝たきりの人や夜間の排泄に困難がある人 自動排泄処理装置：疾病により安静が必要、全身状態が悪化しているなど頻回の体位交換ができない場合	便意が起きても、立ち上がれない場合、臀部の下に差し込んで使う。
収尿器	受尿部・蓄尿部別体タイプ		ベッド上で寝たままの姿勢か、車いすやベッドに腰掛けて尿を取る。
収尿器	自動排泄処理装置		センサーで尿や便を感知し、真空方式で自動的に尿や便を吸引する自動排泄処理装置。尿のみ採るものと、尿と便の両方を採るものがある。介護保険制度では、本体は貸与の対象で、尿や便の経路であるレシーバー、チューブ、タンク等の交換可能部品は購入給付の対象。専用パッド、専用パンツなどの消耗品は保険給付の対象外。
トイレ兼シャワー用車いす （260ページ参照）			①座ったまま便器に組み込んで使用する。 ②シャワー用車いすと同じもの。

利用に際して留意点

①通常のトイレの便器や便座を改良する場合、共用する家族の使い勝手にも配慮します。

②補高便座などは、本人は使いやすくても、子どもが利用しにくいことも多いので注意。

③便器類は、身体の安定性が不十分なときに利用されるため、ポータブルトイレごと横転するような場合もあります。安定性の高い機種の選択や、手すりの設置、夜間に足もとを照らす照明に配慮します。

④ポータブルトイレへの移乗を助けるため、移動用バー（ベッド用手すり）をベッドの側面に取り付けます。

⑤失禁などの身体機能の低下、寝室からトイレまでの住環境、夜間の介護状況などを考え合わせて、用具の導入を検討します。

ZOOM UP

■おむつ類の活用

おむつ類は、夜間尿のおもらしが気になる人、尿意・便意がコントロールできない人、寝たきりの人と、利用者も活用方法も多用。排泄や日常の動作が妨げられないよう、他の排泄用具と組み合わせて使う。

■排泄の福祉用具の素材

ベッド上で活用する差し込み便器は、プラスチック製やホーロー製が多い。

標準型のポータブルトイレは、軽量化し持ち運びを便利にするため、ポリプロピレンやABS樹脂などのプラスチック類でできているものが多い。

起居・就寝

- 起居・就寝に関わるベッドとベッド付属品は、離床動作・床上動作の補助、ベッドでの動作の自立を促す役割があります。利用者の身体状況や介護状況、スペースに合わせ、適切なものを選びます。
- 床ずれ防止用具は、利用者の自立的な動作を妨げないよう留意します。
- 体位の変換・保持・移動を助ける体位変換器は、ベッド上で使用することが多いため、介護保険制度の特殊寝台付属品として貸与されます。

特殊寝台（介護用ベッド）

背上げ機能、膝上げ機能、全体の昇降機能などやサイドレールが付いた、いわゆる介護用ベッドおよび一体として使用されるマットレスやサイドレールなどの福祉用具があります。

特殊寝台は、電動で分割された床板が稼動し、高さを変えたり、床板の傾斜角度を変えて背上げ・脚上げができるベッドで、寝返り、起き上がり、立ち上がり、車いすへの移乗など、自立した起居動作や介助動作を補助します。また、ベッドの調節で、介護者が無理な姿勢の動作で身体を痛めるのを防ぎます。背上げでは、ベッドの曲がる部分にあらかじめ臀部を移動したり、脚部を上げた後に背上げをするなど、身体が下方へずれないように配慮します。

利用者の可能な動作や介助者の動作に合わせてベッドの諸機能を使います。

◆特殊寝台の構造

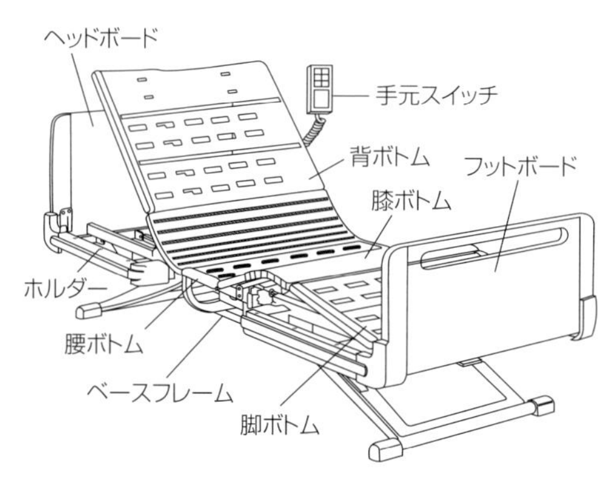

◆サイドレール

ベッド利用者の身体や寝具の落下を防止する格子状のレールのこと。ベッドの側面のフレームに差し込んで取り付けるタイプが多い。起き上がりのときの手すりとしては適さない。

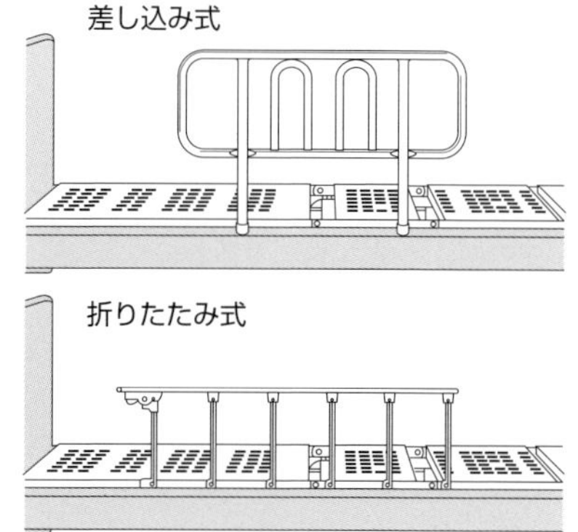

ベッドの設置には広いスペースが必要です。また、車いすへの移乗スペース、体位変換、シーツ交換や食事などの介助動作のスペース、ベッド用テーブルなどの福祉用具を配置・操作するスペースも必要です。出入り口の位置、起き上がる方向、生活動線、家具配置などを考慮して設置場所を決め、ベッドと出入り口との動線をもとに、コンセントやコードの位置を検討します(床を這うコードに注意)。

ベッドの付属品・体位変換器

	用具名	利用法
ベッド付属品	マットレス	特殊寝台の場合、背上げや脚上げの動きに追随する柔軟性が必要。利用者の身体状況、好み、寝返り・起き上がりのしやすさ、通気性、保温性などを総合的に勘案して、適正な硬さのものを選択する。床ずれ（褥瘡）の治療や予防には、体圧分散効果の高い床ずれ防止用具の使用を検討。
	床ずれ防止用具	身体の下に敷き、臥床時の体圧を分散させて床ずれを防止するエアーマット、ウレタンマット、ウォーターマットなど、床ずれには、耐圧だけでなく皮膚の摩擦、尿漏れ、栄養状況なども大いに関係するので、総合的に対策を検討する。
	ベッド用手すり	寝返り、起き上がり、座位の保持、車いすへの移乗などの際に身体を支える。サイドレールに差し込んで取り付けるタイプが多い。
	ベッド用テーブル	ベッド上での食事や介助を助けるテーブル（作業台）。サイドレールに掛け渡すオーバーベッドテーブルは、設置にスペースを取らず収納が容易。キャスター付きで脚がテーブルの両側にあるオーバーベッド昇降テーブル、脚が片側にあるベッドサイド昇降テーブルなどは、使い勝手はよいが収納にスペースが必要。
体位変換器	スライディングマット（体位変換用シーツ）	体位の変換や移動、寝返りの介助、ベッドと車いすとの移乗に用いる。滑りやすい素材や構造のシーツで、筒状のものが多い。
	スライディングボード（体位変換用ボード）	ベッドと車いすやポータブルトイレなどの間を移乗するときに使う板。介助者が端座位姿勢の利用者を支えて滑らせるように移乗させる。臀部が滑りやすく、すきまや突起などを乗り越えやすいように橋渡しする。褥瘡がある場合は注意。プラスチック製が多い。
	体位変換用クッション	背・腰・上肢・下肢などに挟んで体位の変換や保持を助ける。ビーズ、ウレタンなど、さまざまな材料、大きさや形があるので、体格や目的に合わせて選択。
	起き上がり補助装置	床上に置き、背部を昇降させ、起き上がりを補助する電動機器。室内を座位移動や手足移動する筋疾患や脳性麻痺などの場合や、特殊寝台を使わない場合に利用。

◆ベッド用手すり

◆スライディングボード

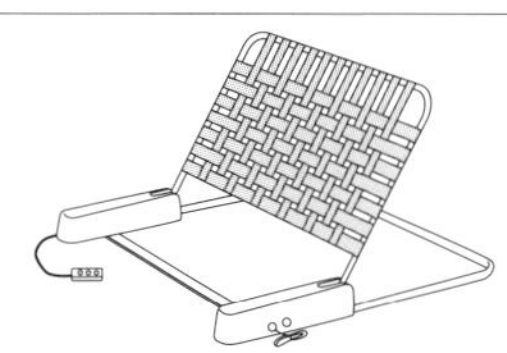
◆起き上がり補助装置

SECTION 3 福祉用具の基礎知識

移動(杖、歩行器など)

- 杖、歩行器・歩行車などは、下肢の機能低下や障害により、歩行の自立度が低い利用者の歩行支援に欠かせない福祉用具です。
- 歩行補助杖の目的は、①麻痺や痛みのある下肢にかかる荷重の軽減(免荷)、②歩行のバランス・速度・耐久力の改善、③心理的な支えです。
- 高さ調節機能を持っているので、利用者の身体状況に正しく適合させることで、移動の負担を軽減し、自立への意欲を向上させます。

歩行支援の福祉用具の種類

歩行支援の福祉用具は主に下記のようなものです。

種　類	特　徴
手すり	床に置いたり、突っ張り式で天井と床に固定するものがある。工事が必要な手すりと異なり、取付場所の自由度が高い。
杖	上肢により体重を部分的に支持することで、立った姿勢を保ち、左右のバランスをとり、歩行能力の向上を目指す。
歩行器・歩行車	杖より安定性や支持性があるので、歩行時のバランスが悪い場合や、杖を使う前の訓練などに使用する。握り部、支持フレーム、脚部からなり、2つ以上車輪のあるものが歩行車。歩行器は両側のパイプを握り、歩行車は手のひらや前腕部で支持して操作する。

手すりの種類

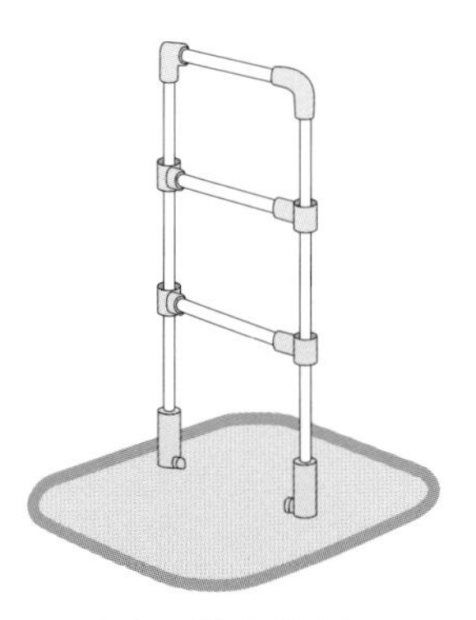
◆床に置く手すり

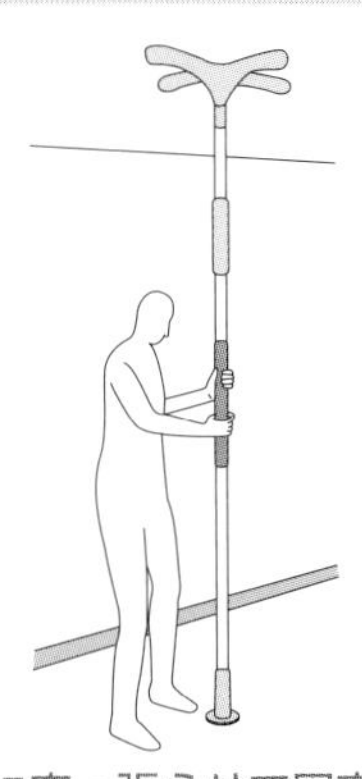
◆天井と床に突っ張らせて固定する手すり

杖の種類

用具名	対象者	特　色
多脚杖（多点杖）	①少しの距離しか歩行できない人、歩行バランスの不安定な人 ②片麻痺などで立位バランス、下肢の支持性が低下した人	①杖先を3～5本の脚で支えているので、安定性の高い杖。支持面が広く重いため狭い階段や平らでない場所、屋外などでは使いにくい。右片麻痺、左片麻痺どちらでも利用可能。 ②パーキンソン病など、歩く速さより、着実な歩行を目指す人に用いられる。
エルボー・クラッチ（ロフストランド・クラッチ）	①下肢骨折、片足切断、膝・股関節症などの障害がある人 ②脳性麻痺や脊髄損傷など、T字型杖での支持が困難な人	①支柱に握り部と、上部にカフと呼ばれる輪があり、カフに前腕を入れて固定し、2カ所で体重を支える構造。カフにはオープンカフとクローズドカフがあり、クローズドカフは事故時に手が抜けないリスクがある。 ②上肢の運動機能に障害がない場合は、この杖を2本使って歩行することもできる。肩の可動域に制限のある人や関節痛の人は使用しない。
L字型杖（オフセット型） T字型杖	①脳血管障害による片麻痺のある人 ②歩行障害があり体重負荷が困難な人 ③膝関節症などにより下肢機能の低下した高齢者	L字型：①体重をかけやすいように、握る部分は床面と平行に支柱に取り付けてある。 ②支柱が曲がっているため、体重をかけやすい。 T字型：①握る部分に荷重をかけやすいが、小指側での把持力が弱い。屋内外で使える。 ②フィッシャー型は手のひら全体で支えられるので、手指の筋力が低下している人が使う。
C字型〈彎〈湾〉曲型〉杖（ステッキ）	下肢に軽い機能の低下がある高齢者や軽度の下肢機能障害がある人	①握る部分が湾曲しているので握りにくく、杖をついた時の支持性・安定性がよくない。 ②握り部分を腕などにかけると、手を自由に動かしやすい。 ③安定性にかけるため、杖にかなりの体重がかかる時の使用には向かない。屋内利用向き。
前腕支持型杖（プラット・ホーム クラッチ）	関節リウマチや関節炎で、手や肘の関節に負担をかけられない人	①支柱の上部に腕を載せる板が取り付けられていて、その先に握る部分がある。 ②前腕で体重を支持するので、関節にかかる負担は少ないが、やや重く支持力は弱い。 ③肩関節などへ負担がかかる操作なので実用性の検討が必要。屋内外で使える。
松葉杖	骨折などで患側に荷重をかけられない人	①握り部分の上方に腋当てを備えた杖。 ②両側につくと、一側下肢に荷重をかけずに歩行できる。 ③腋当てを腋窩の2～3cm下に調整し、腋を締め腋当てを挟み、体重を腋で支えて使用する。

歩行器・歩行車の種類

用具名	対象者	特　色
固定型歩行器	骨折などにより下肢に運動機能障害がある人（持ち上げられる握力や肩・肘の支持、バランスが必要）	①固定式のフレームの握り部を握り、両手で歩行器を持ち上げて前方に下ろし、フレームで体を支えて両足を交互に前に出して進む。 ②車輪が付いていないので、住宅内で杖代わりに使用している場合もある。施設や戸外の利用に適している。
交互型歩行器	骨折、軽度の麻痺などで歩行能力が低下した人（片麻痺者を除く）	①握り部分を握って片側の2脚を前方に押し出すと、フレーム本体が斜めに変形し、次に他方に重心をかけ、脚部を押し出す。 ②歩行器を持ち上げなくても、左右交互にフレームを押し出すことで前進できる。 ③屋内利用に適している。
二輪付き歩行車	骨折、脳血管障害などにより少ししか歩けない人。上肢の支持力と下肢の運動機能が必要	①後ろの車輪が付いていない脚を上肢の支持力で持ち上げ、押し出すように前の脚の車輪を転がして前に進む。固定式より疲労が少ない。 ②歩行器と歩行車の機能を兼ね備えているが、比較的広く、段差のない場所が使用条件。屋内外で使える。
肘当て付き四輪歩行車	骨折、脳血管障害により少ししか歩けない人、下肢の運動機能が障害されている人	①前腕や肘をフレームのU字型パッドに載せて体を支え、押し出すように進む。 ②施設内で初期の歩行訓練に使われる。 ③大型なので、段差やスペースの関係から、狭い住宅では使いにくい。施設や戸外の利用に適している。
三輪・四輪・六輪歩行車	少ししか歩けない人（片方に体重がかかりやすい重度の片麻痺者には向かない）	①多くの機種で、握りの把手の部分を引き出して高さ調整が可能。 ②支持面積が広く、手元にあるブレーキを操作して、施設内や屋外で安全に使える。 ③介護保険の貸与対象に、車輪数の制限がなくなり、六輪歩行車も対象となった。

◆固定型歩行器の歩き方

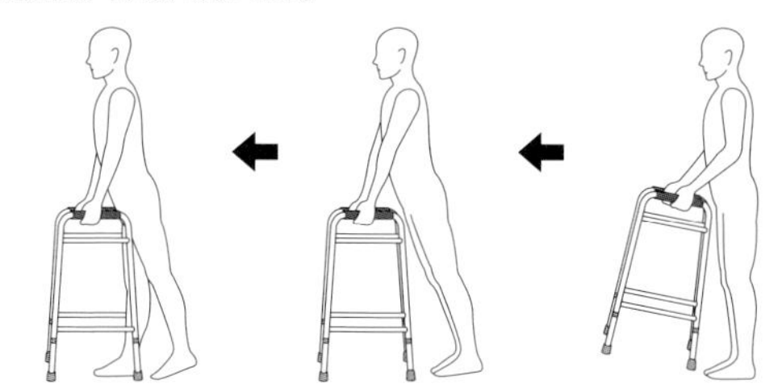

フレームで身体を支えてから、両下肢を交互に前へ振り出して進む。

◆交互型歩行器の歩き方

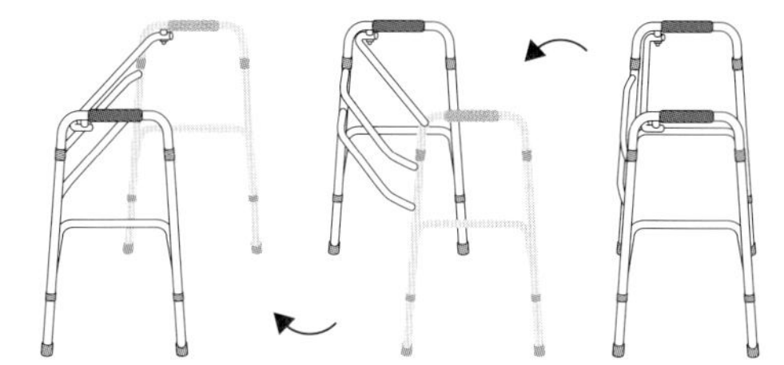

フレームが斜めに変形するので、片側（色部分）に重心をかけて逆側の脚部を押し出し、足を前に出す、という動作を左右交互に繰り返して進む。

シルバーカーほか

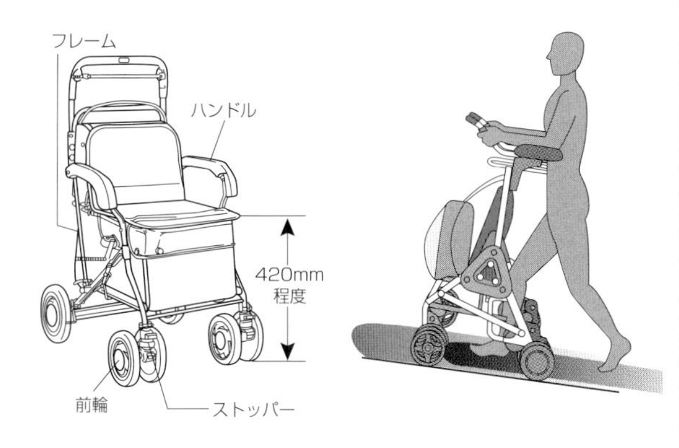

シルバーカー

腰かけ台を兼ねた買物かご付き四輪歩行車。主に自立歩行できる高齢者が屋外で物品の運搬や歩行補助に使用する。
肘を45度程度曲げた上肢で軽く支持し、前へ押して歩行。

電動アシスト歩行車

ロボット技術を用いた電動アシスト機能付きの歩行車。自動制御により、歩行を補助（アシスト）する。主に自立歩行はできるが、坂の上り下りなどで歩行に不安を抱える人が使用。

ZOOM UP

■歩行器・杖・歩行車の素材

歩行器と杖は軽量化を図るため、一般にアルミ合金など軽い素材でできているものが多い。利用時の安定性が求められる歩行車は、スチール製のものも多い。

■杖の選び方

杖は、握り部、支柱、杖先部（先ゴム）からなる。利用者の免荷の必要度や歩行能力に応じた種類を選択する。

高さは足先の斜め前方15cmに杖をついた場合、肘が約30度くらいに軽く曲がる状態が適切。大腿骨付け根の大転子の高さ（215ページ参照）や、立位で腕を下げたときの手首（とう骨遠位端）の位置でもよい。

握ったときに肘が少し曲がる程度が力を入れやすい長さ。ただし、疾患によっては適切な高さが異なる場合もあるので、医療機関の専門職に相談する。

■視覚障害者用の杖は？

視覚障害者の生活に手離せないのが、「白杖」（はくじょう）と呼ばれる杖。前方の様子を探ったり、周囲に視覚障害者であることを知らせる機能がある。短く折りたためる携帯に便利なものが普及している。

前方を探るためには長さが長めで軽量なものがよい。

SECTION 3 福祉用具の基礎知識

車いす

●車いすは、事故や障害、疾患により下肢が不自由な場合に使われます。
●手動式と電動式の大きく2つに分かれ、目的によって、自走用（自操用）、介助用、スポーツ用、入浴用などに分類され、レディメード（既製品）とオーダーメード（注文品）、簡易型があります。
●介護保険制度では車いすとその付属品が貸与種目となっており、一般的な車いすのほとんどと、クッションなどの付属品が対象です。

車いすの構造

車いすは、疾病や障害により歩行能力が低下したり、困難になった場合に、主に上肢を使って移動するための機器です。利用者が座位姿勢を保持できるかなどの身体機能や体格、外出用か室内用かの使用目的、移乗性や操作性を考慮して適切な機種やサイズを選択します。また、体格や姿勢に応じて各部を調節します。

付属品の中で、クッションは座位姿勢を安定させ、座圧を分散させますから、必ず車いす専用のものを目的に合わせて選びます。

◆自走用の車いすの各部名称

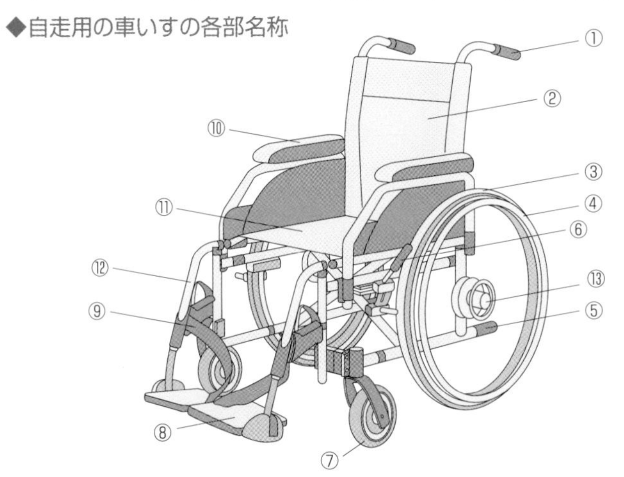

①手押しハンドルグリップ
②バックサポート（背もたれ）
③駆動輪
④ハンドリム
⑤ティッピングレバー
⑥ブレーキ
⑦キャスタ
⑧フットサポート（足台）
⑨レッグサポート
⑩アームサポート（肘当て）
⑪シート（座面）
⑫フレーム
⑬車軸

1. 駆動輪（20～24インチ程度）とハンドリムで操作することによって自走できる。
2. ハンドグリップやティッピングレバーで介助者が操作することも可能。
3. ティッピングレバーは介助走行のとき、段差を越えたり、不整地を移動するとき、介助者がレバーを踏み込み、ハンドグリップを押し下げて車いすの前輪を持ち上げ、前進するためのもの。

車いすの寸法

車いすの形状や寸法などについて、下表のように日本産業規格（JIS）で定められています。

＜車いすの寸法＞

区　分	手動車いす	電動車いす
全長	1,200mm以下	1,200mm以下
全幅	700mm以下	700mm以下
フットサポート高	50mm以上	—
折りたたみ幅	320mm以下	—
全高	1,090mm以下	1,090mm以下

種類別の機能・特性

◆車いすの形式分類

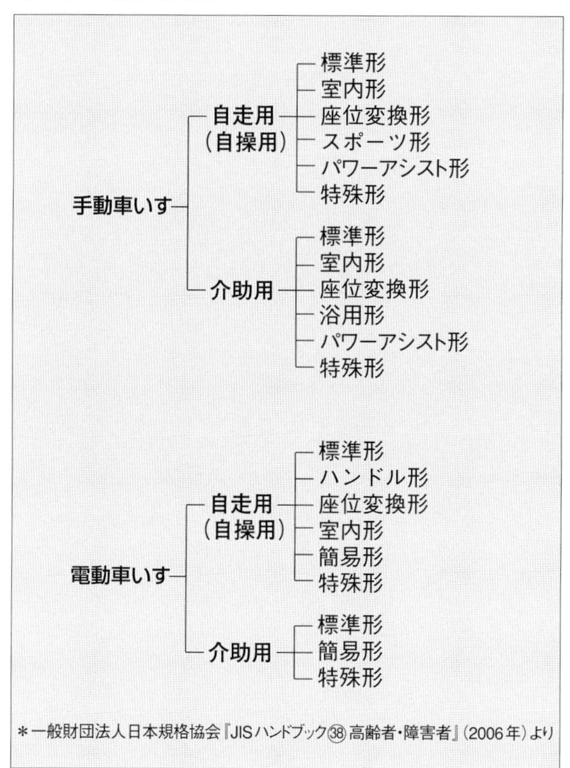

＊一般財団法人日本規格協会『JISハンドブック㊳高齢者・障害者』（2006年）より

ZOOM UP

■車いす介助の方法

①**下り坂**：車いすを後ろ向きにし、進行方向の前方から支えながら進む。

②**上り坂**：介助者は腰を低くして重心を下げ、押し上げる。

③**階段を上る（２人で左右から介助）**：車いすを前向きにして、前向きに片手でキャスター付近のフレームをつかみ、別の手でハンドグリップやフレームをつかむ。乗っている人は、両腕を介助者の肩に回すようにする。

④**階段を上る（２人で前後から介助）**：車いすを後ろ向きにし、上の介助者はハンドリムをつかんで後ろに進み、下の介助者はフットレストの金具をつかんで前へ進む。

⑤**電車に乗る**：段差を乗り越えるときと同じようにキャスターを上げて乗る。

⑥**電車を降りるとき**：車いすを後ろ向きにして、階段を下りるようにゆっくりと引っ張る。

■車いす用クッション

車いすの座面は、クッション性や姿勢の保持性の低いスリングシートが多いので、クッションで臀部にかかる圧力を緩和し、褥瘡の予防や疼痛を軽減する。素材はウレタンフォーム、ゲル、エア、その組合せなど。臀部が前にずれて姿勢が崩れないように、曲面形状のものやアンカーを付けたものもある。

■スロープ

車いす左右の車輪幅に合わせて２本のレールを設置するもの。縦・横の折り目を広げ平坦な板状にして設置するものがある。必要なスロープの長さは、段差の10倍（自走用）・６倍（介助用）程度。

◆手動式車いすの特徴

	種　類	対象者	特　徴
手動	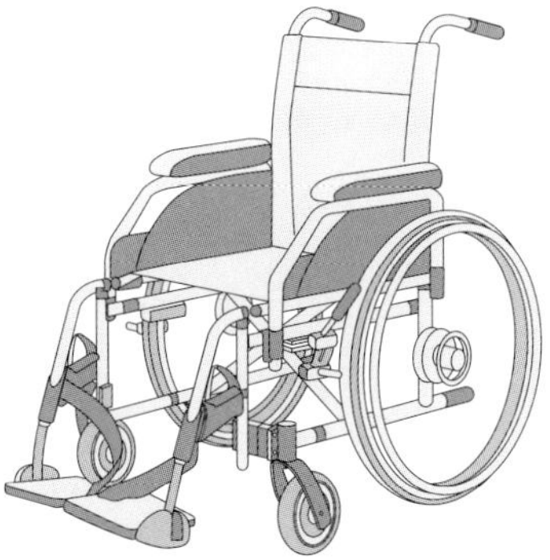 自走用（自操用）標準形車いす	自走が可能な人	・施設でも在宅でも最も利用が多い。 ・車輪が大きく(20～24インチ)安定。 ・後輪のハンドリムを操作して走行する。 ・片方のハンドリムだけを回せば、方向転換できる。 ・ハンドグリップやティッピングレバーの使用で、介助用にもなる。 ・片麻痺や関節リウマチ・進行性筋疾患の人が足で操作しやすい低床型、片手だけで操作できる片手駆動型などもある。 ・体格にあう座面寸法とフットサポートやアームサポートの高さ、乗降しやすいアームサポートやレッグサポートの形状を選ぶ。 ・狭い日本家屋用に、回転半径を小さくし後方に転倒防止用車輪を加えた六輪車も開発。
	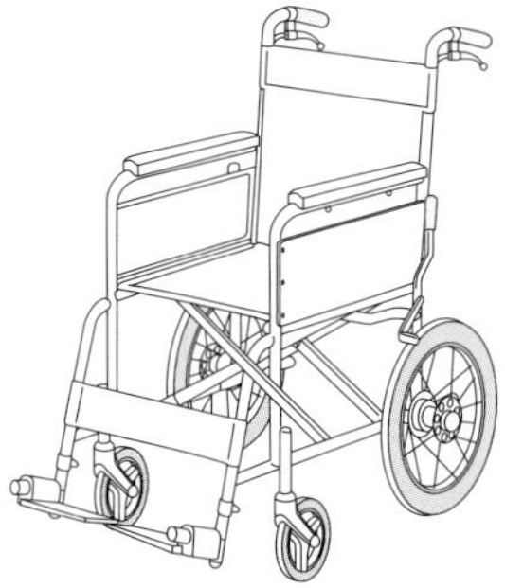 介助用標準形車いす	介助が得られる人	・自走用に比べ、車輪が小さく(14～16インチ)、ハンドリムがない。 ・介助操作と狭い場所での取り回しが楽。 ・ブレーキは介助者用で、ハンドグリップのところに付いている。 ・軽量で折りたたみ式も多く、運搬や格納に便利。乗用車のトランクにも入る。 ・屋外の凸凹のある場所では、直進しにくく、安定性にも欠けるので、注意。 ・利用者の姿勢が崩れやすい場合は、座面・背もたれ形状の工夫や、ティルト&リクライニング機能の使用を検討。
	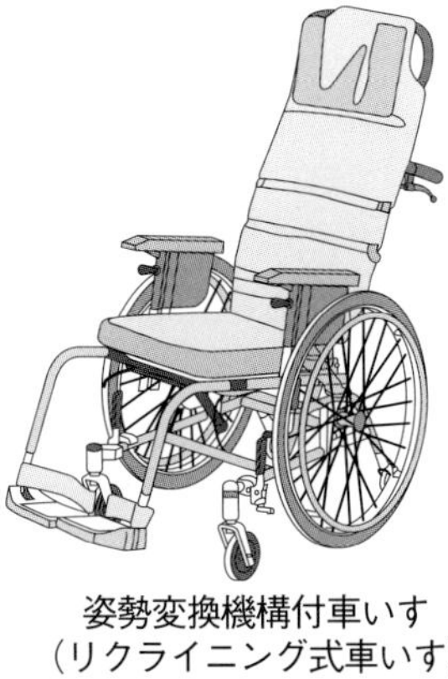 姿勢変換機構付車いす（リクライニング式車いす）	座位姿勢の保持が困難な人 起立性の低血圧やめまいのある人など	・自走用・介助用の標準形に、脚部のレッグサポートとバックサポートの角度を変える機能を加えた座位姿勢変換形車いす。 ・バックサポート(背もたれ)が高く、前後に徐々に倒せる。 ・大きく、重量があり、屋内での取り回しや段差部分での操作が困難。 ・ティルト&リクライニング式車いすは、座面とバックサポートの角度は変えずに、座面全体の角度を調節するティルト機能を備えた車いす。体がずれにくく、姿勢保持に効果がある。リクライニング機能だけでは対応が難しい、全身が伸びきってしまうことがある脳性麻痺の人などに用いる。

◆電動車いすの特徴

	種　類	対象者	特　徴
電動	標準形電動車いす	①脳性麻痺、進行性筋ジストロフィー症、頸髄損傷、関節リウマチなどにより、歩行が困難で上肢機能に障害がある人 ②車いすの介助を常時得るのが難しい場合 ③脊髄損傷など重度の障害者で、若くて活動的な人	①座位保持のための適合が必要。 ②戸外での利用が多く、駐車スペースと充電・メンテナンスの環境が必要。 ③前輪はキャスター、後輪に走行用電動モーターが付き、充電式バッテリーで走行。 ④肘当て前方コントロールボックスのジョイスティックレバーを使い、簡単な操作で走行。手を離すと制動がかかる。一緒にバッテリー残量計、速度切替えスイッチもある。
	ハンドル形電動車いす（三輪・四輪車いす）	①歩くことはできるが、長時間や長距離の歩行に支障のある高齢者 ②歩行者とみなされ免許も不要なので、高齢者の屋外用の乗物として利用	①スクーター型の電動車いす。四輪のものもあり、高齢者の屋外用乗り物として普及。 ②前輪に直結したハンドル操作で舵をとり、手元のアクセルレバーで速度を調整する。 ③小回りが利かないため屋外の利用に限定。 ④手動の自走用（自操用）標準形車いすに、バッテリーやモーターなどの電動ユニットを装着する簡易形電動車いすもある。軽量で取扱いが容易。
	簡易型電動車いす	①電動車いすを屋内で使用したい人 ②自走用車いすでの自走が困難な人 ③乗用車での移動と組み合わせたい人	①手動車いす（自走用〈自操用〉形車いす）に電動駆動装置とジョイスティック制御装置を取り付けたもの。 ②標準形電動車いすに比べると軽快だが、連続走行時間が短い。

◆その他

座席昇降式車いす

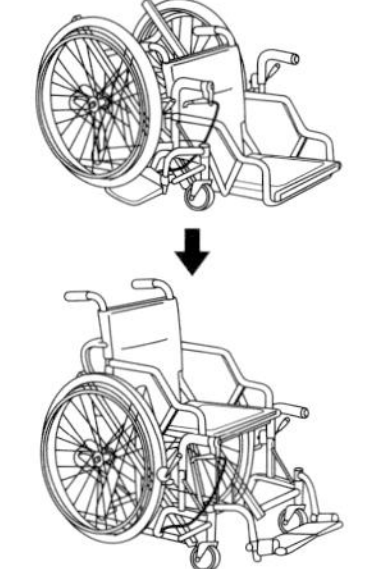

下肢の機能に障害があり、床や畳などに降りる機会が多い場合に利用される。シートが床面まで下がるので、乗り降りしやすい。

ATTENTION

■車いすのブレーキ

レバー式は、ブレーキをかけると、テコの原理で車輪に接する部分が作用点として働き、ブレーキがかかる。

トグル式は、複数の軸がつながり、ブレーキレバーを操作すると、そのジョイント部分が動いてブレーキがかかる。

前後いずれに倒してもブレーキのかかるP.P.（プッシュ・プル）式もある。

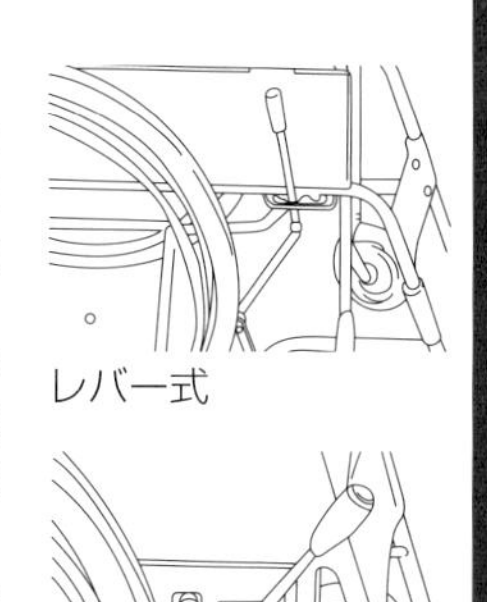

段差解消機

- 段差解消機は、テーブル状の台が上下し、屋内外の段差や玄関の段差、道路と敷地の高低差を車いすのまま越えられる垂直昇降装置です。
- 約 1mの段差で、階段やスロープの昇降が困難な場合や、スロープが設置できない場合にも使われます。
- 手動と電動があり、駆動装置がテーブルの下にあるか、テーブルの側面にあるかの大きく2種類に分かれます。

主な段差解消機の種類

主な段差解消機には次のようなものがあります。

種　類	特　徴
据置（フォークリフト）式（手動）段差解消機 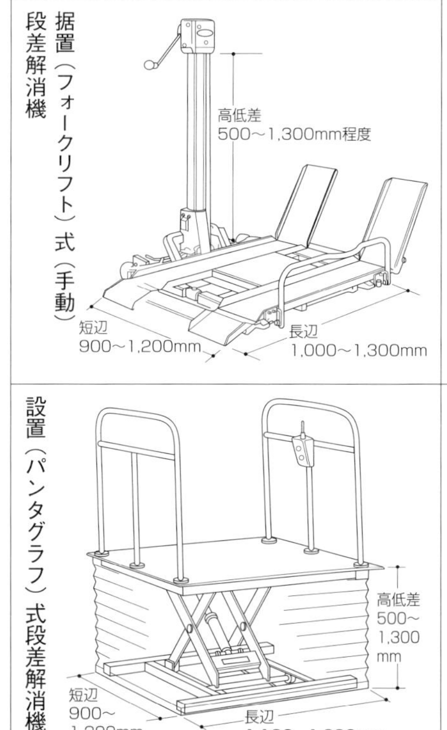	①地面や床に置く、最も簡単な据置型の段差解消機。数cmの段差が残る。 ②駆動装置が側面にあり、テーブルの厚みが薄いので、据え置き設置に適している。 ③テーブル寸法と外形寸法が異なるため、設置にあたっては両方の寸法の確認が必要。 ④進行方向は、前後方向に限られる。 ⑤介助用のため、自立使用には向かない。 ⑥ハンドル操作に体力が必要なので、介助者の操作能力が高いことが大切。 ⑦電動のものもあり、主流になってきている。
設置（パンタグラフ）式段差解消機	①テーブルの下に設置された油圧シリンダーの働きで台が上下する。 ②設置は、テーブルの上面と床面の高さを均一にそろえるため、機器本体の厚みを納めるピットという穴を設け、固定する。 ③ピットには雨水排水用の排水口を設ける必要がある。 ④通行方向を前後左右どの方向も使え、設置環境に自在に対応できる。 ⑤段差が残らないので、価格は高いが、使い勝手はよい。

段差解消機の構造

主な段差解消機は、100kg程度までの積載が可能です。機種によっては、車いす利用者と介助者１人が乗ることができます。

２mを超す昇降が可能な機種も出されていますが、昇降距離が大きいほど大型になり、設置に要する面積も広く必要になります。

操作方法は、ハンドルや足踏みペダルで介助者が操作できる手動式と、スイッチで操作できる電動式があります。価格は高いけれど、操作に労力がかからず、車いすに乗っている本人にも操作できる電動式のほうが一般に普及しています。

設置上の留意点

①周囲に乗り込みや回転のためのスペースが取れる場所に設置します。

②車いすの通行が前後に限らない場合は、側面手すりの取り外しやテーブル面の加工が可能な機種、ターンテーブル機能付きが便利です。

③屋外設置の場合、防湿・防水対策が必要です。

④屋外に固定する場合には、子どものいたずらなどで思わぬ事故を起こさないよう、テーブル下面へのはさみ込み防止や転落防止対策と電源管理が大切です。

⑤鍵やリモコンスイッチ付きの機能は安全対策にもなります。

⑥一般個人住宅で新築・増築など確認申請を必要とする建築工事を行う際に、工事部分に段差解消機を設置する場合には、段差解消機も確認申請の対象となります。ただし、既存の建築物に後から段差解消機を単体で設置する場合は、確認申請の必要はありません。

なお、取付工事を必要としない段差解消機は、移動用リフトとして、介護保険の福祉用具貸与の給付対象となっています。

ZOOM UP

■フラップ板

掃き出し窓の外側に段差解消機を設置する場合、窓サッシの外枠がでこぼこしていて、通行しにくい。こうした場合、段差を覆い、通行しやすくするフラップ板の利用が便利。

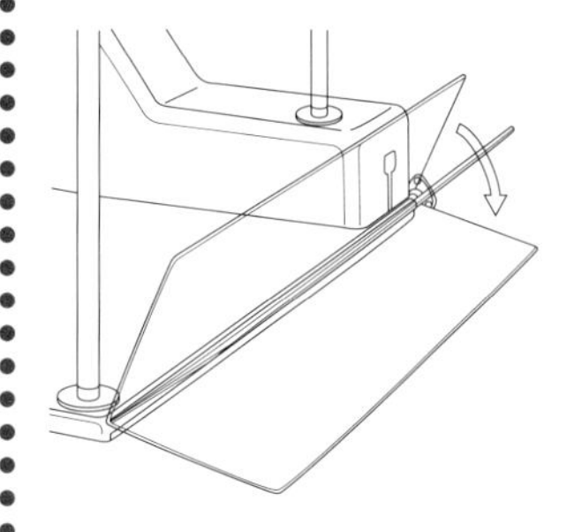

■積載荷重

2000年に平方メートルあたりの積載荷重が規定された。

■移動式段差解消機

土台部分に車輪が装備され、移動できる移動式段差解消機もある。

SECTION 3　福祉用具の基礎知識

階段昇降機とホームエレベーター

●階段昇降機は、足の不自由な人やその介助者の階段の上り下りの負担を軽減する装置です。階段に固定設置する固定型（いす式）と工事のいらない可搬型（介護保険の貸与対象・281ページZOOM UP参照）があります。

●ホームエレベーター（家庭用エレベーター）は、上下階への移動の介助負担を軽減する安全で便利な機器です。使用は家族に限定されていて、設置や仕様に独自の基準があります。

階段昇降機の特徴

固定型の階段昇降機は、レール、台座、駆動部からなり、台座や車いすが載るテーブルの下部の駆動装置によって、階段をレールに沿って昇降します。車いすや台座に座って昇降するため、利用者のいすに座る姿勢が安定していること、台座への移乗動作ができることが必要です。

可搬型には、車いすに装着するものと昇降機のいすに移乗するものがあり、スペースをとるため屋外で利用されます。

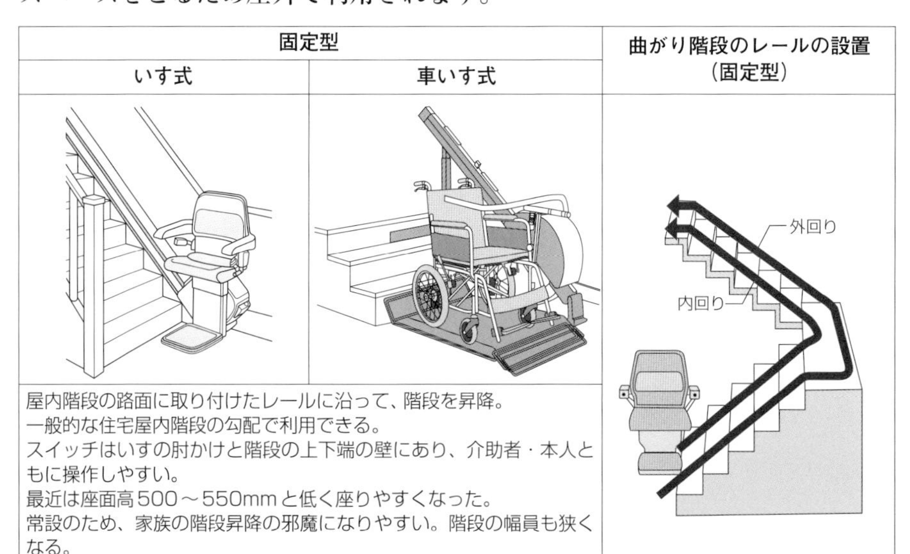

固定型		曲がり階段のレールの設置（固定型）
いす式	車いす式	
屋内階段の路面に取り付けたレールに沿って、階段を昇降。 一般的な住宅屋内階段の勾配で利用できる。 スイッチはいすの肘かけと階段の上下端の壁にあり、介助者・本人ともに操作しやすい。 最近は座面高500～550mmと低く座りやすくなった。 常設のため、家族の階段昇降の邪魔になりやすい。階段の幅員も狭くなる。 上下階ともに車いすと車いすを置くスペースが必要。		

ホームエレベーター設置基準

一般のエレベーター以上に安全を確保するための厳しい基準があります。外部に直接面したり、共同住宅や事業を営む住宅など、外部の人間も利用できるところには、設置できません。

カゴ（人が乗る部分）の前後2カ所に出入り口を設けられますが、同一階で両方の戸を開閉して出入りすることはできません。

ホームエレベーター設置の留意点

定員3人用の設置に必要な面積は1,800mm×1,800mm（1坪）以下のものが多く、カゴの寸法や駆動方式の違いによって異なります。最近ではさらに小さい面積で設置可能な機種もあります。維持管理費を考慮すること。

以下の手続きを行わなければ、ホームエレベーターの使用は認められません。

時期	手　続	注意点
設置前	確認申請	既存住宅内に設置する場合は構造設計強度のチェックも必要。
設置後	完了検査	竣工時に工事完了検査を受け、検査済証の交付を受ける。
	定期点検	①年に1回以上の定期点検は義務。 ②万一の故障に備えて24時間対応可能なメンテナンスサービスの契約をしておく。

ZOOM UP

■車いすへの移乗をスムーズにした機種

階段の上の部分で、いすの座面が踊り場方向に向き、乗り降りしやすいように工夫してある。

■固定型階段昇降機のレールのはみ出しを解消した機種

通常、下端で300mmは突き出して邪魔になっていたレールを、上方に折り上げて収納できる機種もある。

■ホームエレベーターの仕様

最大積載荷重	200kg
最大定員	3人
カゴの床面積	1.1㎡以下
間口×奥行	910×1,200mm、950×1,150mm程度
昇降行程（最上階から最下階への高低差）	10m以下（4階建て以下）
最高速度	毎分30m以下
駆動方式	ロープ式 油圧式

＊品確法の高齢者等配慮対策等級（専用部分）には、ホームエレベーターの設置により、部屋の配置と階段の項目に緩和規定がある。
＊ホームエレベーターは、介護保険制度による住宅改修の対象にならない。

ATTENTION

■いす式（固定型）階段昇降機の設置条件

設置には、直線階段では幅が700mm、曲線階段では幅が750mm以上であることが必要である。最大傾斜角度は55度程度、乗用荷重は90～120kg程度まで対応できる。曲線階段の場合、形状に合わせてレールを加工する必要がある。

SECTION 3 福祉用具の基礎知識

リフト

- 短い距離なら移動ができる床走行式リフト、限定された場所で固定して使う固定式（設置式）リフトと据置式リフト、長距離の部屋の間の移動に便利な天井走行式リフトの大きく３種類に分かれます。
- それぞれの特徴や注意ポイントをしっかり把握しておきましょう。
- 介護保険制度では、工事を伴わずに設置できる移動用リフト（吊り具の部分を除く）のほとんどが貸与の対象となっています。

床走行式リフト

床走行式リフトは、リフト架台にキャスターが付いて任意の場所に移動できるもので、台座式リフトと懸吊（けんちょう）式リフトの2種類があります。

スリングシートという吊り具を敷き込み、それを吊って使います。自力で起き上がって車いすなどに移乗することが困難な人を、ベッドから車いすに移乗させたり、屋内の短い距離を移動して浴室などに運ぶときに便利です。

リフトの移動は手動のため、介護者が高齢だったり、力が弱い場合は、扱うのが困難になります。キャスターが小さく敷居などの段差で転倒する危険があります。ベッドの下に架台が入るように工夫します。

一定の場所での活用頻度が高い場合は、固定式（設置式）や天井走行式リフトのほうが適当です。

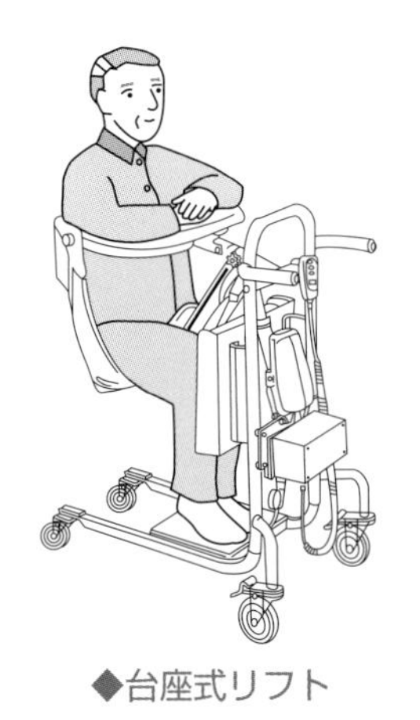

◆台座式リフト

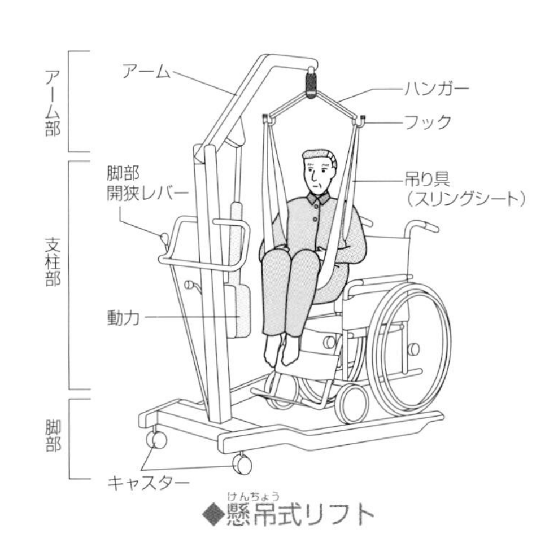

◆懸吊（けんちょう）式リフト

固定式（設置式）リフト

固定式（設置式）リフトは、大工事をせずに簡易設置が可能です。床面や壁面に設置する「住宅設置式リフト」とベッドや浴槽に設置する「機器設置式リフト」があります。

機器設置式リフト（浴槽用）		住宅設置式リフト（玄関用）
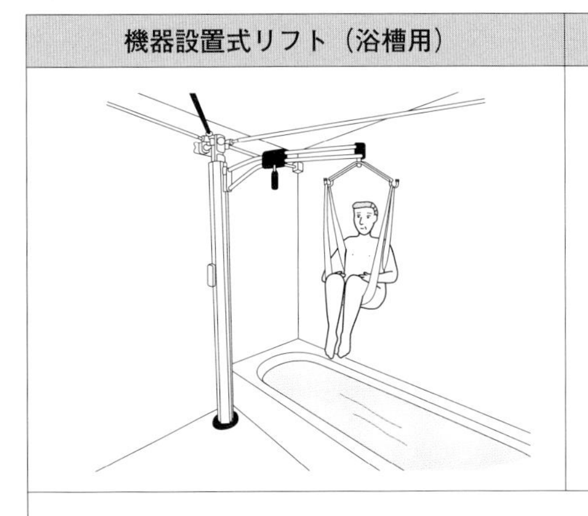		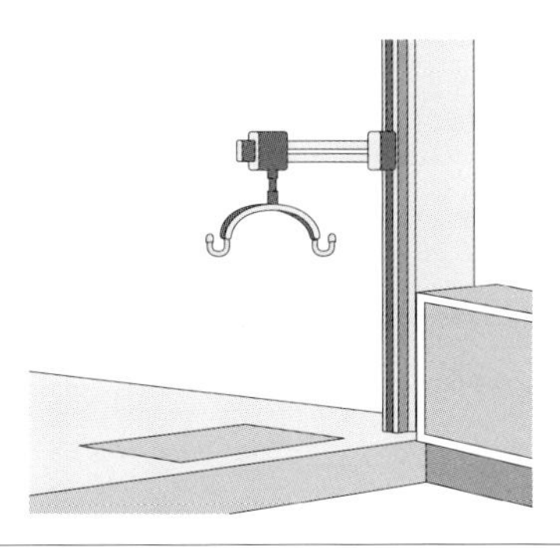
寝室や浴室、玄関の上がりがまちなどの床面に支柱を立てたり、柱・壁面に固定設置して使用する。吊り具を使って身体を上下させる懸吊式は、ベッドと車いす間の移乗、浴槽への出入りなど、限定された範囲での移動・移乗動作を補助する。		
特徴	浴室の洗い場と浴槽の間、ベッドとポータブルトイレの間などの限定された範囲で使える。ユニットバスへの設置も可能で、最も普及している。	
注意点	他のリフトに比べ、上下方向にはあまり動かないため、埋め込み式浴槽の底など、かなり低い位置への移乗には適さない。また、アームが回転するため、窓ガラスや家具、照明器具などを壊さないよう、周囲の環境を整備する必要がある。	

■スリングシート

リフトに使う吊り具のこと。利用するときは、ベッドの上などで背中の部分から敷き込んで、脚の大腿部を巻き込むようにして通し、交差させてフックにかけて吊るす。体幹ベルトと脚ベルトの２本からなるセパレート型、身体を包み込むシート型、両脚大腿部を別々に包み込む分離型などがあり、使用者の身体状況に合わせて選ぶこと。介護保険制度では移動用リフトは貸与、吊り具部分は購入費の支給対象になる。

レール走行式リフト（据置式・天井走行式）

据置式リフトは、工事の不要な場合が多く、設置が容易です。天井走行式リフトはレールの設置に大がかりな工事が必要なため、工事期間、費用を考慮して導入します。

	据置式リフト	天井走行式リフト
	2本または4本の支柱でレールと懸吊装置を支えるやぐら型の架台を室内に組み、身体を上下させる懸吊装置がレールに沿って水平に移動する。レールの下でしか身体を上下させることができないので、移乗位置の真上にレールが来るようにする。レールを使わず、支柱を特殊寝台と一体化させる構造のものもある。	天井面にレールを取り付け、そのレールに沿って駆動部が移動して介護が必要な人を部屋から部屋へと運ぶ。レールは、直線のほかに曲線や2方向に分かれるものなどがあり、レールを組み合わせることで、移動の方向や距離を変えられる。重度の障害や病気により、寝室からトイレや浴室、玄関など住宅内での大きな移動が困難な人向け。
特徴	ベッドとポータブルトイレや車いすとの移乗など、室内の決まった場所で利用できる。	ベッドからトイレや浴室などへ、身体を懸吊したまま長距離の移動が可能。操作性もよく、ほかのリフトより介助の負担を軽減できる。耐荷重は100～150kg。
注意点	レール取り付けの位置が低くて、体を十分な高さまで持ち上げられないことがある。また、天井の照明器具やエアコンの位置によっては、設置が難しい場合もある。 上下移動は電動、水平移動は手動のものが主流。	①天井の高さは2,400mm前後を想定しているため、天井が極端に低いと身体が床に付くため、身体を吊り下げて移動することは難しい。 ②部屋と部屋の移動には開口部を広げたり、戸の形状を変えたりすることが必要な場合もあるので、設置は新築や大規模な改修工事の場合に限られやすい。 ③スリングシートは、入浴に使うと濡れてしまうため、使用する場面に合わせた枚数を用意する必要がある。

＊移動用リフトについては、上下方向にのみ移動するものも、介護保険の福祉用具貸与の給付対象となった。段差解消機や起立補助機能付き椅子なども給付の対象となった。

吊り具

リフトを使用するときに身体を支える用具です。身体状態と使用目的に応じて選択します。

◆シート状

◆ベルト状

◆いす式

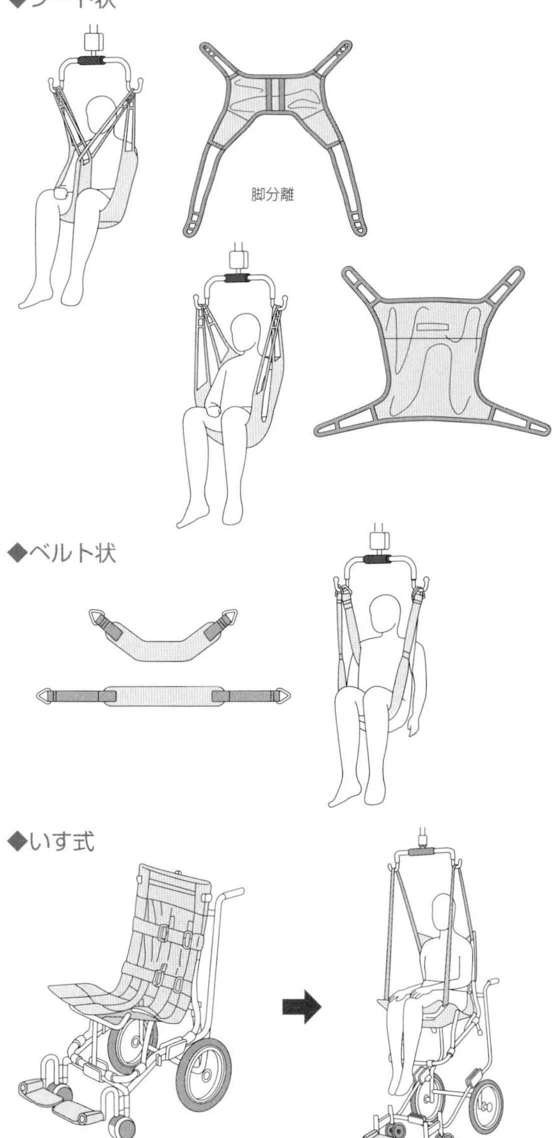

ZOOM UP

■リフトの位置の合わせ方

しっかり位置を合わせないと介助が困難になり、安定しないため、細かく調整する。設置後にベッドなどを移動すると位置がずれるので注意。

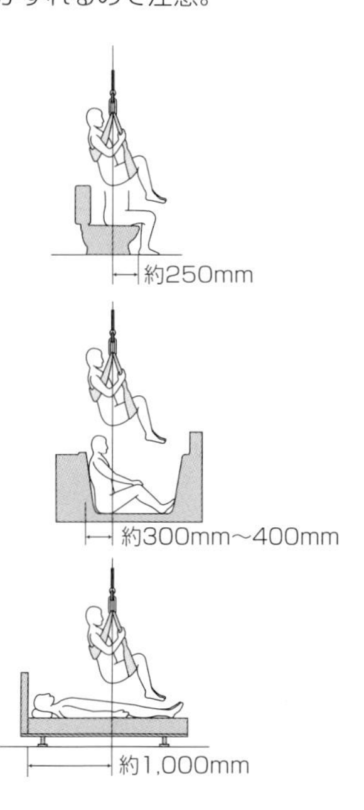

■可搬型（自走式）階段昇降機

床走行式リフトの中の階段移動用リフトとして介護保険制度の給付（貸与）の対象になる。

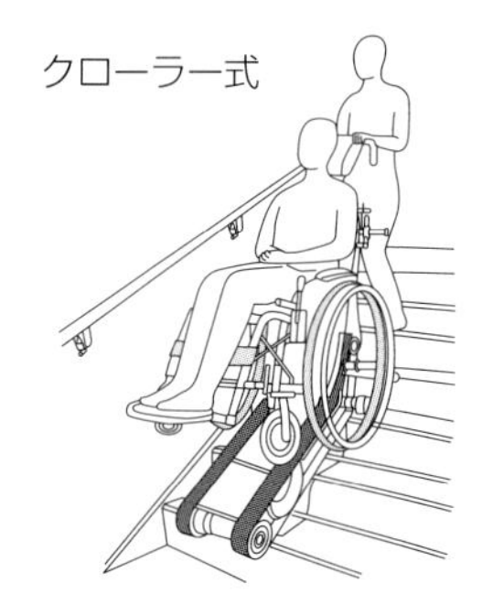

義肢・装具

- 義肢とは、四肢の欠損部分に装着し、失った機能や外見を補う器具で、補装具とも言います。医師の処方により義肢装具士が製作します。
- 義手は上肢切断の際に、上肢機能を補い、欠損部を補完する器具です。
- 義足は下肢切断の際に、全身や断端の状態によって装着を決めます。
- 装具には、治療用装具と更正用装具があります。

義肢

義肢はソケット（断端の収納部）と手先や足部、それをつなげる支持部からなります。義手には、外見を補う装飾用義手、日常生活動作用の能動義手、労働作業向けの作業用義手、切断端の筋活動を利用して電動で動かす電動義手があります。義足には、股関節切断用の股義足、大腿部切断用の大腿義足、下腿部切断用の下腿義足、距腿関節離断用のサイム義足などがあります。

◆義足の構造

下肢を切断した場合は、再び歩行できるように義足を装着する。切断部位によって吸着式大腿義足（右）、下腿義足（左）、膝義足などがある。

片側切断で断端が高い位置だったり、健側の筋力が弱く立位のバランスが悪かったり、両側切断の場合は、義足のみでの歩行は不安定なので、杖や車いすを併用する場合もある（76～77ページ参照）。

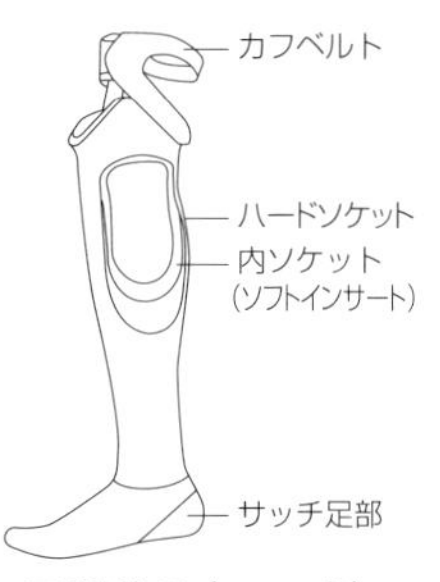

下腿義足（PTB式）

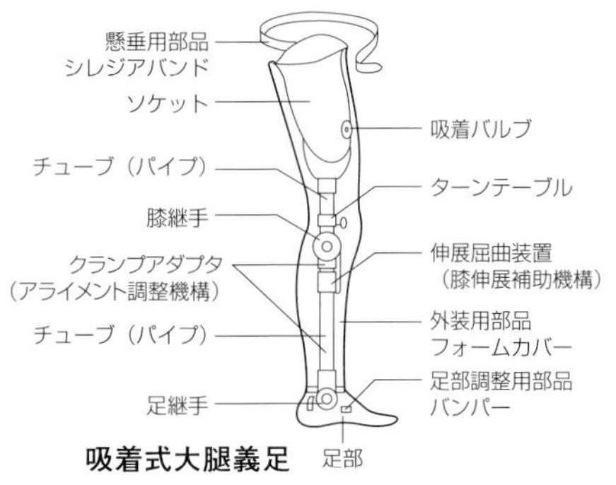

吸着式大腿義足

◆上腕切断者用の能動義手

能動義手は、身体の動きを使って義手を身体に固定するための「ハーネス」と呼ばれるベルトに付けたコントロールケーブルを操作して、腕や手を動かす。肘の曲げ伸ばし、曲げた位置での固定、手先具の開閉による物の握り、離しなどの動作は、コントロールケーブルによって操作する。

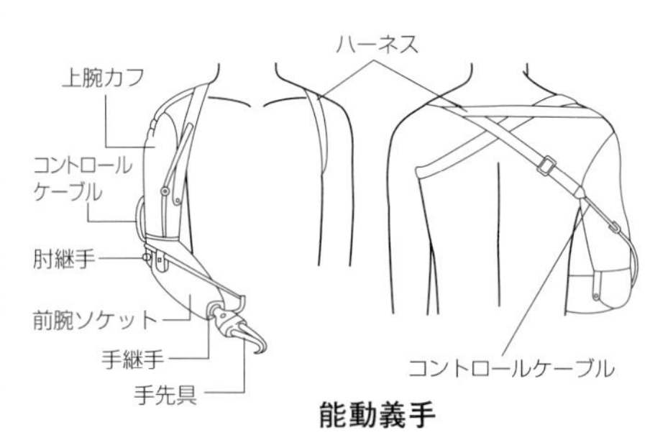

能動義手

装具の目的

装具は、手足や体幹の機能が障害を受けたとき、固定・保持・補助、変形の予防や矯正などのために用いられる用具です。使用部位によって、下肢装具、上肢装具、体幹装具に分かれます。

装具を用いるときは、障害を十分に理解し、機能の改善が図られるよう、適切な装具を選ぶ必要があり、また、着脱しやすいものを選ぶことも大切です。

使用者に対しては、装具の目的を十分に説明したうえで、機能訓練と並行して装具訓練も行います。

◆下肢装具

立位を保ったり、体重を支えたり、歩行機能の改善を目的に使われる。長下肢装具、短下肢装具がある。

短下肢装具は、脳血管障害等によって、下肢の運動麻痺がある場合や、尖足の防止、下肢の支持性を高めるために、足関節を固定するのに使われる。

プラスチック短下肢装具

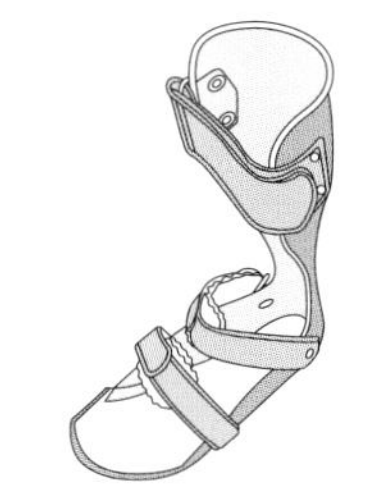

◆上肢装具

腕の筋力の低下を補ったり、可動域を改善したり、変形を矯正したり、手指の機能を保持するために使われる。

肘装具は、骨折などによって一定の位置で肘を固定したり、正しい位置関係で肘の屈伸運動を行うために用いる。

肘装具の例

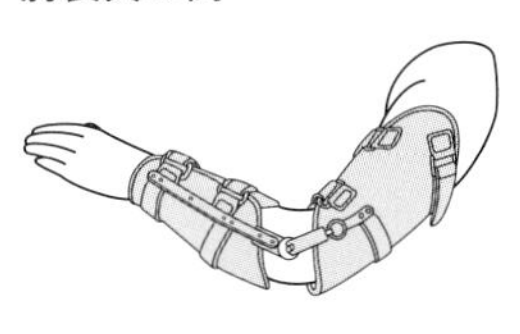

◆体幹装具

体幹・頸部の支持固定、運動制限、変形の矯正などのために、首から腰にかけて装着する装具。

治療のために広く使われているのが腰痛を軽減する軟性体幹装具。装着すると体幹の可動域が制限されるので、生活環境や住環境にも配慮が必要。頸椎を固定する装具は視界が制限されるので注意。

軟性体幹装具（ダーメンコルセット）

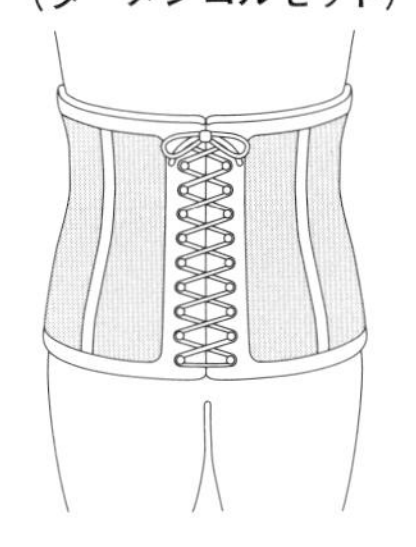

ZOOM UP

■その他の義手

◆装飾義手

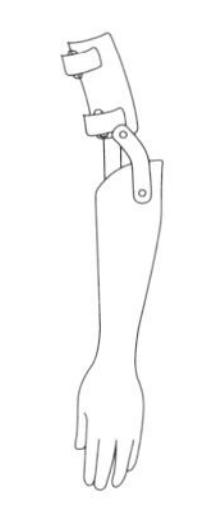

◆電動義手

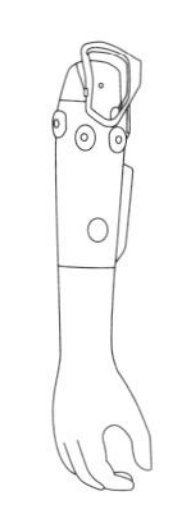

◆作業用義手

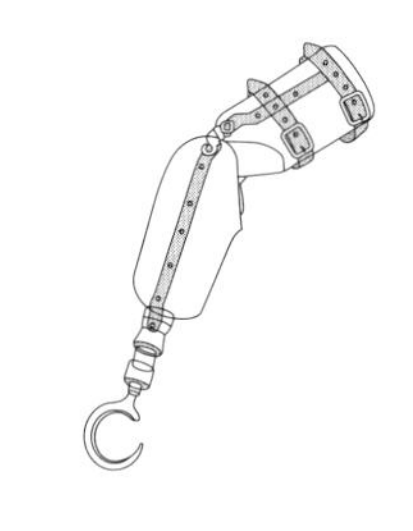

■その他の下肢装具

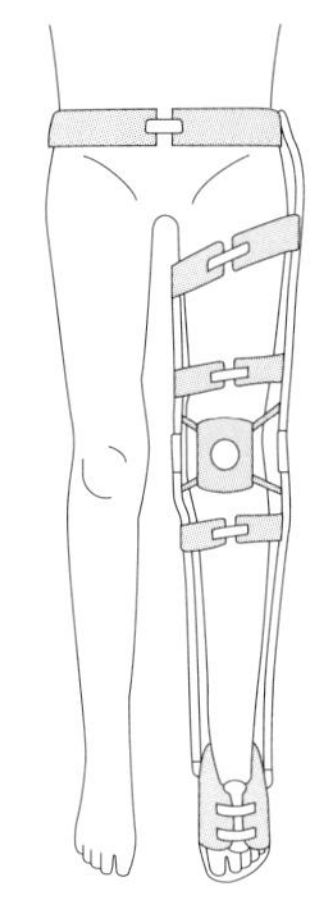

◆金属支柱付き長下肢装具

SECTION 3 福祉用具の基礎知識

生活動作補助用具

●自助具（self-help-devices）とは、高齢者や障害者が、できない動作を自力でできるように工夫された用具です。主に、筋力・関節の動きの代替や補助、物の固定、姿勢の保持や補助などを行います。
●環境制御装置は、頸髄損傷や進行性筋疾患などによる四肢麻痺や四肢筋力低下で、上下肢の運動機能に障害がある人が、残存した機能を使い、簡単なスイッチ操作によって電化製品などを操作する仕組みです。

自助具の目的と種類

自助具は、高齢者や障害者の日常生活を自らバックアップする用具です。一般的な日常生活用品との共用品もあります。基本的に軽く扱いやすい素材ですが、固定力が必要な際は、重量のある素材や、吸盤やクランプなどで固定できるものを使用します。利用者の障害の状態にとって最適なものにするため、手作りの場合も多く、作業療法士がいる専門機関との連携が望まれます。

●自助具の４つの目的（以下、表中に①～④と記載）

①関節リウマチなどで狭まった関節可動域の制限を補う
②筋力低下により物の固定力や保持が困難な場合に補う
③手指の巧緻性に障害がある場合に補う
④片手動作などによる固定力を補う

◆保清・入浴に関する自助具の例（①）

柄付きブラシ	固定ブラシ	ループ付きタオル
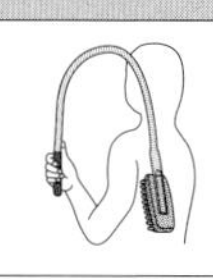 長柄の付いたブラシ。上肢の間接変形や痛み、筋力低下などで洗いたい場所に手が届かない場合に使う。（①）	吸盤付きのブラシ。洗面台や流し、浴室の壁などに固定し、手や指、つま先を動かして洗う。（①）	片麻痺や握力が弱い人用。両端にループが付き、一方を片手に通してタオルを背中に回し、他端を逆の手で引き上げ片手で洗う。（①）

◆食事・家事動作に関する自助具の例（②）

つまみやすい箸（バネ箸）	太柄・曲がりスプーン（フォーク）	ボトルオープナー	滑り止めシート	すくいやすい皿
（②）箸の手元側が連結され、ピンセットの要領でつまむ。	（②）握力の弱い人も握りやすい形の太柄。曲がりは手と口が離れていても届くように根本で柄が曲がっている。	（②）手指の関節痛、筋力低下がある場合に使用。	食器の下に敷く滑りにくい材質のシート。片麻痺などで食器が固定できない時に使用。（②）	皿の縁を内側に湾曲させるなど、片手のスプーンですくいやすい工夫をした皿。（②）

◆整容・更衣に関する自助具の例（①、③、④）

洗顔、歯磨き、整髪など身だしなみを整えるのが整容、衣服の着脱が更衣です。

用　具	対象者	利用法
整髪用長柄ブラシ・長柄クシ	関節リウマチなどで、肩の動きに制限や痛みがあり、腕が十分に上げられない人（①）	先端のブラシやクシの部分を使いやすい角度に調整することで、整髪を可能にする。
リーチャー	上肢・体幹障害などにより関節可動域に制限や痛みがあり、目的物に手が届かない場合（①）	洗濯機の中の洗濯物の出し入れ、カーテンの開閉など、腕を伸ばす代わりに使える単純なフックを軽量な棒の先端に取り付けたパッシブリーチャーもある（こちらは関節リウマチの人にも有効）。
ドレッシングエイド	腕や肩の関節可動域が狭い人、手先の巧緻性が低い人（①、③）	先端のフックに衣類を引っかけ、洋服を脱ぎ着する動作を補う。
ボタンエイド	上肢の関節可動域に制限がある場合や手指の巧緻性が低い場合（③）	柄の先の金属フックにボタンを引っかけてボタン穴に通したり、はずしたりする。
ソックスエイド ストッキングエイド	腰・膝の関節の動きに制限や痛みがあるなどで、足元まで手が届かず、靴下やストッキングがはけない人（①）	靴下やストッキングの足先の部分をストッキングエイドやソックスエンドにはかせ、ついているヒモを引っ張り上げてはく。
固定式爪切り・爪やすり	片麻痺などで片手しか使えない人、手先の巧緻性が低い人（④）	台の上に爪切りを固定し、台の裏側は吸盤やゴムの滑り止め加工がしてあり、片手での利用も可能。
電動歯ブラシ	手先の巧緻性が低い人（③）	ブラシ部分が振動・回転するので、歯に当てているだけで磨ける。柄も太く、握りやすい。

環境制御装置など

●認知症老人徘徊感知機器

認知症の高齢者の屋外への移動・ベッドを離れたことなどを、センサーで感知し家族・隣人へ通報します。

●環境制御装置ほか

重度障害者が残存機能を使って、スイッチを作動させるだけで特殊寝台や電化製品などを操作でき、介護負担が軽減します。押しボタン式や息を吹きかけて操作する呼気スイッチなどがあります。利用者が、必要なときに家族や介護者を呼ぶための呼び出し装置は、無線式が多く、壁の材質や距離によっては電波が届かないので、通信環境を確認。

◆環境制御装置の例

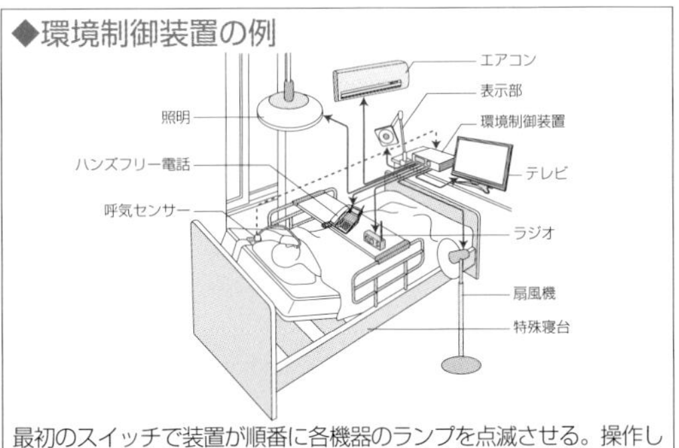

最初のスイッチで装置が順番に各機器のランプを点滅させる。操作したい機器が点滅したところで再度スイッチを押すと機器を選択、さらにスイッチを押すと操作が始まる。

●視覚障害の関連用具

障害によって失われた視覚能力を補い、自立した生活を送るための用具です。コミュニケーション関連用具、歩行関連用具、日常生活用具があります。

拡大鏡	弱視眼鏡	コントラスト活用補助具
		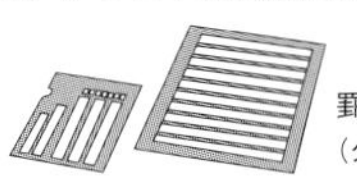
文字や絵を拡大して見る補助具。手持ち式、卓上式、クリップオン式ルーペがある。	小型の単眼鏡を装着した眼鏡。近用(矯正)眼鏡や拡大鏡でも見えにくい場合。	日常生活の物の色差コントラストを強めて、低視力の人が物を使いやすくする補助具。
視覚障害者用拡大読書器	**点字器**	**歩行時間延長信号機用小型送信機(音響案内装置)**
	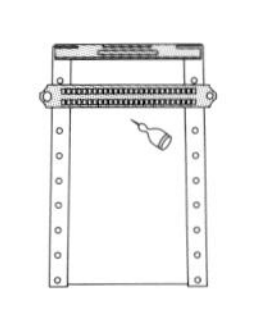	
本の文字などを拡大してモニターに映し読みやすくする。	点字を書くための道具。板(点字器)、点筆、定規のセット。	弱者感応式信号機に送信機から電波を発し、信号の状態を知らせたり青信号時間が延長する。
遮光眼鏡	**携帯電話**	**盲人用安全杖(白杖)**
羞明対策には、短波長の光をカットする黄・赤系の眼鏡が処方される。	音声によるメールやWEB機能などさまざまな場面で活躍する。	歩行時、路面状態を知るために使う。(269ページ参照)

分野別練習問題

（解説は監修者が作成しています）

解答・解説は303～306ページにあります

問1 次の①～⑤の記述の中で、その内容が正しいものを一つだけ選び、解答用紙の所定欄にその番号をマークしなさい。

① 福祉用具は、高齢者や障害者が日常生活を快適に過ごせるよう援助するものであり、使用する本人と住環境の情報のみをとらえておくことが基本姿勢として重要である。

② 「福祉用具の研究開発及び普及の促進に関する法律」（福祉用具法）による福祉用具の定義は「心身の機能が低下し、日常生活を営むのに支障のある身体障害者の日常生活上の便宜を図るための用具及びこれらの者の機能訓練のための用具ならびに補装具をいう」となっている。

③ 福祉用具法による福祉用具の定義から、日常生活上の便宜を図るという点では、自助具は福祉用具の範囲に含まれない。

④ 肢体不自由者を対象とした補装具には、下肢、上肢、体幹の装具、義肢や車いすなどがあり、その製作については義肢装具士が主にあたっている。

⑤ 福祉用具の導入にあたっての留意点は、主に (1) 目的に合わせた機器・用具の導入、(2) 導入にあたっての時期の見極め、(3) 住環境整備は身体機能改善のためと考える、などにまとめられる。

問2 次の車いす使用者の介助方法に関する①～⑤の記述の中で、その内容が最も不適切なものを一つだけ選び、解答用紙の所定欄にその番号をマークしなさい。

① 車いすの走行速度は一定とし、急激に変化させないようにする。

② 急な下り坂では、車いすを前向きにし、後方からしっかり支えながら下る。

③ 上り坂では、介助者は腰を低くして重心を下げ、押し上げるようにする。

④　電車に乗るときは、段差を乗り越えるのと同じようにキャスターを上げ、乗車する方法がある。
⑤　電車を降りるときは、車いすを後ろ向きにし、段差を下りるようにゆっくり引っ張る方法がある。

問3　次の①～⑤の記述の中で、その内容が最も不適切なものを一つだけ選び、解答用紙の所定欄にその番号をマークしなさい。

①　車いすのブレーキはレバー式とトグル式がある。レバー式の原理はテコの原理であり、レバーの根元とパイプが接している部分を支点の軸として、車輪に接する部分が止め（ブレーキ）の作用点となる。
②　自走用（自操用）標準形車いすは、使用者が駆動輪をハンドリムで操作することにより、自走する。そのため、介助者が車いすを操作することはできない。
③　手動によるリクライニング式車いすは、グリップレバーの操作により、背もたれの角度を変えることができる。
④　電動車いすは、上肢の機能障害により車いす操作が困難であったり、障害が重度の場合に用いられる。駆動にはモーターが使用されているため、充電式のバッテリーを搭載している。
⑤　電動三輪車いすは高齢者の屋外使用の乗り物として普及してきている。しかし、それに伴う交通事故も発生してきており、使用にあたっては、心身機能面の適応性を十分に把握する必要がある。

問4　次の①～⑤の記述の中で、その内容が最も不適切なものを一つだけ選び、解答用紙の所定欄にその番号をマークしなさい。

①　障害者総合支援法の補装具費支給制度では、障害者等が自ら選定した補装具製作（販売）業者と直接補装具の購入・修理の契約を結び、利用者負担を除く費用が支給される。
②　杖の高さは、一般的に足先の前方150mm、外150mmの位置に杖をついた場合に、肘が30度ぐらい軽く屈曲している高さが適当である。あるいは、大腿骨大転子の高さや、立位で腕を下げた場合の手首の位置が適当である。しかし、使用者の障害状態や体格、年齢によっても高さは異なる。
③　片麻痺者に車いすの使用を考える場合には、健側の踵がしっかりと床面につくように、

あるいは車いす用クッションを敷いた分の座面高のかさ上げ分を考慮して、適応評価を十分に行う必要がある。

④　肘当て付き四輪歩行車は、歩行器と比較して大型なため、病院や施設内で用いられるが、一般の住宅内では段差や居室面積の狭さの問題もあり、ほとんど使用されない。

⑤　可搬型（自走式）階段昇降機は、階段の路面にレールを固定し、使用者が座るいす部分の下部に組み込まれた駆動装置がレール上を走行して階段を昇降する。

問5　**次の①～⑤の福祉用具のうちで、屋内歩行レベルの脳血管障害者が使用する福祉用具として不適切なものを一つだけ選び、解答用紙の所定欄にその番号をマークしなさい。**

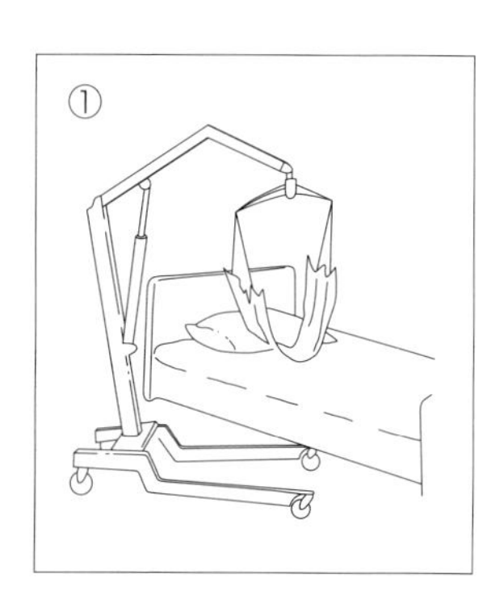

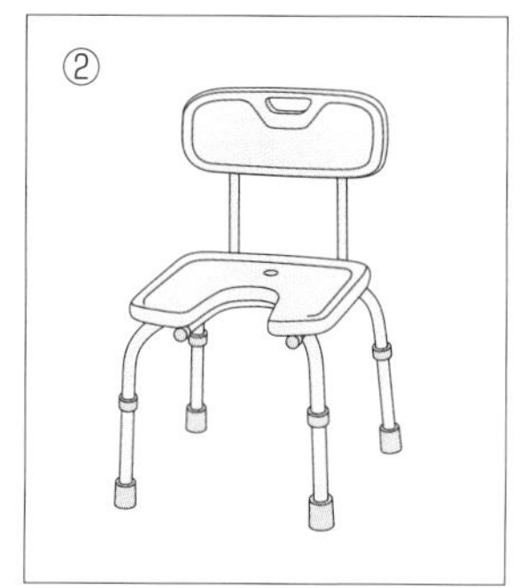

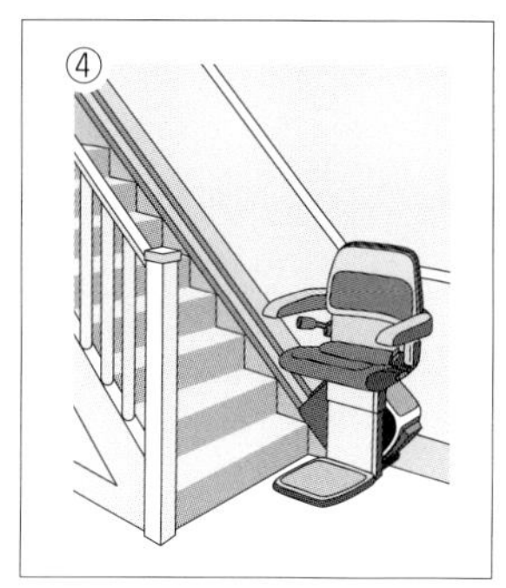

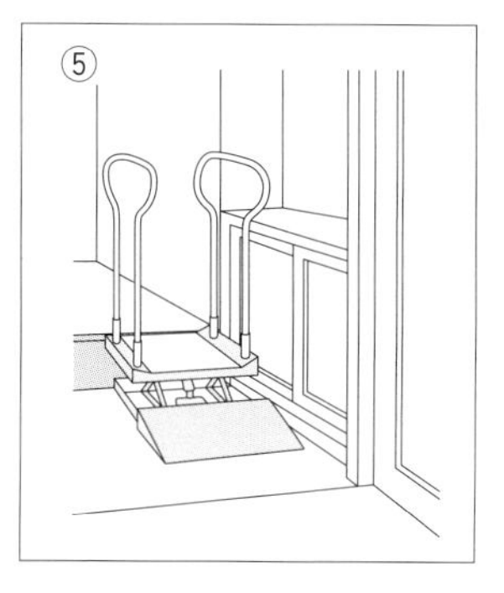

●以下の事例を読み、問６・問７の設問に答えなさい。

<事　例>

パーキンソン病となったＨさんは69歳で、妻71歳と２人暮らし。持ち家で木造一戸建てである。ベッドからの起き上がり動作は介助が必要であるが、座位姿勢は手の支持があれば安定。歩行介助が中心で、立ち座りや立位保持の介助量が増加している。

入浴や排泄には全介助が必要である。

問６ **次のＨさんの住環境整備の検討に関する①～⑤の記述の中で、その内容が最も適切なものを一つだけ選び、解答用紙の所定欄にその番号をマークしなさい。**

① 歩行介助では危険性が高いため、直ちに天井走行式リフトを導入する必要がある。

② ベッドの起き上がり動作は介助が必要なため、床走行式リフトで自立を促す。

③ 座位姿勢は手の支持があれば安定するので、肘掛けいすは特に必要ない。

④ 屋外歩行において、介助しきれなくなったときには、自走用（自操用）車いすを導入することで、手動でも自走が可能となる。

⑤ 入浴において、介助量を軽減するためにも、将来的にはシャワー用車いすとリフトの活用を考える。

問７ **Ｈさんの現在での排泄・入浴関係の具体的整備の方針として、次の①～⑤の記述の中で最も不適切なものを一つだけ選び、解答用紙の所定欄にその番号をマークしなさい。**

① トイレの出入り口の段差を解消し、ドアは身体の位置を変えずに開閉できる引き戸にする。

② 手すりは便器からの立ち座りやズボン類の着脱を行うときにバランスを保持できるよう、便器の両側に設置する。

③ 排泄方法として、日中は介助にてトイレを使用し、夜間は場合によっては尿器等を使用する。

④ トイレの床材は、失禁を想定し掃除しやすいものにする。

⑤ 浴槽は、深めのもので、膝を伸ばしてゆったり入ることのできる大きさのものにする。

問8 次の①～⑤の記述の中で、その内容が最も不適切なものを一つだけ選び、解答用紙の所定欄にその番号をマークしなさい。

① 階段において、蹴上げ230mm、踏面150mmの寸法は建築基準法の基準を満たしてはいるが、実際には急勾配となるため、通常の住宅ではもっと緩やかに設計、施工されている。

② トイレの座位保持用の横手すりは、便器の中心線から左右に350mm振り分けた位置で左右対称の設置が基本となる。取り付け高さは、便座面から220～250mm程度上方を基本とする。

③ 浴室は、介助者が浴室に入って介助動作を行うことが可能となるよう壁芯－芯で1,820mm四方の大きさが欲しい。これだけの広さがあれば、リフトなどの福祉用具を使用する介助入浴もしやすくなる。

④ 奥行きが910mm程度の深い収納の場合はそのまま収納内部まで足を踏み込めるように、あるいは車いすで入り込めるように建具下枠の突出をなくして、平坦にする。押し入れの中棚の高さは、通常900mm程度の高さなので、布団をしまうとき、そのままの高さでも十分に使える。

⑤ 車いすを使用しての調理を考える場合は、通常調理機器の高さは床面から740～800mm程度の高さになることが多い。このとき、シンクの深さを通常の180～200mmのものから120～150mm程度の浅いものに変更すると、膝を入れやすくなる。

問9 次の(a)～(e)の記述について適切なものを○、不適切なものを×としたとき、正しい組み合わせを①～⑤から一つだけ選び、解答用紙の所定欄にその番号をマークしなさい。

(a) 電気コンロには電気調理器や電磁調理器（IHヒーター）がある。電気調理器は使用できる鍋が制限される機種が多いが、鍋自体を発熱させるため鍋をはずして天板の加熱部分を触ってもやけどしにくいので安全性が高い。

(b) 浴室で使用するグレーチングは、細い角パイプまたはT型バーを排水溝長手方向に平行に（直角方向は不可）組み合わせたものを用いる。パンチング型グレーチングでは湯水が脱衣室側に流れ込んでしまう恐れがある。

(c) 階段には踊り場付き階段、吹き寄せ階段、踊り場＋3段折れ曲がり階段、直線階段等があるが、この中で最も安全な階段は、踊り場付き階段である。

(d) 廊下に取り付ける水平手すりの床からの高さは、使用者の大腿骨大転子に合わせることを原則とするが、その高さは、通常床面から750～800mmである。手すりの太さは、直径32～36mm程度とするのがよい。

(e) 複雑な機構を保つ福祉用具を用いる場合にはメーカーとメンテナンス契約を結ぶ必要がある。メンテナンス費用とは、月ごともしくは年ごとに支払う保守点検のための費用を指す。

① (a) × (b) ○ (c) × (d) ○ (e) ○
② (a) × (b) ○ (c) ○ (d) ○ (e) ○
③ (a) ○ (b) × (c) × (d) × (e) ○
④ (a) × (b) ○ (c) × (d) ○ (e) ×
⑤ (a) ○ (b) × (c) ○ (d) × (e) ×

問10 **次の①～⑤の記述の中で、その内容が最も不適切なものを一つだけ選び、解答用紙の所定欄にその番号をマークしなさい。**

① 浴室の戸は、引き戸にするだけでなく、ガラスのように割れて危険な材料を使用しないように注意する。また、介助者の出入りが容易にできるようにするために、あるいは車いすが容易に出入りできるようにするために、3枚引き戸とすることが望ましい。

② 高齢化対応ユニットバスは、あらかじめ高齢者や障害者が利用しやすいように手すりや段差解消、浴槽縁高さなどに工夫がなされたものである。このユニットバスは、自立歩行が可能な者を対象に設計されたものが多いので、障害があったり移動に介助が必要な高齢者は、実際に使用できるかを確認してから購入する。

③ シャワー用車いすは、防水性に配慮した車いすのことで、浴室までの移動が困難な高齢者の場合に適している。寝室や居室でシャワー用車いすに移乗し、浴室内までの移動に用いる。また、衣服の着脱は、座面上で行うのが一般的である。

④ 固定式（設置式）リフトは、狭い空間での使用に適する。浴室であれば、内法寸法1,200mm × 1,600mmのスペースで活用可能である。支柱を床面に立てて転倒防止用の梁と組み合わせる設置方式のリフトは、ユニットバスへの設置も比較的容易であるため、最も普及している。

⑤ 浴槽縁に取り付ける簡易手すりは、浴槽縁を立ちまたいで入る際に有効で、身体の安定性を保つ役割があり、運動障害が軽度の場合に有効である。浴槽の縁を締め付けて取り付けるため、浴槽の種類によっては取り付けができない場合もある。

問11 図のような敷地に平屋建て（地階なし）の住宅が建つ事例において、部屋の増築が検討されている。増築は平屋建てのまま1階部分に行うものとする。増築可能な建築面積のうち建築基準法上、最も大きな面積であるものを次の①～⑤から一つだけ選び、解答用紙の所定欄にその番号をマークしなさい。

敷地面積	150m²
既存部分の建築面積	65m²
前面道路幅	6m
この敷地における建ぺい率は	50%
この敷地における容積率は	80%

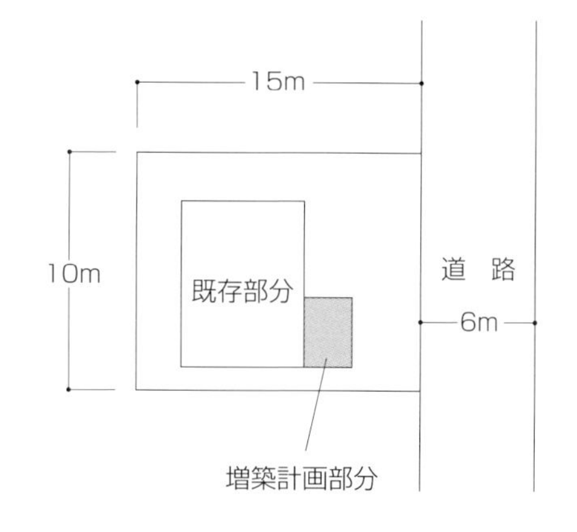

① 10m²　② 20m²
③ 30m²　④ 40m²
⑤ 50m²

問12 次の(a)～(e)の記述について適切なものを○、不適切なものを×としたとき、正しい組み合わせを①～⑤から一つだけ選び、解答用紙の所定欄にその番号をマークしなさい。

(a) 排泄動作に介助が必要な場合は、便器側方および前方に500mm以上の介助スペースを確保する。これは、排泄動作を介助する場合には前屈姿勢をとることが多く、介助者の臀部が突出するために必要な幅である。

(b) 排泄動作の介助スペースを確保するためにトイレの間口を広く取るときには、便器のどちらの側面から介助を行うのかをよく検討して、便器の位置を決定する。片麻痺者の場合は、健側に介助者が立って介助することを原則とする。これは、バランスをくずして麻痺側に身体が傾いたときに、転倒しないように支持するためである。

(c) 車いすを使用する場合には、便座の高さは車いす座面より100mm程度高くするのがよい。この高さであれば姿勢が安定するので、排泄が困難となる心配はない。

(d) 車いすを使用する場合には、便器は車いすで十分に近づけるように便器下部のくびれが大きく、車いすのフットサポートが接近しやすいものを選択する。便器が壁面から持ち出されている形状の便器であれば、車いすでのアプローチも容易となる。この場合には、汚水管は壁面配管となるので、簡易な改造工事で取り付けることができる。

(e) 高齢者は、トイレの夜間使用頻度が高い。寝室とトイレとの距離をできる限り短くして、移動そのものや移動介助を容易にすることを心がける。寝室に隣接してトイレを設ける場合には、高齢者が排水音で目を覚ますことのないように消音型便器を採用する。

① (a) ○ (b) × (c) ○ (d) × (e) ○
② (a) ○ (b) × (c) × (d) × (e) ○
③ (a) × (b) ○ (c) × (d) ○ (e) ×
④ (a) × (b) ○ (c) × (d) ○ (e) ○
⑤ (a) ○ (b) ○ (c) ○ (d) × (e) ×

問13 **次の①～⑤の記述の中で、その内容が最も不適切なものを一つだけ選び、解答用紙の所定欄にその番号をマークしなさい。**

① 在宅介護での住環境整備の基本は、危険を防止できる空間づくりにある。夜間に必要となる照明装置、移動しやすくするための手すりの設置、注意力を高める壁の配色など、要介護者の状況に応じて安全かつ安心できる住環境整備が必要である。

② 在宅介護での住環境整備の基本は、福祉用具の設置が可能な空間づくりにある。建物の構造および強度、照明やコンセントの位置など、新築や増改築のときに将来必要と思われる福祉用具を使用できるように配慮しておくとよい。

③ 在宅介護での住環境整備の基本は、衛生的な空間づくりにある。ベッド生活者が出すゴミや臭気は定期的に処分・対処する。その対策のひとつとして、失禁した時の臭気に配慮するために、ベッドのある寝室と浴室は離れた場所に設置したほうがよい。

④ 在宅介護での住環境整備の基本は、外出や非常時の避難が容易な空間づくりにある。外出や避難時の経路は、日常的に移動している場所が望ましく、経路をいくつか決めておき、そこにはあまり物を置かないようにする。

⑤ 在宅介護での住環境整備の基本は、貴重な書類の保管場所を決め、必要に応じてすぐに取り出せる空間づくりにある。貯金通帳など特に重要な書類は、鍵のかかる金庫などは安全と考えられるが、鍵の紛失に注意が必要となる。

問14 **次の①～⑤の記述の中で、その内容が最も不適切なものを一つだけ選び、解答用紙の所定欄にその番号をマークしなさい。**

① 高齢者は、風邪や過労などで一時的に臥床することで、筋力や体力の低下をきたしやすい。したがって、早期から廃用症候群および二次障害の発生を予防する必要がある。

② 在宅介護では、介護する家族がよりよい療養生活の方法、役に立つ福祉用具の活用法、住宅改修の方法、介護負担の軽減方法等についての専門的な知識と技術を必ずもたなければならない。

③ 寝たきりレベルで使用するベッドは、ハイアンドロー（高さ調節）機能付き特殊寝台を使うと介護がしやすい。マットレスは、褥瘡（じょくそう）防止のために臥床時の体圧を集中しないように分散させるものがよい。

④ 高齢者の在宅介護で検討する住環境整備の一般的な例として、居室で快適に過ごせることを目的としたスペースの確保、空調設備、夜間に使用しやすい照明の整備と、ベッド・車いす・ポータブルトイレの導入などがある。

⑤ 在宅介護で検討する住環境整備の一般的な例として、浴室では安全で快適に入浴できることを目的にした段差解消や床材の変更による滑り防止、手すりの設置、浴槽の高さ調節、入浴用いす・バスボード・リフト類の活用などがある。

●以下の事例を読み、問15・問16の設問に答えなさい。

＜事　例＞

脳血管障害により右片麻痺となったＩさんは71歳の男性で、妻73歳と息子夫婦の４人暮らし。住宅は、持ち家で木造２階建てである。Ｉさんは杖と短下肢装具による歩行は可能であるが、長距離の歩行は困難である。また、白内障が進行しており、外出には介助者が必要である。屋内では、短下肢装具を装着しなくても歩行は可能であるが、壁や柱につかまって歩く状態であり、転倒の危険性が常に高い。妻は腰痛のために十分な介助が困難である。

問15 **Iさんのケアプランの検討に関する①～⑤の記述の中で、その内容が最も不適切なものを一つだけ選び、解答用紙の所定欄にその番号をマークしなさい。**

① 生活にリズムをつけるために、朝の起床後、服に着替えてベッドから出る。食事は、食堂で家族と一緒にとることとする。

② 住宅改修の整備計画として、排泄・入浴に必要な介助用のスペースを確保し、車いすで移動しやすいよう住宅改修を考慮する。

③ 住宅改修ではトイレにL型の手すりを取り付ける。浴室内の段差は、すのこで調整し、浴槽出入り用縦手すりを取り付ける。

④ 体力をつけるために外出を促す。そのための支援方法として、送迎バスの利用が可能な通所リハビリテーションを、週2回依頼する。

⑤ 月1回の訪問リハビリテーションの導入として、Iさんに適した数種類の運動メニューを理学療法士に依頼して作成してもらい、個別指導も受けられるようにする。

問16 **Iさんの現在の移動方法についての具体的な福祉用具活用方針として、①～⑤の記述の中で、その内容が最も不適切なものを一つだけ選び、解答用紙の所定欄にその番号をマークしなさい。**

① 屋外に出るときは、玄関で、いすに座って短下肢装具の装着を行い、手すりにつかまって上がりがまちの段差を下りるようにする。

② 浴室では、浴槽上に置いたバスボードに一度腰かけて、浴槽上部の壁面に取り付けた手すりにつかまって安全に出入りができるようにする。

③ 長距離の歩行は難しいので、屋外移動には電動車いすを導入することで一人で外出ができるようにする。

④ 寝具は、立ち上がり動作を安全に行うためにベッドを導入し、ベッド用手すりを取り付ける。

⑤ 下肢の支持性が低下しているので、住宅周辺の歩行では、フィッシャー型T字型杖を使用することで安全性を高める。

問17 **次の①～⑤の記述の中で、その内容が最も適切なものを一つだけ選び、解答用紙の所定欄にその番号をマークしなさい。**

① 最近では、高齢化対応型キッチンセットが市販されている。高齢化対応型キッチンセットと車いす対応型キッチンセットでは、その機能や形状に大きな違いはない。

② 調理機器類を直角状に配置する形式（L型配置）は、Ⅰ型配置と比較して移動距離が少なくなり、歩行機能が低下した高齢者や車いす使用者には便利である。また、キッチンそのものの室形状が四角くなるので、Ⅰ型配置と比較して狭い台所スペースに納めることができる。

③ 現在、市販されている調理台、シンク、コンロなどの調理機器の高さは、750mmと800mmの2種類が多い。高齢者や障害者の使いやすい高さがこれと異なる場合、多くの調理機器は、足もとの台輪部分で、ある程度の高さ調節が可能である。

④ 車いすを使用して調理を行う場合、シンク深さを通常の180～200mmのものから120～150mm程度の浅いものに変更すると膝が入りやすくなる。この場合、一般に使用されている泡沫水栓は水がはねるので、水栓金具を変更し、水はねしにくいものに変える。

⑤ 高齢者や歩行困難者は、調理機器に寄りかかったり、いすに腰かけて調理を行うことがある。こうした利用を考慮して、つかまりやすい「サポートバー」が付いている調理機器が最近市販されている。また、いす座による調理の場合は、シンク下部に膝入れスペースを設けた調理機器を選択する。

問18 **次の(a)～(e)の記述について適切なものを○、不適切なものを×としたとき、正しい組み合わせを①～⑤から一つだけ選び、解答用紙の所定欄にその番号をマークしなさい。**

(a) トイレで用いる座位保持用の横手すりの取り付け高さは、車いすのアームサポート（肘当て）と同じ高さ、便座面から320～350mm程度上方を基本とする。ただし、両側に横手すりを固定すると高齢者や障害者の便器へのアプローチに邪魔になったり、介助をする時に、支障が生じることもあるので、片方を可動式手すりとすることが望ましい。

(b) トイレ出入り口の有効開口幅員は、通常600mm前後が多い。介助を必要としたり、車いすを使用する場合においても、この有効開口幅員でトイレを利用することができる。

(c) トイレの戸は引き戸が望ましい。やむを得ず開き戸にする場合には、緊急事態が発生して外部から戸を開けなければならない状況になったときを想定して、外開きとする。また、戸や扉の開閉が困難になった場合には、アコーディオンドアやカーテンの使用も考えられるが、この場合はプライバシーの確保が重要となる。

(d) 通常の洋式便器の座面高さは、370～390mmが標準となっている。立位歩行が可能な場合には、立ち座りが容易になるように、この高さより少し高めの便器がよいが、関節リウマチでは、標準より低めの座面高さのほうが使いやすい。

(e) 便器の座面高さが低すぎて腰かけにくい場合には、便器下方に建築工事で台を造って便座が高くなるようにするか、あらかじめ座面の高い便器を購入する。便座を高くすると排泄時に足が床から離れることがあるが、座位姿勢はこれによって安定し、排泄もしやすくなる。

①	(a) ×	(b) ×	(c) ×	(d) ×	(e) ×
②	(a) ○	(b) ×	(c) ○	(d) ×	(e) ×
③	(a) ×	(b) ×	(c) ○	(d) ×	(e) ×
④	(a) ○	(b) ×	(c) ×	(d) ×	(e) ○
⑤	(a) ×	(b) ○	(c) ×	(d) ○	(e) ×

問19 **次の①～⑤の記述の中で、その内容が最も適切なものを一つだけ選び、解答用紙の所定欄にその番号をマークしなさい。**

① 階段の昇降は、一般的に緩やかなほうが昇降しやすい。安全に昇降するための理想的な勾配は7/11といわれている。これによると、通常の階高の住宅であれば、階段の水平投影距離は４m以上となる。高齢者等配慮対策等級の階段勾配、等級５、４では階段勾配を6/7以下、550mm≦２R＋T≦650mm（R；Rise 蹴上げ、T；Tread 踏面）に設定することを推奨している。

② 階段を上る際、加齢あるいは障害によって脚を上げる力が弱まり、段鼻部分につま先を引っかける危険性が増すため、蹴込み板を設け、蹴込み寸法は50mm以下とする。

③ 段差解消機は、防湿仕様になっている機種もあるが、屋外に設置する場合には雨を避けるために軒下・庇などでカバーする。このように直接雨や雪が降りかからないようにすれば、積雪・寒冷地においても、屋外設置で問題なく利用できる。

④ 高齢者や障害者が居住する住宅では、寝室や玄関に、等身大の鏡をかけて身だしなみをチェックできるようにしたり、玄関にかけた鏡の脇には、衣服に合った装飾品が置ける床置きのサイドテーブルを設置するとよい。

⑤ 和洋折衷式浴槽は、和式浴槽と比較して底面積が広く浅い。したがって出入りがしやすいことから、最近多くの住宅で用いられているが、身体全体を浴槽に入れて暖まること

ができないといった欠点がある。

問20 次の①～⑤の記述の中で、その内容が最も不適切なものを一つだけ選び、解答用紙の所定欄にその番号をマークしなさい。

① わが国の住宅では、一般的に和室の床面は洋室の床面よりも10～40mm程度高くなっている。これは、畳の厚さと洋室の仕上げ材の厚さに違いがあるためである。また、洋室などに建具の下枠（くつずり）があるのは、室内外の床仕上げ材の違いを建築的に納める（見切る）ためである。また、これには、すきま風防止の機能もある。

② 建築物の基礎の一種であるべた基礎は、土の中の湿気が建物床に上がりにくいことから防湿を目的として採用されることがある。また、比較的地盤の弱い敷地などで用いられることも多い。ただし、基礎自体の重量は増すので、地耐力を計算したうえで用いる。

③ 建築基準法では、1階居室の木造床は原則として、直下の地面（地盤面）から450mm以上高くするように決められている。ただし、床下部分に防湿土間コンクリートを敷設したものや、個別に国土交通大臣の認定を受けたものはこの限りではない。

④ 屋外アプローチの段差解消は、スロープによるものが一般的である。しかし、パーキンソン病や腰痛をもつ人の場合、スロープよりも、緩やかな階段にしたほうが適していることが多い。

⑤ 積雪・寒冷地では、住宅の玄関から全面道路までの間のアプローチ距離が長い場合は、「無落雪屋根」「玄関風除室」「雁木やフードによるカバード空間の設置」や住宅内に車庫を組み込むなどの建築計画による工夫がある。その他、設備的対応として「ロードヒーティング」があるが、路面が凍結することがあるので、スロープなどの傾斜には使用してはならない。

問21 次の①～⑤の記述の中で、その内容が最も不適切なものを一つだけ選び、解答用紙の所定欄にその番号をマークしなさい。

① 据置式リフトは、架台を室内に組むので、レール取り付け位置も天井面より低くなる。したがって、天井走行式リフトよりも身体を持ち上げる最大高さは低い。

② 台座式リフトは、架台にキャスターが付いており、座位の姿勢で膝や腰などを支持して介助者が押すことによって移動させるリフトである。

③ 固定式（設置式）リフトは、住宅の床面や壁面に固定設置して用いる。アーム部分が上

下方向に動いて身体を懸吊し、支柱を中心に回転して身体を移動させる構造である。このリフトは、身体を懸吊できる高さ方向の範囲（昇降行程）が移動用リフトの中で最も大きい。

④　ベッド据置式のリフトは、固定式（設置式）リフトと同様に身体を懸吊するアーム部分を支柱で支えるが、機器自体は床面や壁面に固定せず床面に据え置き、支柱転倒防止のためには脚部ベースを大型にするかベッド支柱に固定する。

⑤　天井走行式リフトで室間移動を行う場合には、いすやテーブルなどの家具や開口部の戸枠に身体がぶつからないように、家具の配置や開口幅員の拡張、戸の形状についても工夫が必要である。

問22　**次の①～⑤の記述の中で、その内容が最も不適切なものを一つだけ選び、解答用紙の所定欄にその番号をマークしなさい。**

①　高齢者や障害者が日常生活で実際に使用している自走用（自操用）車いすの全幅は通常620～630mm程度、介助用車いすの全幅は通常530～570mm程度である。これらの車いすが直進するときは、それぞれの全幅に100～150mmを加えた程度の寸法で通行可能である。

②　自走用車いすが直角に曲がって部屋の出入りを行うためには、廊下有効幅員が780mmであれば、開口有効幅員は少なくとも900mm必要であり、介助用車いすで直角に曲がって部屋の出入りを行うには、開口有効幅員は少なくとも700mm必要である。

③　床がコンクリート構造の場合には転がし根太等を入れて、床下に空隙をつくってから床仕上げを行うことによって、ある程度の弾力性が確保できる。杖歩行の場合は、歩行音が響いて気になることがあるので、この場合は、カーペットのような衝撃音を吸収する床仕上げにすると歩行音を小さくできる。

④　屋内で車いすを使用する際、床仕上げがフローリング（板張り）の場合には、傷のつきにくい仕上げ、傷がついても目立ちにくい塗装色を選択する。また、自走用車いすや電動車いすで活発に屋内を移動すると、車輪が床面でねじれを生じ、車輪のゴム跡が床面につくことがある。一度床面についたゴム跡はとりにくいので、ゴム跡がついても目立たない同色系の床色を選択する。

⑤　車いす使用者の体重が重い場合や電動車いす使用者の場合には、店舗などに用いられる重歩行用の床材の使用を検討する。この場合、床下地から設計が異なるので床材や床下地のコストアップも試算して、建築主にあらかじめ了解を求める。

問23 **次の①～⑤の記述の中で、その内容が最も不適切なものを一つだけ選び、解答用紙の所定欄にその番号をマークしなさい。**

① 高齢者の寝室では、身体機能が低下してくると床からの立ち座りや布団の上げ下ろしが困難となるので、ベッドでの就寝を基本に考える。一人用の寝室では6～8畳は必要である。また、車いすを使用する場合には8畳程度、夫婦用であれば8～12畳を確保する。

② 「住宅の品質確保の促進等に関する法律」(品確法)における、高齢者等への配慮に関する評価基準(専用部分)においては、特定寝室(一つ)の広さ(日常生活空間内)は、等級5においては、12m²以上とされている。

③ 高齢者や障害者が和室を希望した場合、寝室や居間の一角に2～3畳程度の畳スペースを床面から400～450mm高く設けることがある。この部分をベッドとして使用したり、介助者の就寝スペース、車いすからこの畳面への移乗、来客が腰かけたりするなど、さまざまな使い方がされる。

④ 床仕上げは、最近はフローリング(板張り)が主流となっているが、プラスチックタイルは弾力性があり、しかも断熱性が高いので、高齢者や障害者にとって有効である。その際にはできるだけ厚さの厚い床材を選択する。

⑤ 収納の扉は、原則として引き戸とする。開き戸の場合は、開閉するときに身体があおられるような大きな扉は好ましくないので折れ戸とする。奥行きが910mm程度の深い内法寸法の場合は、そのまま収納内部まで足を踏み込んだり、車いすで入り込めるように建具下枠をなくす。

問24 **次の(a)～(e)の記述について適切なものを○、不適切なものを×としたとき、正しい組み合わせを①～⑤から一つだけ選び、解答用紙の所定欄にその番号をマークしなさい。**

(a) 洗面・脱衣室は、いすに腰かけながらの洗面動作および着脱衣動作ができるような広さを確保する。たとえば、間口を壁芯―芯で1,820mmと広めにとっても、奥行きが壁芯―芯1,365mm程度では余裕のある動作を行えない。間口・奥行きとも壁芯―芯1,820mm程度あると、ベンチやいすに腰かけながらの着脱衣動作や洗面動作が可能となり、介助者のスペースも確保できる。

(b) 脳血管障害の片麻痺者は洗面器をカウンター形式にすると、カウンターに寄りかかりながら片手で洗面動作等を行いやすい。車いす使用者にとってもカウンターに身体をもたせかけたり、周囲に物を置けるので便利である。

(c) 車いす使用者に対する洗面カウンターの取り付け高さは、一般的に床面より850mm程度にすれば使用しやすい。

(d) 壁に掛ける鏡は、いすに座った状態でも立位姿勢でも、胸から上が映る範囲（床面より800～1,750mm程度の範囲）をカバーできる大きさのものを取り付ける。鏡を傾けた設置は、いずれの姿勢においても見づらいため、不適切である。

(e) 床暖房は短時間しか使用しない浴室、洗面所などに適していて、経済的である。

①	(a) ×	(b) ×	(c) ×	(d) ○	(e) ○
②	(a) ×	(b) ○	(c) ○	(d) ×	(e) ×
③	(a) ○	(b) ○	(c) ×	(d) ○	(e) ×
④	(a) ○	(b) ×	(c) ×	(d) ×	(e) ○
⑤	(a) ×	(b) ×	(c) ○	(d) ○	(e) ×

解答・解説

■問1■　正解 4

① 誤り。使用する本人と住環境のみでなく、介護する家族の心身の状況や家族関係といった幅広い情報を把握することが重要である。

② 誤り。福祉用具法によれば、「日常生活を営むのに支障のある老人」のための用具も含まれる。

③ 誤り。日常生活上の便宜を図るという点で、自助具も福祉用具の範囲に含まれる。

④ 正しい。なお、補装具の適応評価も義肢装具士が主にあたっている。

⑤ 誤り。住環境整備は身体機能改善ではなく、生活改善のためと考える。

■問2■　正解 2

② 不適切。下り坂で車いすを前向きにすると前に傾くことになるので、使用者を押さえることができずに落ちやすくなる。車いすを後ろ向きにして進行方向の前方からしっかり支えながら進む。

■問3■　正解 2

② 不適切。自走用の場合でもハンドグリップやティッピングレバーが付いていて、介護者による操作も可能である。

■問4■　正解 5

① 適切。補装具には、装具（上肢・下肢・体幹）、義肢、車いすなどがある。義肢装具士による適応評価がなされる。

② 適切。杖の長さはプッシュボタンによって変えられるようになっているものがある。

③ 適切。座幅や座面高を利用者に合わせて選択することが重要である。

④ 適切。なお、肘当て付き四輪歩行車は安定性が高く、歩行の耐久性を上げるための初期の歩行訓練で使用されることが多い。

⑤ 不適切。本肢は固定型（いす式）階段昇降機についての記述である。可搬型（自走式）階段昇降機はレールは設置せず、車輪やキャタピラによって階段の昇降をするものである。車いすごと乗り降りができるが、住宅ではスペース上難しい。

■問5■　正解 1

① 不適切。図は床走行式リフト（懸吊式）である。懸吊式リフトは起きあがり動作が困難な者を移動させるために使用されることが多い。

■問6■　正解 5

① 不適切。パーキンソン病は進行性疾患であり、住環境整備については大がかりなものを一気に行うよりは、徐々に行ったほうがその時点での対象者に適した整備を行うことができる。

② 不適切。床走行式リフトはベッドから車いすやいすなどへの移乗に使用するので、起きあがりの自立にはつながりにくい。
起きあがり動作の自立を考えるならば、背上げ機能や昇降機能を備えた特殊寝台の導入などをすべきである。

③ 不適切。肘掛けいすの方が座位を安定させやすいので、必要ないということで

はない。

④　不適切。パーキンソン病の場合、上肢に障害があり、自走が難しい。

■問7■　正解5

⑤　不適切。身体のバランスがとりにくいので、浴槽は浅めで、背もたれの傾きが小さくて、足を曲げて入るような長さのものとする。

■問8■　正解4

①　適切。住宅（共同住宅の共用部分を除く）の階段は、蹴上げの寸法は230mm以下、踏面150mm以上とされる。

④　不適切。中棚の高さは、通常800～900mmであるが、これを下げて750mmとすると使いやすいとされる。

■問9■　正解2

(a) 不適切。記述は「電磁調理器（IHヒーター)」についてのものである。

(b)～(e)は適切で、(a) ×、(b) ○、(c) ○、(d) ○、(e) ○となり、②が正解。

■問10■　正解3

③　不適切。衣服の着脱は寝室等で行い、その後シャワー用車いすに移乗する。座面上で行うのは一般的ではない。

■問11■　正解1

本問の敷地面積が150m²であり、建ぺい率の最高限度が50％であるので、建築可能な建築物の建築面積は75m²。既存の部分の建築面積が65m²であるので、建築面積10m²を限度に増築できる。なお、容積率に関しては、床面積の記述がないので、不明である。

以上から①が正解となる。

■問12■　正解2

(b) 不適切。介助する者は患側で介助することが原則である。

(c) 不適切。便座の高さは車いすの座面と同程度とする。約450mm程度。

(d) 不適切。この型の場合、汚水管は壁面配管となるが、改修工事は大がかりとなる。

以上から、(a) ○、(b) ×、(c) ×、(d) ×、(e) ○となり、②が正解。

■問13■　正解3

③　不適切。汚物処理のしやすい環境、高齢者・障害者の日常生活上の移動の便利さを考えたうえで、寝室と浴室は近いほうが好ましい。

■問14■　正解2

②　在宅介護では、介護する家族が記述のような専門知識や技術を持つことは望ましいが、必ず持たなければならないわけではない。

介護支援専門員（ケアマネジャー）などの専門職に依頼することにより、専門的介護を導入することができる。

■問15■　正解2

②　不適切。屋内歩行レベルなので、自立度が逆行しないように、車いすはできるだけ使用しないほうがいい。

■問16■　正解3

③　不適切。白内障が進行しているため、電動車いすを導入して一人で外出することは危険性が高い。

■問17■　正解5

①　不適切。高齢化対応型キッチンセットと車いす対応型キッチンセットでは、カウンターの高さやカウンターやシンクの下部に設ける膝入りスペースなど、形状

が大きく異なる。

② 不適切。L型配置の方が移動距離が少なく使いやすいといわれているが、キッチンそのものの室形状が四角くなるため、ある程度の広さが必要である。I型配置のほうがスペースをとらないので、狭い台所スペースには向いている。

③ 不適切。調理台の高さは、800mmと850mmのものが主流だが、最近は、いろいろな高さのものが市販され、選択の範囲が広がっている。いずれにしても台輪部分で、ある程度の高さ調整は可能である。

④ 不適切。泡沫水栓のほうが水はねしにくい。水栓金具を泡沫水栓に変更し、水はね防止に配慮する。

■問18■ 正解3

(a) 不適切。手すりの取り付け高さは車いすのアームサポートと同じ高さ、便座面から220～250mm程度上方を基準とする。

(b) 不適切。600mmでは車いすの通行には狭すぎる。

出入り口の有効開口幅員が最低800mmあれば前方アプローチによる車いす使用が可能になり、750mm以上であれば介助用車いすの通行が可能となるとされている。

(d) 不適切。関節リウマチなどで膝の曲げ伸ばしが困難な場合には、座面高さが高めのほうが使いやすい。

(e) 不適切。前段は正しいが、便座を高くすると排泄時に足が宙に浮いて姿勢が不安定になり、排泄できないことがある。

以上から、(a) × (b) × (c) ○ (d) × (e) × となり、③が正解。

■問19■ 正解1

② 不適切。このような危険を避けるため、蹴込み板を設け、蹴込み寸法は30mm以下とされている。できれば10mm以下が望ましい。

③ 不適切。段差解消機を積雪・寒冷地で使う場合は、寒冷地仕様が必要である。

④ 不適切。床置きのサイドテーブルは歩行の妨げになるため、できるだけ置かないほうがよい。

⑤ 不適切。設問の記述は洋式浴槽についてのものである。

■問20■ 正解5

⑤ 不適切。記述のような建築計画による工夫のほか、設備的対応として、融雪機能を持つ「ロードヒーティング」はスロープにも有効である。ただし、融けた雪の水処理のための排水設備を設けること。

■問21■ 正解3

③ 不適切。固定式リフトの上下方向の可動範囲は、他の方式のリフトに比べて小さい。

■問22■ 正解2

② 不適切。廊下から直角に曲がって部屋に出入りする際、廊下有効幅員が780mmであれば、部屋の開口部の有効幅員は、自走用車いすの場合は少なくとも950mm必要であり、介助用車いすの場合は少なくとも750mm必要である。

■問23■ 正解4

④ 不適切。弾力性があり、断熱性が高いのはプラスチック・タイルではなくコルク材などで、高齢者や障害者の居室の床

仕上げに適している。

■問24■　正解3

(c) 不適切。一般に洗面カウンターの取り付け高さは、床面より720～760mm程度となっている。

(e) 不適切。床暖房は速熱式ではないため、浴室などでは経済的でない。

以上から、(a) ○　(b) ○　(c) ×　(d) ○　(e) ×　となり、③が正解。

福祉住環境整備に関する

用語集

あ行

【ICIDH】 International Classification of Impairments, Disabilities, and Handicaps＝国際障害分類

1980年、WHOにより提唱された障害についての分類。①機能障害、②能力障害、③社会的不利に分類される。さらに改訂が行われている。

【ICF】 International Classification of Functioning, Disability and Health＝国際生活機能分類。ICIDHの改訂版。

心身機能・身体構造、活動、参加の概念を「生活機能」とし、それに問題が生じた状態を機能障害、活動制限、参加制約とし、それらを「障害」としている。

さらに、心身機能・身体構造、活動、参加の3つの概念の背景因子として、「環境因子（住宅、自然環境、家族、友人などの個人的な環境）」と「個人因子（性別、年齢、学歴、職業、体力など）」を挙げている。

【アウトリーチ】

積極的な援助を必要としている人々がいることを十分に認識し、そうした人々に積極的に接近すること。

【明かり付きスイッチ】

暗い場所でもスイッチの位置がわかるように、小さな明かりが灯せるスイッチ。

【上がりがまち】

玄関など家の上がり口の床の縁に渡してある横木。

【明るさ感知式スイッチ】

周囲の明るさをセンサーで自動的に感知し、暗ければ点灯し、明るくなれば消灯するスイッチ。

【アセスメント】

事前評価。福祉においては、介護マネジメントの第一歩として、障害状態や周囲の環境を正しく知るための課題分析が必要になる。利用者が何を求めているかを正確に知り、それが生活の中でどんな状況から生じているかを確認すること。

【アダムス・ストークス症候群】

心臓の全身に血液を送る働きが低下することで、脳への血液の供給が急激に減少し、脳が酸素不足（虚血）となり、めまいや失神などの意識障害を起こす症状。全身のけいれんや尿失禁を伴うこともある。

【アプローチ】

ある対象に接近すること、あるいはその方法、過程を意味するが、住宅建築では一般に道路から住宅に至る通路や空間をいう。

【アルツハイマー型認知症】

初老期から老年期にかけて発病するアルツハイマー病を起因とし、認知症に加えて人格の変化や随伴神経症状を伴い、比較的緩慢に経過する認知症疾患。主な症状は認知症であり、記銘力の低下が著しい記憶障害、見当識、判断力の障害などが見られる。

【維持期リハビリテーション】

急性期・回復期リハビリテーションが終了し、家庭もしくは施設の生活や社会生活を維持・改善することを支援するリハビリテーション医療サービス。医療機関の外来、居宅介護サービス、介護保険施設等で行われる。

【意思伝達装置】

言語を通してのコミュニケーションが困難な障害者が、文章や絵によって自分の意思を相手に伝達するコミュニケーションエ

イド。

【医療ソーシャルワーカー】

保健・医療関係機関に従事するソーシャルワーカー。疾病や心身障害によって患者やその家族に生じる経済、職業、家庭生活などの問題を調整・解決し、自立支援のために社会保険や社会福祉サービスなどを紹介したり、援助する。

【インテーク面接】

利用者と相談援助者である介護支援専門員が相談目的のために設定された場面で初めて会い、援助を必要とする状況と課題を確認し、提供できるサービスとつき合わせて、その後の援助の計画を話し合って契約を結ぶ過程を総称する語で、受理面接、受付面接ともいわれる。

【インフォームド・コンセント】

「十分な説明に基づく同意」という意味。従来の治療では、医師が診断により一方的に治療法を決定し、患者に十分な説明も行われないことが少なくなかった。これに対し、医師が患者に病気の内容、これから行う治療法、治る確率やその治療の問題点、危険性などを患者に説明し、同意を得たうえで治療を進めることが推進されるようになった。

【ウェルニッケ領域】

大脳皮質において言語活動に関係する領域の一つ。この部分が損傷すると、言葉の理解に障害が起こる。また錯語とよばれる意図した言葉とは別の発音や単語が出てきたりする症状が起こることもある。

【受け金具】

手すりなどを手すり下部から受けて、壁に固定するための金具。手すりを連続して設置し、金具の部分に手が来ても握り続けられるように、手すりを下から支えるようになっている。

【ADA】「障害をもつアメリカ人法（Americans with Disabilities Act, 1990）」

1990年7月にアメリカで制定された、障害をもつアメリカ人が社会に参加する権利を保障する法律。生活のあらゆる面において、障害を理由とした差別を禁止し、差別を受けた場合の訴訟権を与えた。

【ADL】 Activities of Daily Living

一人の人間が自立して日常生活を送るのに必要な基本動作群のこと。食事、排泄、起居、移動、更衣（着替え）、整容、入浴の6動作がある。リハビリテーションは、このADLの自立を第一の目標とする。

【エンドキャップ】

廊下や階段に設置する手すり端部に取り付け、端部でけがをしないように、材料の先端部を覆って保護するもの。手すりのほか、棒状のもの、パイプ状のものなど、端部の保護や利用者の安全のために取り付けるもの全般をいう。

【オージオグラム】

オージメータという機械を用いた聴力検査によって測定された各周波数ごとの聴力レベルを記載し、グラフにしたもの。

【汚物流し】

尿器の尿や排便した便、おむつに付いた便を捨てるための槽で、尿器や差し込み便器を下洗いするための水道の蛇口が付いていることが多い。

【音響（声）標識ガイド装置】

音声情報の一つで、視覚障害者を音声によって案内、誘導するための装置。

か 行

【介護】

身体または精神に障害があり、日常生活を送るのに不自由な人に対して行う援助活動のこと。介助、ホームヘルプなども同義語。障害の種類や程度により介護の必要性もさまざまであり、これまでは主に家族が担ってきた。しかし、核家族化、高齢化社会の到来などにより、介護専門職による専門的介護がより必要とされつつある。

【介護支援専門員】

ケアマネジャーともいう。介護保険制度において、要介護認定を受けた利用者（被保険者）の相談に応じ、ケアプラン（介護サービス計画）を作成したり、適切な居宅または施設サービスが利用できるように、市町村、居宅サービス事業者、介護保険施設などとの連絡調整などを行う公的資格による専門職。

【介護福祉士】

身体や精神に障害があり、日常の生活を営むことに支障がある人に対して、入浴・排泄・食事などの介護を行うとともに、家族介護者の手助け・指導する国家資格による専門職。

【介護保険法】

加齢に伴って生じる心身の変化に起因する疾病等により要介護状態となり、入浴、排泄、食事等の介護、機能訓練並びに看護及び療養上の管理その他の医療を必要とする人が、その有する能力に応じた自立した日常生活を営むことができるよう、必要な保健・医療サービス及び福祉サービスを総合的に受けることを目的として、2000年4月に施行された法律。最近では、2017年に改正。

制度の運営主体（保険者）は、市区町村（特別区を含む）で、40歳以上65歳未満の医療保険加入者（第2号被保険者）と65歳以上の高齢者（第1号被保険者）が加入する。居宅サービス、施設サービス、介護予防サービスなどが用意されている。

【介護保険制度】

2000年に施行された「介護保険法」に基づいて創設された制度で、高齢者の介護を社会全体で支え合う仕組み。2011年、2014年、2017年、2021年の同法の改正に伴い、制度の内容が改正されてきた（126ページ～参照）。

■2011年改正の主なポイント

1. 医療と介護の連携の強化

①24時間対応による対象者への定期巡回

②随時対応型サービスの創設

③複合型サービスの創設

2. 介護人材の確保とサービスの質の向上

3. 高齢者の住まいの整備

4. 認知症対策の推進

■2014年改正の主なポイント
（18ページ参照）

1. 地域包括ケアシステムの構築と地域支援事業の充実

①在宅医療と介護連携の推進

②認知症施策の推進

③地域ケア会議の推進

④生活支援サービスの推進

⑤全国一律の予防給付を市区町村が取り組む地域支援事業に移行し多様化

⑥特別養護老人ホームの新規入所者を、原則、要介護3以上に限定（既入所者は除く）

＊要介護1～2でも一定の要件を満たせば入所可能

2. 費用負担の公平化

①低所得者の保険料の軽減割合を拡大

②通常分と別枠で公費を投入

③一定以上所得のある利用者の自己負担を引き上げ（原則1割→2割、3割）

④「補足給付」の要件に資産などを、段階的に追加（2016年8月、2017年8月施行）

■2017年改正の主なポイント

（121ページ参照）

1. 地域包括ケアシステムの深化と推進

①自立支援と重度化防止に向けた保険者機能の強化などの取り組みの推進

②医療と介護の連携の推進など

③地域共生社会の実現に向けた取り組みへの推進など

2. 介護保険制度の持続可能性の確保

①2割負担者のうち、とくに所得の高い層の負担割合を3割とする

②介護納付金への総報酬制の導入

【介助】

不自由な部分を補うための手助けを意味し、日常生活を援助する具体的な行為そのものを指す。

【階段昇降機】

階段昇降の負担を軽減するために用いる装置の総称。固定型（いす式）、可搬型（介助型、自走式）階段昇降機がある。

【回復期リハビリテーション】

疾患やリスク管理に留意しつつ、ADLの改善を中心に能動的、多彩な訓練を集中的に提供するリハビリテーション医療サービス。発症1カ月以降6～9カ月まで回復期リハビリテーション病棟で行われる。

【カウンセリング】

心理療法の一つ。専門的知識と技術をもつカウンセラーが相談者に面接して、心理上、性格上の問題を理解し、その内容を分析して、問題解決に向けて助言、援助する。

【科学的介護情報システム（LIFE)】

要介護認定や介護レセプト、VISIT（通所・訪問リハビリテーションのデータ)、CHASE（高齢者の状態やケアの内容などのデータ）の蓄積を受けて構築されたシステム。PDCAサイクルによる介護サービスの質の向上を目指し、2021年4月から運用が開始されている。

【確認申請】

建築工事に先立ち、計画の建築物が建築基準法関係規定に適合しているかを建築主事または確認検査機関の確認を受けることを定めた建築基準法の規定。

【片麻痺】

右半身または左半身の上肢・下肢が麻痺した状態。脳血管障害などにより、通常は病変部と反対側に出現する。

【カテーテル】

気管、食道、胃、腸、膀胱などの内容物や体液の排出、薬剤や輸液などの注入のために使われる細くやわらかい管状の器具。

【カフ】

エルボー・クラッチ（ロフストランド・クラッチ、前腕固定型杖）で、体重を支える握り部分と別に、前腕を支えるために備えられた部分。前腕で支持するので、握力の弱さを補ったり、一本杖よりも支持性を与える。

【患側】

脳血管障害などで半身に麻痺などが生じた場合の、その半身側。麻痺のない側を健

側という。

【環境制御装置】

身体に重い障害をもつ人のADLを自立させやすいように、呼気やまばたきなど身体のわずかな動きで、電話やテレビなどが操作できる装置。ECSとも呼ばれる。

【喚語困難】

言葉が出てこない、何という言葉だったか単語が思い出せないという症状。失語症の人によく見られる。「語健忘」ともいう。

【関節可動域】

関節の動く範囲をいい、関節ごとに運動方向や運動範囲が異なる。拘縮などにより関節可動域が低下し、可動範囲より狭くなることを関節可動域制限という。

関節可動域の維持と拡大のために行われる関節可動域訓練には、関節を自分で動かす方法（自動的訓練）と援助する者が他動的に動かす方法（他動的訓練）に大別され、拘縮の予防・改善に効果がある。

【義肢】

上肢・下肢の全部、または一部が失われた部分の形や機能を補うために装着する人工の器具。

【義肢装具士】

医師の指示に基づいて義肢（四肢に欠損がある場合にそれを補うために装着するもの）や装具（四肢や体幹の治療や機能障害軽減のために装着するもの）について、装着部位への採型、製作、適合を行う。国家資格による専門職。

【急性期リハビリテーション】

疾患やリスク管理に重きを置き、廃用症候群の予防を中心としたリハビリテーション医療サービス。発症から1カ月まで急性期病院で行われる。

【共用品】

（公財）共用品推進機構により「身体的な特性や障害に関わりなく、より多くの人々が共に利用しやすい製品、施設、サービス」と定義される。

触ってわかる、弱い力でも使える、など各種の工夫があり、操作と表示方法も考慮されている。

【虚弱高齢者（フレイル）】

加齢とともに運動機能や認知機能などが低下した状態のことで、「健康な状態と要介護状態の中間」を意味する。日本老年医学会が「fraility」（虚弱）の訳として、2014年に「フレイル」を提唱した。フレイルとは、ADLは自立しているが、要介護の状態になる前段階として位置づけられ、IADLでサポートを必要とする状態（要支援）を指す。1990年代の中ごろから医療関係者の間で、まるで1つの病気のように扱われることもあるが、フレイルをこのように取り扱うことへの批判もある。コロナ（COVID-19）禍で自宅に閉じこもりになることで「フレイル」になる高齢者の増加が懸念されている。

【居宅介護支援事業所】

介護保険制度で要介護1以上の認定を受けた人が自宅で介護保険のサービスを利用しながら生活できるように支援する事務所で、介護専門員（ケアマネジャー）が常駐している。ケアマネジャーは高齢者本人と家族の心身状況、生活環境、希望などに沿って居宅サービス計画（ケアプラン）を作成し、介護相談や必要なサービスの調整、介護保険に関する申請の代行などを行う。

【車いす】

傷病、障害により歩行移動が困難な場合に移動手段として用いる車付きのいす。使用者が自分で走行、制御する自走用（自操用）と介助者が動かす介助用などがある。

【グレーチング】

金属板が格子状またはすのこ状などのもので、排水溝のフタを指すことが多い。浴室の洗い場側の出入口に排水溝を設け、角パイプ状またはT型バー状のグレーチングを敷設することにより、洗い場の湯水が洗面・脱衣所に流れ出ていかないようにできる。

【グループホーム】

自炊ができない程度の身体機能の低下がある高齢者や在宅で独立して生活するには不安があり、家族の援助が困難な高齢者が入所できる契約型の施設。一般的に食事、入浴、相談・助言、緊急時の対応などのサービスが提供される。介護を必要とするときは地域の居宅サービス、介護保険の居宅サービスを利用する。

【ケア】

本来は保護する、世話をするといった意味で、福祉の現場では健康に問題をもつ人に対する心身の援助をいう。介護とほぼ同義だが、より多様な意味を持つ。

【ケアプラン】

本来のケアプランは、介護を必要とする要援護者に対し、適切なサービスを提供できるようにするためのケアマネジメントの計画をさす。介護保険制度においては「介護サービス計画」といい、サービスの給付はこのケアプランに基づいて提供されることになっている。

どのような介護を行うかを整理した計画で、対象者個々の問題や背景、原因を調査し、科学的に評価して、専門職種間の会議（ケアカンファレンス）で決める。最適で継続的なケアの提供を目的とすることが重要。

【ケアマネジメント】

介護支援サービス。高齢者や障害者の支援のためにニーズを把握し、家族の相談に応えながらケアプラン（介護サービス計画）をたて、サービス提供機関と調整を行い、適切なサービスを提供していくことをいう。

【頸肩腕症候群】

頸椎とそれを支持する軟部組織の障害により、頸部から肩、上肢、指にかけて起きる症状の総称。最も多いのが変形性頸椎症で、肩こり、頸部痛、上背部痛、上肢の疼痛、手指のしびれなど、さまざまな症状を示す。

【軽費老人ホーム】

ケアハウスへの一元化が進み、2010年には都市型軽費ホームも創設。対象は主に都市部における要介護度の低い低所得高齢者。

【ケースワーカー】

社会生活上に問題や困難を抱えている人に、社会福祉の立場から、個別事情に即して課題の解決や緩和のために助言、支援する専門家。

【ケースワーク】

従来、ソーシャル・ケースワークとよばれていたもので、日本語では個別援助、個別援助活動、個別援助技術を指す総称。

援助を必要とする個人やその家族に対して、主に面接により、問題解決のために社会資源の活用を行うなどのサービスを提供する。

【言語障害】

言語機能には、言葉を聞いて理解する、言葉を話す、文字を読んで理解する、文字を音読するなどがあるが、大脳にある言語野の障害によって、失語症や構音障害などの症状が起こる。

【言語聴覚士】

難聴や言語発達遅滞、失語や麻痺性構音障害などによるコミュニケーション障害を持つ人に治療、訓練、指導を行う国家資格のリハビリテーション専門職。

【幻肢】

手足を切断したのに、その部分がまだあるかのように感じる状態。切断後、時間がたつにつれてなくなるが、長い間残る場合もある。

【幻肢痛】

幻肢に痛みやかゆみ、しびれがあること。長く症状があると、義肢の装着や日常生活に影響が出る。

【幻聴】

現実には発せられていない音や声などが聞こえるように感じること。単純な音や響きが聞こえる要素性幻聴と、自分を非難する声が聞こえるなどの言語性幻聴とがある。

【見当識】

自分が今、どんな状況にあるかという認識。自分と家族との関係や自分は誰かという人間的関係の認識や、時間的認識、自分の居場所などの地理的認識がある。認知症になるとこの見当識が失われ、日時・場所などがわからなくなることが多い。

【建ぺい率】

建築物全体を水平に投影した時の投影面積が床面積。2階部分の出張りや、ピロティのように1階部分が空いた構造の場合は、その部分も投影されて建築面積に含まれる。

ひさしやバルコニー、屋根の出張り部分は1m以内であれば算定対象にならない。(建築基準法第53条)

出窓は、窓の高さが居室の床面に近いような場合、居室の面積が広くなったと見なされる。車庫に関しては緩和措置がある。

【権利擁護】

認知症高齢者や障害者などのため判断力が十分でない場合や、意思や権利を主張することが難しい人たちに代わって、支援者がその権利を擁護すること。

【後期高齢者】

高齢者とは65歳以上を指すが、そのうち75歳未満を前期高齢者、75歳以上を後期高齢者と区分することがある。また75歳以上85歳未満を中期高齢者、85歳以上を後期高齢者とする3段階の区分法もある。

【膠原病(こうげんびょう)】

膠原線維を主体とし、細胞・器質などからなる血管などの結合組織の病変による疾患の総称。一種の自己免疫病で、関節リウマチ、リウマチ熱、全身性エリテマトーデス(顔や手に紅斑が出て、関節、筋肉、腎臓、肺、心臓、神経などのいろいろな臓器に炎症が出る病気)などがあり、ほとんどが慢性の難病。

【拘縮】

関節包や靭帯など関節を構成する組織や周囲の組織が伸縮性を失い、短縮し、正常な関節の動きが阻害された状態をいう。肩・股・膝・足関節などの大関節に拘縮を起こすと、起き上がりや立ち上がりなどの基本動作や日常生活動作が困難になることがある。

【高齢者住宅整備資金貸付制度】

60歳以上の高齢者と同居する世帯に対し高齢者の居住環境を改善するため、高齢者の専用居室などを増改築または改修するために都道府県や市区町村が独自の施策として必要な経費を貸付けることにより、高齢者と家族間の好ましい家族関係の維持に寄与することが目的。

【高齢者住まい法】

高齢者が安心して生活できる居住環境を実現することを目的に、2001年に「高齢者の居住の安定確保に関する法律」として制定。民間活力の活用と既存ストックの有効利用を図り、高齢者向けの住宅の効率的な供給や、高齢者の入居を拒まない住宅の情報を広く提供するための制度の整備といった内容が盛り込まれている。最終改正は2019年。

【小刻み歩行】

腰と膝を曲げて前かがみの姿勢で、腕を振らずにすり足で小走りするように歩くこと。歩幅が小さく、パーキンソン病でよくみられる症状の一つ。

【国際障害者年】

国連は、1975年に「障害者の権利宣言」を行い、1981年を「国際障害者年」と定めた。さらに1983～1992年を「国連障害者の十年」として、障害をもつ人の立場からみた地域社会のあり方を問い、人類共通の課題として立ち向かわなくてはならないことを明確にしたうえで、障害の予防とリハビリテーションの充実、および社会参加の機会均等を推進する行動計画を策定した。わが国の障害者に関する環境整備に大きく寄与した。

【国連・障害者の十年】

国連が1983年から1992年までを「国連・障害者の十年」と宣言したもの。「障害者に関する世界行動計画」を採択し、これをガイドラインにして各国が行動計画を策定し、障害者の福祉の増進を目指して、行動に移した。

【骨折】

高齢が進むと、骨がもろくなるとともに筋力や平衡感覚の低下で転倒しやすくなり、骨折が多くなる。また治癒しにくくなるので、骨折を契機に寝たきりなどになることも多く、高齢者にとっては特に注意を要する点である。

【骨粗鬆症】

骨の形態に変化がなく、骨量全体が減少し、いわゆる骨がもろくなった状態で、高齢者とりわけ閉経後の女性に多く見られる。骨折しやすくなる。

【QOL】Quality of Life

クオリティ・オブ・ライフ。生命の質または生活の質という意味。一般的に生活者が満足感、充足感、幸福感を得るためには、どこで満足するかという意識と実際の環境の質のバランスが必要になる。双方のバランスがとれ、自分の求めている暮らし方が現実のものとなる生活のこと。

【国際標準化機構（ISO）】

電気分野を除く工業分野の国際的な標準規格を策定する国際機関。製品やサービスの国際流通を促し、知的、科学的、技術的、経済的活動分野の国際間協力の発展を目的として、1947年に発足。

さ 行

【サービス利用者】

クライエントまたは単に利用者ともいう。社会福祉サービスを利用する人々の総称。

【座位】

寝た状態に対して、それから上半身を90度ないしそれに近い状態に起こした状態のこと。座位には半座位（上半身を45度上げた状態)、起座呼吸の体位（直起座位をとるか前倒れで机上に枕などで上半身をすえた状態)、端座位（ベッドの横に足を下ろして座った状態）や正座、あぐら、長座位、いす座位などがある。

【座位移動】

座位をとり、臀部を床につけながら片手または両手を使って移動すること。歩行が困難な人や立位をとれない人がとる移動方法の一つ。

【採光補正係数】

実際の窓面積の何倍が採光に有効かを示す計数。建物の開口部の真上にあるひさし等から隣地境界線までの距離（D）と各窓の中心までの垂直距離（H）により求められる。

採光補正係数＝D/H×6－1.4

【サイドレール】

介護用ベッドにおいて、ベッド上から転落することを防止するためにベッドの側面に取り付ける柵状のもの。手すりのかわりにもなる。

【在来工法】

プレハブ工法や枠組壁工法などの新しい工法に対して、日本で従来から行われている木造の住宅工事の方法。

【作業動線】

何らかの移動をしながら作業を行う場合の、その移動の軌跡のこと。たとえば、キッチン内でのシンク、レンジ、冷蔵庫などの間の移動軌跡がこれにあたる。

【作業療法】

リハビリテーションの一環として、手芸、工作などの作業を通じて、心身に障害のある人の病気の回復と社会復帰を促すこと。医師の指示のもとにこの指導にあたるのが作業療法士（OT)。国家資格の専門職。

【錯語（さくご)】

意図した語と別の語音の配列や、語の選択の誤りによって違う語が出ること。「とけい」が「とてい」や「とけ」と誤るような語音の置き換えや脱落、付与が見られるものを語韻性錯語という。

【サポートバー】

高齢者などの立位困難になった人が調理台などを使って作業する場合、つかまったり、寄りかかったりして立位を保持できるように設置された握り棒などのこと。

【酸素濃縮器】

空気中の酸素を器械に取り込み、酸素を濃縮して供給する装置。高濃度のときは火気厳禁である。電力を使って稼動するので、停電時に備えて高圧酸素ボンベを用意し、その扱いに慣れておく必要がある。

【残存能力（機能)】

身体障害者や高齢者のからだの動きの中で、障害を受けていない身体能力や機能。

【視覚障害】

視覚機能に何らかの障害があるために、社会生活に支障をきたすおそれがある状態。視力障害だけでなく、光覚(明るいか暗いか判別できること)や視野の障害も含まれる。

【CCU】Coronary Care Unit

冠状動脈疾患集中治療室のこと。心筋梗塞や重症狭心症などの冠状動脈疾患は、さまざまな合併症を起こし、短時間のうちに病状が急変することが多いので、即時に対応できるように心臓疾患専門の医師、看護師などの医療チームが心電図などの持続的監視記録装置によって観察しながら、濃厚な治療、看護をする特殊病室。

【シックハウス対策】

シックハウス症候群の原因物質（ホルムアルデヒドとクロルピリホス）の室内濃度を下げるため、住宅などの居室の使用建材や換気設備を規制する条項が建築基準法に追加された。

【地盤面：G.L.】

建築物が建つ土地の表面のこと。一般的には住宅地盤の湿度が高くならないように、また雨水の排水のことを配慮し、道路面よりいくぶん高くなっていることが多い。建築図面ではG.L. (Ground Level)と記される。

【社会福祉協議会】

各地域で住民が主体となった社会福祉事業を推進し、老人クラブの育成援助、子ども会の育成援助などの児童福祉活動ほか、地域の実状に応じた住民の福祉の向上を図ることを目的とした社会福祉事業法に基づく社会福祉法人。

【社会福祉士】

身体や精神に障害があり、環境上の理由などで日常生活を営むのに支障がある人の福祉に関する助言や相談を行う国家資格の専門職。

【尺貫法】

日本古来の長さと面積の単位。通常1間＝6尺＝1,820mmで、在来工法の木造住宅ではこれを基準として寸法が決められていることが多い。

【住宅改修費】

介護保険制度における保険給付の対象となる居宅サービスの一つとして、住宅改修費の支給がある。

その対象は、①手すりの取り付け、②段差の解消、③滑りの防止または移動の円滑化等のための床または通路面の材料の変更、④引き戸等への扉の取り替え、⑤洋式便器等への取り替え、⑥これらに付帯して必要となる工事がある。

【住宅内事故】

床や浴室での転倒、階段からの転落・転倒、建物からの墜落、浴槽での溺死や火災事故など。高齢者に被害が多い。

【住宅品確法】

住宅の品質確保の促進等に関する法律。①住宅の品質確保の促進、②住宅購入者等の利益の保護、③住宅にかかわる紛争の迅速かつ適正な解決を図ることなどを目的として1999年に制定された法律。

【住宅用（家庭用）エレベーター】

ホームエレベーターともいう。一般のエレベーターとは法律の規定が異なり、住宅内で使用者は家族などに限定されている。

【主任介護支援専門員】

介護支援専門員（ケアマネジャー）として通算5年以上従事するなど所定の条件を満たす者が、主任介護支援専門員研修を修了することにより得られる資格。地域包括支援センターにおいて、包括的・継続的ケアマネジメント支援業務として、地域でのチームアプローチ態勢を作ったり、介護支援専門員に対する指導・助言などを行う。

【ショートステイ】

短期入所生活介護。介護者に代わって、寝たきりの高齢者、障害者などを一時的に介護する必要がある場合に、高齢者短期入所施設、特別養護老人ホームまたは養護老人ホームに一時的に入所させること。

【障害者基本法】

1993年に制定された、障害者の施策や基本理念などに関する法律。障害者のための施策に関し、基本理念を定め、国、地方公共団体等の責務を明らかにして、障害者のための施策の基本となる事項を定めることで障害者のための施策を総合的かつ計画的に推進し、それをもって障害者の自立と社会、経済、文化その他あらゆる分野の活動への参加を促進することを目的としている。

【障害者の権利宣言】

1975年の国連第30回総会において採択された障害者に関する宣言。障害者の人間としての尊厳の尊重および基本的人権が尊重されること、自立のための施策を受ける資格を有すること、医学的・心理学的及び機能的治療や医学的・社会的リハビリテーション、教育などのサービスを受ける権利を有すること、経済的社会的保障を受け、相当の生活水準を保つ権利を有すること、家族または養親とともに生活し、すべての社会的活動、創造的活動またはレクリエーション活動に参加する権利を有することなどが宣言されている。

【硝子体】

眼球の内腔で水晶体から網膜までを満たす無色透明のゼリー状の物質。硝子体の病気によっては失明に至る危険な病気を合併することがある。

【消費生活用製品安全法】

一般消費者の利益を保護することを目的として1973年に定められた法律。消費生活用製品による一般消費者の生命または身体に対する危害の発生の防止を図るため、特定製品の製造及び販売を規制するとともに、消費生活用製品の安全性の確保について民間の自主的な活動を促進するための措置を講じている。

【褥瘡（じょくそう＝床ずれ）】

体位変換が十分でなく、自らの体重で体の一部を持続圧迫することにより、皮膚・皮下組織に壊死が起き、さらに壊死部が潰瘍となり、それに感染が加わった状態。寝たきりの高齢者などがかかりやすい。定期的に体位を変え、栄養状態を良好にし、皮膚を清潔にすることで予防を図る。

【神経経路】

感覚器、皮膚などの末梢から情報を受けて、中枢に伝え、中枢から命令を伝えて運動を起こさせたり、生命現象の調和的な活動をはかる神経細胞のつながる道筋である。器官の働きに応じたさまざまな経路（伝導路）がある。

【人感スイッチ】

センサーで人が近づいたり離れたりするのを感知し、照明器具などの点灯・消灯を自動的に行うスイッチ。

【身体障害者】

身体障害者福祉法によって規定され、①視覚障害、②聴覚または平衡機能の障害、③音声機能、言語機能またはそしゃく機能の障害、④肢体不自由、⑤内部機能障害（心臓、腎臓、呼吸器、膀胱、直腸または小腸の障害、免疫不全）に障害がある者で、障害の程度によって1～7級に認定される。認定された者には身体障害者手帳が交付される。

【水晶体】

眼球内にあって瞳孔を通過した光を屈折させて網膜上に結像させる透明な凸レンズ。毛様体で支えられ、その収縮で厚さが変わる。水晶体が濁り、網膜に光が届きにくくなるのが白内障である。

【スキップフロア】

１つの階の中に、高さの異なる床高をもった部屋を組み合わせた方式。変化に富んだ住環境が創造できる反面、室間の移動には常に段差があり、昇降機等も設置しにくいことから、高齢者の住宅としては、工夫が必要となる。

【すくみ足】

パーキンソン病の初期に見られる歩行障害の特徴の一つで、第一歩がなかなか踏み出せないことがある。この時に足が床に張り付いたように見えることがあり、この状態をすくみ足という。

【筋交い・筋違い】

木造住宅などで柱や梁などでできた4辺形の構面の対角線に入れる斜材。構面の変形を防ぎ、剛性を高め、地震や風圧への抵抗力を高める。これが入っている壁を撤去することは難しい。

【製造物責任法（PL法）】

1995年7月に施行された、製品の欠陥によって生命、身体または財産に損害を被ったことが証明された場合に、被害者は製造会社などに対して損害賠償を求めることができるという法律。

【喘鳴（ぜいめい）】

呼吸時にのどがゼイゼイ、ヒューヒューと鳴ること。気管支喘息の患者によく聞かれる。

【世界人権宣言】

人権及び自由を尊重し、確保するための「すべての人民とすべての国とが達成すべき基準」を定めたもので、1948年12月の第3回、国連総会で採択されたもの。近代人権宣言の集約とされるが、この宣言自体には法的拘束力はない。

【世界保健機関】 WHO（World Health Organization）

1946年に設置された保健に関する国連専門機関で、毎年1回、スイスのジュネーブで会議が開催される。創立以来、憲章に規定された目的、任務を達成するため、伝染病対策、衛生統計、規準づくり、技術協力、研究開発など保健分野の広範な活動を実施してきている。

【脊髄損傷】

事故などにより、脊椎の骨折や脱臼が起こり、脊髄を損傷した状態。運動性麻痺、知覚性麻痺を伴う。

【脊椎圧迫骨折】

脊椎椎体圧迫骨折ともいう。脊椎が老化して、すけてもろくなり、尻もちをついただけで簡単に骨折する。転ぶ、尻もちをつくなどの外力に対する抵抗力が減少してくるために起こり、高齢者の骨折の第一位を占める。

【前方突進】

いったん歩き始めると早足になり、体重

が前にかかって急に止まることができずに転倒してしまう状態をいう。パーキンソン病によくみられる症状の一つ。このため、一人での外出は危険である。

【装具】

四肢や体幹の機能が障害を受けた場合に、体重の支持、変形の予防・矯正を目的として、それぞれの機能を補助するため用いられる補助具のこと。障害者総合支援法では、義肢、装具などが補装具支給制度の対象となっている。

【ソーシャルワーカー】

一般には社会福祉関連の職に従事する者の総称として使われるが、社会福祉に関して専門的な知識と技術を有して社会福祉援助を行う専門職を指すこともある。

た 行

【大脳皮質】

大脳半球の表面にある厚さ数mmの神経細胞の層（灰白質）である。末梢の感覚器官が受け取った刺激を、過去に経験した記憶と照合して認知し、どのような反応をするか判断し、命令を運動器官などへ送る働きをしている。運動や言語、視覚などの中枢がある。

【大転子】

大腿骨上部にある著しい隆起のこと。杖や歩行用手すりの高さは、使用者のこの位置を基準とする。

【ダウン症候群】

21番目の染色体が3本ある（重複してしまっている）ために起こる障害。細くつり上がった目、小さく厚い唇といった特有の顔の特徴がある。心身の発達がゆっくりで、心臓の奇形や免疫の異常などの合併症が現れるときもある。

【建具】

建築の開口部にあって開閉の可動部分と枠の総称。一般的に「ドア」「戸」「窓」などと呼ばれる部分。

【ターンテーブル】

回転円盤。肢体不自由者などが座って（腰掛けたまま）または立位で向きを変えるときに使う補助具。たとえば入浴時の浴槽と洗い場間の移動、ベッドと車いす間の移乗のときなどに用いる。

【段差解消機】

テーブル状の台が垂直に昇降する車いす用の昇降装置。大きな段差があるがスロープを設置できない場所などで用いられる。

【チアノーゼ】

酸素の欠乏で皮膚・粘膜が暗青色になること。肺や心臓の病気で起こることが多く、唇や爪床によくでる。

【地域ケア】

日常生活や将来に問題を抱える高齢者や障害者が自宅で安心して暮らし続けることができるよう、地域内で支援・援助のネットワークを作っていくこと。

【地域包括支援センター】

包括的支援事業やその他の事業を実施し、地域住民の心身の健康保持や生活安定のために必要な援助を行うことにより、その保健医療の向上と福祉の増進を包括的に支援することを目的とした施設。

【知覚（感覚）麻痺】

触覚・温冷覚・痛覚などの知覚（感覚）機能の障害や、位置覚、移動覚、視覚、聴覚、味覚、平衡覚の障害を指す。全く知覚を感じない状態（知覚脱失）、重度から軽度鈍麻までの状態がある。疾患（障害）により知覚麻痺の生じ方に特徴があり、脊髄損傷者では、脊髄の損傷レベルにより知覚麻痺の生じる領域はほぼ決まっている。

【チームアプローチ】

個々の高齢者の心身の状況、生活環境やその変化に応じて適切なサービスの提供が行われるためには、支援に関わる医師、看護師、社会福祉士、介護支援専門員などの専門職が、自分の領域の活動を超えて協働してサービスを提供すること。

【長寿社会対応住宅設計指針（長寿指針）】

加齢などによる身体機能の低下や障害が生じた場合にも基本的に住み続けられる住宅づくりを目指す、高齢化社会における住宅の整備を目的とした指針。

【対麻痺】

通常は左右両下肢が麻痺した状態のこと。両上肢の麻痺は上対麻痺という。

【デイケア】

専門医の指導のもとに日中、在宅の虚弱高齢者や寝たきり高齢者が医療施設、社会福祉施設などに通所して、リハビリや入浴、食事などの各種サービスを受けること。

【デイサービス】

高齢者デイサービスは、在宅の虚弱高齢者や寝たきり高齢者をリフト付きのバスなどで高齢者デイサービスセンターに通所させ、入浴や食事などの日常生活上のサービスやレクリエーションを楽しんでもらい、在宅介護の負担を軽減させる制度。

単にデイサービスというときは障害者も含まれる。

【ティッピングレバー】

ティッピングバーともいう。車いすの後方シートの下に付いたバーで、介助走行により段差越えなどの際に、介助者がバーを踏み込み、ハンドグリップを押し下げることで車いすの前輪を浮かせ、前進するためのもの。

【テクノエイド協会】

高齢者や障害者の自立の促進とその介護を行う人の負担の軽減を図るため、福祉用具の研究開発などの推進、福祉用具の試験評価、情報の収集および提供並びに義肢装具士の養成等を行うことを目的として、1987年に設立された。公益財団法人。義肢装具士法による指定試験機関であり、福祉用具の研究開発および普及の促進に関する法律に基づく指定法人。

福祉用具の研究開発および普及の促進に対する助成、福祉用具情報システムの構築、福祉用具関連従事者などの人材育成、関係機関などに対する支援、福祉用具の普及促進に必要な調査・研究、義肢装具士国家試験、補聴器技能者講習会および認定補聴器技能者試験などを行っている。

【dB（デシベル）】

音の強さ、電力、電圧などの比を表すのに用いる単位。音の強さは、耳に感じる最小値を基準値として0デシベルとし、それとの比の対数で表す。

【てんかん】

脳機能の障害によって、発作的に起こる意識障害とけいれんを主症状とする疾患。

【糖尿病】

血液中の糖濃度が高くなり、尿中に糖が含まれるようになる、インスリンの欠乏により起こる代謝障害。口の渇き、多飲、多尿、体重減少が主な症状。

【特殊寝台】

背上げ機能や全体の昇降機能、サイドレールなどが付いている介護用ベッドのこと。背上げ機能を用いて起き上がる、昇降機能を用いて立ち上がる、手すりにつかまって寝返りするなどの起居動作を補助する福祉用具。

【特別養護老人ホーム】

1963(昭和38)年に施行された「老人福祉法」で規定される老人福祉施設。常に介護が必要で、自宅での生活が困難な高齢者が入所し、入浴や排せつ、食事などの介護や日常生活などの世話、機能訓練などを受けることができる。2015(平成27)年4月以降、新規に入所できるのは原則として介護保険制度で要介護3以上の認定を受けた者となった。

【トグル(式)ブレーキ】

車いすのブレーキの一種で、いくつかのブレーキが設けられ、それらがつながりあっている機構。ブレーキレバーを操作すると、ジョイント部分も動き、ブレーキがかかったり、はずれたりする。

【トランスファー】

移乗のこと。車いすからベッドなど同一平面でない場所への移動動作のこと。

な 行

【難病】

原因不明で、治療方法がまだ確立していない病気の総称。病変が完全に回復することが少なく、再発を繰り返す慢性の疾患。経済的な問題だけでなく、介護に多くの人手を要するために家族の負担が重く、精神的にも負担の大きい疾患をいう。ベーチェット病をはじめ、全身性エリテマトーデス、パーキンソン病などの疾患が特定疾患の指定を受けている。

【二次障害】

ある障害(病気)による症状により、二次的に引き起こされる障害。たとえば、脳性麻痺では、身体に負荷のかかる姿勢や動作をとり続けることで、頸椎症や腰痛、関節性の痛みなど、さまざまな障害を引き起こすことがある。

【日影規制】

隣接する土地に落とす日影を一定時間内に制限しようとするもので、中高層建築物の高さなどを制限する制度。

【認知症】

ICD-10(国際疾病分類第10版)によれば、「通常、慢性あるいは進行性の脳疾患により生じ、記憶、思考、見当識、理解、計算、学習、言語、判断など高次大脳機能の障害からなる症候群」と定義されている。

代表的な疾患は、アルツハイマー型認知症と脳血管性認知症である。一般的特徴は記銘・記憶力障害を中心に、計算力、理解力、判断力など知的機能の低下である。そのため、しばしば行動異常、随伴精神症状などを伴い、日常生活活動に支障が見られる。

【認知症高齢者グループホーム】

認知症高齢者が5〜9人で一つの生活単位(ユニット)を構成し、小規模ながら家庭的な生活の場で介護職員とともに生活しながら、食事・入浴・排泄などの介護サービスを受ける高齢者向け居住施設。

【寝たきり】

一般的に6カ月以上横たわったままの状態が続き、日常生活全般に介護が必要な状態のこと。

【ネブライザー】

薬剤や水分を霧状にして、口や鼻にあて、気道粘膜や肺胞、副鼻腔にまで送り込む装置。この装具の使用により、消炎、鎮咳、去痰、気管支の拡張などを促すことができる。

【ノーマライゼーション】

共生という考え方。高齢者や障害者など社会的に不利を負う人々を当然に包含するのが通常の社会であるという思想。高齢者や障害者もあるがままの姿で、他の人々と同等の権利を享受できるようにすべきとする。

【脳血管障害】

脳血管の病変によって生じる脳梗塞、脳出血、くも膜下出血、一過性脳虚血発作、脳動脈硬化症などの疾患。

【能動義手】

切断した側の肩や体幹を使って、物を「つかむ・放す」ことができる義手。義手を身体に固定しているベルト（ハーネス）につけたコントロールケーブルを操作し、肘部や手部を動かす。

【ノンスリップ】

階段の踏面の端部（段鼻）に滑り、破損、摩耗などを防ぐために取り付ける部材。

は　行

【BI（バーセル指数）】

身辺処理や移動、排泄などの自立していない障害者（認知症、高次脳機能障害は除く）の日常生活能力を評価し、その患者の回復状況を測るために用いられる、自立に関する指数。排泄、食事、更衣などの10項目の総合点が100点になるよう設定されている。バーセルとは、開発者の理学療法士の名前。

【徘徊センサーセット】

認知症で徘徊がある高齢者に対し、徘徊防止や外出による失踪などを未然に防ぐため、屋外へ出ようとする行為や徘徊を家族や介護者に知らせるための装置。

【バイステックの7原則】

福祉の現場で、援助者がサービス利用者との間に良好な関係を保つために必要な原則。アメリカのフェリックス・バイステックが提唱した。①個別化、②意図的な感情表現、③統制された情緒的関与、④受容、⑤非審判的態度、⑥自己決定、⑦秘密保持の7つ。

【廃用症候群】

寝たきり症候群ともいう。高齢者が病気やけがによって寝たきりになると、身体が本来持っている機能が使われずに放置されるために機能低下や萎縮を起こし、さらに寝たきりの固定化となってしまう。

【パーキンソン病】

ドーパミンという脳内の神経伝達物質が減少することで生じる疾患。40～50歳以降に発症し、手指などのふるえ、筋肉の強直、仮面性顔貌、無動などが見られる。

【掃き出し窓】

床面まである窓のこと。窓を開けると床にある塵などをスムーズに外部へ掃き出すことができる。本来は、窓の下枠が床面より下にあるものをいった。

【ハッチ】

キッチンとリビングなどを仕切る壁の両側から物を受け渡しができるようにあけた小開口。

【バリアフリー】

高齢者や障害者の移動や行動を妨げる物理的な障害を排除し、動きやすい環境とした状態をいう。住宅や公共施設で、階段にスロープを付けたり、段差をなくしたりすること。

【バリアフリー住宅】

今後の高齢社会を考慮し、加齢による身体機能の低下などがあっても住み続けられるために一般の住宅がもつべき基本的な性能の備わった住宅、あるいは建築のシステムをいう。

必要条件として、住まい手のだれもが安全で快適であり、使いやすいこと、可能なかぎり住み続けられること、身体状況の変化に応じた改修が可能、かつ容易なこと、などがあげられる。

品確法では「日本住宅性能基準」の「高齢者等配慮対策等級」の3以上がバリアフリー住宅となっている。

【ヒートショック】

急激な温度変化によって、血圧が急激に上下したり、脈拍が増減する現象のこと。主に冬、暖かい部屋から暖房設備のない脱衣室やトイレなどに移動すると、寒さのせいで血管が収縮して血圧が急上昇する。脱衣室で衣類を脱ぎ、急に熱い湯につかる時には、反対に血管が拡大し、血圧は急降下してしまう。

【FIM（フィム）】

グレイジャーらによる、実際に「行っている」状況に焦点を合わせた基本動作の機能的自立度の評価法である。セルフケア、排泄、移乗、移動、コミュニケーション、社会的認知の6領域18項目について、完全自立から全介助までの7段階で評価する。

【フォローアップ】

追跡評価。個別援助について、所定の援助が終了した後に、利用者への援助効果やその後の状態を追跡し、評価すること。援助結果に不具合が生じている場合にはアフターケアの意味もある。

福祉住環境整備の相談援助の場合、援助の終了後、それぞれのサービス利用者にその効果や状況を確認するため、追跡評価をする。同じ問題を繰り返さないための有効な手段である。

【福祉用具】

福祉用具とは「心身の機能が低下し日常生活を営むのに支障のある高齢者や心身障害者の日常生活上の便宜を図るための用具およびこれらの者の機能訓練のための用具ならびに補装具をいう」と、福祉用具法に規定されている。

【福祉用具専門相談員】

福祉用具を適切に利用者の需要に応じるように相談できる者。介護保険制度において、福祉用具貸与事業を行う指定事業者を希望する場合、基準該当条件として、専門相談員の配置が必要となる。

【福祉用具法】

福祉用具の研究開発及び普及のための基盤を整備することによって、高齢者の心身の特性を踏まえた福祉用具の研究開発を促進し、さらに、利用者一人ひとりにその心身の状況に適合した福祉用具の普及が図られることを目的として1993年に定められた法律。正しくは「福祉用具の研究開発及び普及の促進に関する法律」という。

【福祉用具プランナー】

福祉用具を必要としている人々に対し、福祉機器等の選定と適切な利用の援助、そして適応の状況をフォローアップして評価するといった「福祉用具プランニング」を行う能力をもつ者をいう。

【福祉ホーム】

ある程度の自活能力があり、住居を必要としている18歳以上の障害者に低額な料金で居室などを提供するとともに、日常生活に必要な支援を行う施設のこと。「障害者総合支援法」に基づく市区町村の地域生活支援では、福祉ホームは任意事業として位置づけられている。

【プッシュアップ】

座位姿勢から床や体の両側の手すりなどに手をついて、曲げた肘を伸ばすことで上体を床面から押し上げる動作。プッシュアップを行って、移動・移乗などを行う。

【フラッシュ構造】

表面に、平らな合板を用いた建具。縦横の骨組みが組まれている表裏から、これをはさみ込むように合板を張り付けて完成させる。したがって、表面の仕上げ面には桟や組子などはない。

【ブローカ領域】

大脳皮質において言語活動に関係する領域の一つ。この部分に損傷が起こると、話し方の流暢性が失われてつっかえながら話したり、言葉がたどたどしく単純な短い文でしか出なくなる。発音面では歪みや置換などの障害が起こるが、理解力は比較的よい。

【ペースメーカー】

心臓の刺激伝導系（心臓を動かす命令を出す経路）の障害で、心拍数が著しく低下した患者に、心臓の心室を強制的に電気刺激する装置。一般的には、体内に埋め込んで使用する。

【べた基礎】

建築物の基礎の一種。建築物全体を面として地盤で支持する。通常は、土台下の部分だけに、コンクリートで基礎を線状に敷設する布基礎が用いられるが、それと比較して支持する地盤の面積が広いため、比較的地盤の弱い敷地などに用いられることが多い。また、土の中の湿気が建物の床に上がりにくいため、防湿を目的として行うこともある。

【Hz（ヘルツ）】

周波数を表す単位。音の高さは1秒間に空気が何回振動するかという周波数で決まる。振動数が多くなるほど高い音になるが、人の耳が聞き取れる音の範囲はおよそ20から20,000Hzの間とされている。

【防湿土間コンクリート】

湿気伝導抵抗の大きい防湿材料を用いて地面を覆い、湿気を防ぐと家を長持ちさせる。防湿土間コンクリートとは、地中からの湿気が土台部分を腐朽させないように床の土間部分にコンクリートを敷設することをいう。

【訪問看護サービス】

訪問看護は看護者が対象者の自宅を訪ねて行う看護のこと。地域の訪問看護ステーションから看護師が訪問し、主治医と連携し、在宅の高齢者を看護する在宅療養制度が訪問看護サービス。

【補装具】

身体障害者の身体の一部の欠損または機能の障害を補い、日常生活や職業生活を容易にするために用いられる器具。装具。

【ホームヘルパー】

訪問介護員。在宅で日常生活に支障がある高齢者や障害者のいる家庭に派遣され、介護援助や家事援助、相談、助言、指導などを行う専門職。在宅介護支援の中心的なサービスを担う。

【ホメオスタシス】

細胞の代謝機能の恒常性を維持すること、あるいはその過程。これらの調節は、神経系（特に自律神経系）と内分泌系が関与している。この調節機能がアンバランスになるとさまざまな疾患が起こる。

ま 行

【マジックハンド】

人間の腕や手先と同じような運動機能を持つ人工の手。遠隔操作によって放射性物質などの危険物を取り扱う場合などに用いるが、車いすを利用する人のように手が届く範囲が限られる場合にもリーチャー（把手を握ることで支端部で物をつかんだり、引っかける装置）として利用される。

【まだら認知症】

脳血管性認知症の場合は、記憶力障害が高度の割には、判断力や理解力が保たれているといったように、知能の侵され方にむらがみられることがある。この認知症の状態を「まだら認知症」と呼ぶ。

【ミニスロープ（すりつけ板）】

床部分の段差の解消のため、高い部分と低い部分に渡す板のこと。

【免疫機能障害】

体内に病原体（抗原）が侵入すると抗体をつくり、それらを攻撃するという免疫システムが、なんらかの原因で機能低下すること。

【免疫グロブリンG】

体液中に存在する免疫活性のある抗体の総称。Gは最も多い免疫グロブリンで、抗原に特異的で、抗原を不活化する作用を持ち、感染防御に重要な役割を果たす。

【網膜黄斑変性】

眼底の中心部にある黄斑部（ものを見るのに最も大切な部分）の網膜に新生血管が生じ、これが出血して黄褐色の斑点ができて変性し、視力が低下し、中心暗点（視野の中心部が見えにくくなる）を生じる現象。

【モジュール】

建築物の設計などに基準として用いる寸法または単位寸法。日本の在来工法による木造住宅は、主に3尺＝910mm（半間）、6尺＝1,820mm（1間）を単位として作られている。

【モジュール型車いす】

車いすの種類として、全体のデザインはあらかじめ決まっているが、利用者の身体特徴に応じて車輪などの各部品（パーツ）を選び、組み立てる方式のもの。標準形車いすと比較した場合、利用者の使い勝手は向上するが、手間がかかることからコスト高になりやすい。

や 行

【役物】

手すりの折り返しの部分やタイル、瓦の端などの特殊な部分に、外観を整えたり他の部材と連結する目的で用いられる変形または寸法の違う部材。

【夕方たそがれ症候群】

認知症高齢者が夕方になると、ある一定の時間落ち着きがなくなったり、不機嫌になったり、混乱する症候群を指す。夕方という時間帯に、見当識の障害に対する不安や疲れが出るためと考えられる。家族が夕食のしたくなどで忙しく、注意が十分に向かなくなることも影響している。

【有料老人ホーム】

入居やサービスなどの費用が有料で提供される高齢者向けの住宅。①入浴・排せつ・食事等の介護、②食事の提供、③選択・掃除等の家事、④健康管理、のうち、いずれかのサービス(複数の場合も可)を提供している施設である。介護保険制度における「特定施設入居者生活介護」として、介護保険の給付対象となっている。

【床面：F.L.】

建築物の床面のこと。地盤面（G.L.）から1階床面までを床高、1階床面から2階床面までを階高という。

建築図面では、F.L.（Floor Level）と記される。

【ユニバーサル社会実現推進法】

正式名は「ユニバーサル社会の実現に向けた諸施策の総合的かつ一体的な推進に関する法律」で、2018(平成30)年12月公布。「全ての国民が障害の有無や年齢などにかかわらず、等しく基本的人権を享有するかけがえのない個人として尊重されるものである」との理念に則り、障害者や高齢者などの自立した日常生活および社会生活が確保されることの重要性を踏まえて、ユニバーサル社会の実現に向けた諸施策を総合的かつ一体的に推進することを目的としている。

【ユニバーサルデザイン】

誰でもが、いつでも、どこでも使用できるよう、設計時から最大限努力してデザインしようという考え方。またはその考え方に基づいてデザインされたもの。

【要介護認定】

介護保険制度において、保険給付やサービスを受けようとする被保険者は、介護の必要度合について、居住している市区町村の介護認定審査会に認定してもらう必要がある。これを要介護認定という。

認定の結果は、自立のほか、要支援1、2、要介護1～5の8段階に分けられ、それぞれの段階に応じた限度額までの介護サービスが受けられる。

ら 行

【理学療法】

身体機能に障害がある人に、治療体操や運動、マッサージ、電気刺激、温熱療法などの物理的な手段を用いて運動機能の回復を図ること。医師の指示を受けた理学療法士（PT）によって行われる。

【リハビリテーション】

身体、精神に何らかの障害を負った場合に生じる機能障害とそれに伴う生活や社会上の不利益を治療、訓練によって回復させる過程。医学的、心理的、職業的、社会的分野にわたって、総合的な回復のための努力がなされる。

【リフォームヘルパー】

住宅改良ヘルパー。要介護者世帯の住宅を身体状況に適したものに改良するための相談・助言を行う。福祉関係職種、保健・医療関係職種、建築関係職種からなるチームによって運営される。

【緑内障】

眼球内の液体循環が乱れ、眼圧が上昇することによる眼病で、次第に視力が低下してくる。瞳孔（ひとみ）が開き、緑色に見えることがある。

【老人性白内障】

老化現象により瞳孔（ひとみ）のすぐ後ろにある水晶体が白く濁ってきて、霧がかかったように視力が低下する。合併症がなければ、濁った水晶体を取り出した後、人工水晶体を入れる手術により視力を回復することができる。

【老人デイケア】

寝たきりや認知症などで介護が必要な高齢者が、医学的な管理ができる施設に通い、心身機能の回復や維持を目的としたサービスを受けること。具体的には、医師、理学療法士等によって、個別の症状、障害に応じたリハビリテーション計画がなされ、それに基づいたリハビリテーションが行われる。

【老人デイサービス】

高齢者に対するデイサービスのこと。デイサービスとは、在宅で生活している介護が必要な高齢者等を、特別養護老人ホームや老人保健施設等に併設されているデイサービスセンターに通わせ、機能訓練、入浴、食事の提供、介護指導などのサービスを提供すること。

【老人（高齢者等）同居住宅特別加算融資制度】

個人住宅建設の融資を受ける際、高齢者が同居する場合は一般融資への限度額にさらに割増融資が受けられる。住宅金融支援機構が実施主体となる。

【老人訪問看護】

寝たきり高齢者や介護が必要な状態で在宅生活を送る高齢者に対し、医師（かかりつけ医）の指示に基づき、看護師が家庭を訪問する制度。主な内容は、病状観察、清拭、褥瘡の世話など。

【老人保健施設】

寝たきり高齢者やそれに近い状態の高齢者、認知症状のある高齢者が利用する。疾病や障害状態が安定していて、医療機関による積極的な治療や入院の必要はないが、看護やリハビリテーション、介護、身辺の世話などを必要とする者が適用となる。医療的なサービスと福祉的なサービスをあわせもつケアサービス施設である。その目的は家庭復帰と療養にあり、利用者と施設との契約による。

わ　行

【枠組壁工法】

在来工法では、柱、梁などの軸組を用いて、建築物を構成するが、これらの軸組を主体とせずに、パネル状の平板を組み立てて構成する工法。工期は比較的早く、簡便であるが、壁自体に上階や屋根の荷重がかかるため、窓や出入り口などの開口部を大きくとれない、といった欠点がある。

【和式浴槽、和洋折衷式浴槽、洋式浴槽】

和式浴槽は、その（平面上の）大きさが小さく、深さは深い。洋式浴槽は、大きさが大きく、浅いものをいう。和洋折衷式浴槽は、体全体を浴槽に入れて温まることができるうえ、出入りがしやすいことから、最近多くの住宅で用いられている。和洋折衷式浴槽は、長さ（長手方向の幅）は1,100～1,400mm（高齢者に適したものは1,100～1,300mm）、横幅700～800mm、深さは500～550mm程度のものをいう。したがって、これより深いものを和式浴槽、浅いものは洋式浴槽と考えてよい。

総合練習問題

問題と解答・解説

（解説は監修者が作成しています）

解答・解説は368～374ページにあります

第1問 次のア～オの設問に答えなさい。（各2点×5）

ア 次の①～⑤の記述の中で、その内容が最も不適切なものを一つだけ選び、解答用紙の所定欄にその番号をマークしなさい。

① 先進諸外国の住宅面積に比べ日本の住宅は狭く、大きな空間をとりにくい。また、家具類の使用が多く、室内移動を困難にしている。規模が小さい住宅では福祉用具を活用した介助の必要性があっても、その空間を十分にとれない。

② 核家族化の進展により、家庭内の介護力の低下という問題が起こった。したがって福祉住環境整備を行うことは介護者の負担を軽減し、あるいは介護から解放できるようにするための有効な方法といえる。

③ 木構造を基本としてきたわが国の住宅は、床面に段差ができやすく、高齢者や障害者にとっては利便性のある環境ではない。場合によってはつまずき、転倒が起こりやすいからである。

④ 木造住宅は、かつての尺貫法をメートル法に換算して造られていることが多い。一般的にいって障害者には不便であるが、伝統的な造りになっているため、介助を必要とする高齢者にとっては適切な住まいを造ることができる。

⑤ 住環境を整備することで高齢者や障害者の日常生活の自立度が高まり、日常生活への意欲の拡大や、精神的な自立によい影響を与えることが考えられる。このことは介護を行う家族にとっても家族関係の円滑化によい影響を与える。

イ 次の①～⑤の記述の中で、その内容が最も不適切なものを一つだけ選び、解答用紙の所定欄にその番号をマークしなさい。

① 福祉住環境コーディネーターの役割は、高齢者や障害者の立場に立って在宅生活をトータルに観察し、それらの人々が抱えている不自由さを改善することにある。福祉住環境を整備する課題に対しては、的確に、迅速に対応できる実践能力が求められる。

② 福祉住環境コーディネーターが、住環境を整備する場合、ニーズを把握し問題点を明確にする。そのうえで方針を決定する。方針には、模様替え、福祉用具の活用、住宅改修、福祉用具の活用と住宅改修の併用がある。この方針に沿って、ケアマネジャーなど関係者との連絡調整を行い、その方針決定の結果を高齢者や障害者およびその家族に報告することが義務づけられている。

③ 福祉住環境コーディネーターは高齢者、障害者、家族はもちろんのこと、医療関係者、福祉関係者、建築関係者などから住環境整備に関係する情報を入手する必要に迫られることがある。そのため、それぞれの職種の専門性をよく理解し、より良い人間関係を築きながら連携を深めていかなくてはならない。

④ 福祉住環境コーディネーターは、福祉住環境整備のための工事開始後は、方針通りに工事が進められているかを確認するとともに、新たに発生した問題があれば関係者に連絡し、迅速に調整することが重要である。

⑤ 福祉住環境コーディネーターは、住環境を整備した後、高齢者や障害者に身体機能の変化や家族構成の変化があった場合には、新たに調整をしなくてはならない。そこで本人等に電話をかけたり訪問調査を行い、住環境整備がうまく機能しているかどうかの確認を行う。

ウ 福祉住環境整備方針に関する次の①～⑤の記述の中で、その内容が最も不適切なものを一つだけ選び、解答用紙の所定欄にその番号をマークしなさい。

① 住環境整備方針の一つに模様替えがある。これは原則として工事を伴わないかたちで行われ、家具の移動、畳の上にカーペットを敷き詰めるといった程度の整備である。

② 住環境整備方針の一つに工事を伴う住宅改修がある。スロープ、すりつけ板の取り付け、ドアノブのレバーハンドルへの取り替え、床面の段差解消などが該当する。

③ 住環境整備方針の検討に参加する職種は、ケアマネジャー、理学療法士、作業療法士、ソーシャルワーカー、福祉用具関連職、建築設計者、工務店が担当することが多い。福祉住環境コーディネーターは、これらの職種と共同して住環境整備を進めていく。

④ 住環境整備方針の検討には、高齢者や障害者の身体機能の評価、ADLの評価、生活目標の把握、福祉サービスの活用範囲などが必要となる。

⑤ 住環境整備方針の一つに福祉用具の活用がある。これは原則として工事を伴う。自助具をドアノブに取り付けたり、簡易手すりを浴槽に取り付けるといった整備の方法である。

エ 福祉住環境整備の相談に関する次の①～⑤の記述の中で、その内容が最も不適切なものを一つだけ選び、解答用紙の所定欄にその番号をマークしなさい。

① 相談の中心となるのは高齢者や障害者本人が最もよい。しかし、さまざまな事情で本人

が相談に行けない場合や、相談の中心が配偶者であったり、本人と一緒に生活していない家族であったり、連絡の取りにくい相手であったりすることがある。そこで、福祉住環境コーディネーターは必要に応じてキーパーソンを決め、その人と話をまとめていく方法をとることが適切である。

② 福祉住環境コーディネーターは、高齢者や障害者に住環境整備の必要性や、効果を明確に説明すべきである。また、高齢者や障害者には対費用効果という視点でも住環境整備をとらえてもらえるように努力すべきである。

③ 高齢者や進行性の病気がある人の身体機能は変化することが多いので、医療機関からの情報が必要となる。しかし、医療機関での身体状況と住宅での身体状況は全く異なるため、福祉住環境コーディネーターは家族の意見を中心に情報を整理して方針を決定する。

④ 高齢者は福祉住環境整備に遠慮がちになることが多い。工事費の支払いや、長年住んだ家を改修することなどへの抵抗感からである。この場合、福祉住環境コーディネーターは、福祉住環境整備が家族にとっても本人にとっても大きなメリットが得られることを十分に説明する。

⑤ 福祉住環境整備の相談は、単に住宅構造上の問題点を解決すればよしとするのではなく、日々の生活の仕方、家族関係や住まい方に関する家族一人ひとりの考え方など、広範囲にわたった内容を総合的に把握する。

オ 次の①～⑤の記述の中で、その内容が最も適切なものを一つだけ選び、解答用紙の所定欄にその番号をマークしなさい。

① 福祉住環境コーディネーターは、住環境相談についての経験が長いと相談事項や障害内容が、長時間を要さずに直観的に理解できるようになる。その場合は相談事項のみを聞いて短時間で切りあげ、仕事の効率をあげる方法が最適である。

② 福祉住環境コーディネーターは、相談場面で相談者の表情や動作などを十分に観察する。これらの観察から相談内容の正確さや不明瞭さを判断できることが多いからである。

③ 福祉住環境コーディネーターは、相談者の話を積極的に聞く態度が重要である。しかし、話を反復したり、話の要点を整理していくと時間がかかり相談者が疲れてしまうので、このようなことはできるだけ避ける。

④ 福祉住環境コーディネーターは、相談者の年齢、性別、障害内容が同じであれば、相談内容も類型化できるので相談内容を限定して聞くと効率的である。

⑤ 福祉住環境コーディネーターは、相談を受ける部屋の照明、部屋の広さなどの物理的条件の整備を最優先に考慮すべきである。特に白内障をもつ高齢者は明るい部屋を好むこ

とから、明るい窓際に向って座ってもらうように配慮する。

第2問　次のア～オの設問に答えなさい。(各2点×5)

ア　居宅介護住宅改修費などの支給に係る住宅改修の種別に関する次の①～⑤の記述の中で、その内容が最も不適切なものを一つだけ選び、解答用紙の所定欄にその番号をマークしなさい。

① 手すりの取り付けは、廊下、便所、浴室、玄関、玄関から道路までの通路などに、転倒防止もしくは移動または移乗動作に資することを目的として設置するものである。

② 段差の解消は、居室、廊下、便所、浴室、玄関などの各室間の床の段差および玄関から道路までの通路などの段差を解消するためのものである。また、敷居を低くする工事、スロープを設置する工事、浴室の床のかさ上げなどがある。

③ 居室においては畳敷きから板製床材、ビニール系床材などへの変更、浴室においては床材の滑りにくいものへの変更が想定され、通路面においては滑りにくい舗装材への変更などが想定される。

④ 引き戸などへの扉の取り替えは、開き戸を引き戸、折戸、アコーディオンカーテンなどへ取り替えるといった扉全体の取り替えのほか、ドアノブの変更、戸車の設置なども含まれる。ただし、自動ドアの動力部分の費用は対象とならない。

⑤ 洋式便器などへの便器の取り替えは、和式便器を洋式便器に取り替える場合などである。また、和式便器から暖房便座、洗浄機能等が付加されている洋式便器への取り替えと、既に洋式便器である場合のこれらの機能等の付加も含まれる。

イ　次の①～⑤の記述の中で、その内容が最も不適切なものを一つだけ選び、解答用紙の所定欄にその番号をマークしなさい。

① 肢体不自由とは四肢（上肢と下肢）と体幹における運動機能の障害をいう。運動機能障害とは運動に関係している器官の働きが悪くなる、あるいは働かなくなり、運動をするのに障害が起こることである。

② 神経や筋肉が何らかの原因によって働かなくなった状態を麻痺という。運動機能の障害を運動麻痺といい、触覚、温度感覚、痛覚などの感覚機能の障害を知覚麻痺という。

③ 運動機能障害の中で疾患を原因とした肢体不自由には、筋ジストロフィーなどの進行性

疾患や脳性麻痺、熱傷、脳血管障害、パーキンソン病などがある。

④　運動麻痺の部位による分類では、両上肢と両下肢が麻痺する四肢麻痺、両上肢あるいは両下肢が麻痺する対麻痺、右半身あるいは左半身が麻痺する片麻痺などがある。

⑤　脳や脊髄からなる中枢神経が損傷されれば、中枢神経が担っている感覚や、高次脳機能、自律神経機能、膀胱・直腸機能などの障害を合併することがある。

ウ　次の運動負荷試験および各種日常労作の運動強度一覧表の①～⑤の中で、その内容が最も不適切なものを一つだけ選び、解答用紙の所定欄にその番号をマークしなさい。

	METs	リハビリ労作	日常労作および家事
①	1～2	臥床安静、ゆっくりした歩行 (1～2km/h)	食事、洗面 乗り物に座って乗る、等
②	2～3	ややゆっくりした歩行 (3km/h)	乗り物に立って乗る 調理、小物の洗濯、等
③	3～4	普通の歩行(4km/h) 自転車(10km/h)	荷物を下げて歩く(3kg) 窓拭き、布団を敷く、等
④	4～5	やや速めの歩行(5km/h) 自転車(13km/h)	軽い大工仕事、軽い草むしり 床拭き(立て膝)、入浴、等
⑤	5～6	速めの歩行(6km/h) 自転車(16km/h)	階段昇降 庭掘り、シャベル使い、等

エ　高齢者や障害者の在宅介護からみた住環境整備に関する次の①～⑤の記述の中で、その内容が最も不適切なものを一つだけ選び、解答用紙の所定欄にその番号をマークしなさい。

①　火災や地震などの非常時に備えて寝室の場所を考えることが必要である。このときの避難経路は日常的に使っている経路がよい。その経路には普段から物を置かず、必要に応じて手すりを設置する。

②　運動麻痺や筋力の低下、視力の衰えなどにより、つまずいて転倒したり転落する危険性がある。敷居段差でのつまずき、階段や上がりがまちからの転落などの危険を防止するため、段差の解消や手すりの設置などの住環境整備が必要である。

③　在宅で介護する時には、住宅改修や福祉用具の活用が可能な空間にするとよい。ドアの開閉方向の変更、照明やコンセントの位置と電気容量の変更などの改修工事時の費用は

新築時の工事費とそれほど変わらないので設計時から配慮することは特に必要ではない。

④　住環境は衛生的な空間でなければならない。ゴミや汚物などは臭気もあり非衛生的であり、処分・整理を徹底する。汚物処理をしやすい環境を考えたうえで、寝室と浴室を近くして、消毒薬や後始末に必要な物品類の置き場所を決めておくとよい。

⑤　居室や寝室は安全で安心できる場所でなければならない。特に、ベッド生活の人の場合、足元に夜間照明を設置するとよい。また、暗がりとなりやすい箇所には、目立つ色で、つかみやすい形のスイッチを選定することも重要である。

オ　次の①～⑤の記述の中で、その内容が最も適切なものを一つだけ選び、解答用紙の所定欄にその番号をマークしなさい。

①　脊髄とは、脊柱の中を通っている知覚神経と運動神経の束のことであり、脊髄神経は一つの束となり脊柱の外へ出て身体の末梢部分へ延びている。

②　脊髄神経は頸神経８対、胸神経12対、腰神経６対、仙骨神経５対、尾骨神経１対からなる。

③　第４頸髄損傷（第４頸髄節まで機能残存）の到達可能な運動機能は、自発呼吸が可能で、肩と肘の一部を動かせるレベルであり、ADLは全介助で、頭につけた棒や口にくわえた棒を使ってパソコンを操作したりページめくりをする、などの動作が可能なレベルである。

④　第６頸髄損傷（第６頸髄節まで機能残存）の到達可能な運動機能は、プッシュアップがごくわずか可能で、ADLは中等度から一部介助で、上半身の更衣等は可能なレベルである。

⑤　第１胸髄損傷（第１胸髄節まで機能残存）の到達可能な運動機能は、上肢がすべて使え、ADLは短下肢装具と車いすを使用し自立可能なレベルである。

第3問 — 1 次の図の【　】の部分に下記の語群から最も適切な用語を選び、解答用紙の所定欄にその番号をマークしなさい。(各1点×5)

介護保険制度における福祉用具貸与の利用手順（原則として、❶～❼の順で行われる。）

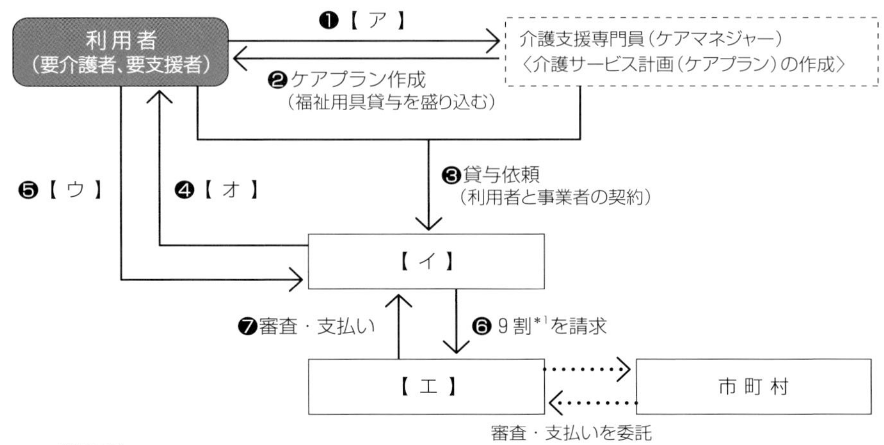

［語 群］

① 福祉用具貸与事業者　② 都道府県　③ 9割*1請求
④ 福祉住環境コーディネーター　⑤ 貸与依頼　⑥ 厚生労働省
⑦ ケアプラン作成依頼　⑧ 福祉用具プランナー　⑨ 自己負担分の支払い(1割*1)
⑩ 社会福祉協議会　⑪ 相談　⑫ テクノエイド協会　⑬ 支給申請書提出
⑭ 貸与　⑮ 都道府県国民健康保険団体連合会　⑯ 給付　⑰ ケアマネジャー
⑱ 金融機関　⑲ 福祉用具専門相談員　⑳ 審査・支払い

＊1：一定額以上の所得者は支給率8割、自己負担2割（現役並み所得者は支給率7割、自己負担3割）となる。

第3問 — 2 次の(a)～(e)の記述の □ の部分に下記の中から最も適切な用語を選び、解答用紙の所定欄にその番号をマークしなさい。(各1点×5)

(a) ネブライザーとは水蒸気とともに薬剤を吸入させるもので、口や鼻から吸入する。咽頭や喉頭などの ア 、炎症の治療などに用いられる。

【アの語群】

① 失語症　② 感染症　③ 構音障害　④ 嚥下障害

(b) 心臓・血管系は、心臓、動脈、毛細血管、静脈から成り立ち、 イ の支配を受け、全身に血液を供給する。

【イの語群】

①運動神経　②感覚神経　③自律神経　④交感神経

(c) 腎臓は体液中の水分や塩分、栄養分、［ウ］、クレアチニン、尿素窒素などを濾過し、余分な水分、塩分、老廃物を尿として排出する働きをしている。

【ウの語群】

①尿酸　②糖　③二酸化炭素　④ビタミン

(d) 高齢になると、口腔内での唾液の分泌機能が低下し、［エ］を訴える。また、咀嚼機能は低下し、嚥下機能も不十分となり、ときどき誤嚥を引き起こす。

【エの語群】

①空腹感　②焦燥感　③口渇感　④閉塞感

(e) 内分泌器官は全身に存在し、さまざまな［オ］を分泌している。加齢により機能低下が起こるため、高齢者は病気やストレスに対する生理的反応が遅くなる。

【オの語群】

①消化液　②酵素　③カルシウム　④ホルモン

第4問　次のア～オの設問に答えなさい。(各2点×5)

ア　内部障害者の在宅介護に関する次の①～⑤の記述の中で、その内容が最も適切なものを一つだけ選び、解答用紙の所定欄にその番号をマークしなさい。

① 呼吸機能障害は、強い臭いやほこりを避けたほうがよい。障害が重度になると呼吸困難や体力の低下が起こるが、階段や坂を上がることは問題とならない。

② 内部障害者は、毎日の生活管理が特に重要となる。それぞれの障害の特徴に合わせて注意が必要となる。しかし、気にしすぎると心理的な影響が起こるため喫煙やアルコールなどの嗜好品は本人の自由な選択に委ねるべきである。

③ 内部障害には病状の急変や発作などがつきまとう。このような場合に備えて本人や家族は医師から、その時の対処方法の指導を受けておかなければならない。さらに家族は、どのような状況であってもすぐに病院へ連れて行くのがよい。

④ 内部障害者は原因となる病気に対する医学的な健康管理が重要となる。病気があっても服薬や日常生活の管理を適切に行えば残存機能を維持できる。したがって、住環境整備は全く必要ない。

⑤ 内部障害は、外部からは障害の様子がわかりにくく、周囲から理解されにくいために心

理的な負担が大きいことが多い。その結果、他人との接触や外出を避け、孤独に陥る人もいる。

イ 次の①～⑤の記述の中で、その内容が最も不適切なものを一つだけ選び、解答用紙の所定欄にその番号をマークしなさい。

① 内部障害者は、定期的に通院のための外出が必要である。したがって、住宅への出入りが容易に行えるように、玄関の段差を解消する、手すりを取り付けるなどの配慮が必要である。また、外出に車いすや電動車いすを使用している人もいるので、このような配慮も必要である。

② 小腸機能障害者に用いられる経管栄養法では、栄養物の入ったバッグを注入孔より高くして吊るす必要があるので、吊っておくための道具や、壁や柱へのフックの取り付けが必要である。また、栄養物を補給している間は、いす座位姿勢をとるが、その場合ベッド上での座位を避け、いすに座る必要がある。

③ 膀胱・直腸機能障害者に設置されるストーマには、排泄を調整する働きはなく、完全な失禁状態になるので、排泄物を受ける装具が必要になる。換気に配慮し、排泄物の処理や器具の洗浄を行う場所をトイレに設置したり、専用の部屋を用意するように住環境の整備を行う必要がある。

④ 膀胱機能障害者が行う自己導尿は、排尿困難があるために尿を完全に排出できない場合に適用され、一時的にカテーテルを尿道に挿入して尿を排出させる方法である。

⑤ 膀胱機能障害者が行う留置カテーテル設置では、身体を起こしているときにはカテーテルの先に採尿用のバッグを取り付け、逆流を防ぐために、衣服の内側の膀胱より低い位置にベルトで止めるなどしておき、尿がたまってきたら排棄する。臥床している場合は、採尿用バッグを膀胱より低い位置でベッドに取り付ける。

ウ 次の①～⑤の記述の中で、その内容が最も適切なものを一つだけ選び、解答用紙の所定欄にその番号をマークしなさい。

① 高齢者の骨折防止のための留意点は、室内の、特に床上の物を片付けるとともに、段差を解消することである。大きな段差では本人も気をつけてつま先を上げるが、小さな段差である座布団、敷居などにつまずきやすい。

② 骨折のリスクは、歩行能力が低下し、行動範囲が住宅内に限られてきている高齢者や、

骨粗鬆症の高齢者、認知症の症状が出てきている高齢者に高く、このような高齢者に対しては積極的な機能回復訓練をするように心がける。

③　高齢者の歩行の特徴としては、歩行時につま先がしっかりと上がらず、小さな段差にもつまずきやすいことがあげられる。また、平衡感覚は正常であるが、崩したバランスを回復する能力が低下していることなどから転倒の危険性も高い。

④　高齢者の骨折で最も多いのは大腿骨頸部骨折で、次に多いのが脊椎圧迫骨折であるといわれている。脊椎圧迫骨折は骨が癒合しにくく、長期間臥床を余儀なくされるため、単なる骨折にとどまらず、全身の機能低下につながりやすいので、早期に人工関節置換術を行うことが必要となる。

⑤　高齢者が骨折後に歩行能力を再獲得した場合、敷居などの床面の段差を解消し、また歩行器を使用している場合には、床仕上げをキャスターが回転しすぎないように滑りにくい毛足の長いジュータンにするなどの配慮が必要となる。

エ　次の①～⑤の記述の中で、その内容が最も不適切なものを一つだけ選び、解答用紙の所定欄にその番号をマークしなさい。

①　高齢者の大腿骨頸部骨折では、手術不適応の場合に行われる安静固定により、廃用症候群と老化現象が起こる。骨折によって筋力の低下や関節の可動域が低下することも多いため、このような身体虚弱な状態で日常生活場面での転倒をいかに防止するかが住環境整備上の最も重要な課題である。

②　進行が緩やかなタイプの進行性疾患では、住環境を整備するとともに、リーチャーやバスボード、車いす、電動車いすなどの福祉用具の導入や、家具の高さ調節などをすれば、長くADLが自立した状態を保つことが可能となる。

③　認知症高齢者に、意欲や社会への関心が低下した状態が見られるようになったら、玄関や屋外を整備して外出がしやすく、かつ社会参加がしやすい住環境にする。日ごろ何げなく本人が触っている場所に手すりを設置することもよい。

④　認知症高齢者に見当識障害や判断力の低下が目立つ状態が見られるようになったら、周囲に危険となる物を置かないようにするとともに、手すりやノンスリップの取り付け、照明器具の設置などの整備を行い、階段昇降や段差への自立移動を積極的に行う。

⑤　移動能力が座位移動レベルの高齢者が、ベッドでの就寝を希望する場合は、車いすを座席昇降式車いすとし、その生活様式が可能になるように考える。

オ 次の①～⑤の記述の中で、その内容が最も適切なものを一つだけ選び、解答用紙の所定欄にその番号をマークしなさい。

① 糖尿病は全身病といわれるように、さまざまな機能が低下する疾患である。末梢神経障害を伴う場合は、知的機能が低下し、動作の敏捷性、活発さが衰えがちである。
② 糖尿病で知覚鈍麻の症状がある場合は、きつい靴でつま先を傷つけたりすることがないようにする。また、寒い時期は湯たんぽや電気あんかなどでよく暖めるようにする。
③ 糖尿病による視力障害で見えにくくなった場合を考慮して、照明器具は部屋全体の明るさを落とし、局所的に明るくする。
④ 糖尿病による知覚障害などでバランス能力が低下した場合、手すりは浴室内の移動と浴槽への出入りに使えるように、浴槽の周囲のみに取り付ける。玄関の出入りや階段昇降のためには段差解消機を使用する。
⑤ 糖尿病で末梢循環障害を伴う場合は、傷をつくっても循環器系の障害のために治りにくく、傷ややけどを放置すると、壊疽から切断に至ることがある。

第5問 ― 1 以下の事例を読み、ア～オの設問に答えなさい。（各１点×５）

<事　例>

Ｙ氏（65歳、男性）は７年前にパーキンソン病の診断を受けており、現在の状態について、医師からホーン・ヤールの重症度分類のⅣに該当するといわれている。Ｙ氏は大柄であり、小柄で腰痛症をもつ妻（63歳）との二人暮らしである。ここ１年の間、外出は月に２回、診察と服薬の処方を受けに病院の外来に行く程度で、多くは家に閉じこもる生活が続いており、妻も介護負担が大きく腰痛が悪化してしまった。住まいは持ち家、一戸建て住宅である。

Ｙ氏は既に１年前に排泄や入浴が要介護の状態であり、介護保険制度による要介護認定もされているが、住宅改修サービスを介護保険制度により受けられることを知らなかった。外来に行った時にこのサービスの情報を得て、妻と相談し、住宅改修を行うため担当の介護支援専門員（ケアマネジャー）と連絡をとることにした。連絡を受けた福祉住環境コーディネーターの資格をもつ介護支援専門員は、現在の自宅（図１）に対し、改修想定案（図２と図３）を提案した。

現在の自宅（図1）

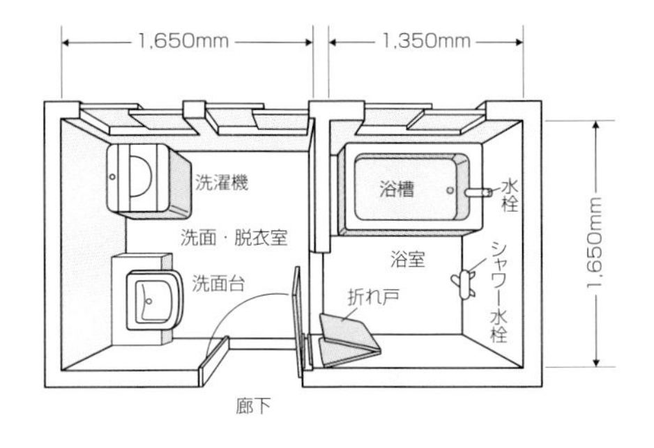

改修想定案（図2）

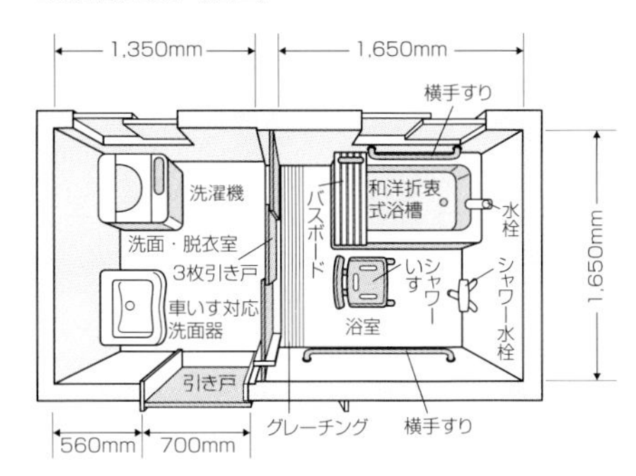

改修想定案（図3）

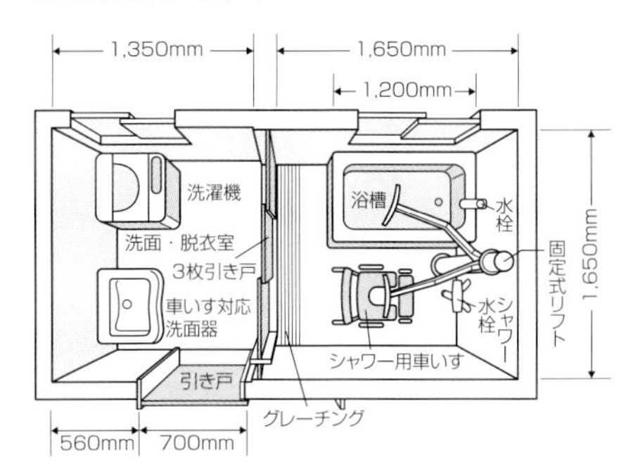

ア 次の①～⑤の記述の中で、その内容が最も不適切なものを一つだけ選び、解答用紙の所定欄にその番号をマークしなさい。

① ホーン・ヤールの重症度分類とはパーキンソン病における重症度分類のことで、Ⅳとは病状が進行して機能障害が重くなり、起立保持と歩行には介助を必要としないが、ほかのADLで一部介助が必要となる状態である。

② パーキンソン病は進行性の病気なので、Y氏宅の住宅改修は将来の機能低下を想定した上で重症度に見合った整備が必要である。

③ Y氏は歩行が可能なため、病院でリハビリテーション治療を受けていない。そこで、住環境整備を行うときはY氏の現在の運動能力の向上を期待して、運動活動性の高い状態を基本に対応法を考えることが重要である。

④ 通常、パーキンソン病の症状で歩行・移動を困難にするのは、すくみ足、小刻み歩行、前方突進である。

⑤　Y氏はまだ車いすを使用しておらず、将来車いすを使う時期の判断は難しいが、妻による歩行介助が困難となったときが判断の一つになり得る。

イ　(図１)から(図２)への改修想定案は、Y氏がどのような状態を想定しての提案か、次の①～⑤の記述の中で、その内容が最も適切なものを一つだけ選び、解答用紙の所定欄にその番号をマークしなさい。

①　介護支援専門員（ケアマネジャー）はY氏に対して、機能低下はあるものの、まだ歩行が可能なので住宅改修を行う必要はないと判断したが、Y氏より相談があったので単なる提案として取り上げた。
②　ホーン・ヤールの重症度分類Ⅳでは身体の向きを変える動作が困難であるため、浴室に入って、そのまま身体の向きを変えずに浴槽に介助なしで一人で入ることができるように考えた。
③　ホーン・ヤールの重症度分類Ⅳでは動作が緩慢と考えられるので、浴室を広くして介助なしで一人で、バスボード、手すり、入浴用いすを使いながら安心してゆっくり入浴できる方法を提案した。
④　今後の機能低下に備えて、二人介助が必要と想定し、洗面・脱衣室を狭くして浴室を広く取った。また、介助歩行を想定して出入り口は引き戸にして、出入りをしやすい動線を確保した。
⑤　Y氏に機能低下はあるが歩行は可能なので、常時、妻が一人で入浴介助ができるように福祉用具を組み合わせて提案した。

ウ　(図１)から(図３)の改修を想定する①～⑤の記述の中で、その内容が最も不適切なものを一つだけ選び、解答用紙の所定欄にその番号をマークしなさい。

①　Y氏は歩行が困難となり自宅での入浴を希望したため、浴室空間を広げ、福祉用具を組み合わせた提案とした。
②　広い浴室を確保できたので、介護負担の軽減のためシャワー用車いすとリフトの組み合わせを提案した。
③　廊下から移動できるように浴室空間を確保できたので、シャワー用車いすを提案した。シャワー用車いすは移動と洗体にも活用できることも理由の一つである。

④　機能低下がかなり進行した結果、腰痛症のある小柄な介助者１人ではほとんど介護が困難と考えられたので、介助者の腰に負担がかからないようにリフトの使用を提案した。

⑤　浴室にリフトを固定するスペースがとれたため、Y氏はリフト導入に否定的であったが、介護する妻が導入に積極的であったので提案した。

エ　Y氏に提案された固定式（設置式）リフトについて次の①～⑤の記述の中で、その内容が最も不適切なものを一つだけ選び、解答用紙の所定欄にその番号をマークしなさい。

①　固定式リフトは、特定の場所での狭い範囲の移動や移乗動作に活用する用具であり、空間の移動や長距離の移動には適していない。

②　固定式リフトは、全荷重を支柱とベース部分の底面で受けることから、設置する床面の強度を事前に確認しておかなくてはならない。

③　固定式リフトは、アームの回転範囲内に破損しやすい物がないこと、排水溝と支柱が重ならないように確認することが重要である。

④　固定式リフトは、浴室のような狭い空間でも1,200mm × 1,600mmのスペースがあれば使用可能であることから、Y氏宅でも使用できる。

⑤　固定式リフトは、上下左右の方向に可動できるため洗い場床面と浴槽縁とがほぼ同じ高さになるように深く埋め込んだ浴槽でも、その底部まで到達できる。

オ　（図２）の提案を受け入れたY氏夫妻は、介護保険制度を活用した住宅改修を考えている。その際、住宅改修の提案を行った福祉住環境コーディネーター（介護支援専門員でもある）の役割について、次の①～⑤の記述の中で、その内容が最も不適切なものを一つだけ選び、解答用紙の所定欄にその番号をマークしなさい。

①　福祉住環境コーディネーター（介護支援専門員）は、住宅改修はY氏の要介護等状態区分が３段階以上に上がった場合に改めてこのサービスを活用できるので、病状が悪化したとき必ず要介護認定審査を受けるように説明した。

②　福祉住環境コーディネーター（介護支援専門員）は、ケアプランの一つに訪問リハビリテーションを組み込んで、理学療法士や作業療法士からバスボードや入浴用いすなどの福祉用具を活用した浴槽への移乗方法について指導を受けることを勧めた。

③　福祉住環境コーディネーター（介護支援専門員）は、住宅改修に関する理由書の中に、機能低下があるが歩行能力は維持されることが多いこと、手すりの取り付けや福祉用具の組み合わせが必要なこと、そのためにも浴室の空間を広げる必要があることを含めて市区町村介護保険課へ事前に提出した。

④　福祉住環境コーディネーター（介護支援専門員）は、住宅改修費用について、Y氏が住宅改修の支給申請書類の一部を事前に市区町村介護保険課に提出し、確認を受けてから施工する。完成後、施工者に全額支払った後で改修費の支給を申請し、支給が必要と認められたとき費用の原則9割が支給される「償還払い」であることを説明した。

⑤　福祉住環境コーディネーター（介護支援専門員）は、改修工事の完了後に使用した状況を確認して、特にY氏夫妻に不安がなかったので、今後、身体機能が変化したときに再度連絡をするように説明をしてY氏夫妻との調整を終了した。

第5問 ― 2　以下の事例を読み、ア～オの設問に答えなさい。（各１点×５）

＜事　例＞

脳血管障害（6カ月前の発症）によって、右片麻痺となったAさんは、62歳の男性で、62歳の妻との二人暮らしである。子供は息子が2人いるが、どちらも結婚し、Aさんとは別居している。住宅は一戸建て持ち家で、木造2階建て、建築後20年が経過している。

Aさんは、室内の移動に短下肢装具と杖を使用している。室内移動では、妻が転倒しないように見守りながら、なんとか歩行できるレベルである。立ちしゃがみ動作は、手すりなどにつかまれば、なんとか一人でできるが、時間もかかり、転倒の危険もあるので、ふだんは介助によって行っている。

段差の通行は敷居の段差程度であれば、なんとか越えることができるが、つまずきなどの危険があるので、日常生活においては介助によって敷居の段差を越えている。本来右利きであったAさんの上肢機能は、右側はほとんど動かすことができない。また、麻痺側全体に感覚障害がみられる。ただし、左上肢も重いものを持ち上げたり、手指の細かな動作は困難なことが多い。

言語障害があり、相手の言うことは理解できるが言葉を組み立てて話すことが困難である。きわだった認知症の症状はない。

Aさんは、退院後3カ月が経過し、住環境の改善を希望している。現在は、週2回のデイサービスを利用している。送迎の際には、玄関で車いすに移乗して、車いすのまま送迎車に乗り込んでいる。それ以外の外出は、ほとんどない。

ア Aさんの症状に関する次の①～⑤の記述の中で、その内容が最も適切なものを一つだけ選び、解答用紙の所定欄にその番号をマークしなさい。

① Aさんのように右片麻痺がある人が、言語障害を併発することは、一般的にはほとんどなく、珍しいケースといえる。
② 視力については、現在、特に他の問題がなければ、今後この障害が原因で視力低下が起こることは少ないといえる。
③ 麻痺自体は進行性であり、加齢に伴って、今後障害は急速に進行するので、住環境整備計画をたてにくいケースといえる。
④ 移動能力レベルは、「屋内歩行レベル」であるといえる。畳上における立ち座りや階段昇降は困難であり、このレベルでは機能障害が重度なため、住環境整備による効果が現れにくいといえる。
⑤ Aさんの言語障害は、発声・発言器官の形態異常によるものである。

イ Aさんに関する次の①～⑤の記述の中で、その内容が最も適切なものを一つだけ選び、解答用紙の所定欄にその番号をマークしなさい。

① 寝返り動作は自立しているので、体位変換のための介助や福祉用具は必要ない。
② 排尿は困難であり、膀胱にカテーテルを留置して、排尿の際には介助による導尿が必要である。
③ 麻痺側の感覚障害については、麻痺側であっても、触れた物が熱いものか、冷たいものかなどの温度感覚はあるので、生活上、特に配慮する必要はない。
④ 言語障害はあるが、この程度の機能障害であれば、相手とのコミュニケーションに支障は全くない。
⑤ 現在、認知症の症状はないが、この障害の特徴として、まもなくこの症状がでてくることがほぼ確実であるため、住環境整備においては、トイレや浴室など本人が日常よく使用する場所は、わかりやすい表示にする。

ウ 脳血管障害による片麻痺者の住環境整備上の留意点に関する次の①〜⑤の記述の中で、その内容が最も適切なものを一つだけ選び、解答用紙の所定欄にその番号をマークしなさい。

① 玄関等の出入り口部分の上がりがまちの段差は、式台を設けることによって軽減する。式台は、10cm以下の段差であれば、手すりは必要ない。

② 玄関等の出入り口部分の上がりがまちの段差が大きいときは、立位のままで使用できる段差解消機を用いることは適切でない。段差解消機を使用するときは、車いすに乗ってから利用する。

③ トイレには、L型の手すりを取り付ける。トイレの間取りに合わせて便器に座ったときに左手側に手すりがくるように設置した。立ち上がりやすいように、縦手すり部分は、便器先端部分から10cm離して取り付けた。

④ 体調によって一人でトイレを利用できないことがある。排泄のための介助スペースは、ぜひとも必要である。

⑤ 浴室は、和式浴槽や和洋折衷式浴槽では深さが深いので利用しにくいため、出入りが楽で浴槽に入ったときに身体が安定する洋式浴槽を導入した。

エ Aさんに関する次の①〜⑤の記述の中で、その内容が最も適切なものを一つだけ選び、解答用紙の所定欄にその番号をマークしなさい。

① 入浴は、背もたれの付いた入浴用いすに腰掛け、シャワー水栓をレバーハンドルにしておけば、シャワーを使って身体を洗うことができ、浴槽への出入りも含めて完全に自立できる。

② 洗面台は、やや広めのものとし、いすに腰掛けて使用できるようにしておけば、洗面所における、洗顔、歯磨き、櫛で頭髪をとかすといった動作は完全に自立できる。

③ 食事は、左手への利き手交換訓練によって箸を上手に使えるようになったので、食事動作に関しては完全に自立できる。

④ 屋外移動は、車いすを使用するより小回りの利く「買いもの型歩行車」の使用が望ましい。ただし、その場合であっても転倒がないよう、見守るための付き添いは必要である。

⑤ 日中は、ベッドでの臥床生活を避け、体力維持の観点からも、できるだけ立位、もしくは身体を起こしやすい椅子による座位姿勢を維持しているのがよい。

オ Aさんに対して福祉住環境コーディネーターが行った、次の①～⑤の記述の中にあるアドバイスにおいて、その内容が最も適切なものを一つだけ選び、解答用紙の所定欄にその番号をマークしなさい。

① Aさんの歩行レベルでは、外出は転倒などの危険が伴うことが多いので、デイサービス利用や通院以外の外出は、できるだけひかえるようにアドバイスした。

② Aさんの妻の介護負担ができるだけ軽減するように、別居中の息子のどちらか一方の家族がAさんと同居することを勧めた。

③ 身体面の介助等を妻が全て行うのではなく、介護保険制度の中の訪問介護サービスを利用して、家族の介助等の負担を軽減していくことを介護支援専門員（ケアマネジャー）と相談するように勧めた。

④ Aさんの年齢と現在の身体機能の状態をみると、リハビリテーションによって、さらに機能改善が望めると判断し、リハビリテーションが十分に行える病院に入院して、治療・訓練を継続することを勧めた。

⑤ 住宅は、木造であり、建築年数も相当経過していることから、新築することを強く勧めた。そのことが、経済的な理由でできないときは、将来の新築に備えて小規模改修にとどめるべきとアドバイスした。

第6問 次の ア ～ オ の設問に答えなさい。（各2点×5）

ア 脊髄損傷に関する次の①～⑤の記述の中で、その内容が最も不適切なものを一つだけ選び、解答用紙の所定欄にその番号をマークしなさい。

① 脊髄損傷では知覚障害が起こる。そのため、住宅の中で注意をしなくてはならないことは、褥瘡（じょくそう）の予防、やけどの注意、車いすへの移乗時や床上移動時のひっかき傷への注意などである。褥瘡の予防には、多くの種類のクッション材が使われている。

② 脊髄損傷ではプッシュアップ動作能力でADLの程度が変化する。頸髄損傷ではプッシュアップをできないレベルとできるレベルに分けられるが、排便動作では第6頸髄損傷（第6頸髄節まで機能残存）から自立できる人がでてくる。

③ 脊髄損傷の住環境整備では多くの場合、車いす生活を基本におく。例えば、車いすの操作能力、車いすへ移乗するスペース、段差の解消などがある。また、外出するため自動車を運転する人が多いので、駐車場への移動も配慮する。

④ 腰髄損傷と胸髄損傷はともに両上肢が使えるので、トイレに移乗するとき身体障害者用

便器（小判型）に替える必要はない。大事なことは便器と車いすの間を移乗しやすいように適度な隙間をつくることである。

⑤ 車いすから便器や浴槽へ移乗する時に、どの位置に接近させるかでスペースの取り方が異なる。胸髄損傷では、原則として側方アプローチと前方アプローチの方法があるが、スペースによっては斜めからのアプローチ方法も考えられる。

イ 次の①～⑤の記述の中で、その内容が最も不適切なものを一つだけ選び、解答用紙の所定欄にその番号をマークしなさい。

① 聴覚言語障害者への住環境整備の基本的な考え方は、音響面への配慮、視覚面への配慮、コミュニケーション用具など福祉用具の適切な利用が含まれる。

② 聴覚言語障害者への音響面の配慮として、電話のベルや玄関のチャイムなど必要な音情報について、音量を大きくする、聞き取りやすい音域の音にする、音源を近づけるなどの工夫をする。

③ 聴覚言語障害者への視覚面の配慮として、電話のベルや玄関のチャイムを回転灯やフラッシュランプ、振動などで知らせる屋内信号装置を設置する。

④ 聴覚障害者の場合、少なくとも話し声の大きさよりも、雑音が10dB以上小さい環境が必要とされる。このため会話時には、窓を閉める、換気扇を止める、騒音源から離れるなど、聴覚障害者に聞き取りやすい音響的環境に配慮する。

⑤ 補聴器対応電話とは、補聴器にも磁気誘導コイルが内蔵されている場合に使用できる電話である。これは受話器内の磁気誘導コイルで電話音声を磁波に変えて、補聴器のコイルへと電磁誘導により信号を送ることで音声として聞こえる仕組みとなっている。

ウ 次の①～⑤の記述の中で、その内容が最も不適切なものを一つだけ選び、解答用紙の所定欄にその番号をマークしなさい。

① 筋萎縮性側索硬化症（ALS）は筋肉を動かす神経が徐々に変性し、筋肉が萎縮していく進行性疾患である。全身の筋肉がやせて、手指や足の力がなくなる、うまく話せない、むせやすくなるなどの症状が現れる。

② ALSでは、嚥下障害、構音障害、舌の萎縮などが出現するため、コミュニケーション障害や誤嚥から肺炎を併発することもある。コミュニケーション障害に対しては、ワープロ、パソコン、携帯用会話補助装置などの導入を検討する。

③ ALSの進行中期の段階では、住環境整備をするかどうかは本人、家族とよく検討する。自立の部分を増やす目的で住環境整備を行うことにより、機能低下を遅らせることが可能となる。

④ ALSの進行後期の段階では、ADLのほとんどすべてが全介助になる。ベッド上での生活時間が長くなり、介助も多くなるので、介護しやすい高さに調節できるハイアンドロー機能付き特殊寝台の導入を検討する。

⑤ ALSの進行後期の段階では、排泄はほとんどの場合ベッドや車いす上で行う。排泄機能は失われないので失禁はないが、排泄物の始末に汚物流しを設置したり、トイレ内に水栓金具を付けると尿・便器の洗浄に便利である。

エ 次の(a)～(e)の記述について適切なものを○、不適切なものを×としたとき、正しい組み合わせを①～⑤から一つだけ選び、解答用紙の所定欄にその番号をマークしなさい。

(a) 環境制御装置は、重度の運動機能障害をもつ人のADLを自立させやすいように考えられた装置で、呼気やまばたきなど、身体のわずかな動きで、エアコンやテレビなどの家電製品の操作や戸の開閉ができる。

(b) 音声標識ガイド装置は、視覚障害者が、位置や方向などの情報を得たいときに音声や音で案内し、誘導するための装置である。視覚障害者が携帯している送信機スイッチを押すと、目的とする位置に取り付けられている受信機がこれを受信し、視覚障害者の携帯する装置に音声やメロディを送信して案内情報を送るものである。

(c) ターンテーブルは、肢体不自由者などが座って向きを変えるときに使う補助具である。たとえば、入浴時に洗い場から浴槽に移動する際に、腰掛けて身体の向きを変えてから浴槽に入る時に使われたりする。また、家庭用のダイニングのいすなどにも取り入れられている。

(d) ティッピングレバーは、車いす後方につきだしてついているグリップハンドル式のバーで、段差を上がる際などに、前輪を浮かせるため、介助者が手で下方に押すためのものである。

(e) パンチング型グレーチングは、排水溝の上にかぶせるグレーチングの一種である。厚さ1～2 mm程度の鋼板に、直径10～20mm程度の穴を細くあけ、その穴から水が排水溝に落ちるようになっている。従来からよく使われていて、床上を流れてきた水を、排水溝に効率的に落下させる形状である。

①	(a) ×	(b) ○	(c) ×	(d) ○	(e) ×
②	(a) ×	(b) ×	(c) ○	(d) ×	(e) ○
③	(a) ×	(b) ○	(c) ×	(d) ×	(e) ○
④	(a) ○	(b) ○	(c) ×	(d) ○	(e) ×
⑤	(a) ○	(b) ×	(c) ○	(d) ×	(e) ×

オ 次の①～⑤の記述の中で、その内容が最も不適切なものを一つだけ選び、解答用紙の所定欄にその番号をマークしなさい。

① 廊下に取り付ける水平手すりの床からの高さは、使用者の大腿骨大転子に合わせることを原則とする。通常750～800mmである。大腿骨大転子は、大腿骨頸の外上側にある著しい高まりのことである。中・小臀筋および梨状筋がこれに付く。大腿骨大転子の高さは、杖の高さの目安にもなる。

② 手すりの形状は円形を基本とするが、関節リウマチなどで手指に拘縮があり、巧緻性が十分でないときには、手すりを握らず、単に手や肘をのせて移動する方法もとられる。この場合には、平型の手すりがよい場合もある。

③ 関節リウマチ者が手動車いすを使用する場合には、引き戸レールのわずかな段差でも乗り越えは難しいので、V溝レールを埋め込む方法により段差を解消する。

④ 加齢による眼の水晶体の黄濁化や視力低下に伴い、色彩の弁別能力が低下するため、明度差の大きい配色を心がける。特に青系統の色彩の微妙な区別がつきにくくなるので、危険を伴う個所でのこの配色は避ける。

⑤ 加齢による眼の水晶体の黄濁化や視力低下に伴い、感度の低下がみられるため、室内はできるだけ明るくし、床面などの広い面積に使用する床材は、つやがあり反射率の高い仕上げ材を使用する。

第7問 次の ア ～ オ の設問に答えなさい。（各2点×5）

ア 次の①～⑤の記述の中で、その内容が最も不適切なものを一つだけ選び、解答用紙の所定欄にその番号をマークしなさい。

① 近年、住宅部品や設備機器の性能は相当に向上しているので、設計者が配慮さえすれば、住宅内の段差解消は十分に対応可能である。したがって、高齢者の身体機能の低下に配

慮して、できる限り段差は解消すべきである。

② 地盤面とは、建築物が建つ土地の表面のことである。一般には住宅地盤が湿潤状態にならないように、また雨水の排水のことを配慮し、道路面よりいくぶん低くすることが多い。なお、地盤面から1階床面レベルまでの高さを床高という。

③ 地盤面から1階床面レベルまでの高低差が450mmであるとき、これをスロープで上がろうとすると、1/12の勾配のスロープで水平距離5.4m、1/15の緩勾配のスロープで水平距離6.75mの長さを必要とする。

④ 玄関ドアや掃き出し窓などの車いすでの出入り口では、車いすが傾斜面にある状態でドアの開閉動作等を行うのは困難なので、出入り口直近にスロープの傾斜面を設けることは避け、出入り口から1.5m四方以上の水平面を設ける。

⑤ 和室の床が一段高くなっているのは畳の厚さと洋室の仕上げ材の厚さに違いがあるためであり、洋室などに建具の下枠（くつずり）があるのは、室内外の床仕上げ材の違いを建築的に収める（見切る）ためや、すきま風防止のためである。

イ 次の①～⑤の記述の中で、その内容が最も不適切なものを一つだけ選び、解答用紙の所定欄にその番号をマークしなさい。

① 通常の洋式便器の便座高さは、370～390mm程度である。しかし、関節リウマチのために下肢の関節が十分に曲がらない場合や、立ち上がり動作時の関節への負担を軽減したい場合には、便座高さ450mm程度の身体障害者用便器に取り換えるなどにより便座高さを高くする。

② 車いす対応の洗面器は、薄型にして車いすを下部に入れやすくする。また、車いすのアームサポートとぶつからないように高さを工夫する。ただし、洗面器を高く設置しすぎると、腕が上がりすぎて洗面動作がしにくくなるなどの支障が生じやすい。一般に洗面カウンターの取り付け高さは、床面より720～760mm程度である。

③ 階段の手すりは、両側に設置することが難しい場合、一般的に下りる際の利き手側に手すりを設置する。手すりの取り付け高さは、階段踏面の中心から測って使用者の大腿骨大転子に合わせることを原則とする。その高さはおおむね750～800mmである。

④ 車いすを使用しての調理動作を考える場合、通常、使用する車いすに座った状態で膝高さ、アームサポートの高さなどを測り、膝入れスペースの奥行きや高さを決定する。キッチンカウンターの高さは740～800mm程度を目安とする。

⑤ 弱視の視覚障害者の場合には、一枚ガラスの大きな窓やドアは、何もないように見えるため、そのまま歩いていって衝突する危険性がある。ガラスがはめられていることに気

づくように、ガラスの右端から左端まで横に幅100mm以上の色テープを床面あるいは床面から1,400～1,600mmの位置に付けるのがよい。

ウ 次の①～⑤の記述の中で、その内容が最も不適切なものを一つだけ選び、解答用紙の所定欄にその番号をマークしなさい。

① 電気コンロは、五徳の突出がないので、鍋の滑らし移動やコンロ周辺の清掃が容易である。ただし、ガスコンロにも鍋の滑らし移動ができるようにコンロ部分が五徳の突起分だけ段落ちした製品も市販されている。

② 電気コンロには、電磁調理器や電気調理器がある。電気調理器は天板の加熱部分が熱せられる。鍋の種類は限定されないが、鍋底の断面が丸い形状のものは適さない。また、鍋を加熱部分から下ろした後も、数分間は余熱が残り天板加熱部分に触れるとやけどする危険性がある。

③ 電磁調理器は、鍋自体が発熱するので余熱は少ないが、鍋を下ろした直後の加熱部分は鍋からの余熱で熱くなっているため、やけどに注意する。使用できる鍋は電磁調理器（IHクッキングヒーター）対応のものに限られ、底の厚い重量のある鍋の使用となるので調理自体に支障をきたす場合があり、上肢の筋力が衰えている者には不向きといえる。

④ サポートバーは、立位が困難になった人が調理台などを使って作業をする場合、つかまったり、寄りかかったりして立位を保持できるように調理機器の前面に設置された握り棒、または寄りかかり棒である。いすに腰かけて調理を行う人もサポートバーの使用により立位で調理することができる。

⑤ 車いす使用者向け調理機器の場合には、シンク深さを通常の180～200mmのものから120～150mm程度の浅いものに変更すると膝を入れやすくなる。この場合、併せて泡沫水栓に水栓金具を変更し、水はね防止に配慮する必要がある。

エ 次の(a)～(e)の記述について適切なものを○、不適切なものを×としたとき、正しい組み合わせを①～⑤から一つだけ選び、解答用紙の所定欄にその番号をマークしなさい。

(a) 健常な高齢者の場合、段差が180mm以下の上がりがまちでは、上がりがまち際の壁面に縦手すりが１本設けてあれば昇降は容易である。

(b) 歩行レベルのパーキンソン病の場合、玄関の上がりがまち段差が大きければ式台を置き、手すりを設置する。スロープ上では身体のバランスをとりにくいので、段差解消にスロープの設置は適さない。

(c) 車いす使用者が屋内外とも同じ車いすを使用する場合、玄関スペースは、車いすが通行できるスペースと玄関戸の通行幅員が必要となる。玄関土間の奥行きは有効1,200mm以上を確保する。

(d) 車いす使用者が屋内外で異なる車いすを使用する場合、玄関部分に車いす2台分が置けるスペースが必要になる。玄関土間の間口は内法1,200mm以上確保する。

(e) 式台は、上がりがまち段差を等分にする寸法で考え、一段ずつ両足をそろえながら昇降する二足一段の昇降方法をとる場合には、式台の上に両足が同時にのせられるように奥行き、幅とも400mm以上が必要となる。

①	(a) ○	(b) ○	(c) ○	(d) ×	(e) ×
②	(a) ○	(b) ×	(c) ○	(d) ×	(e) ○
③	(a) ×	(b) ○	(c) ×	(d) ×	(e) ○
④	(a) ○	(b) ×	(c) ○	(d) ○	(e) ×
⑤	(a) ×	(b) ○	(c) ×	(d) ○	(e) ○

オ トイレの手すりに関する次の①～⑤の記述の中で、その内容が最も適切なものを一つだけ選び、解答用紙の所定欄にその番号をマークしなさい。

① 座位保持用の横手すりは、便器の中心線から左右に300mm振り分けた位置で左右対称の設置が基本となる。これは、ちょうど壁芯－芯間口3尺（910mm）のトイレに適合する寸法である。

② 座位保持用の横手すりの取付け高さは、車いすのアームサポート相当の高さで、便座面から220～250mm程度上方を基本とする。横手すりを可動式にすると便器へのアプローチや姿勢の保持に支障が生じることがあるので、両側とも固定とすることが望ましい。

③ 立ち座り用の縦手すりは、便器の先端より200～300mm程度前方の側面に設置する。縦手すりの上端は便座上の座位姿勢のときの肩の高さより100mm程度上方の高さまで、下端は横手すりの高さまでの長さが必要である。

④ 立ち座り用の縦手すりの長さは、800mm程度を目安とする。便器から立ち上がるとき、縦手すりの位置は、身体機能が低下するにつれて、便器から遠い位置かつ低い位置の方が使いやすくなる。

⑤ 手すりの直径は、力を入れやすく、かつ握りやすさを考慮して直径28～32mm程度と

する。手すりの材質は、樹脂被覆製や木製手すり、もしくは金属製手すりのように触感がよく、手になじむものがよい。

第8問 — 1 **都市計画法第９条に定める「用途地域」の種類と目的について、次の文中の［　］の部分に下記の語群から最も適切な用語を選び、解答用紙の所定欄にその番号をマークしなさい。**(各１点×５)

「主として、環境の悪化をもたらすおそれのない工業の利便の増進」のための地域は、［ア］である。

「住居の環境の保護」を目的とした地域は、［イ］である。ここには、百貨店等の大規模店舗や事務所の建築は制限される。ただし、税務署、郵便局、警察署、保健所などは規模にかかわらず建築できる。

「工業の利便の増進」を目的とした地域は、［ウ］である。ここには、住宅（共同住宅を含む）、高齢者施設、身体障害者施設は建築することができない。

「主として低層住宅に係る良好な住居の環境の保護」を目的とした地域は［エ］である。ここには、コンビニエンスストア、食堂のような小規模な店舗を建築することができる。

「道路の沿道として地域の特性にふさわしい業務の利便の増進と、これと調和した住居の環境の保護」を目的とした地域は［オ］である。ここには、比較的小規模な劇場、映画館、観覧場なども建築できる。

［語 群］

①住宅地高度利用地域　②準高度地域　③準工業地域
④防災街区整備地域　⑤第１種住居地域　⑥第２種住居地域
⑦第１種低層住居専用地域　⑧第２種低層住居専用地域　⑨工業専用地域
⑩工業地域　⑪第１種中高層住居専用地域　⑫第２種中高層住居専用地域
⑬近隣商業地域　⑭第１種風致地区　⑮第２種風致地区　⑯商工業地域
⑰準住居地域　⑱緑化地域　⑲美観地域　⑳商業地域

第8問 — 2 **次の文中の □ の部分に下記の語群から最も適切な用語を選び、解答用紙の所定欄にその番号をマークしなさい。**（各1点×5）

加齢による身体機能の低下などがあっても住み続けることが可能な住宅の建築を促進するため、1995（平成7）年、［ア］が建設省（現国土交通省）により策定された。床段差の解消、手すりの設置、［イ］の通行可能な廊下や出入り口が基本であり、［ウ］の融資と連動して住宅のバリアフリー化が進んだ。また、［エ］においては日本住宅性能表示基準の「高齢者等配慮対策等級」［オ］以上が、［ウ］基準の住宅とほぼ同様のバリアフリー住宅といえる。

[語群]

①ゴールドプラン　②新ゴールドプラン　③長寿社会対応住宅設計指針
④建築基準法
⑤バリアフリー法（高齢者、身体障害者等の移動等の円滑化の促進に関する法律）
⑥製造物責任法
⑦品確法（住宅の品質確保の促進等に関する法律）
⑧福祉用具法（福祉用具の研究開発及び普及の促進に関する法律）
⑨生活福祉資金　⑩（公財）テクノエイド協会　⑪高齢者住宅整備資金
⑫住宅金融公庫（現住宅金融支援機構）　⑬手動車いす
⑭自走用（自操用）車いす　⑮介助用車いす　⑯シャワー用車いす
⑰等級2　⑱等級3　⑲一般基準　⑳推奨基準

第9問　次の ア ～ オ の設問に答えなさい。（各２点×５）

ア 次の①～⑤の記述の中で、その内容が最も不適切なものを一つだけ選び、解答用紙の所定欄にその番号をマークしなさい。

① 木造住宅には、構造的にみて、除去できる壁と、筋かいなどが入って取り外せない壁がある。改修しようとする部分に上階部分がある場合は、壁や柱の撤去、移動は一般に困難である。ただし、他所に補強工事を行うことにより取り外しが可能となる場合がある。

② 尺貫法は、日本古来の長さ、重さと面積の単位である。現在のメートル法導入後、公式には廃止されているが、在来工法の木造住宅では柱間の芯－芯距離を尺貫法の一間または半間で割り付けている場合が多い。一間（６尺）は1,820mm、半間（３尺）は910mm、一坪は1.82m × 1.82m ≒ 3.3m²である。

③ 柱間の基準寸法を910mmにしたとき、廊下の内法寸法は、最大で750mmである。この幅員の廊下で介助用車いすやシャワー用車いすが直角に曲がって建具を通行しようとするとき、建具の有効幅員は700mm以上を必要とする。

④ 布基礎は、土台下の部分に、コンクリートで基礎を線状に敷設する、建築物の基礎の一種である。これに対し、べた基礎は、建築物全体を面として地盤で支持する。布基礎と比較して土の中の湿気が建物床に上がりにくく、防湿にすぐれている。

⑤ 在来工法は、これまでわが国で一般的に普及してきた、柱・梁などによる軸組みを主体とする工法である。枠組み壁工法は、パネル状の平板を組み立てて構成する工法である。工期が比較的早く、施工が簡便である。壁自体に上階や屋根の荷重がかかるため、窓や出入り口などの開口部を大きくとれず、高層には向かない。

イ 次の①～⑤の記述の中で、その内容が最も不適切なものを一つだけ選び、解答用紙の所定欄にその番号をマークしなさい。

① 建築基準法の目的において規定されている内容は、建築物が備えるべき要件の最低限の条件であり、高齢者や障害者等の利用を考慮した規定については、建築基準法ではほとんど言及されていなかった。しかし、最近改訂された建築基準法では、高齢者や障害者等にとって利用しやすい住宅とすべき規定が盛り込まれた。

② 建築基準法には、集団規定と単体規定、さらに制度規定がある。「建築物のある周辺の環境を良好に保つために、地域全体の中で良好な環境を維持するよう、個々の建物の用途や高さ、容積などを制限する」規定を集団規定という。

③ 都市計画区域内では、道路に接していない敷地には、建築物を建てることはできない。道路とは、幅員が4m以上のものをいい、また、敷地は道路に2m以上接している必要がある。既存の道路で、特別に指定されたものについては、4m未満でも道路とみなされることがある。この規定により指定を受けた道路では、道路の中心線から2mずつまでは、自分の敷地であっても建築物を建築することはできない。

④ 都道府県は、都市計画法第5条により、総合的に整備開発保全の必要のある区域を都市計画区域として指定することになっている。この都市計画区域の一つである、「市街化調整区域」は、市街化されることを「抑制する」区域であり、むやみに開発などが行われないように規定している。この規定により指定された時点で、すでに建っていた住宅などは建て替えることができるが、原則として建築物を建てることはできない。

⑤ 防火地域および準防火地域は、市街地において、火災による危険から建物を守ることを目的としている。これらの地域内に建つ建築物は、建築物自体の耐火性能、外装や内装、防火のための区画や設備、隣接する建築物との間隔などの制限を受ける。防火地域のほうが、準防火地域よりもこうした建築物を建てるうえでの制限がより大きい。

ウ 次の①～⑤の記述の中で、その内容が最も不適切なものを一つだけ選び、解答用紙の所定欄にその番号をマークしなさい。

① 建築基準法では、木造2階建て住宅において、コンロを使用して調理を行う台所を設けるときは、壁と天井の仕上げ材を不燃材料、もしくは準不燃材料などとしなければならない。ただし、2階部分に台所を設けるときは、この限りではない。

② 居室では換気のための有効な開口部を、居室床面積の1/20以上にしなければならないと、建築基準法では定められている。また、火気を使用する部屋は、換気設備が必要である。ただし、床面積の合計が100m²以内の住宅、または住戸に設けられた調理室で、調理室の床面積の1/10以上の換気上有効な開口部（ただし0.8m²以上）があり、発熱量の合計が12kW以下の場合には換気設備の必要はない。

③ 建築基準法によって、階段の蹴上げと踏面の寸法は、建築物の種類によって規定されている。住宅の階段は、蹴上げは230mm以下、踏面は150mm以上である。この基準を満たしていれば、高齢者の昇降には、ほとんど支障がない。

④ 建築基準法では、安全に階段を利用できるという観点から、階段には手すりを取り付けなければならないとされている。また、住宅では階段の幅員は750mm以上と規定されている。階段幅の算定においては、手すり等の壁からの出幅（壁からの距離）が100mm以内であれば、手すりがないものとみなして階段幅を算定できる。

⑤ 建築物の外壁は、隣地境界線から少なくとも50cmあけておくことが、民法によって定められている。ただし、周辺の状況や地域の慣習によっては、これ以下であってもよいという例外も同法において認められている。

エ 次の(a)～(e)の記述について適切なものを○、不適切なものを×としたとき、正しい組み合わせを①～⑤から一つだけ選び、解答用紙の所定欄にその番号をマークしなさい。

(a) 住宅への給水管は、引き込みの長さができるだけ短くなるように、給水栓の必要な場所に最も近い、敷地外配管に接続する。したがって、通常の住宅では複数箇所に敷地外からの配管引き込み口がある。

(b) 洗い落とし式便器とは、水の落差による流水作用で汚物を押し流す方式である。便器自体は比較的コンパクトであるが、水を流す音が大きい。また、水のたまっている表面積が小さく、汚物が付着する場合がある。しかし、最も普及していて、価格も比較的安価である。これに対しサイホン式便器とは、サイホン作用で汚物を吸い込むように排出する便器である。必要水量が多いが、最近では水量節約型も開発されている。水を流す音は比較的静かである。

(c) 従来の標準型便器と比較して、大型タイプの便器が販売されている。各メーカーにおいては、標準型便器は「レギュラーサイズ」、大型便器は「エロンゲートサイズ」と呼称されていることが多い。こうした大型便器は、標準型と比較して奥行き方向の大きさや、便器の穴の長さが30～40mm程度長く、便座形状も比較的大きくつくられている。

(d) 最近の住宅では、給湯設備のボイラーを室内に設置する型が多いため、一酸化炭素中毒や酸素欠乏の防止の観点から、一定時間以上の継続使用の制限をしたり、空だき防止のためには空だき防止装置の設置など、高齢者にとって安全性の高いものを選択する。

(e) 脊髄や神経系に外傷や疾患をもつ者、特に脊髄損傷者などの四肢や下肢に障害のある者は、外気温の変化に適応することが難しいとされている。麻痺した部位は体温調節ができなくなり、そうした部位が広いほど身体への影響は大きくなる。身体的な負担を軽減するために、冷暖房機器の導入が必要である。温風や冷風は直接身体にあたるほうが保温や冷却などの効率がよいため取り付け位置に留意する。

①	(a) ×	(b) ○	(c) ×	(d) ○	(e) ×
②	(a) ○	(b) ×	(c) ×	(d) ×	(e) ○
③	(a) ○	(b) ×	(c) ×	(d) ○	(e) ○
④	(a) ×	(b) ○	(c) ○	(d) ×	(e) ×
⑤	(a) ○	(b) ○	(c) ○	(d) ×	(e) ×

オ 次の①～⑤の記述の中で、その内容が最も適切なものを一つだけ選び、解答用紙の所定欄にその番号をマークしなさい。

① 住宅の建築における木工事は、基礎部分が完成した後、木材が工事現場に搬入され、組み立てられる。最近では携帯型の電動工具が発達したため、材料は工事現場で切断・加工されることが多い。周辺道路が広いとクレーン車を導入して組み立てが行えるので効率がよく、コストの点でも有利である。

② 住宅建築における人件費の占める割合は、工事費全体の25％程度である。また、建設にかかる人件費の単価は、全国的にみてほぼ一定である。よって住宅建築の費用は、同じ内容の建築物であれば、地域による差はほとんどない。

③ 見積は一般に、施主側が複数の施工者（建設会社や工務店等）に依頼することになる。見積書は、専門的知識をもつ者が相当の時間をかけて作成するため、施主側に時間と費用負担が生じることから、小工事においては、見積書は必要ではない。

④ 木造の住宅建築における1 m^2あたりの単価で比較すると、同じ延べ面積であれば、2階建て住宅のほうが、平屋建て（1階建て）より割安である。また、同じ2階建てであっても、総2階建てのほうが一部2階建てよりも割安である。

⑤ 仕上げ工事の中の左官工事とは、京壁などいわゆる塗り壁による仕上げのほか、壁面の下地としてのラスモルタル塗りなどがある。最近では一般住宅において、新建材などが多用されるようになったため、外壁塗装、内外装塗装などの塗装工事は減少しているが、左官工事はむしろ増加している。

第10問　次のア～オの設問に答えなさい。（各2点×5）

ア　次の①～⑤の記述の中で、その内容が最も不適切なものを一つだけ選び、解答用紙の所定欄にその番号をマークしなさい。

① 国際標準化機構（ISO）では、リハビリテーション機器に関して各専門分科会に分かれて、各機器システムの標準化を行っている。わが国では、ISO分類をもとにした福祉用具分類コードを（公財）テクノエイド協会において作成しており、福祉用具情報システム（TAIS）として、内容をまとめている。

② 障害者自立支援法の日常生活用具給付等事業における日常生活用具の役割は、重度身体障害者が居宅で使用することにより、在宅での自立とQOLの向上を図る。そして、主として介護者が介護のために使用することにより、重度身体障害者の在宅生活を継続し、社会参加を実現することである。

③ 福祉用具の製作または、性能基準においては、棒状杖、簡易便器・腰かけ便座などに日本産業規格（JIS）が設けられている。そのほかには「消費生活用製品安全法」に基づき、製品安全協会が策定した認定基準に適合していることを示すSGマーク制度がある。介護保険法によって対象となる福祉用具（貸与、ならびに購入費等の支給）のほとんどの品目が、認定の対象となっている。

④ 福祉用具に類する用語は、1993（平成５）年に厚生省（現厚生労働省）と通商産業省（現経済産業省）により「福祉用具の研究開発及び普及の促進に関する法律」（福祉用具法）が制定され、行政的には福祉用具という用語に統一された。この法律はまた、福祉用具の研究開発および普及のための基盤整備により、福祉用具の研究開発促進と適切な普及を目的としている。

⑤ 福祉用具専門相談員とは、福祉用具の研究開発、および普及の促進に関し、高齢者や心身障害者の日常生活のための便宜を図る用具、機能訓練のための用具、補装具等を適切に利用者の需要に合うように相談に応じる者をいう。介護保険制度においては、福祉用具貸与事業を行う指定事業者には、福祉用具専門相談員の配置が必要である。

イ 次の(a)〜(e)の記述について適切なものを○、不適切なものを×としたとき、正しい組み合わせを①〜⑤から一つだけ選び、解答用紙の所定欄にその番号をマークしなさい。

(a) 図1は、歩行器と歩行車を併せた機能をもち、前の脚部に車輪が付いているため、握り部分を軽く保持し前方へ押し出すことで歩行は可能となる。歩行の耐久性が低い場合に用いられ、多くは杖歩行への移行の前段階として用いられる。また段差のある住宅内においても、この歩行器を使用して住宅内の移動を自立させている者も多い。

(b) 図2は、歩行器全体を持ち上げなくても、握り部分を保持して左右交互に押し出すことによって前方に進むことができ、この場合フレームを持ち上げる必要がない。この歩行器は、片麻痺では多くの場合適応とならない。

(c) 図3は、フレーム自体が変形しない。この歩行器は、握力の低下や肩、肘の支持や動きが十分でない場合にも適応となる。車輪が付いていないので、段差のある住宅内でも、杖の代わりに使用されることも多い。

(d) 図4は、安定性も高く、歩行の耐久性を向上させるなどの理由から、施設内で初期の歩行訓練に用いられることが多い。歩行器と比較して小型軽量なため、住宅内のように狭い通路等においてもよく利用されている。

(e) 図5は、支持面積が広く、手もとにブレーキが付いていて、握りの把手の部分を引き伸ばすことにより、高さ調整が可能となる機種が多い。前にカゴが付いている機種もある。左右のハンドルレバーでブレーキ操作ができ、主に屋外で使用される。片方に体重がかかりやすい重度の片麻痺者には適応とならない。

①	(a) ×	(b) ○	(c) ×	(d) ×	(e) ○
②	(a) ×	(b) ○	(c) ○	(d) ○	(e) ×
③	(a) ○	(b) ○	(c) ○	(d) ×	(e) ×
④	(a) ○	(b) ×	(c) ×	(d) ○	(e) ×
⑤	(a) ×	(b) ×	(c) ○	(d) ×	(e) ○

図1

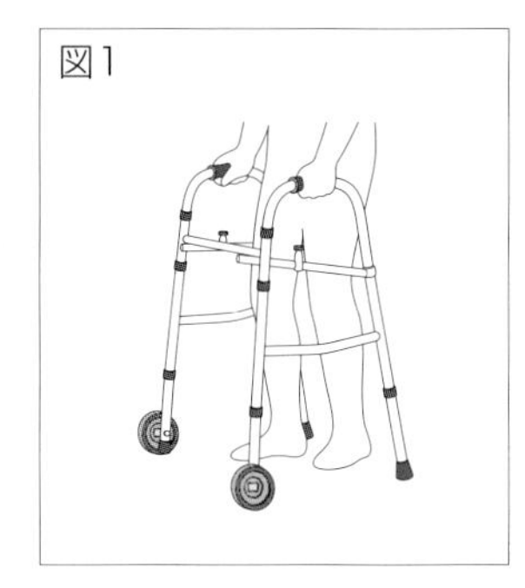

図2

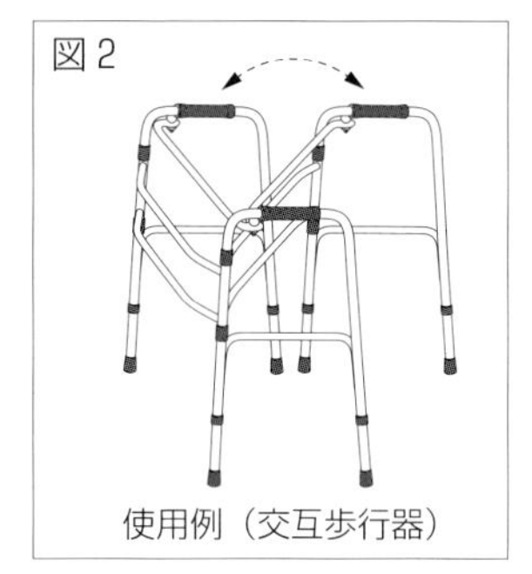

使用例（交互歩行器）

図3

図4

図5

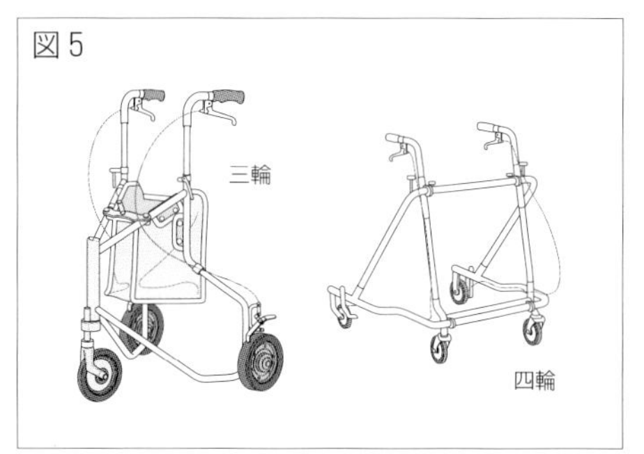

ウ 次の(a)～(e)の記述について適切なものを○、不適切なものを×としたとき、正しい組み合わせを①～⑤から一つだけ選び、解答用紙の所定欄にその番号をマークしなさい。

(a) 下肢装具のうち長下肢装具、短下肢装具は、立位保持、体重支持、歩行機能の改善を目的として用いられる。短下肢装具は、脳血管障害などにより、下肢に運動麻痺がある場合、尖足防止や下肢の支持性を高めるために足関節を固定する装具である。

(b) 体幹装具とは、首から腰にかけての部位に装着する装具のことで、その目的は、主に体重の支持、運動の抑制および固定などで、変形の矯正を目的として用いられることもある。

(c) 上肢装具は、筋力の低下を補うもの、可動域を改善するためのもの、変形を矯正し、手指の機能を保持するものなどがある。骨折等により、一定の位置で肘を固定したり、正しい位置関係で屈伸運動を行えるように用いるものを肘装具という。

(d) スチール製ベッドの基本構造は、背上げ、脚上げ部分ごとのボトム（底部）に分かれ、シャフト（軸）で連動するようになっている。脚部には、ベッドを移動させるときのクランクハンドルが付いている。現在、在宅において使用するベッドは、背上げ機能の付いた特殊寝台が一般的に普及していて、ベッド主要構造部分の材質は、現在ではスチール製が主流になっている。

(e) ベッドの横に取り付けられている「サイドレール」は、移乗や介助の際にじゃまにならないように、一般的には差し込み式で、取り外し可能なものであるが、折りたたみ式サイドレールもある。これらは、利用者の転落防止と寝具の落下防止などの働きをもつ。

①	(a) ×	(b) ○	(c) ×	(d) ×	(e) ○
②	(a) ○	(b) ×	(c) ○	(d) ○	(e) ×
③	(a) ○	(b) ○	(c) ○	(d) ×	(e) ○
④	(a) ○	(b) ×	(c) ×	(d) ○	(e) ○
⑤	(a) ×	(b) ○	(c) ○	(d) ×	(e) ○

エ 図のような、天井の高さが異なる室内における建築基準法上の天井高さとして、正しいものを次の①～⑤の中から一つだけ選び、解答用紙の所定欄にその番号をマークしなさい。ただし、部屋の奥行きは一定であり、奥行きによる天井高さの変化はないものとする。

① 2,000mm
② 2,100mm
③ 3,000mm
④ 3,500mm
⑤ 3,600mm

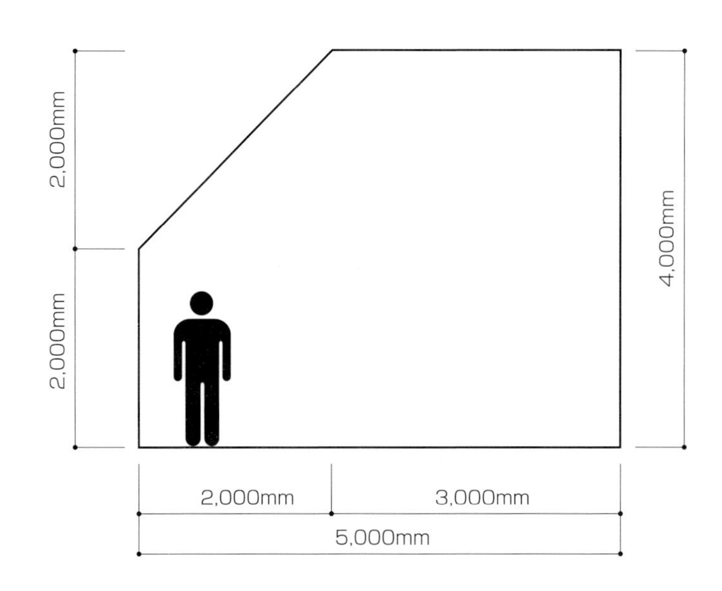

オ 図に示すような断面をもつ建築物の、1階、2階それぞれの窓の採光に有効な面積を求めるための採光補正係数を求める算定式として、正しいものの組み合わせを次の①～⑤から一つだけ選び、解答用紙の所定欄にその番号をマークしなさい。ただし、隣地には、住宅が建っているものとする。また、この地域は、「第1種低層住居専用地域」とする。

① 1階 $\frac{1.8}{1.2}\times 6-1.4$　　2階 $\frac{4.3}{1.2}\times 6-1.4$

② 1階 $\frac{4.0}{1.2}\times 6-1.4$　　2階 $\frac{1.5}{1.2}\times 6-1.4$

③ 1階 $\frac{1.8}{1.2}\times 6-1.4$　　2階 $\frac{1.5}{1.2}\times 6-1.4$

④ 1階 $\frac{1.2}{1.8}\times 6-1.4$　　2階 $\frac{1.2}{4.3}\times 6-1.4$

⑤ 1階 $\frac{1.2}{4.0}\times 6-1.4$　　2階 $\frac{1.2}{1.5}\times 6-1.4$

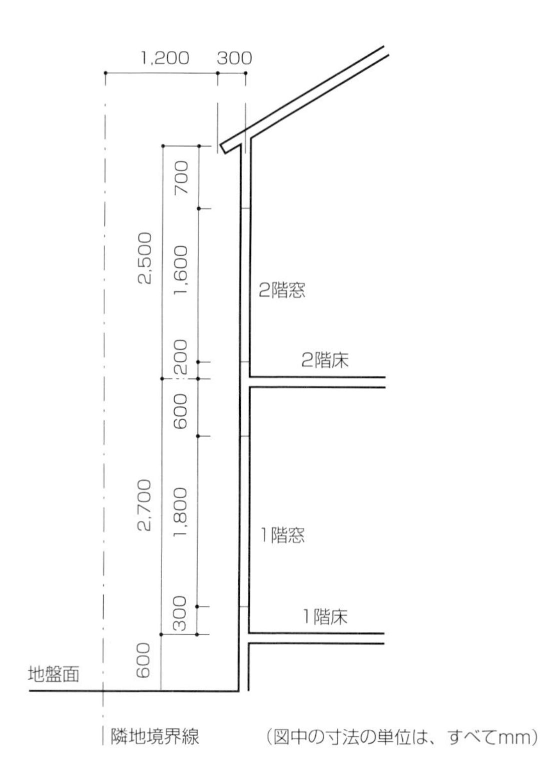

(図中の寸法の単位は、すべてmm)

解答・解説

■第1問■

ア　正解4

④　不適切。廊下、階段、開口部等の幅員を通常910mm（3尺）とする3尺モジュールの伝統的住宅は、介助を必要とする高齢者や車いすなどを使用する高齢者や障害者の移動の際、通過するために十分な有効幅員がとれず、住みづらい。

イ　正解2

②　不適切。全体として正しいが、方針決定の結果を本人および家族に報告することは義務づけられていない。

ウ　正解5

⑤　不適切。住環境整備の方針のうち、福祉用具の活用は、工事を伴わないことが多い。

エ　正解3

③　不適切。医療機関からの本人に関する適切な情報と家族の意見の両方を尊重して、方針を十分に検討するようにしたい。

オ　正解2

①　不適切。相談者のこれまでの生活、生い立ち等も十分に参考にして、「個別的、全人的な人間理解」の仕方を身につけていくことが必要である。

②　適切。設問のとおり。

③　不適切。相談者の話した内容を一部反復することにより、傾聴の意志を表示すると同時に、重要なポイントの意識化を喚起したり、相談者の話を簡潔に要約し、確認することが必要である。

④　不適切。年齢、性別、障害の内容と程度が同じであっても、一人として同じ相談内容はないことを念頭において対応する。

⑤　不適切。白内障をもつ高齢者の場合、明るい窓際に向かって座ると、まぶしい思いをすることになるので注意する。

■第2問■

ア　正解5

⑤　不適切。前段は正しいが、既設の洋式便器への洗浄機能付便座を付加することは、給付の対象とはならない。

イ　正解3

③　不適切。熱傷で神経や筋が損傷を受けることがあるが、外傷であり、疾患ではない。

ウ　正解3

③　不適切。METsの3～4レベルでは、10kg程度の荷物を背負って平地を歩く日常労作である。

エ　正解3

③　不適切。電気配線の変更工事は新築時より高額になる。またドアの開閉方向の変更は枠などの外観に影響を与える。これらは新築時に配慮しておくべきである。

オ　正解4

①　不適切。脊髄神経は一つの束としてではなく、脊椎のそれぞれの間から左右に延びている。

②　不適切。腰椎の神経髄節は5対からなる。

③　不適切。第４頸髄損傷の運動機能は、肩甲骨を上げられるレベルである。肩と肘の一部が動かせるのは、第５頸髄損傷である。

④　適切。設問のとおり。

⑤　不適切。第１胸髄損傷では、短下肢装具はおろか、長下肢装具でも歩行できない。

■第3問■

1　正解　ア 7　イ 1　ウ 9　エ 15　オ 14

エ　福祉用具の貸与は訪問看護と同様に、国保連が支払い請求に応じる。住宅改修の場合は市区町村である。

2　正解　ア 2　イ 3　ウ 1　エ 3　オ 4

イ　交感神経は、非常事態などの興奮時に働く神経系。

ウ　糖が排出されるのは正常な状態ではない。過剰に摂取されたビタミンは排出される。二酸化炭素は肺から呼気として排出される。

エ　焦燥感、閉塞感は心理的な問題。

■第4問■

ア　正解 5

①　不適切。障害が重度になると、酸素摂取量が減少するため、階段などでは息が切れてしまう。

②　不適切。喫煙やアルコールは多大な影響を与え、習慣性が強いので、自由な選択に委ねると、過剰に摂取しがちである。

③　不適切。動かすことが危険なこともあるので、すぐ病院に連れて行くことよりも、かかりつけ医師と連絡を取り、指示の元で連れて行くほうがよい。

④　不適切。住環境の整備は、健康の維持やストレスの低下、負担の軽減に有効である。

⑤　適切。設問のとおり。

イ　正解 2

②　不適切。経管栄養は小腸機能障害ではなく、咀嚼や嚥下できない人に用いる。ベッド上での座位でもよい。

ウ　正解 1

①　適切。設問のとおり。

②　不適切。積極的な機能回復訓練だけでなく、住環境整備も重要である。

③　不適切。平衡感覚が低下し、バランスを崩しやすくなる。

④　不適切。高齢者に最も多いのは脊椎圧迫骨折である。人工関節置換術は脊椎圧迫骨折には適用されない。

⑤　不適切。毛足の長いジュータンではキャスターが動かないので、床仕上げはフローリングなどを選択する。

エ　正解 4

④　不適切。日常生活での危険が増加する傾向になっているので、段差を解消し、徘徊時にも転倒や転落が起こりにくい安全な環境にする。

オ　正解 5

①　不適切。末梢神経障害を伴う場合は、知的機能は低下しない。感覚機能が低下する。

②　不適切。知覚鈍麻の症状がある場合には、湯たんぽや電気あんかなどの使用は、低温火傷を生じやすい。

③　不適切。照明器具は、部屋全体を照ら

す全体照明と必要部分を照らす局所照明を組み合わせて、必要な明るさを確保する。ムラのある照明は問題。

④　不適切。糖尿病による知覚障害でバランス能力が低下するとは考えにくい。下肢切断などに達していない状況では、歩行や段差昇降ができないわけではないので、段差解消機が必要とは思われない。

⑤　適切。設問のとおり。

■第5-1問■

ア　正解3

③　不適切。症状が一日のうちでも変動するので、運動活動性の低い状態を基本として対応方法を検討する。また、進行性の疾患なので、将来の機能低下にも配慮する。

イ　正解4

①　不適切。明らかに間違い。

②　不適切。浴槽へ一人で入れるレベルでないし、そのようなプランでもない。

③　不適切。2と同様に、バスボードでの入浴には、介助者が必要となることが多い。

④　適切。

⑤　不適切。小柄で腰痛症をもった妻一人で介助するプランを立てるべきでない。

ウ　正解5

⑤　不適切。リフト導入に否定的な本人の考えを無視した提案をしている。

エ　正解5

⑤　不適切。固定式リフトは上下できる場所と昇降する高さが限られている。

オ　正解5

⑤　不適切。住宅改修工事後や福祉用具の使用開始後しばらくの間は、時々電話をかけたり、訪問調査を行って、住環境整備がうまく機能しているかどうかの確認を行う必要がある。また、身体機能の変化だけでなく、生活上の変化が生じたときに、積極的に福祉住環境コーディネーターの方からフォローアップのアプローチをするべきである。

■第5-2問■

ア　正解2

①　不適切。右片麻痺は脳の左側の障害なので、言語中枢に障害が生じやすい。

②　適切。設問のとおり。

③　不適切。麻痺は進行性ではないが、加齢とともに機能低下が予測されるので、住環境整備の必要性は高い。

④　不適切。手すりの取り付け、式台を設けるなどの住環境整備による効果は現れやすい。

⑤　不適切。Aさんの言語障害は、脳血管障害による左側頭葉の機能障害が生じているためで、ここは言語野という言語をつかさどる中枢があるため、言葉が出てこない失語が生じることがある。つまり、中枢性の障害であり、呼吸機能や声帯、咽頭、口蓋など発声発語器官の障害が原因ではない。

イ　正解1

①　適切。設問のとおり。

②　不適切。これは脊髄損傷者についての記述。片側麻痺の場合は膀胱周囲の筋への神経支配は完全に失われてはいないので、カテーテルの留置は必要ない。

③　不適切。温度感覚などに感覚障害を生

じるので、配慮が必要。

④　不適切。言語障害は、コミュニケーションの障害となり得る程度と考えられる。

⑤　不適切。脳血管性の認知症は再発などがなければ、それ自体は進行しない。

ウ　正解4

①　不適切。10cm以下でも手すりの設置が必要となることが多い。

②　不適切。場合によっては、立位のままや座位にて昇降する段差解消機を設置することも適切である。

③　不適切。縦手すりの位置は、便器の先端から10cmでは近すぎる。20～30cmの位置を目安に取り付けるとよい。

④　適切。設問のとおり。

⑤　不適切。洋式浴槽は浅いので出入りはしやすいが、浴槽に入ったときに寝そべる姿勢になるので、身体が不安定になる。和洋折衷式を選ぶ。

エ　正解5

①　不適切。浴槽への出入が完全に自立できるとはいいがたい。

②　不適切。左手の機能にも制限があるので、自助具などを考慮する必要がある。

③　不適切。片手だけの動作になるので、食器の保持や安定に工夫や介助が必要になる。

④　不適切。屋外では、車いすのほうが安定して移動できる。

⑤　適切。設問のとおり。

オ　正解3

①　不適切。外出による心理面の効果が期待できるので、積極的に外出すべきである。

②　不適切。同居することを勧めるなど、家族関係にまで立ち入るべきでない。

③　適切。設問のとおり。

④　不適切。年齢やこれまでの経過からみて大幅な改善は期待できない。現状を受け入れて、在宅生活の中での機能維持や向上を図るほうがよい。

⑤　不適切。築後20年では、建て替えを勧めるべきではない。

■第6問■

ア　正解4

④　不適切。車いすと便器の間は、できるだけ接近させるようにする。

イ　正解4

④　不適切。周囲の雑音だけでなく、反響の過多や会話の速度も重要である。難聴者の騒音レベルは、周囲と15dB以上の差がないといけないとされているので、10dBでは不十分。

ウ　正解3

③　不適切。自立目的の住環境整備を行っても、病気の進行は止められず、機能の維持はできない。

エ　正解5

(a) 適切。設問のとおり。

(b) 不適切。自宅玄関などに取り付けた受信機からメロディーや音声が流れる装置である。

(c) 適切。設問のとおり。

(d) 不適切。ティッピングレバーは、グリップハンドル式のバーではなく、介助者が足でバーを踏み込み、ハンドグリップを押し下げることで、車いすの前輪を持ち上げて前進するためのものである。

(e) 不適切。パンチング型グレーチングは、水を効率的に排水溝に落下させないので、出入口には不向きである。

したがって、(a) ○、(b) ×、(c) ○、(d) ×、(e) ×となり、⑤が正解。

オ　正解5

⑤　不適切。つやがあり反射率が高い仕上げ材だとグレアを生じ、かえって見づらくなる。

■第7問■

ア　正解2

②　不適切。建築物の地盤面は、これに接する周囲の道路面より高くしなければならない。

イ　正解3

③　不適切。階段用手すりは階段の段鼻から測って、使用者の大腿骨大転子に合わせた高さに取り付けることを原則としている。

ウ　正解4

④　不適切。いすに腰掛けて調理をする人がサポートバーで立位姿勢を保持できるようにはならない。

エ　正解1

(a) 適切。設問のとおり。

(b) 適切。設問のとおり。

(c) 適切。設問のとおり。

(d) 不適切。玄関土間の間口は、最低でも有効寸法1,650mmを確保する。

(e) 不適切。両足が同時に乗せられる500mm以上の幅が必要である。

したがって、(a) ○、(b) ○、(c) ○、(d) ×、(e) ×となり、①が正解。

オ　正解4

①　不適切。便器の中心線から左右に350mm振り分けた位置で左右対称の位置が基本となる。

②　不適切。横手すりを両側とも固定すると、高齢者や障害者の便器へのアプローチや介助に支障が生じるので、片方は可動式手すりとする。

③　不適切。縦手すりの上端は、立位姿勢の肩の高さより100mm程度上方まで必要とする。

④　適切。設問のとおり。

⑤　不適切。手すりの材質は、樹脂被覆製または木製手すりのように触感がよく、手になじむものがよい。金属製手すりは冷たく感じるので好ましくない。

■第8問■

1　正解　ア 3　イ 5　ウ 9　エ 8　オ 17

2　正解　ア 3　イ 15　ウ 12　エ 7　オ 18

■第9問■

ア　正解3

③　不適切。柱の芯－芯が910mmのとき、105mm角柱の場合、内－内が805mmになり、そこに12.5mm厚の壁材を柱面に直貼りしたときに、廊下の内法寸法は、最大で780mmとなる。

イ　正解1

①　不適切。現行の建築基準法では、高齢者や障害者などの利用を考慮した詳細な規定については盛り込まれていない。

ウ　正解3

③　不適切。規定されている階段はかなり急勾配なので、高齢者には危険を伴う。

エ　正解4

(a) 不適切。給水口はメーターの関係で、一箇所からの引き込みとなる。

(b) 適切。設問のとおり。

(c) 適切。設問のとおり。

(d) 不適切。給湯設備のボイラーは室外に設置する型が多く、一酸化炭素中毒や酸素欠乏の防止、空だき防止など、従来の機器と比較して、安全性は高まっている。

(e) 不適切。温風や冷風が身体に直接あたると負担が大きいので、取り付け位置に留意する。

したがって、(a) ×、(b) ○、(c) ○、(d) ×、(e) ×となり、④が正解。

オ　正解4

①　不適切。材料はあらかじめ工場で切断・加工された状態で搬入されてくることが多い。

②　不適切。通常、住宅建設における人件費の単価や工事費用全体も地域差が大きい。

③　不適切。時間と費用負担は生じるが、小工事であっても見積書をとることは必要。

④　適切。設問のとおり。

⑤　不適切。最近では、室内壁や外壁に新建材が多用されるため、一般住宅において、左官工事もしだいに少なくなっている。

第10問

ア　正解3

③　不適切。介護保険制度の対象品目のほとんどは、SG認定の対象になっていない。

イ　正解1

(a) 不適切。二輪付き歩行器は比較的広く、段差のない場所が使用条件となる。

(b) 適切。設問のとおり。

(c) 不適切。固定式歩行器は、握力の低下や肩、肘の支持や動きが十分でない場合には、適応困難となる。

(d) 不適切。歩行器と比較しても大型のため、住宅内では段差や居室内の狭さが問題となり、一般的に導入は困難である。

(e) 適切。設問のとおり。

したがって、(a) ×、(b) ○、(c) ×、(d) ×、(e) ○となり、①が正解。

ウ　正解3

(a) 適切。設問のとおり。

(b) 適切。設問のとおり。

(c) 適切。設問のとおり。

(d) 不適切。クランクハンドルは移動のためのものではない。ベッドを移動させるときのキャスターが脚部についている。

(e) 適切。設問のとおり。

したがって、(a) ○、(b) ○、(c) ○、(d) ×、(e) ○となり、③が正解。

エ　正解5

天井高は、部屋の体積÷部屋の床面積で求める。

奥行きに変化はないので、断面積÷底辺の長さで求める。

ここでは、

$\{4 \times 3 + (2 + 4) \times 2 \div 2\} \div 5$

$= 18 \div 5 = 3.6$

したがって、正解は⑤の3,600mm。

オ　正解5

有効採光面積の算定は、建物の開口部の

直線上にある庇等の建築物の部分から隣地境界線までの距離（D）と、それぞれの部分から窓の中心までの垂直距離（1階部分H_1、2階部分H_2）により、採光補正係数を求める。図より、

隣地境界線までの距離D＝1.2m、

1階部分$H_1 = 2.5+0.6+1.8 \div 2 = 4.0$m、

2階部分$H_2 = 0.7+1.6 \div 2 = 1.5$m

となる。

第1種低層住居専用地域（住居系地域）の採光補正係数は、

$\frac{D}{H} \times 6 - 1.4$なので、

1階部分の採光補正係数は、

$$\frac{D}{H_1} \times 6 - 1.4 = \frac{1.2}{4.0} \times 6 - 1.4 = 0.4$$

2階部分の採光補正係数は、

$$\frac{D}{H_2} \times 6 - 1.4 = \frac{1.2}{1.5} \times 6 - 1.4 = 3.4$$

したがって、⑤の式が正しい。

◇監修者略歴◇

相良二朗（さがら じろう）

神戸芸術工科大学芸術工学部学部長、プロダクト・インテリアデザイン学科教授。兵庫県社会福祉事業団県立福祉のまちづくり研究所参与。有限会社住まいと道具研究所代表取締役。芸術工学会理事、国際ユニヴァーサルデザイン協議会理事。

1977年、九州芸術工科大学芸術工学部工業設計学科卒業。1998年まで社会福祉法人兵庫県社会福祉事業団に在籍し、総合リハビリテーションセンター生活科学課、福祉のまちづくり工学研究所主任研究員。1998年に住まいと道具研究所を設立し、2000年より神戸芸術工科大学プロダクトデザイン学科助教授、2004年より同教授。

主な著書・共著に、『基礎福祉工学』（コロナ社）、『最新介護福祉論4リハビリテーション』（メヂカルフレンド社）、『住環境のバリアフリーデザインブック』（彰国社）、『生活の現場における移動の援助』（医歯薬出版）などがある。

本書の内容に関するお問い合わせは、**書名、発行年月日、該当ページを明記**の上、書面、FAX、お問い合わせフォームにて、当社編集部宛にお送りください。**電話によるお問い合わせはお受けしておりません。**
また、本書の範囲を超えるご質問等にもお答えできませんので、あらかじめご了承ください。

FAX：03－3831－0902

お問い合わせフォーム：http://www.shin-sei.co.jp/np/contact-form3.html

落丁･乱丁のあった場合は、送料当社負担でお取替えいたします。当社営業部宛にお送りください。

福祉住環境コーディネーター2･3級ポイントレッスン

2022年 6 月25日　改訂第9版第1刷発行

監修者　相良二朗
発行者　富永靖弘
印刷所　公和印刷株式会社

発行所　東京都台東区 台東２丁目24　株式会社　新星出版社
〒110-0016 ☎03(3831)0743

ISBN978-4-405-01265-3